新日本刀の鑑定入門

～刃文と銘と真偽～

広井雄一
飯田一雄
著

刀剣春秋

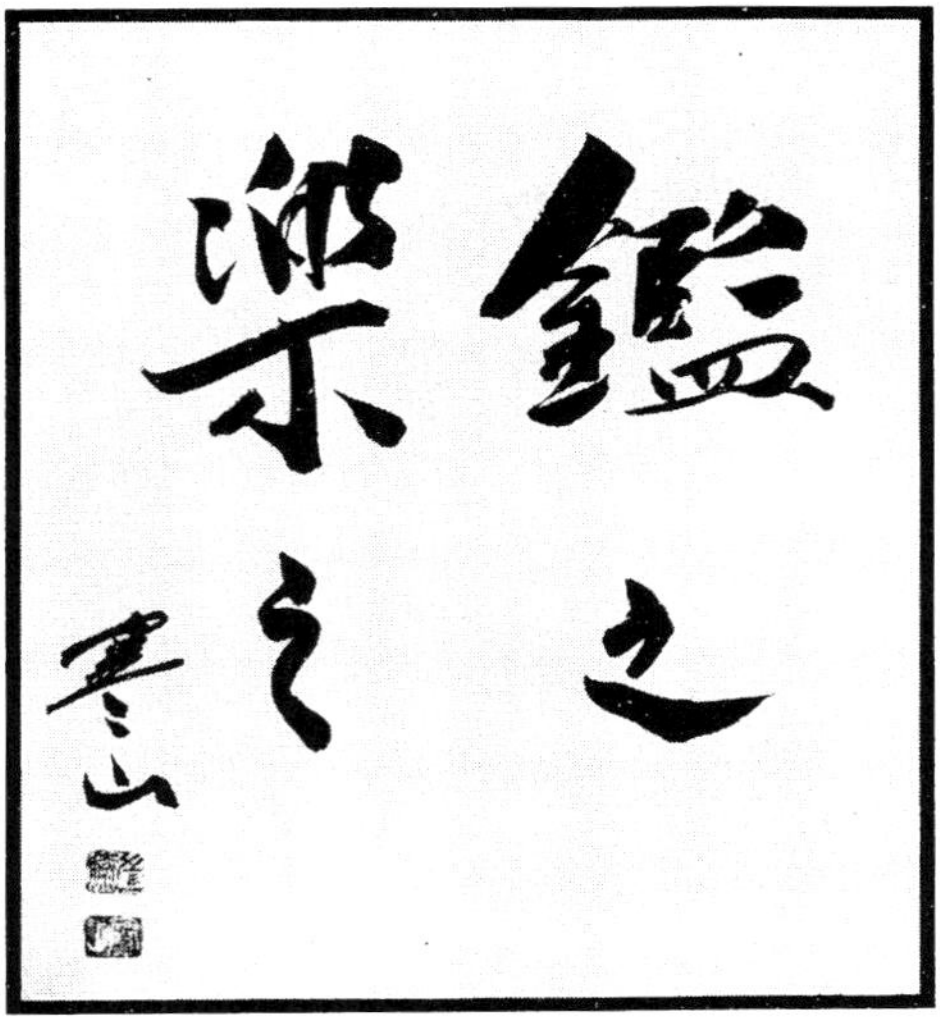
鑑之
楽之
寒山

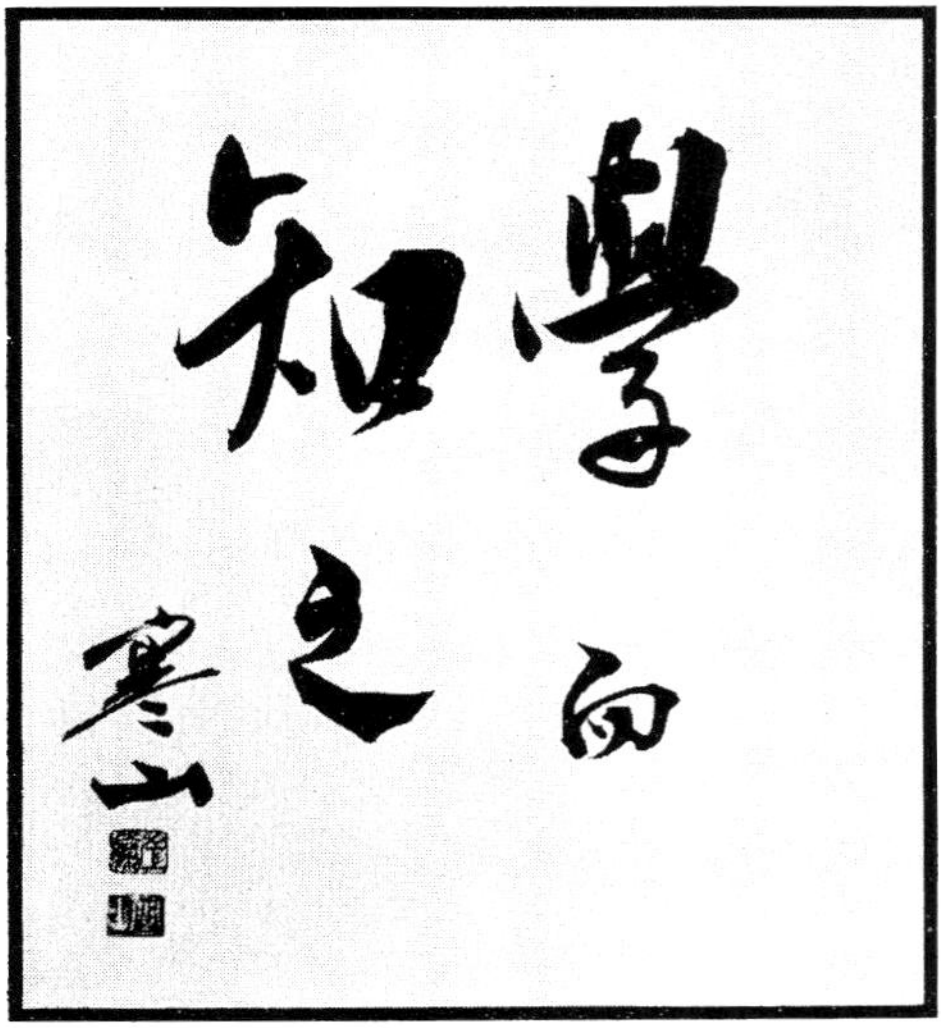
學而
知之
寒山

"日本刀の鑑定入門"の出版を喜ぶ

佐藤寒山

私が常に最も信頼している門下生の広井雄一君と飯田一雄君の両人が相協力して日本刀の鑑定入門という著書を世に問うこととなった。

広井君は文部省文化庁の美術工芸課に勤務し、刀剣を始め一般工芸美術の諸問題と四つに組んで毎日の勉強を続けている若手中の有望株であり、飯田君は刀剣商界の元老飯田国太郎翁の三番目の御子息で、月刊新聞刀剣春秋を主宰して年久しくなる。

刀剣春秋という社名もその昔私がつけてやった名前であるが、幾星霜よく頑張り、よく勉強して立派な業績を積み重ねつつあることは誰よりも世間が一番よく知っていることであり、刀剣界に寄与した功績も大きい。

広井君はその研究の成果を、飯田君は新聞編集の経験と実績とを持ち寄って、わかり易くしかも正しく明解な入門書を物せられたわけである。そしてちょっと考えると入門書などというものは極めて容易なように思われるが、実は入門書ほどむずかしいものはなく、少なくともいささかのごまかしが出来ない。うそがつけない。これが入門書のむずかしいところであり、それはこれから勉強しようという人が読む本であって、書いてあることは全部が本当、全部がお手本ということになって、だんだん勉強を積んだ人達のように、万一著者にミスがあれば、これはミスであるということを発見してくれるし、また各自の意見によって批判したり、取捨したりするだけの力がある。

何事によらず手ほどきということが一番大切で、万一まちがったことを覚えてしまうと、今度はそれを訂正するのに大変な労苦が必要となる。このために、師を選ぶことは大切である。入門書を選ぶことの必要性もここにある。

この本は、日本刀の歴史、銘字図鑑、刃文図鑑、ホンモノ・ニセモノ鑑定詳説、鑑定入札詳説の五項目を柱として、最も適切な作例をあげ、五〇〇刀以上の押形を活用して、明解しており、ことにホンモノ・ニセモノ鑑定詳説はかつて刀剣春秋紙上に連載した事例を主として、銘字の研究を詳細にしているが、これは初学者のみならず、専門家にとっても大きな警鐘であり、わきにおいてすぐ役に立つといったものである。

鑑定入札は近頃のみならず、江戸時代から刀剣を勉強する一つの近道として一般に行われて来た。これは使用する材料が適切であればあるほど、また判者の指導がよろしければよいほど効果的であり、一つ一つが身となり肉となるもので、自然進歩も極めて速く、且つ著しいものがある。鑑定入札詳説はその間のことを適切且つ丁寧に説き来り、説き去っている。

附録の用語解説、五義七道と国別一覧表は是非通読して暗記して頂かねばならぬことであり、それだけの努力は払わねばならないことである。その他、年表、入札鑑定の同然帳、時代別主要刀工一覧表等も便利である。

愛刀家、研究家の諸君におすすめする所以である。

新日本刀の鑑定入門

刃文と銘と真偽

目次

真偽

ホンモノ ニセモノ鑑定詳説

鑑別

鑑定

鑑定入札詳説

＜付録＞

題字　佐藤寒山　　レイアウト　飯田一雄　　編集協力　田島和夫

日本刀の歴史

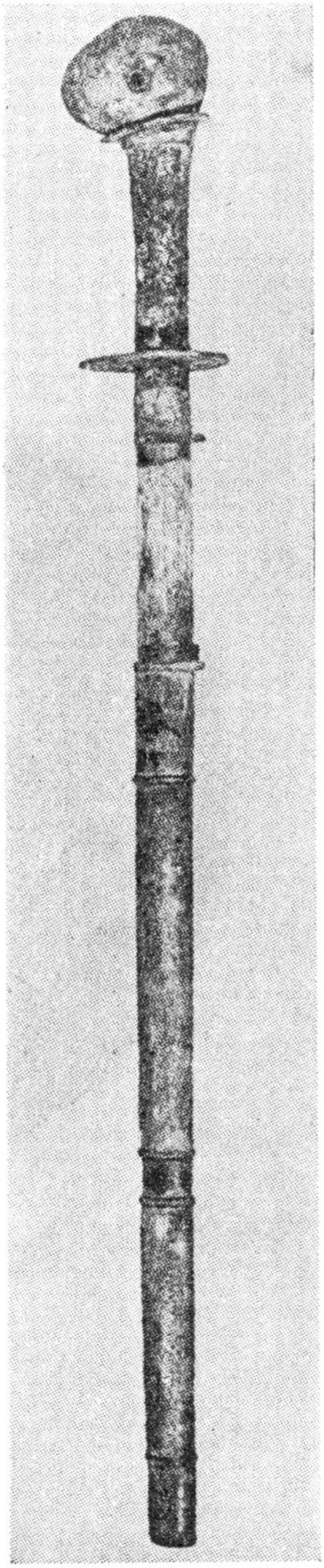

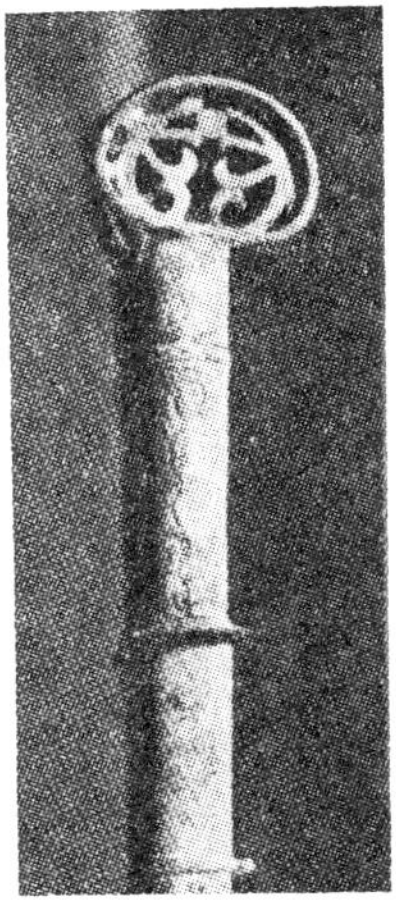

刀姿の見どころと主要刀工

上代

我が国に於ける上代の刀剣は、反りのない切刃平造、鋒両刃造の直刀で、大刀、横刀、横剣などと書き、いずれも「たち」と読み、短いものを「小刀」、「刀子」と書いて「こがたな」「とうす」と読んでいる。今日私達が使っている用語は平安時代以後の日本刀（湾刀）に対するものである。ここでは長さ六〇センチ（一尺九寸八分）以上で刃を下に向けて腰に佩くものを太刀、刃を上に向けて腰に差すものを刀、六〇センチ（一尺九寸八分）以下三〇センチ（九寸九分）以上のものを脇指、三〇センチ以下のものを短刀と呼ぶことにする。

上代に於ては刀鍛冶に二つの大きな流れがあった。一つは我が国古来の鍛法を伝える倭鍛冶であり、いま一つは応神天皇の御代に百済から来た鍛冶卓素を始めとする韓鍛冶であったことは、古事記、日本書紀などによってうかがい知ることができる。やがて両方の長所を取り入れて美しい反りをもち、折れず、曲らず、よく切れる日本刀の完成をみるのは平安時代も中葉に入ってからである。

上代刀の遺品としては古墳出土の刀剣の他に伝世品として小村神社の環頭大刀、四天王寺の丙子椒林剣、七星剣、正倉院の刀剣類がよく知られている。古墳時代のものでは平造のものが古く、次いで切刃造が生れ、奈良時代の正倉院御物中に切刃造の他に鋒両刃（きっさきもろは）造といって鋒が両刃になったものがあることは注目すべきである。これらの刀剣類はほとんどのものが直刃の刃文を焼き、中には小乱刃などが交じり、地鉄は板目肌の極めてよくつんだ精美なものもあり、また板目の荒く肌立つものもある。

平安時代

平安時代は我が国全体のあらゆるものを通じて、大陸文化を消化して和風化の傾向を強く示しており、これは時代の大きな特色である。これは寛平六年（八九四）の遣唐使の廃止を機として従来大きく影響されてきた大陸の文化から国風化への新しい発展であった。そして藤原道長、頼通を中心にした藤原時代は全盛期となり、その結果優雅繊細なものが現われた。また一方荘園を背景とした貴族、寺社の勢力は強大になり、武士の台頭をも見た。日本刀の完成すなわち直刀から湾刀への変遷は十世紀の半ばに起きた平将門の乱、藤原純友の乱を経過し、十一世紀半ばの前九年、後三年の役のころにかけて次第に発達してきたと思われる。このことは戦闘様式が徒歩戦から騎馬戦へと移り変っていったことで、馬上での使用は直刀より湾刀の方が適していたことを経験によって知ったからであろう。

この時代初期の作刀として鞍馬寺の坂上田村麿の佩刀、鹿島神宮の御神宝師霊劔は切刃造の直刀であり、また春日大社の神宝餝劔の刀身は直刀であるが僅かに反りがついており、切刃造の他に鋒両刃造がある。やや時代が下ると思われる平家の重宝と伝える小烏丸の太刀は鋒両刃造りであるが反りがつき、ほとんど平安末期の日本刀に近い反りを持っている。そして永延の頃の人と伝える三条宗近、伯耆安綱、古備前友成は、優雅な反りをもった日本刀として完成された姿を現わした。

平安末期の太刀姿は、細身、小鋒で腰反りが高く踏張りがあり、切先へいってやや反りがうつむきごころになった美しい姿である。短刀は有名のものは稀れで、厳島神社の友成が知られているにすぎない。この頃には丸鍛はほとんど少なく、多くは心鉄を入れ、折返鍛錬の度数も多く、鍛は板目、小板目がよくつみ、地沸がよくついており、刃文は前時代に引き継いで直刃があり、またこの頃から小乱が主体となってきた。そして刃中の変化に富んだものが多くなったことは、前時代までには見られなかったことである。

主要刀工＝山城国三条宗近、五条兼永。伯耆国安綱、大原真守。備前国（古備前）友成、正恒。

鎌倉時代

藤原氏のあとに栄華を極めた平家一門は源氏によって亡ぼされ、建久三年（一一九二）源頼朝は鎌倉に幕府を開いた。しかしこうした歴史的事実のみによって直ちに従来の文化が一変するものではなく、刀剣に於いてもこの時代初期には、なお前時代の様式を踏襲している。鍛冶の中心も山城の京、備前、およびわが国古来の鍛刀法を継承している九州物、殊に豊後行平などであった。

この時代に特筆すべきことは後鳥羽院が非常に御刀を愛され、また諸国から名匠達を月番を定めて番上させられたことであり、これを御番鍛冶という。そして、一方に於いては、院御自らも焼刃をせられ、それには菊の御紋をきり入れ、御気に入りの北面の武士や公家達に、それらの太刀を与えられて、大いに士気を高めようとされた。この御相手をも勤めたのが御番鍛冶の人々であり、これには朝廷と深い関係のあった山城、備前、備中の刀工達が主として選ばれている。銘尽（観智院本）の記事は次の通りである。

後鳥羽院御宇被召扱鍛冶十二月結番次第

正・二月　鍛冶　則宗備前、貞次備中
三・四月　鍛冶　延房備前、国安粟田口藤三郎
五・六月　鍛冶　恒次備中　国友粟田口
七・八月　鍛冶　宗吉備前、次家備中
九・十月　鍛冶　助宗備前、行国備前
十一・十二月　鍛冶　助成備前、助近同

鎌倉時代初期の太刀は姿に於いて前時代と同様であるが、備前刀工に於いては古一文字派が生れ、小丁子の刃文を焼き、乱れ映りも目立って華やかなものになった。同時代の中期には一層顕著となる。

主要刀工＝山城国粟田口国友、久国。備前国古一文字則宗、助宗。備中国古青江守次、貞次、康次。豊後国行平。

鎌倉時代中期になると承久乱以後、幕府の力も次第に固まり、貞永式目が作られ、武家の勢力が増大し、荘園内に於いても守護、地頭の力は大きなものとなっていった。この頃になって始めて相州鎌倉の地に備前から三郎国宗、一文字助真が、山城から粟田口国綱が下向したことは武家文化が次第に栄えてきたこと物語るものであろう。こうした武家の繁栄を背景とした刀剣の作風は豪壮華麗なものとなった。

太刀の姿は身幅が広くなり、元幅に対して先幅も広く、猪首鋒の力強いものとなった。そして刃文も華やかな大丁子乱が現われた。大丁子乱は備前一文派によって代表されるが、同国長船派の光忠・長光や畠田派の守家・真守、直宗派の三郎国宗なども最も得意とし、山城では来派の国行その子二字国俊等も丁子の刃文を焼いている。勿論山城、大和の刀工は一般には直刃を多く焼いているのである。この頃、短刀は全国的に名工の手に成る名短刀が多く作られるようになった。それらは平造で内反り尋常のものであり、寸法は二十四センチ(八寸)前後のものである。そして粟田口吉光、来国俊、新藤五国光のような短刀の名手が出た。薙刀も少数ながら現存しており、それは反りの少ない先のあまり張らないもので室町時代に見るような大ぎょうな形のものではなく、また絵巻物にみるような反りの高いものも残されていない。

主要刀工＝山城国粟田口則国、国吉、吉光。来国行、同国俊。来国俊(二字国俊同人とも)、備前国一文字吉房、助真、則房、吉平、三郎国宗、長船光忠、長光、畠田守家。相模国新藤五国光。

一三世紀に入って我が国には文永十一年(一二七四)、弘安四年(一二八一)の二度にわたって蒙古の大軍が攻め寄せて来た。この戦争によって元軍の戦術・武装等、我が国のそれとの相違は、日本刀にも大きな影響を及ぼした。例えば蒙古軍の甲冑は革製であり、これを断ち切るためには従来のもののような重ねが比較的厚く肉取りの厚い猪首鋒の太刀では、充分な機能を発揮できなかったのであろう。この後に身幅が広く、従って肉取りの薄い、しかも切先が大きいものへと移行していった。

鎌倉時代の半ばを過ぎる頃、鎌倉の地には各分野の工匠が居住するようになった。新藤五国光もその一人であった。末期には新藤五国光の門下の正宗の出現によって相州伝の完成をみることとなり、その作風は鎌倉武士の気風をよく表現した覇気に富んだ力強さがうかがえる。

相州伝は硬軟の鋼を組み合わせて鍛錬して、大板目肌に地沸がつき地景がよく入り、刃文はのたれまたは乱刃で沸が特に強く、金筋、稲妻、砂流しを交えて刃中の変化に富んだもの、いわば沸出来の作風を強調したものである。正宗十哲と言って十人の優れた弟子達、すなわち、越中の則重、義弘、美濃志津兼氏、金重、山城長谷部国重、来国次、備前兼光、長義、筑前左文字がいたと伝えている。これらの刀工は全部が正宗に直結するか否かについてはなお研究が残されてはいるが、直接あるいは間接に影響を受けたと考えられ、その範囲は全国的となっていることは極めて重要な意義があろう。備前長船光忠や長光によって焼かれた丁子或は丁子に互の目を交えた刃文は、この時代になって片落互の目が景光によって創案されている。

太刀は身幅の広い、鋒の延びごころのものとなり、反りは浅くなった。短刀は内反り尋常のものから、身幅がやや広く、無反りで、寸法もやや長めとなり、中には僅かに反りのついたものも交じる。また冠落造が造られ、太刀、短刀ともに片切刃造りが生まれた。

主要刀工＝山城国来国光、来国次。備前国景光、兼光、雲生、雲次。備中国吉次。大和国当麻国行、手掻包永、尻懸則長。相州行光、正宗。越中国則重。筑前国西蓮、実阿。

南北朝時代

承久の変以後、中央、地方で内乱の兆候が現われた。後嵯峨天皇の時、その子後深草・亀山の兄弟が皇位継承で二派に別れて相争うところとなった。後深草天皇側を持明院統、亀山天皇側を大覚寺統と呼んだ。大覚寺統の後醍醐天皇は内政の乱れに乗じて鎌倉幕府を倒して建武中興をなしとげたが、たちまちにして足利尊氏の叛乱によって南北両朝による政治が行なわれ、元中九年（一三九二）両朝の合併するまで約六十年あまり戦乱は絶えることなくつづいた。この間刀剣にとっては大きな変化があった。需要は増大し、各地に刀工が活躍し、鎌倉時代末期の豪壮な作風を更に極端に誇張した南北朝時代独特の様式を生んだ。

太刀は三尺以上におよぶ長大な大太刀が多く、身幅は特に広く、反りは浅くなり、鋒は大きく、すべてが大振りになった。これは室町時代以後になって磨上げられたものが多く、今日では大磨上物とされていることが多い。また短刀は幅広で重ねが薄く大振りで反りがつき、長さが三十センチ強（一尺）から三十九センチ強（一尺三寸）位のいわゆる寸延び短刀（平造り脇指）である。薙刀は現存するものが比較的少ないが大薙刀である。

この期は所謂正宗十哲の人々が多く活躍したと同時に相州伝の刀工が全国的に広まった。備前でも相伝備前と言われる作風が多く、兼光、長義など多くの名工を出したし、九州では左一門の刀工が目立っている。

主要刀工＝山城国長谷部国重、同国信。信国。備前国兼光、倫光、元重、長義。備中国次直、次吉。筑前国左文字、左安吉、同行弘。相模国貞宗、広光、秋広。美濃国志津兼氏、兼友、兼次。

室町時代

明徳三年（一三九三）南北両朝は統一されやがて年号を応永と改めた。そして室町幕府の基礎は固まり、幕府は鎌倉幕府に制を倣って武家政治の復興を計った。この世相を反映して室町時代初期の刀剣は南北朝時代の極端に力強さを強調した大振りで幅広、大鋒の太刀から、鎌倉時代初期の細身で反りの高い太刀姿のものへと変遷した。しかし腰反りではあるが先反りの強いものとなっている。短刀は平造りで反りがなく、身幅が尋常なもの、また平造りで寸法が三十センチ強（一尺）から三十九センチ強（一尺三寸）位に長く、身幅が比較的狭く、反りの極く浅いものである。そしてこの他に本造りの脇指が造られるようになった。

南北朝時代以前の戦争は騎馬での戦いが中心であり、従って太刀を佩用したが、室町時代初期を過ぎる頃になると打刀、すなわち刃を上に向けて腰に指す形式が漸次隆盛した。応仁以後には太刀はほとんど見られず、打刀の全盛時代となった。それは徒歩の集団戦が多くなったためで、今日、刀（打刀）と言っているものはこの時代に生まれた。この打刀には六十センチ強（二尺）をこえるものの外に本造で四十七・八センチ（一尺五・六寸）から六十センチ強（二尺）位の寸法の脇指も多く、これらは軽装兵に用いられ、また抜刀にも便利であった。

また、この時代に特筆すべきことは室町幕府は対明貿易に努め、その際多くの刀剣を輸出しており、これら刀剣は当時の新作刀であり、同時代を通じて輸出された数は約十万本に達すると言われる。多くは備前、備中、備後、美濃で生産された大量生産品であり、これら粗悪なものは束刀《たばがたな》とか数打物などと呼んで注文打と区別されている。

中期から末期にかけてのものは一般に末物と称して時代の作風は共通している。刀は長さが六十五センチ強（二尺二寸）前後が多く、また六十センチ強（二尺）以下の本造りの脇指も多い。姿は身幅が尋常で一般に先反りが強く、鋒は中鋒あるいは中鋒延びごころのものもあり、総じて重ねは厚く、鎬は高く棟を薄く削いだもの、鎬の低いものの両様がある。茎は一般に短い。短刀は長さが二十四・五センチ（七・八寸）位で平造り、内反りの尋常なもの、長さが二十センチ前後（六・七寸）で平造り、筍子反りで重ねが厚いもの、長さが二十七・八センチ（九寸）から三十七・八センチ（一尺二寸）位で身幅が広く、先反りのつくもの、長さが十八センチ（六寸）前後で両刃造りのものなどがある。

主要刀工＝

初期　山城国信国（応永）。大和国手掻包真、包行。備前国盛光、康光、則光。加賀国景光、藤島友重。

末期　山城国平安城長吉、三条吉則。備前国忠光、勝光、宗光、祐定、清光。備後国貝三原物。美濃国兼定、兼元、氏房。相模国綱広。駿河国島田義助。伊勢国村正。豊後国平長盛。

桃山時代

戦国の乱世は織田信長による全国統一で一応終焉を告げた。そして豊臣秀吉の天下となって、武士、百姓、町人の区別を明確にした。刀狩りを行なって町人の武器所有を禁じたことなどは武士を中心とする封建社会の確立を一歩進めたものであった。関所の廃止により交通は発達し商業が発展し、諸外国との交易も盛んになり、絢爛豪華な文化を生んだ。刀剣史上にこの影響を受けて桃山時代特有の作風が顕著に現われるのは慶長に入ってから江戸時代初期の寛永までの期間である。従って刀剣史に於ける桃山時代の区分は慶長元年（一五九六）から寛永二十年（一六四三）である。

日本刀はこの時代から作刀技法が変り作風によくそれを示されているため、慶長以前を古刀、以後を新刀と呼んで区別している。新刀の特色は従来刀工の居住地が原料鉄の産地を控えていたのが交通の発達によって刀工が鉄の産地から離れて生活したこと、豪族や寺社を中心に分散していた刀工が城下町を中心として集まったことなどが挙げられる。

桃山時代は、信長、秀吉の政治の中心地である京・大坂に多くの刀工が集まった。京に堀川国広一門、伊賀守金道・越中守正俊・丹波守吉道など三品一門、埋忠明寿などが集まっている。大坂には堀川、三品一門の流れが移行し、越前・江戸に康継一派、仙台に国包、名古屋に信高、氏房、政常、金沢に兼若一門、和歌山に南紀重国、佐賀に橋本忠吉一門などがそれぞれ居住した。この頃の作風は太刀、短刀など鎌倉時代末期から南北朝時代のものに似た復古刀である。太刀は上記の時代のものを磨上げて打刀の寸法にした形のものが多く、従って身幅は広く元幅と先幅の差が少なく、鋒は延び、反りが浅いもので、やや重ねが厚くなっている。本造りの脇指も同様である。短刀および平造脇指は長さ二十七・八センチ（九寸）から四十センチ弱（一尺三寸）位で身幅広く、反りがつき、大振りのものが多い。

主要刀工＝山城国埋忠明寿、堀川国広、出羽大掾国路等。伊賀守金道、越中守正俊、丹波守吉道等。越前国康継。南紀重国。仙台国包。芸州輝広。肥前忠吉一門。

江戸時代

江戸幕府は漸く安定した正保から文化までの間は一応太平がつづいた。刀剣製作にあっては桃山時代の作風を基にさらに進んで美しく整ったものが作られるようになった。大阪の津田助広は大海の波を表現した濤瀾乱を創始し、江戸の長曾禰虎徹は数珠刃、大阪の河内守国助は拳形丁子、京の丹波守吉道は簾刃を焼いた。これは新刀特有の具象的刃文である。諸流派は益々発展し多くの有名工を輩出したのはこの頃である。

寛文・延宝頃のいわゆる寛文新刀は短刀がほとんど作られず、刀、脇指が作られた。姿は反りが浅く、元幅に対して先幅が狭く、切先は中鋒が詰まるものが多い。

ところが泰平が長くつづき、元禄頃になると見るべき刀工が少なくなった。そこで八代将軍吉宗は士気の高揚につとめ、江戸御浜御殿に諸国の上工を招いて作刀させ、優秀なものに対して茎に葵紋を切ることを許して、薩摩の主水正正清、一平安代、筑前の信国吉包が選ばれた。一方古来の名刀を集めた享保名物帳もこの頃につくられた。

元禄から享保頃の刀は、寛文新刀に比べてやや反りがあり、身幅も広く、鋒も延びごころのものが見られるようになった。特に薩摩刀工に多い。

主要刀工＝大坂井上真改、津田越前守助広・近江守助直、越後守包貞、河内守国助(二代)、一竿子忠綱、多々良長幸。江戸康継、安定、兼重、長曾禰虎徹興里、興正、法城寺正弘、日置光平一派。肥前忠広一派。薩摩主水正正清、一平安代。筑前信国吉包。

幕末時代

わが国は江戸幕府が寛永十二年以来、鎖国令によって諸外国との交流を閉じていたが、寛政初年以来、露・米・英の諸外国の船が相次いでわが国に現われると、国論は開国、攘夷の二つに分かれて激しく争われるようになった。また江戸中期以来、国学の復興にともなう勤王思想が熱したのもこの頃からで、文化面にも復古思想が起った。鍛刀界にあっては水心子正秀によって刀はすべからく、鎌倉時代、南北朝時代の作風に復すべきことが力説され、同時代古鍛法の研究がなされた。そして、彼は多くの門弟を養成した。門弟大慶直胤、細川正義などによって相州伝・備前伝の作刀に見るべきものが作られた。一方、土佐の南海太郎朝尊が復古刀を提唱したのも時期を同じくしている。水心子正秀よりややおくれて、信州の山浦清麿は相州伝中、特に美濃志津兼氏の作風に私淑してその真髄を極め、新々刀中、第一等の技倆を示した。

この時代の作には、南北朝時代、またその作風にならった桃山時代の作刀に似た身幅が広く、反りが浅く、そして大鋒のものが多いが、鎌倉時代に範を求めた太刀姿のものもある。短刀も同様に寸延びで身幅の広いものが多い。特に相州伝が多く、鍛は一般に小板目がつんだ無地鉄が多いが、大板目もある。刃文は互の目乱、皆焼などが目立っている。備前伝にも上手なものがあり、固山宗次、石堂是一などの上工が現われた。

主要刀工＝江戸水心子正秀・大慶直胤・細川正義等、石堂是一、源清麿・栗原信秀・清人、長運斎綱俊、固山宗次、左行秀。大坂月山貞一、尾崎助隆、薩摩元平、正幸。

地鉄の見どころ

姿、刃文とならんで、鑑別は一段とむずかしいが大切な見所が鍛錬された地肌である。この地肌は流派、系統による鍛錬法の相違によってさまざ

地鉄肌の基本

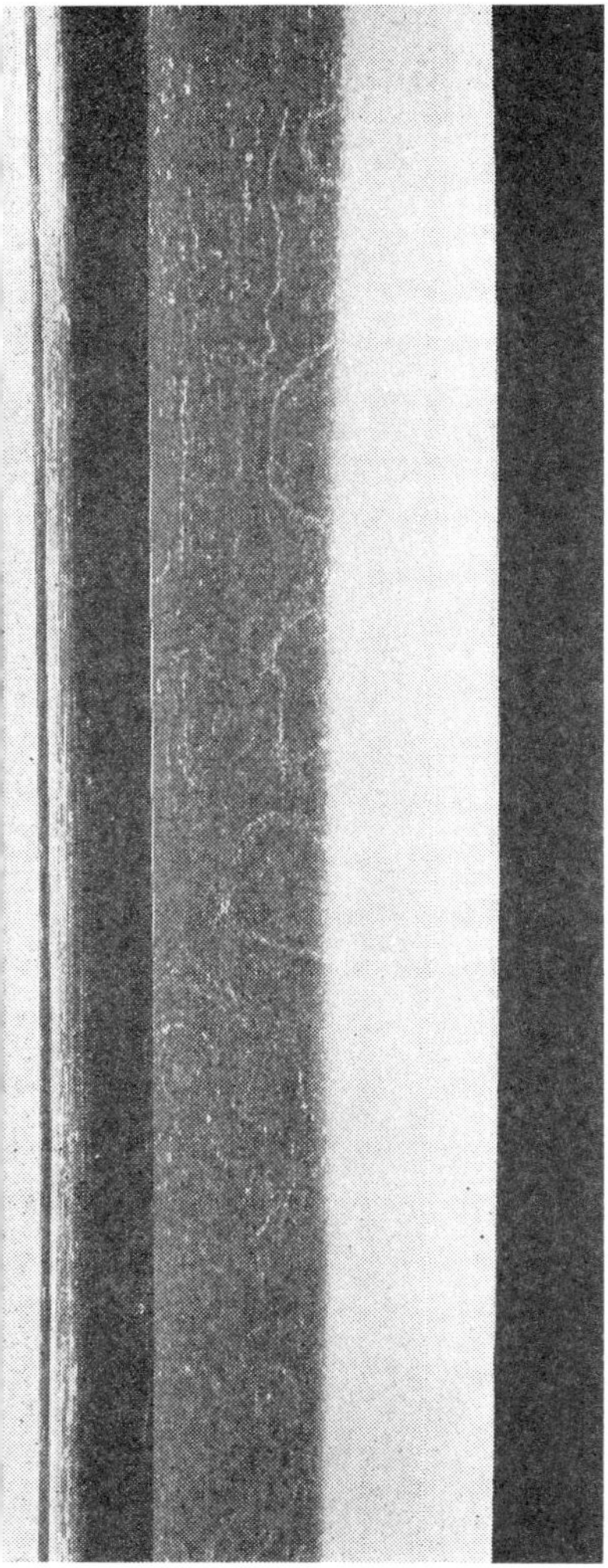

大板目<松皮肌>(越中則重)

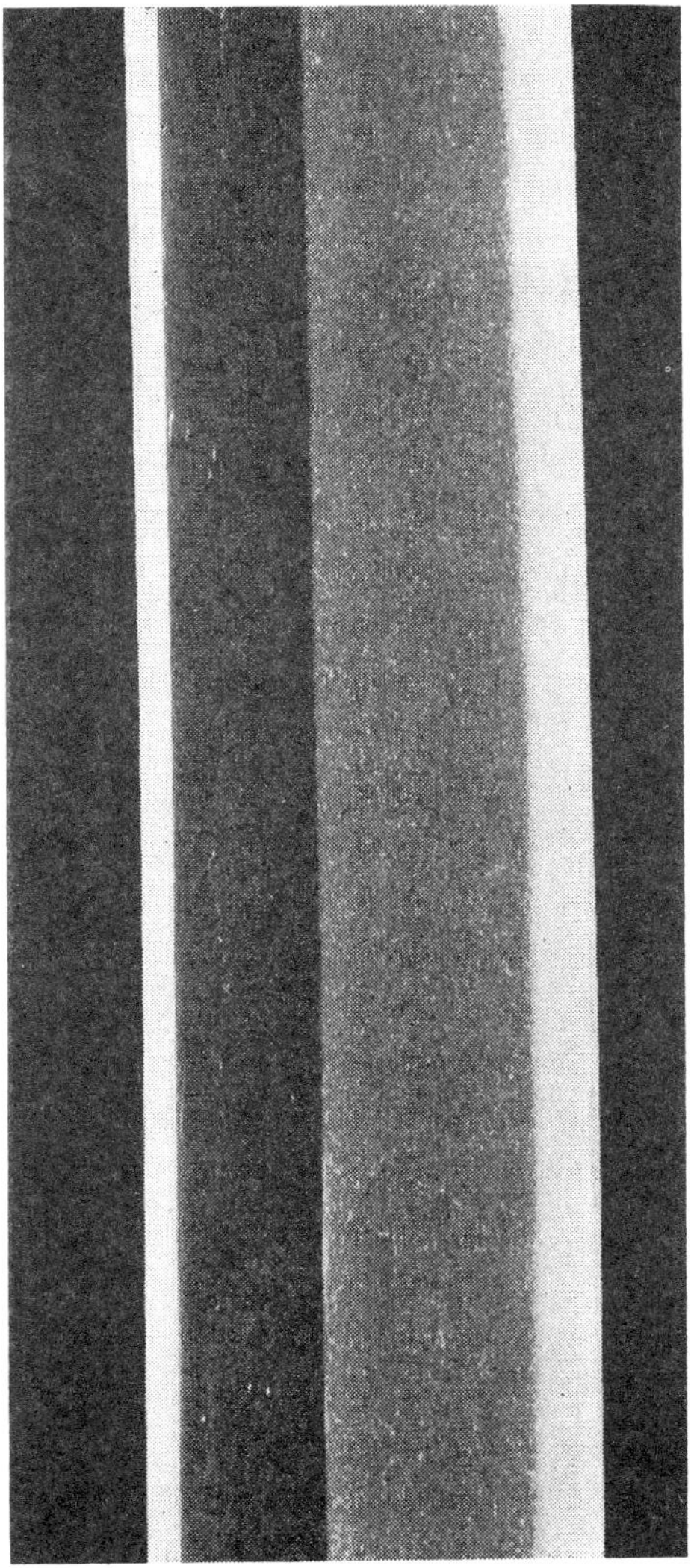

杢　目(古青江康次)

柾　目（大和保昌）

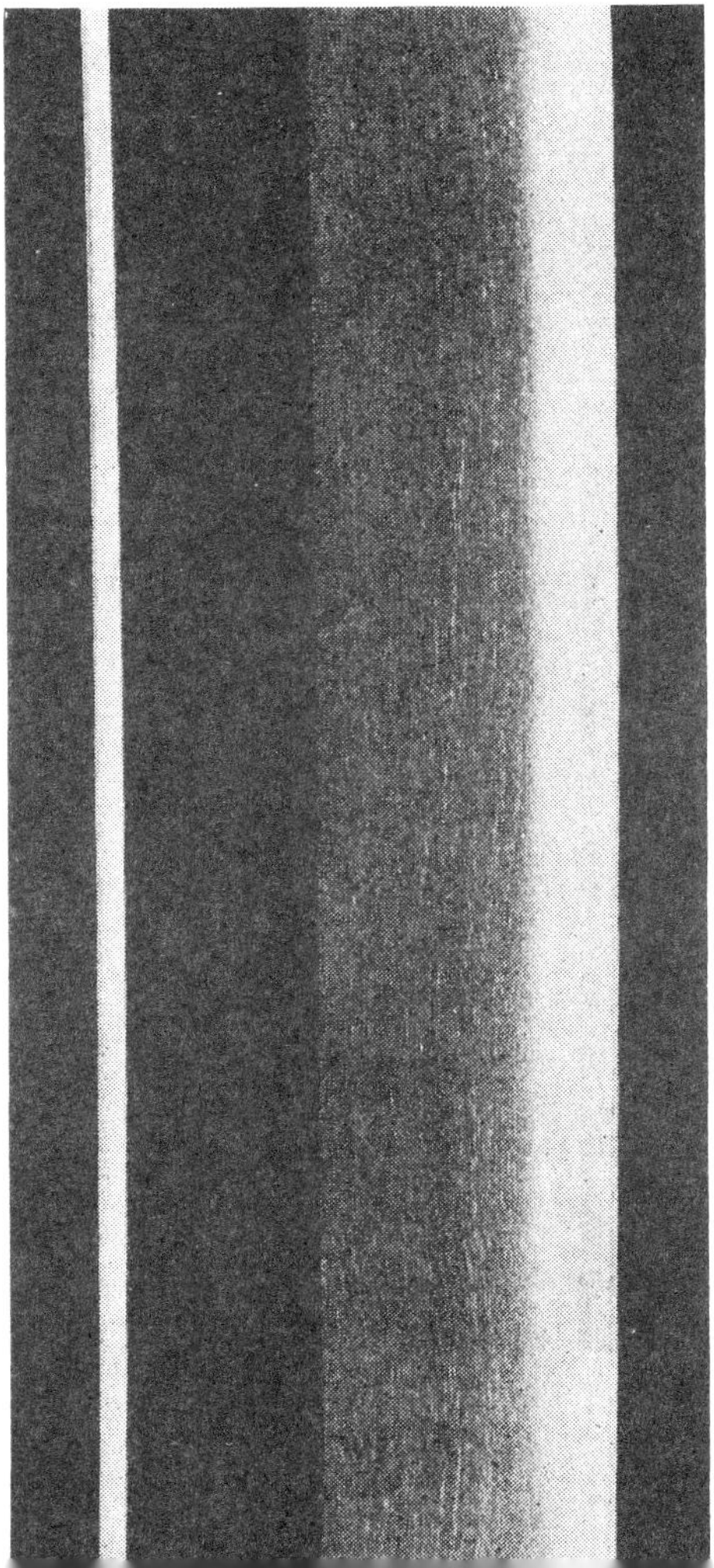

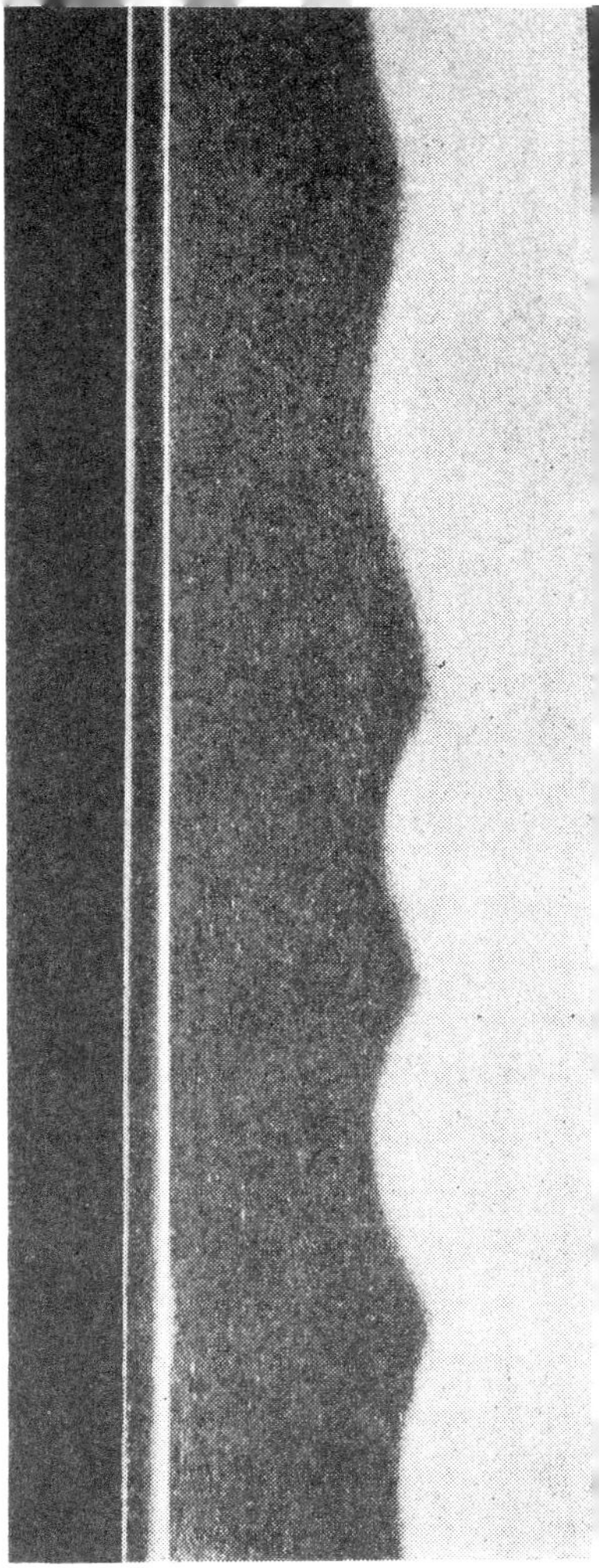

板　目（栗原信秀）

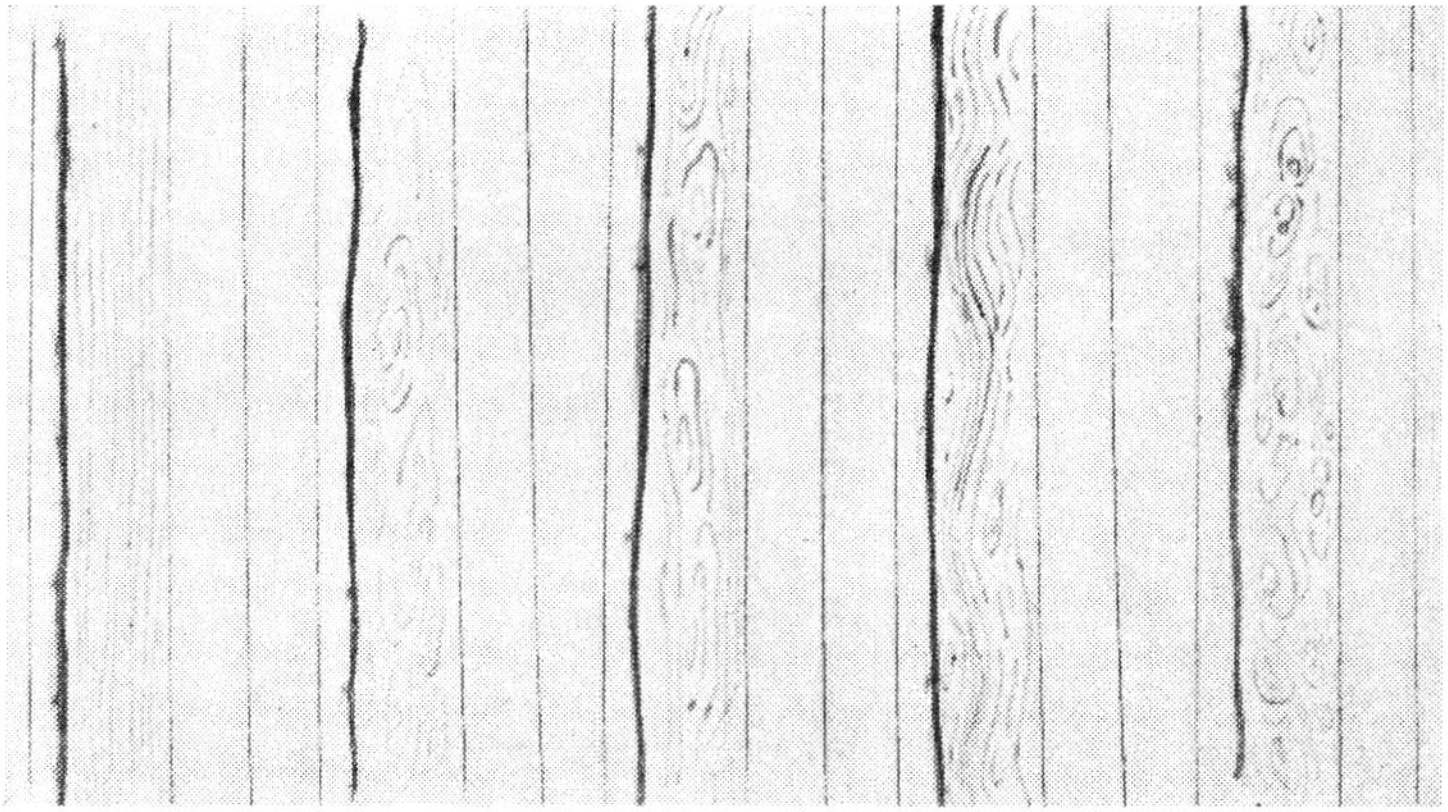

杢目肌　綾杉肌　板目肌流れる　板目肌　柾肌

まの表現が示されるため、鑑定上重要な役割を持つものである。大別して板目肌、杢目肌、柾目肌などがある。

　板目肌は一番多くみられ、とくに大きな大板目肌は相模国正宗など相州伝の作に多く、新刀では堀川一門、源清麿とその一門、大慶直胤は渦巻肌と称する独特の大板目肌を現わしている。また松皮肌、ひじき肌と称し、地景が多く交じり、肌立った鍛法を表現して有名なものが古刀では越中則重であり、それにならったと思われるものが桃山時代の江戸の刀工野田繁慶である。

　同じ板目でも、きめの細かい「小板目肌」と称せられるものは鎌倉時代の山城の国の刀工粟田口もの、すなわち山城伝に多くみられる。新刀にも多く小板目の鍛えが見られ、初期に於いては忠吉を初代とする肥前の諸工、またやや時代が下っては、大阪新刀の小板目の詰んだ鍛肌は津田助広、井上真改の両雄に代表される。

　杢目肌よりもなお、きめの細かい美しい肌合いのものに梨子地肌がある。梨の実を割った時に見る細かくつんだ肌合いの意であり、また塗物の方では金梨子地などと呼ばれる一面に金粉をまき散した状態の肌にもなぞらえられるであろう。名刀の地鉄として常に称えられる一つでもある。三条宗近、五条兼永、粟田口一派の名工にみられるものであるが、これに似て非なるものに無地鉄肌がある。鏡の面をみるようにのっぺりとしたところから鏡肌などとも称せられている。これはもともと肌のないような地がねのもので、幕末の新々刀に多く見られる。

肥前刀にみられる小板目肌を粉糠肌ともいう。これは肥前刀独特の地鉄で、一種の味わいのあるものである。

杢目肌は比較的に少なく、しかも純然たる杢目肌はなお稀有で、多くは板目に交じって杢目がみられるものである。これが目立つものとして平安末期から鎌倉初期にかけての古青江派と呼ばれる一派の刀工の作があり、チリチリとしているところから縮緬《ちりめん》肌などともいう。青江ものには、まま黒味を帯びた小さな肌目が現われ、これを澄肌と呼び、青江を見きわめるときの大切な見どころである。

柾目肌は肌目がまっすぐに通ったいわゆる柾に出たさまをなぞらえたもので、純然たる柾目もあれば、板目が流れて柾目状になったもの、また棟に寄った部分、あるいは刃に寄った部分だけが柾目になっているものなどもある。

柾目肌は古刀期の大和の保昌、千手院、当麻、手掻、尻懸など諸派の刀工に始まり、波平、宇多、美濃、二王、三原など大和の流れを汲むものにみられる。なかんずく保昌には顕著である。

新刀では保昌の末流と伝える仙台国包が各代ともに柾目肌を得意とし、水戸の勝村徳勝などにもみられ、手掻の流れを汲む南紀の重国などにも見られる。美濃に源流を発する新刀期の刀工の多くは板目を鍛えても流れ柾が交じるなど、これは新刀期全般に通じるものといえる。

また新刀、あるいは新々刀の刀工で、とくに古作大和伝を意識的に再現しようとしたもの、例えば越中守正俊、出羽大掾国路、越前康継、あるいは水戸の市毛徳隣、大慶直胤、斎藤清人、月山貞一などにも往々見ることが出来る。備前伝、相伝を得意とする直胤の作に純然たる柾目鍛えの大和伝があるなどまことに面白いことである。

綾杉肌は特異な鍛肌で、柾目の変形ともとれるものである。古くは鎌倉時代からみられ、奥州月山、薩州波平などにもこれがあり、ことに室町時代の月山に多くこれを見るところから綾杉肌を別に月山肌とも称している。また越後国の桃川一派、新々刀では大坂の月山貞一・貞勝親子がこれを得意としている。

刃文の見どころ

刃文は大別して直刃と乱刃があり、乱刃には小乱、丁子、互の目、湾れなどがある。日本刀が生まれ最初に焼きを入れて刃文を現わしたのは直刃である。直刃は奈良時代の正倉院の直刀に始まって今日にいたっている。従って、刃文のみで時代や刀工をみきわめることはむずかしいが、流派や個々の刀工の手癖がよく現われるところである。

直刃を得意とした刀工は山城国、大和国およびその流れをくむ刀工に多く、室町時代までこれらの刀工の作の多くが直刃を焼いている。

小乱刃は平安時代に始まり、鎌倉初期までに一番多く焼かれているが、鎌倉初期には丁子をも交えるようになり、いずれも沸出来である。小乱刃を焼くおもな刀工は古備前とよばれる平安時代から鎌倉初期に栄えた備前国の刀工群と同時代の伯耆国安綱、山城鍛冶などをあげることができる。

備前国には鎌倉初期から南北朝にかけて栄えた一文字派があり、この派の刀工は丁子を焼いて特色がある。初期には丁子の刃文は小模様で沸がついている。

一文字派は鎌倉中期になると丁子の刃文は華やかに重花丁子を多くみるようになり、それは匂出来である。これは以後の一文字に共通する作風となっている。同じころ備前長船の地に光忠を祖とする長船派が生まれた。これらは丁子を主調に互の目の刃文を交える作風を示したが、鎌倉末期になると互の目が主調となっている。これ以後各地に互の目の刃文が広がり、今日まで続いている。

鎌倉末期に現われた相模国の正宗は湾れを主調に互の目や小乱を交えた刃文を焼き、いずれも高熱をもって焼きいれたため沸が強くついている。これをさらに意識的に表現したのが皆焼刃で、南北朝時代の正宗の弟子、相模国広光・秋広、山城国長谷部国重などが焼きいれている。

室町時代になると互の目がもっとも流行し、また種類も多くなっているが、なかでも美濃国の刀工に特色があり、関孫六兼元の三本杉刃は有名である。備前国では互の目の変形である富士山形の刃が流行し、長船の祐定は代表的なものである。

桃山時代は姿と同様に、鎌倉から南北朝時代の作風をとりいれたものが再び流行している。京堀川の国広一門、伊賀守金道一門など、多くの刀工は相模国正宗とその一門の作風を範としている。肥前国忠吉の一派は幕末までつづき、いずれも山城国の来派をねらって、直刃を得意としている。

江戸時代に入ると一段と綺麗で技巧的になり、大坂の津田助広は大波をかたどったと思われる濤瀾刃、井上真改は大きな湾れを焼き、丹波守吉道は水の流れを刃文に取りいれて簾刃（簾のようにもみえる）を得意とし、さらに吉道の一門は、菊水、吉野川、立田川などの刃文を焼くようになった。

江戸末期には前時代に引きつづいたものもあるが、多くは鎌倉末期から南北朝時代の作刀をねらったものが目立っている。この時代を代表する刀工には水心子正秀と、源清麿一門があるが、水心子正秀には前期の助広の濤瀾乱、真改の大湾れに私淑した優れたものがある。正秀の門人大慶直胤などには相州伝あるいは備前伝に優れたものがある。源清麿は正宗門下の志津三郎兼氏の作風を伝えて見るべきものがあるなど、この時代は鎌倉末期から南北朝期の作風に私淑したものが多いことに、時代の特色がみられる。

銘字図鑑

主要刀工の茎銘

（図版押形は実物大）

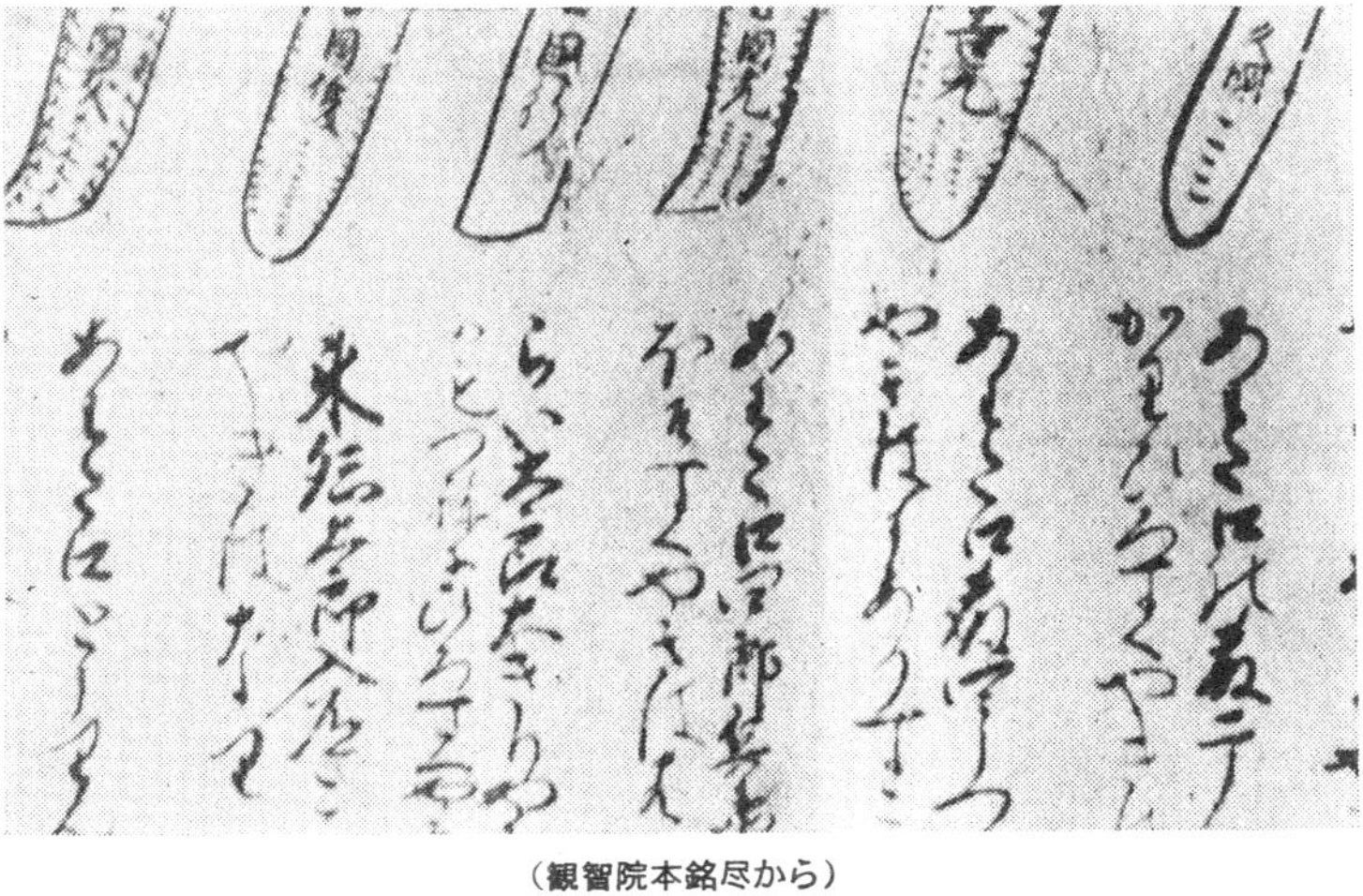

（観智院本銘尽から）

古刀編

▽**安綱**（大原）　有銘作者として最古の一人

平安末―伯耆国

▽**真守**（大原）　安綱の子

平安末―伯耆国

▽**国永**（五条）　五条兼永の子、また弟とも伝える

平安末―山城国

▽**吉家**（三条）　宗近の子　平安末―山城国

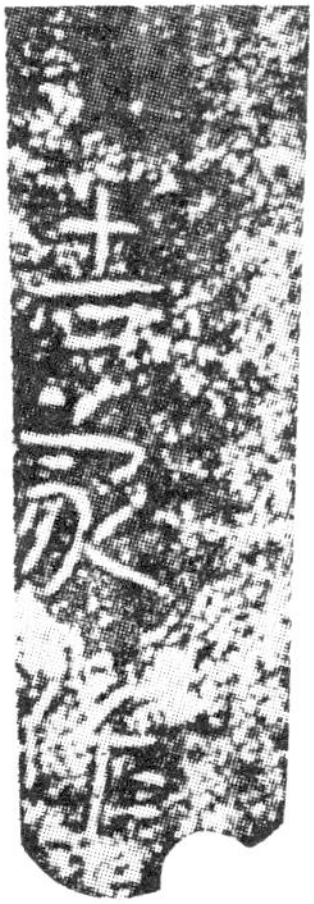

▽**定秀**（豊後）行平の父と伝える　平安末―豊後国

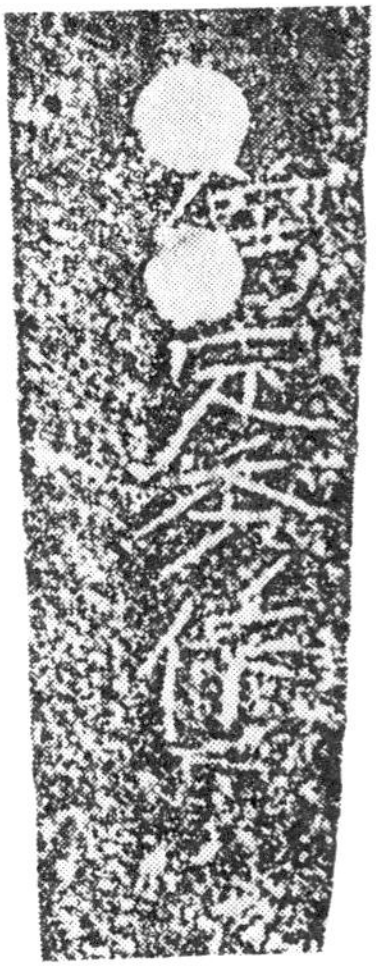

▽**行平**（豊後）異様な仏像・倶利迦羅の彫あり　鎌倉初―豊後国

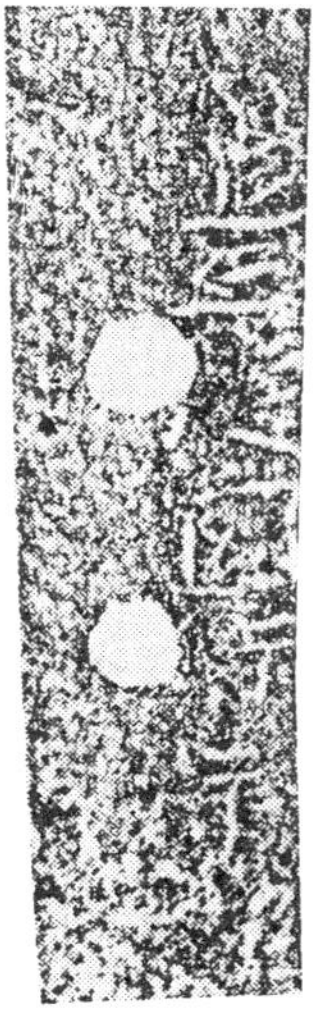

▽**国友**（粟田口）　後鳥羽院番鍛冶の一人　鎌倉初―山城国

▽**久国**（粟田口）　粟田口物の中で最も上手　鎌倉初―山城国

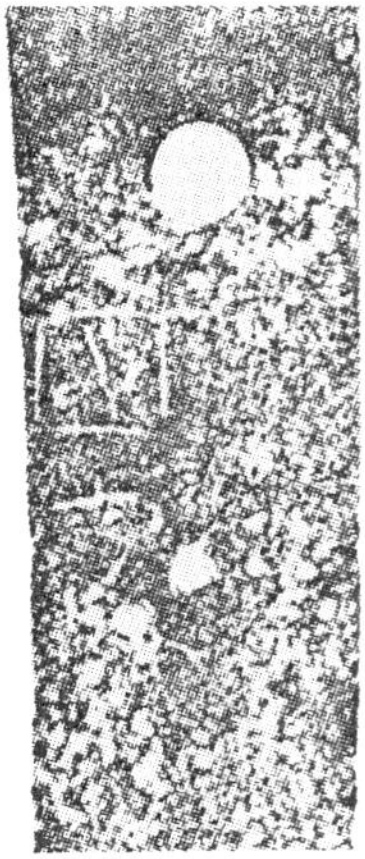

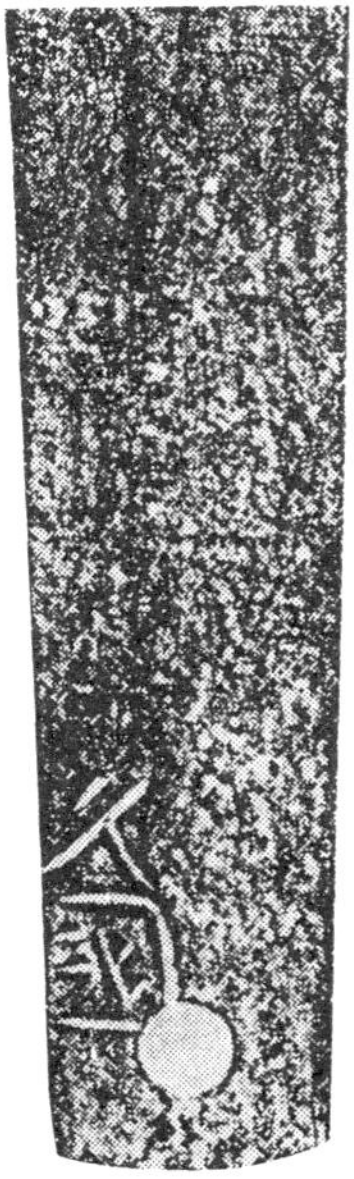

▽**国安**（粟田口）　〝安〟の字が大きい　鎌倉初―山城国

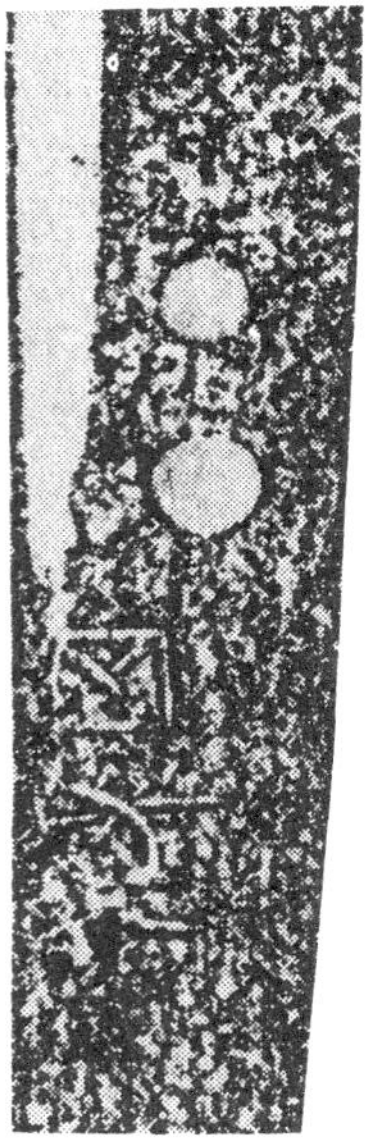

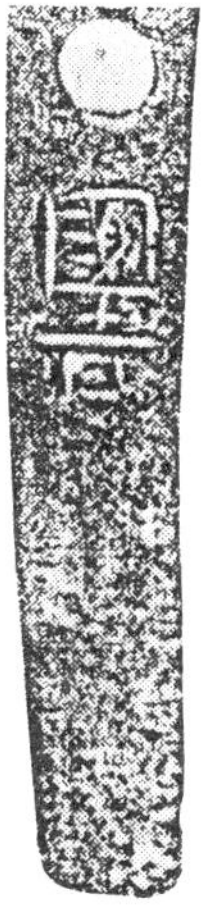

▽**国吉**（粟田口） 則国の子、吉光の父という
鎌倉中—山城国

▽**吉光**（粟田口） 短刀が多く、直刃の名手 鎌倉中—山城国

▽**定利**（綾小路） 京綾小路住
鎌倉中—山城国

▽**国行**（来）

来派の事実上の祖

鎌倉中　山城国

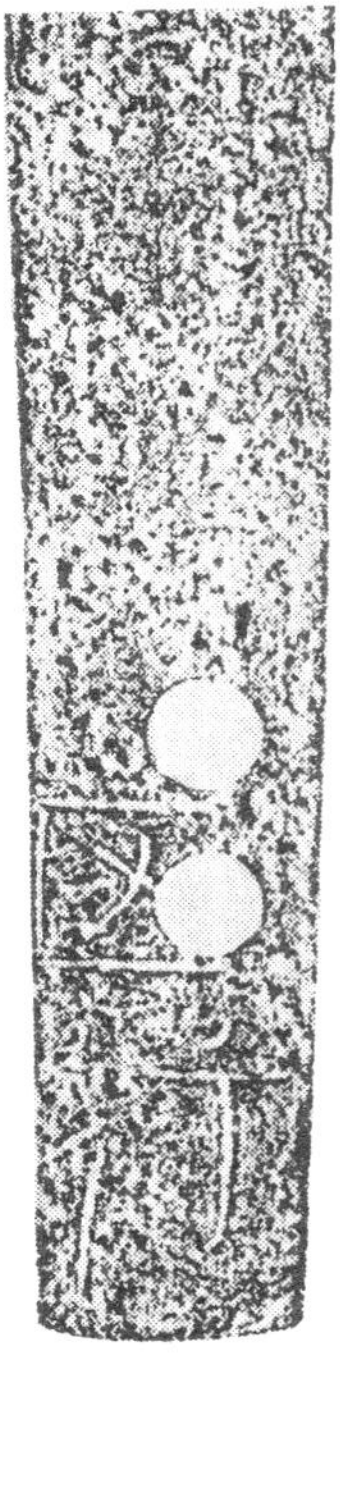

▽**国俊**（来）

二字国俊と同人説あり、百五才の長命と伝える

鎌倉中―山城国

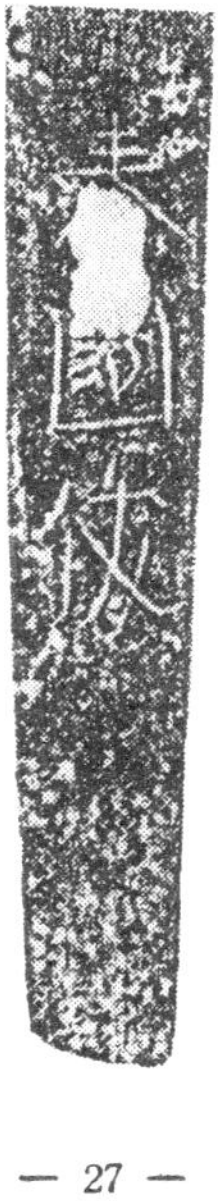

▽**国光**（来）

来国俊の子

鎌倉末―山城国

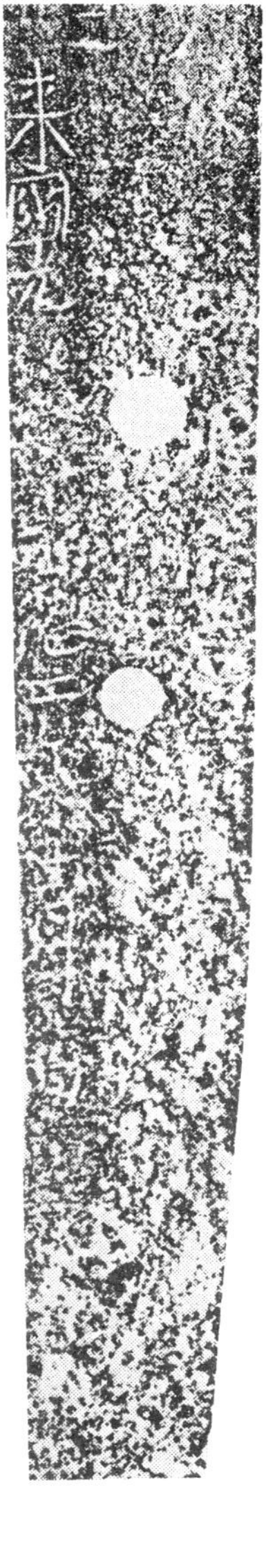

▽国次（来）　正宗十哲の一人と伝える　鎌倉末―山城国

▽光包（来）　中堂来　鎌倉末―山城国

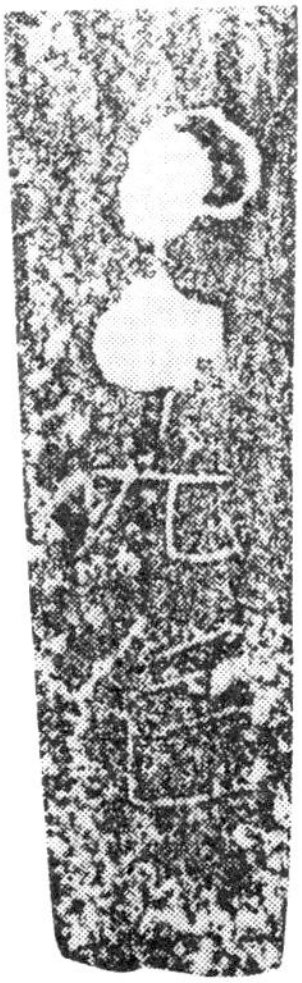

▽了戒（山城）　来国俊の子、直刃の上手　鎌倉末―山城国

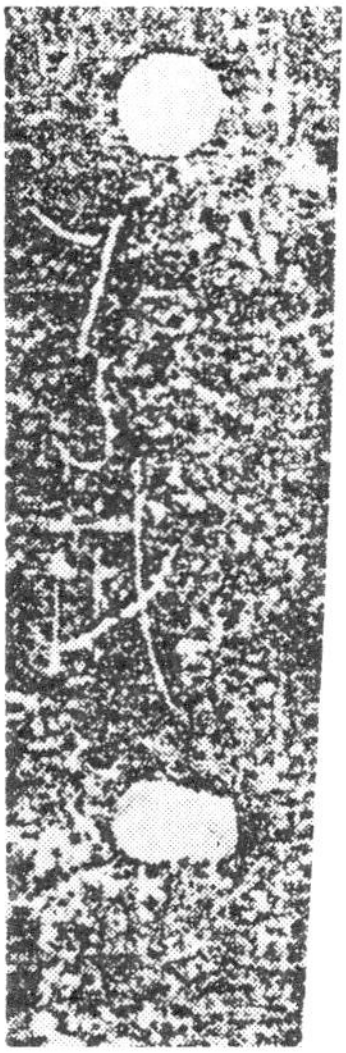

▽国宗（来）　来国俊の子　南北朝―山城国

▽国重（長谷部）　相伝で皆焼が得意　南北朝―山城国

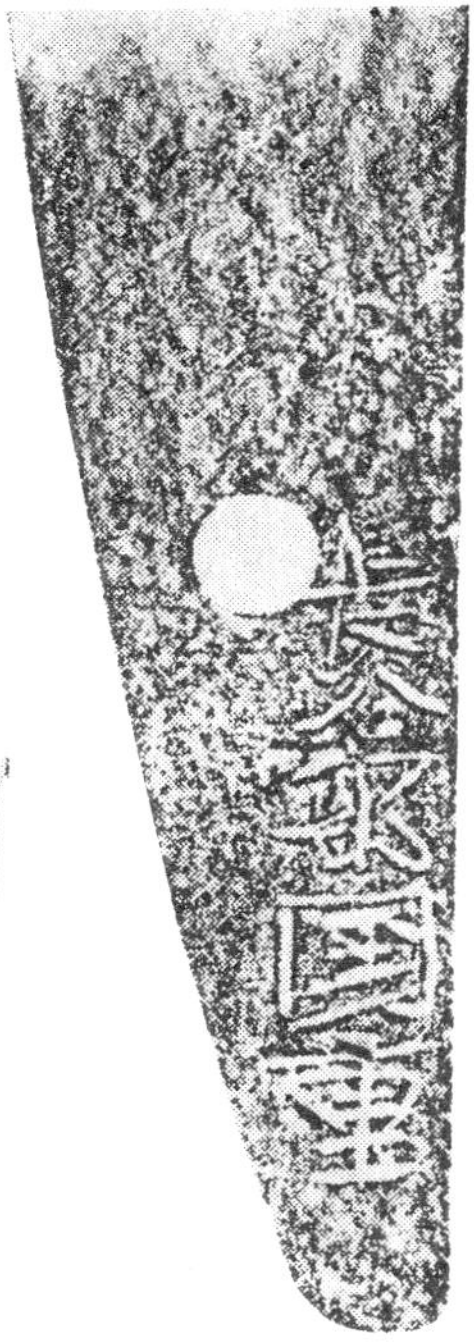

▽**国信**（長谷部） 国重の弟、
南北朝―山城国

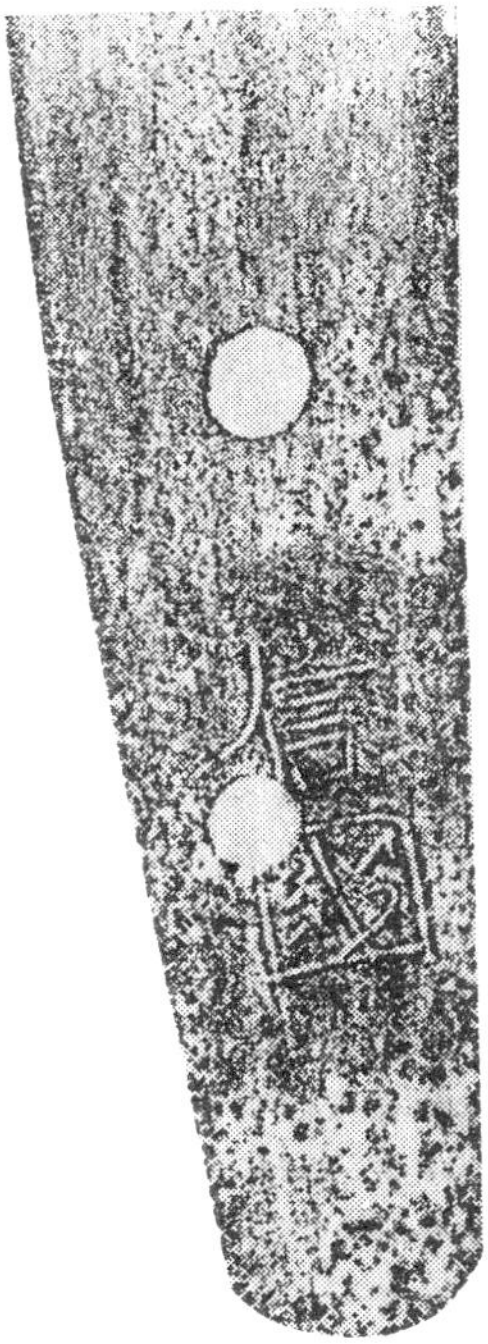

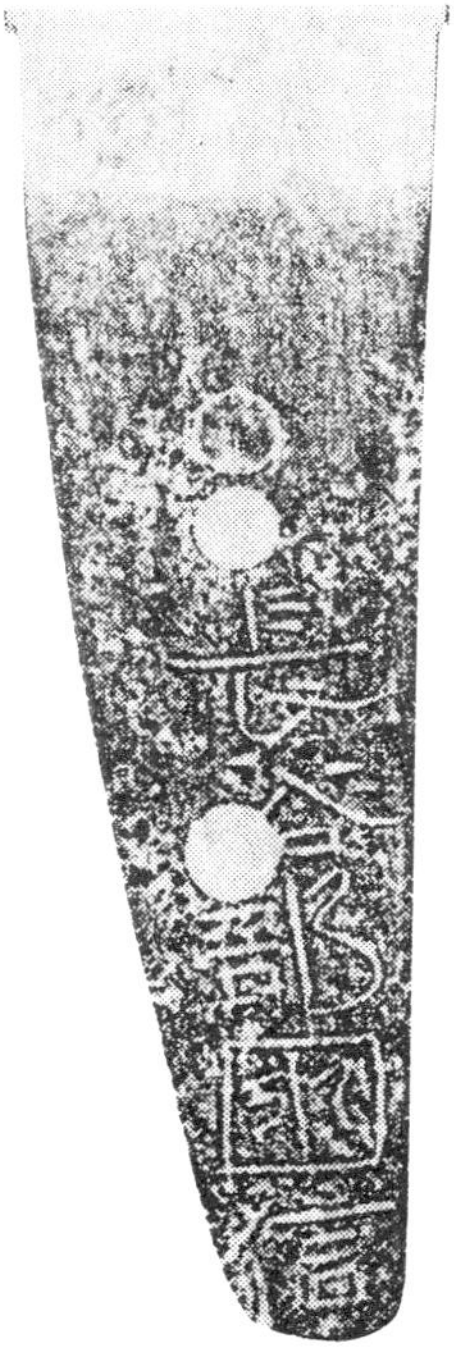

▽**信国**（山城） 了戒久信の子、
貞宗三哲の一人と伝える
南北朝―山城国

▽**信国**（源左衛門尉）　同期の式部丞とともに著名　室町初―山城国

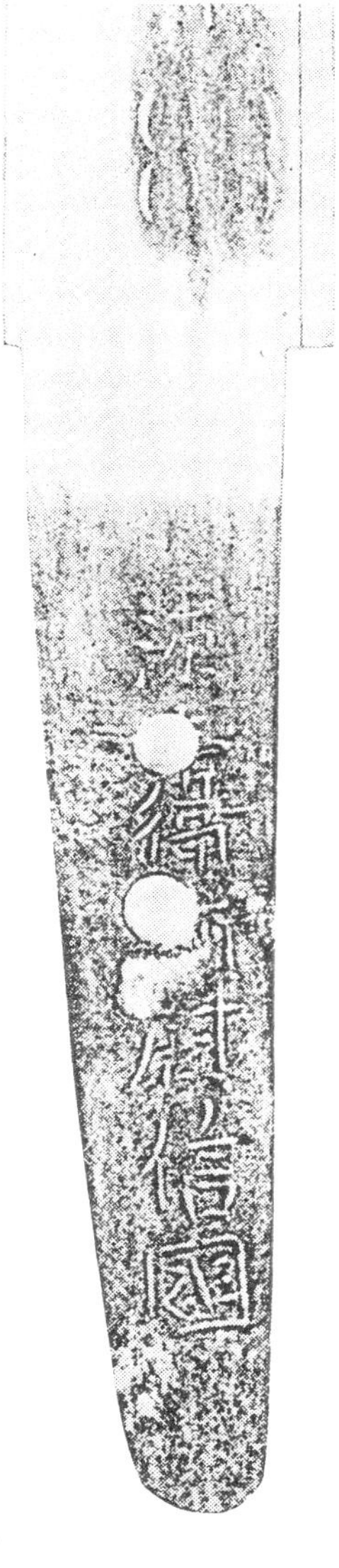

▽**長吉**（平安城）　伊勢村正の師ともいう　室町中―山城国

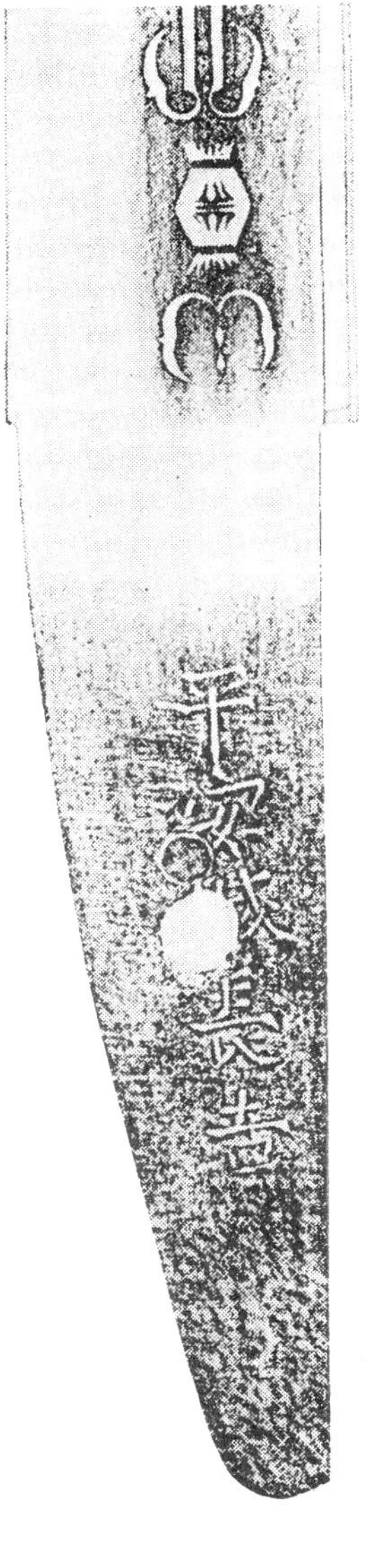

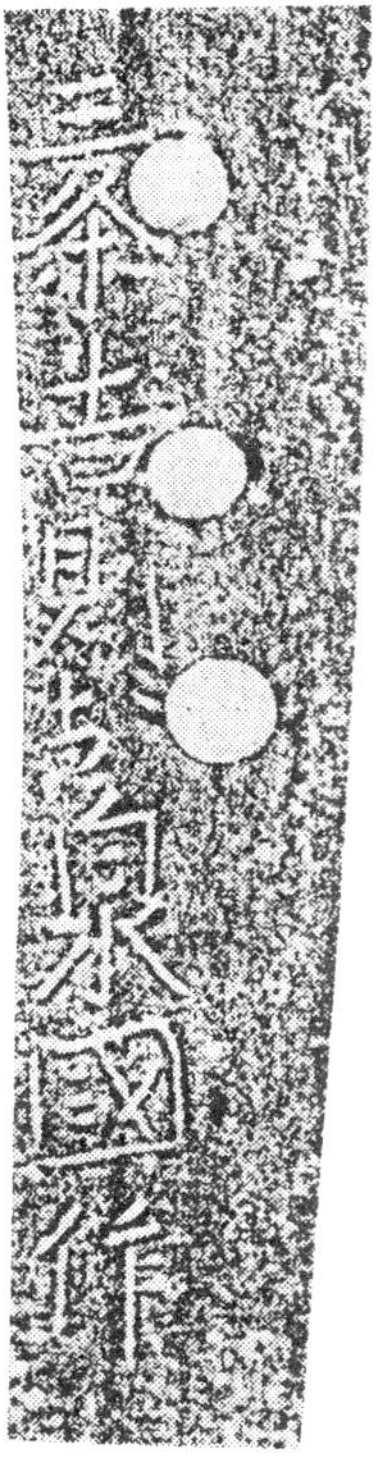

▽**吉則**（三条）　長吉一派、和泉、越前でも作刀　室町中―山城国

▽**貞興**（保昌）　鎌倉末―大和国

▽**包永**（手掻）　初代正応、二代元亨、三代貞和、以下室町　鎌倉中―大和国

▽**国行**（当麻）　国行の在銘作は二振り現存　鎌倉中―大和国

▽**正恒**（古備前）　古備前刀工中、友成と並ぶ両横綱　平安末―備前国

▽**包平**（古備前）　備前三平の一人
平安末―備前国

▽**友成**（古備前）　浅く湾れて小丸に浅く返る帽子が特徴　平安末―備前国

▽**景安**（古備前）　鎌倉初―備前国

▽**吉包**（古備前）　腰刃を焼く　鎌倉初―備前国

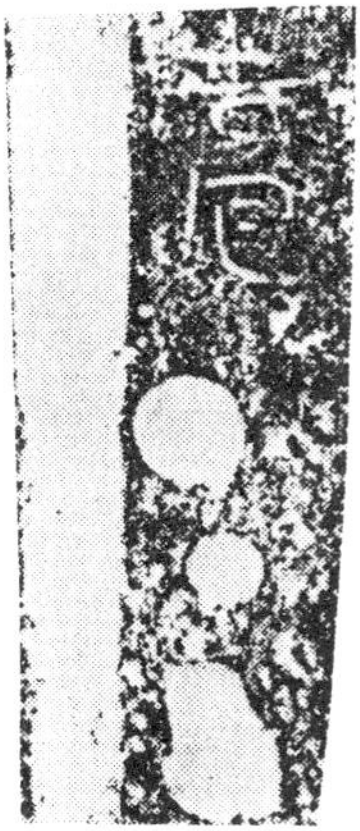

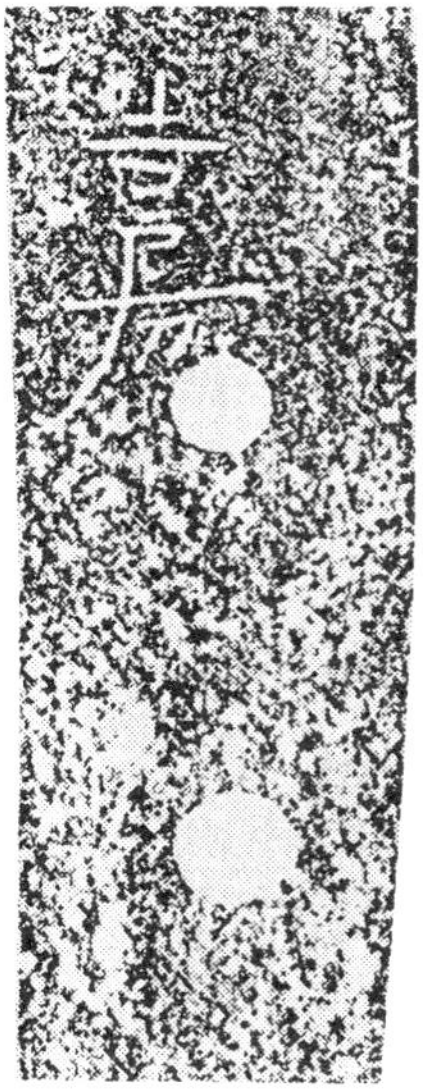

▽**吉房**（福岡一文字）　大小の銘振りから四通りあり

鎌倉中―備前国

▽**一**（福岡一文字）　鎌倉中―備前国

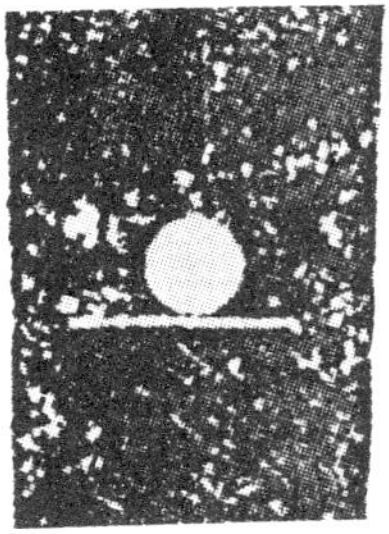

▽**一**（吉岡一文字）　鎌倉末―備前国

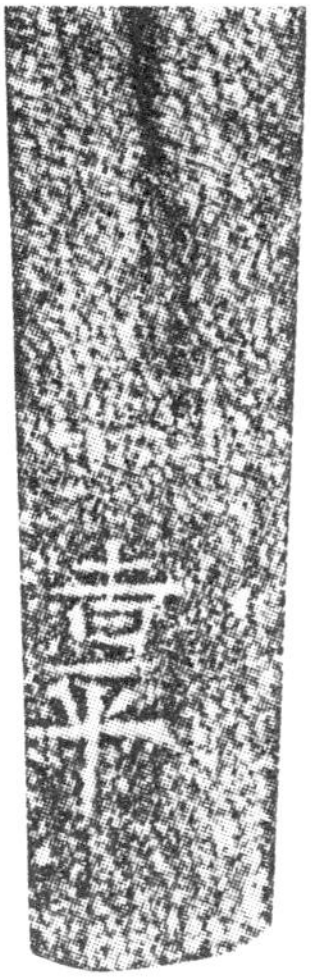

▽**吉平**（福岡一文字）　鎌倉中―備前国

▽**助真**（鎌倉一文字）　国綱、国宗とともに鎌倉へ下向

鎌倉中―備前国

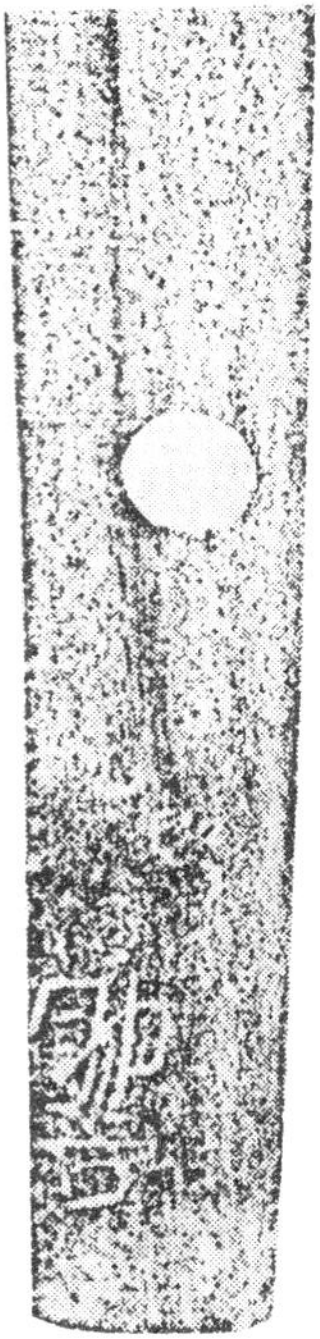

▽助吉（吉岡一文字）　助光の兄、吉岡一文字派の祖　鎌倉末―備前国

▽光忠（長船）　長船の祖、無銘極めに傑作あり　鎌倉中―備前国

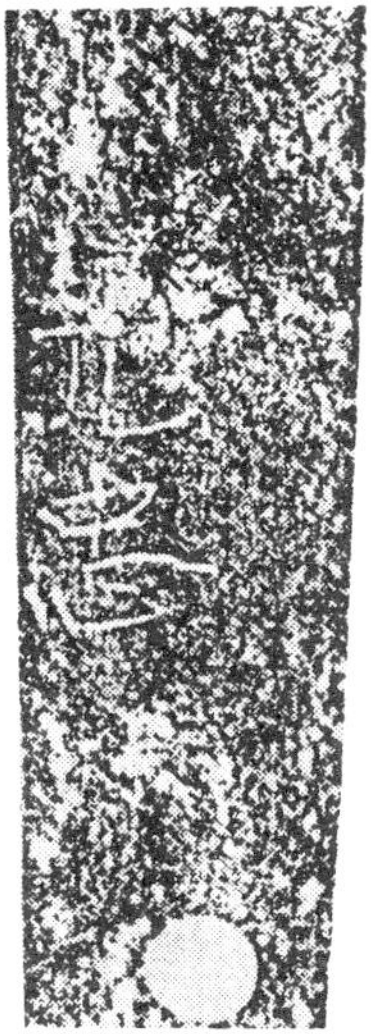

▽長光（長船）　子景光、門下真長と三作、三作帽子が特徴　鎌倉中―備前国

▽長元（長船）　長光代作者の一人　鎌倉中―備前国

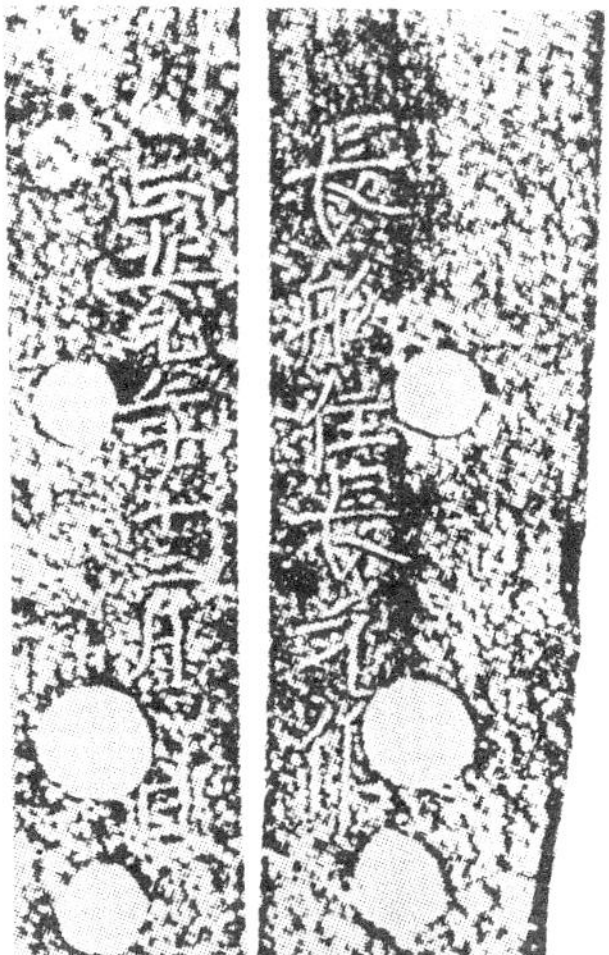

▽**景光**（長船）　長光の子、片落互の目が得意　鎌倉中―備前国

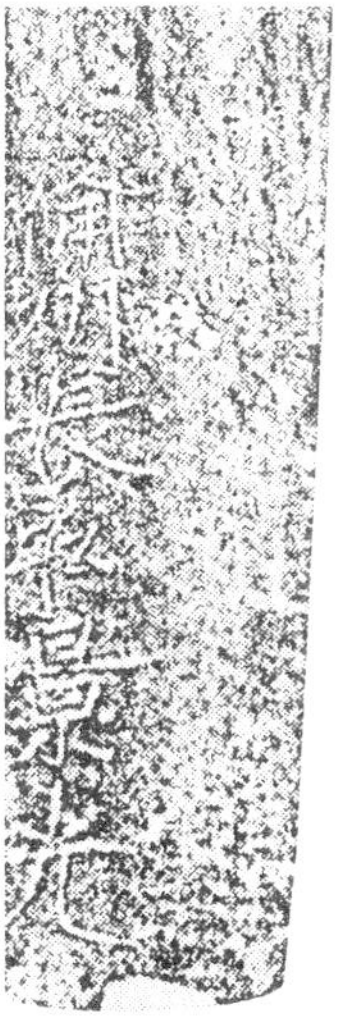

▽**近景**（長船）　鎌倉末―備前国

▽**真長**（長船）　直刃の名手　鎌倉中―備前国

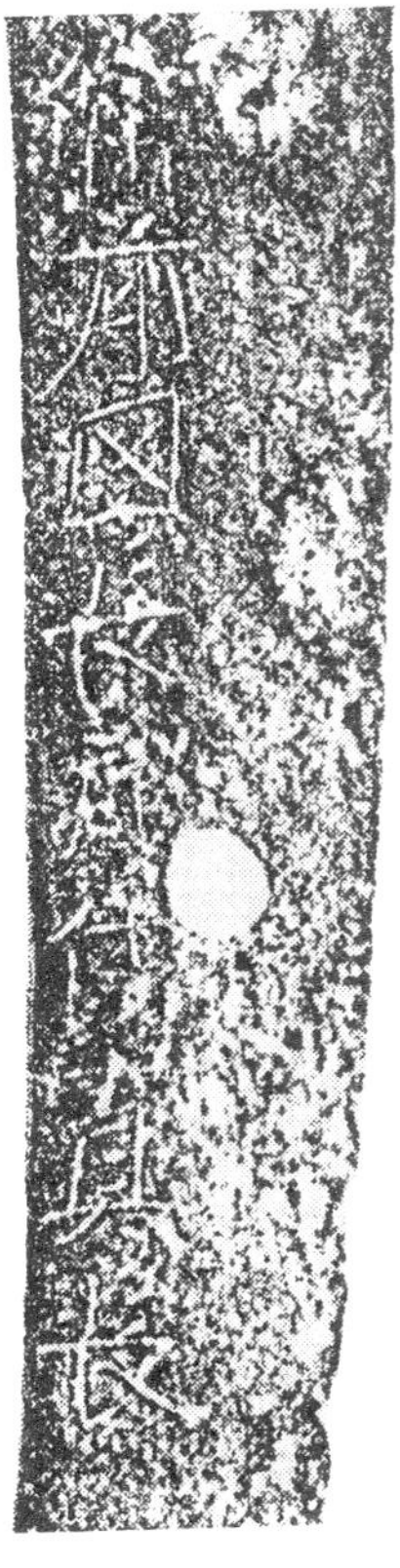

▽**兼光**（長船）　景光の子、文和・延文以降は二代　南北朝―備前国

▽**倫光**（長船）　兼光門下、湾れ刃を主調とする　南北朝―備前国

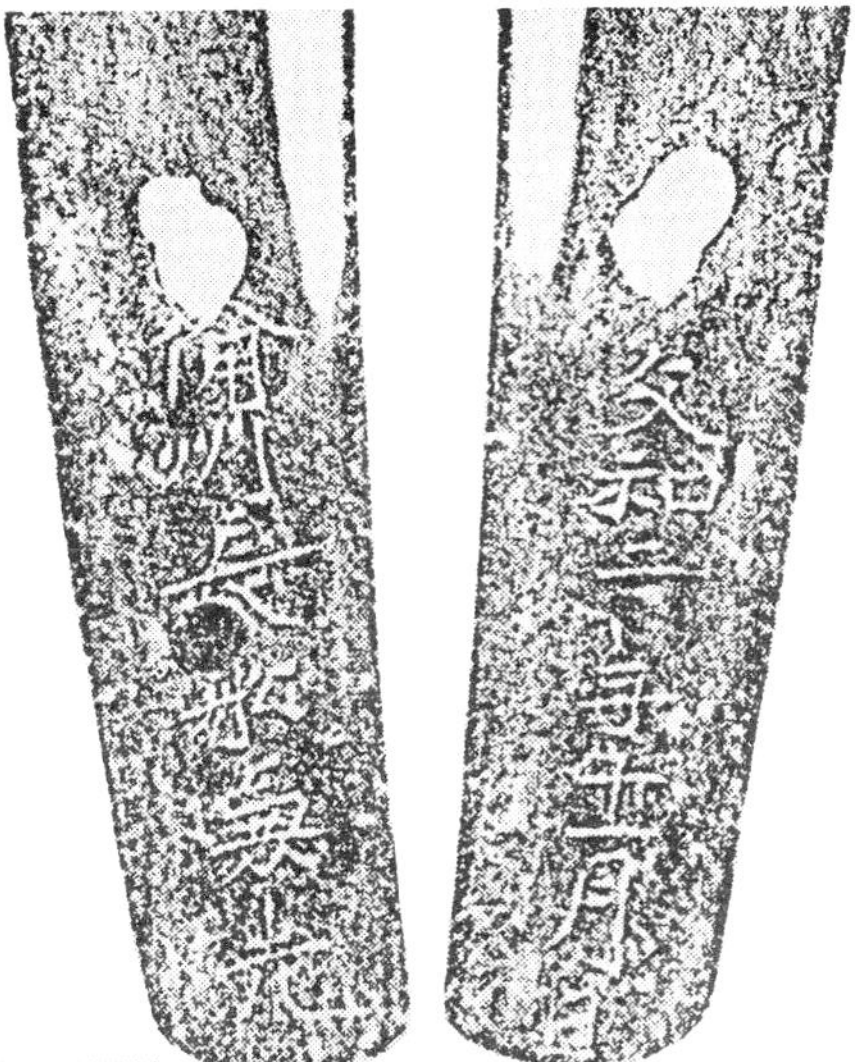

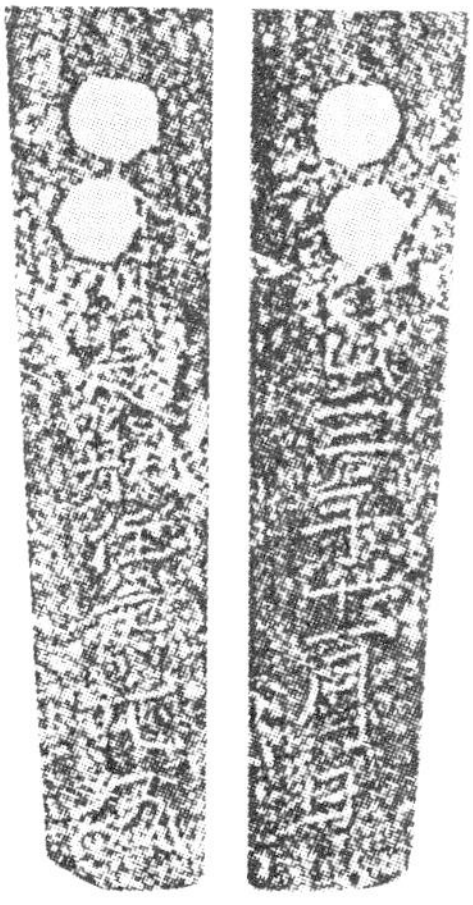

▽**基光**（長船）　師兼光に似て刃文小づむ　南北朝―備前国

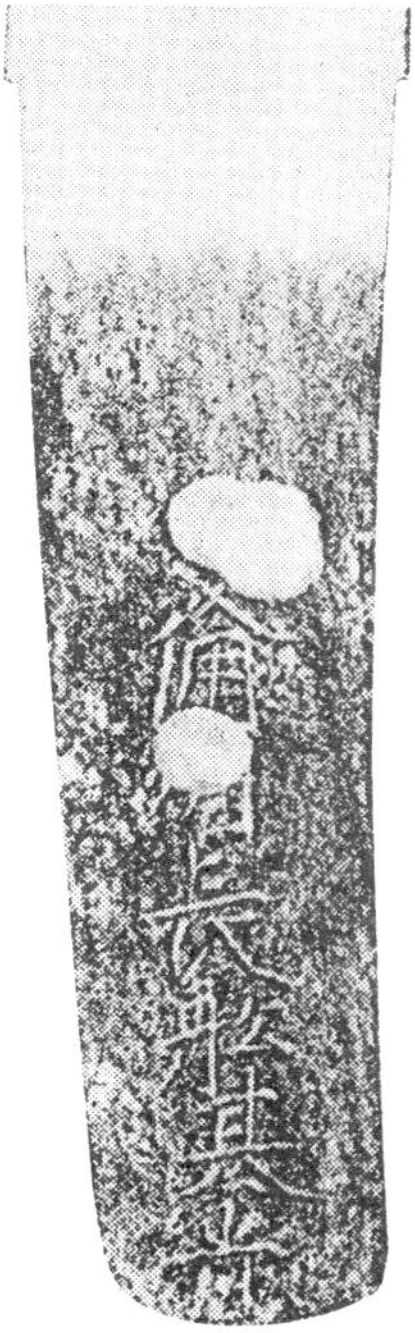

▽**元重**（長船）　大振り二字銘の古元重は別人　南北朝―備前国

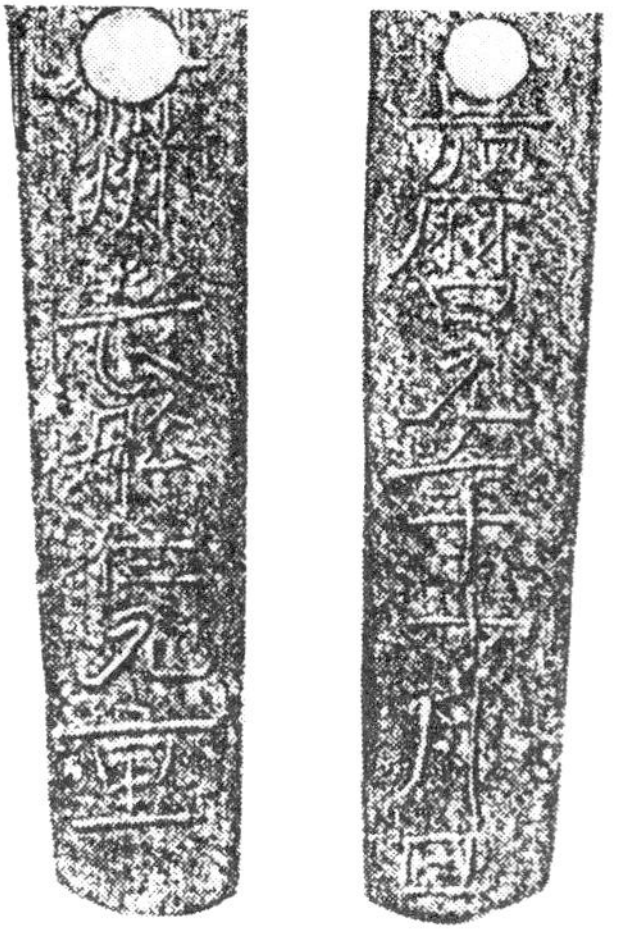

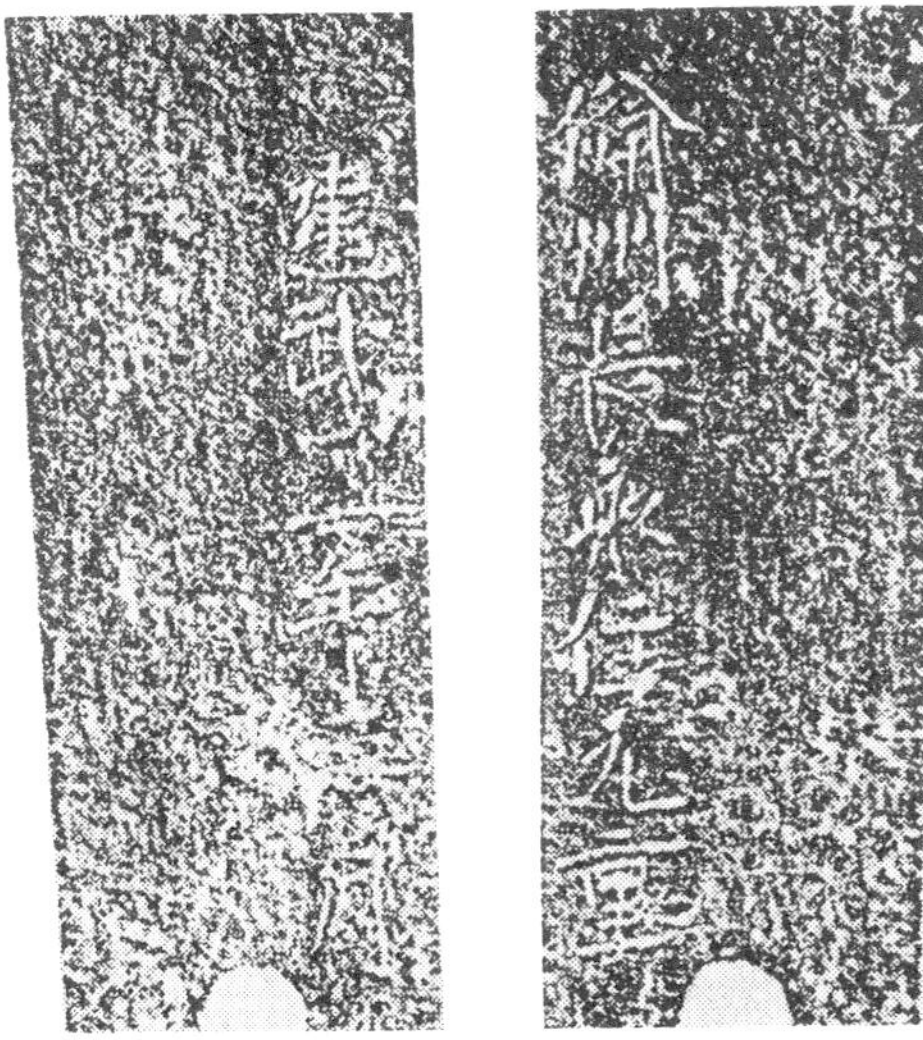

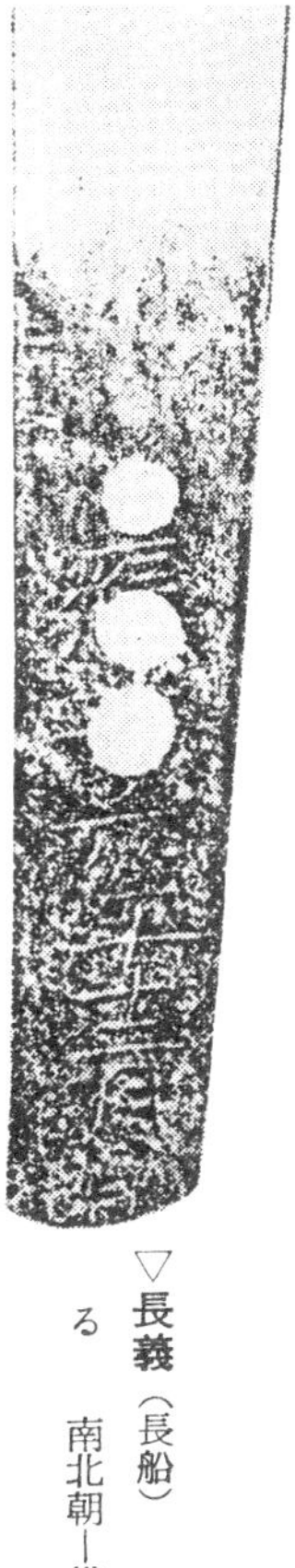

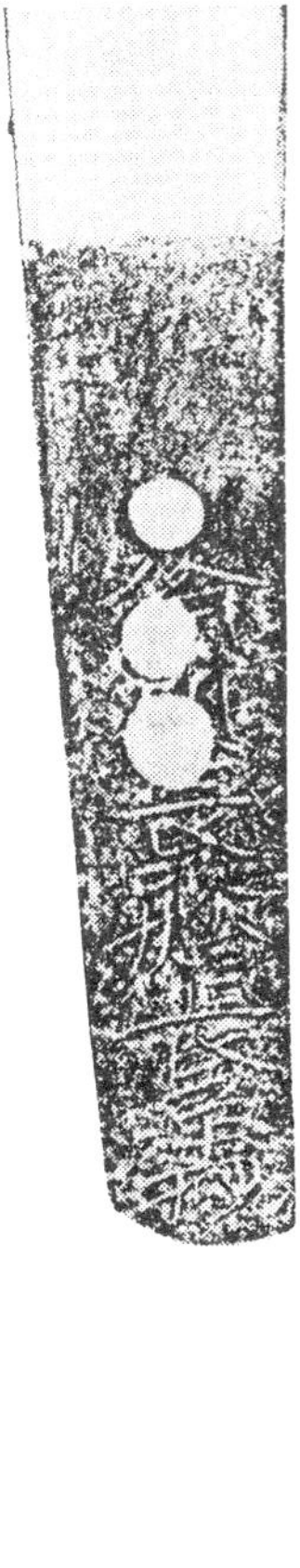

▽**長義**（長船）　正宗十哲の一人と伝える　南北朝—備前国

△**国宗**（備前三郎）　長船在住、直宗系、白染みが見どころ　鎌倉中—備前国

▽**守家**（畠田）　蛙子丁子が目立つ、二代は小出来　鎌倉中—備前国

▽**真守**（畠田）　鎌倉中—備前国

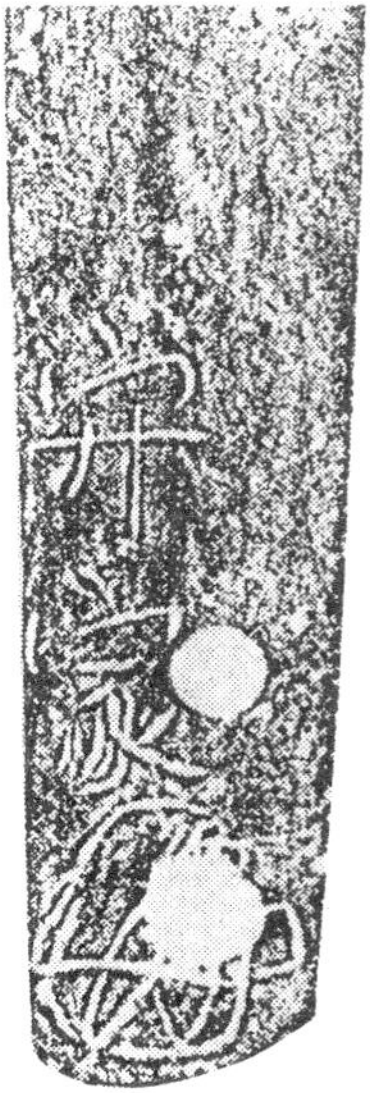

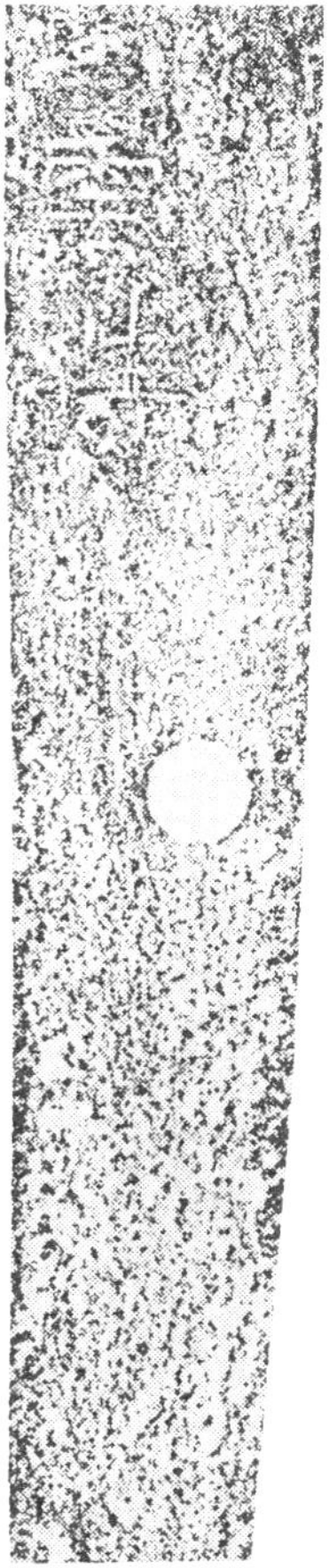

▽**雲生**（備前）
備前宇甘荘に
居住　鎌倉
中―備前国

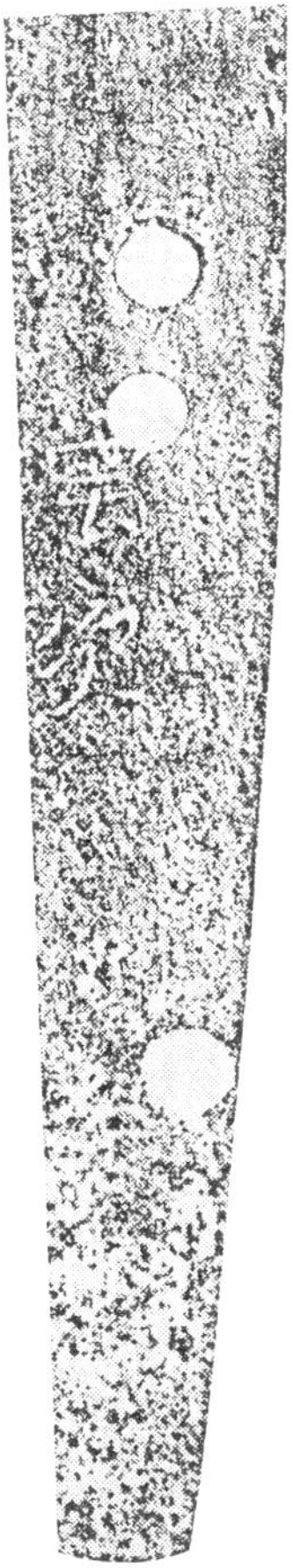

▽**雲次**（備前）
姿と地刃に京
風がある
鎌倉末―備前
国

▽**盛光**（修理亮）　康光より乱刃が大模様　室町初―備前国

▽**師光**（長船）盛光の父　南北朝―備前国

▽**康光**（右衛門尉）正長以後二代目、帽子先が尖る特徴　室町初―備前国

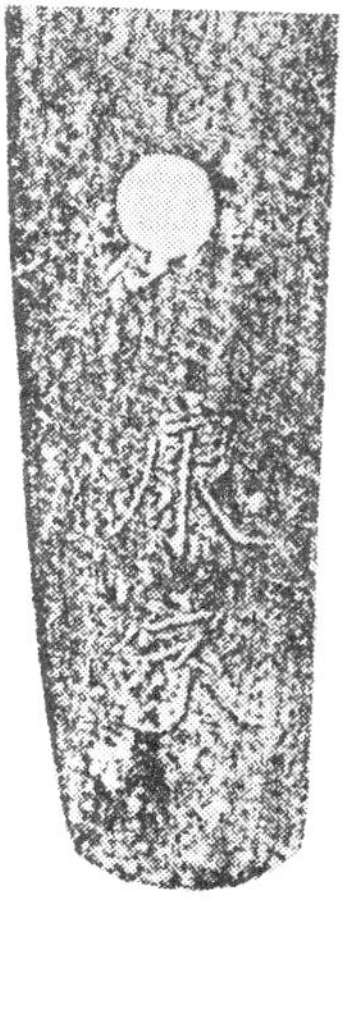

▽**康家**（長船）康光近親者　室町初―備前国

▽忠光（彦兵衛）　中川姓、作州でも作刀　室町後－備前国

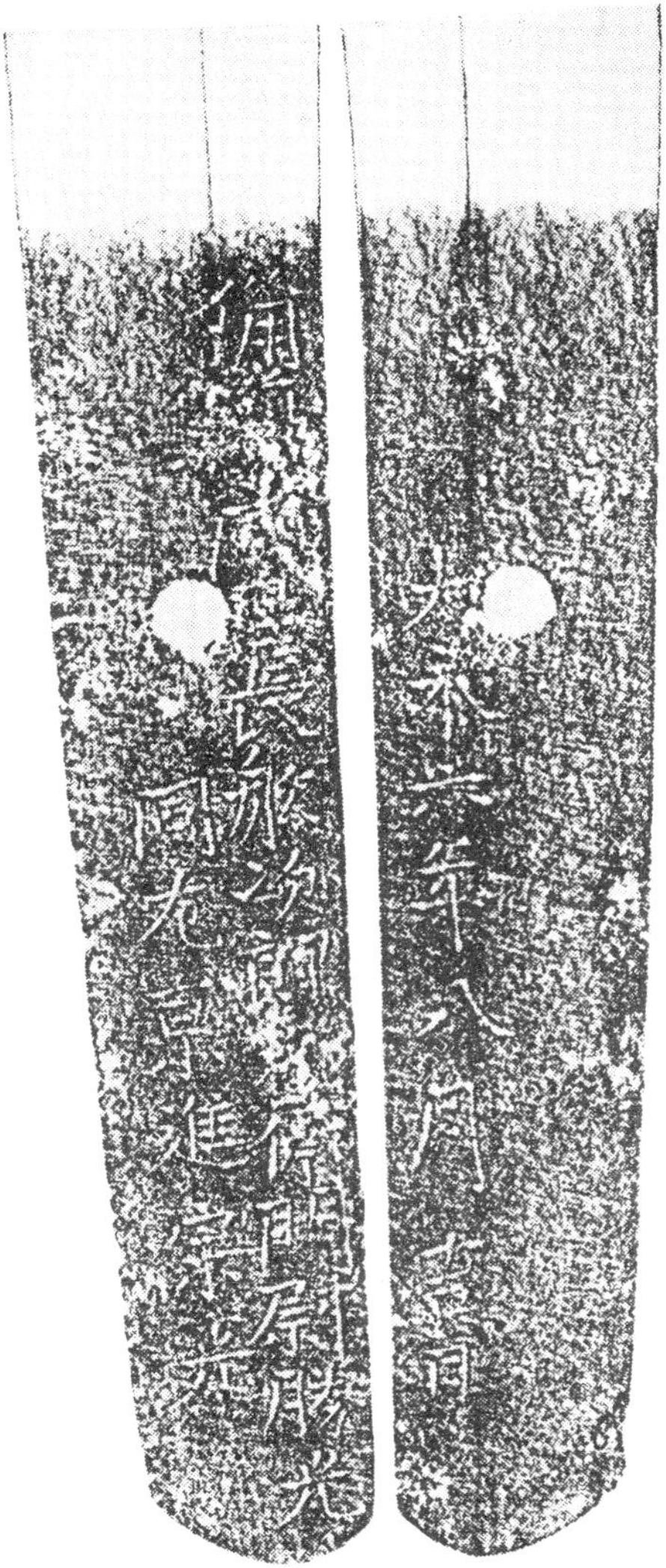

▷勝光・宗光（次郎左衛門・左京進）　左京進は次郎左衛門の叔父

室町後－備前国

▽**祐定**（与三左衛門）
末備前中の腕達者　室町末―備前国

▽**清光**（孫右衛門）
祐定についで繁栄した清光一家　室町末―備前国

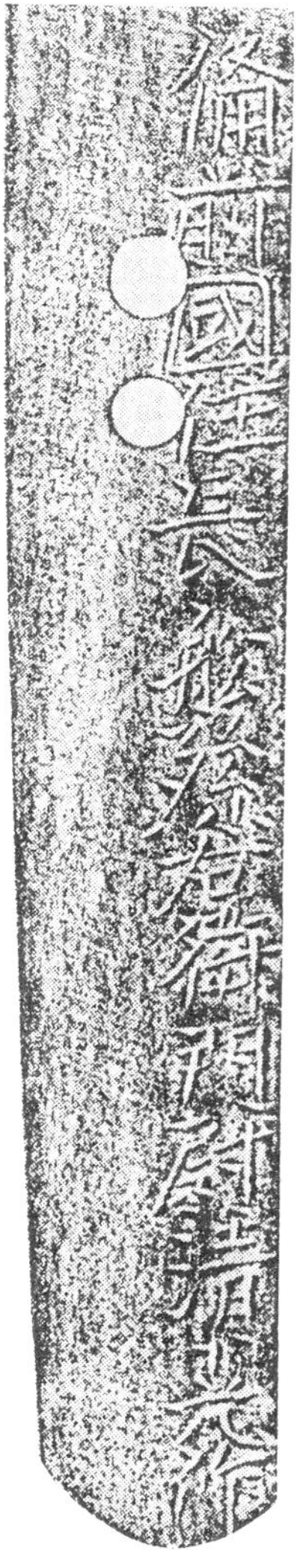

▽**清則**（吉井）　小互の目刃が揃うのが特徴　室町前—備前国

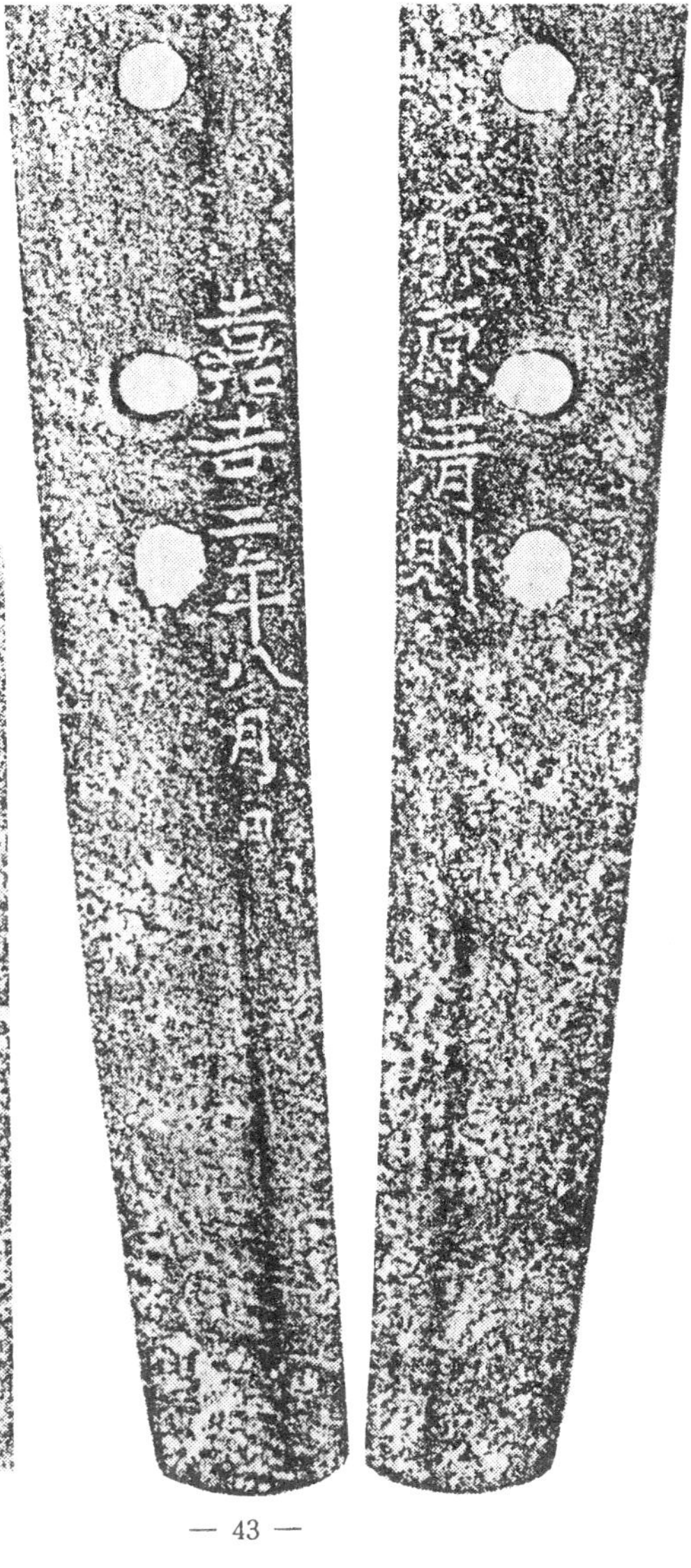

▽**次忠**（古青江）　次家の子とも孫とも伝える　鎌倉初—備中国

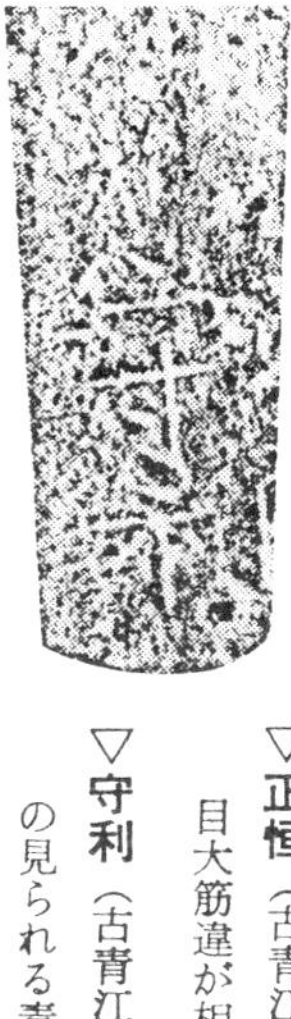

▽**正恒**（古青江） 古備前と同銘、鑢目大筋違が相違 鎌倉初―備中国

▽**守利**（古青江） 逆足交じり、澄肌の見られる青江派 鎌倉中―備中国

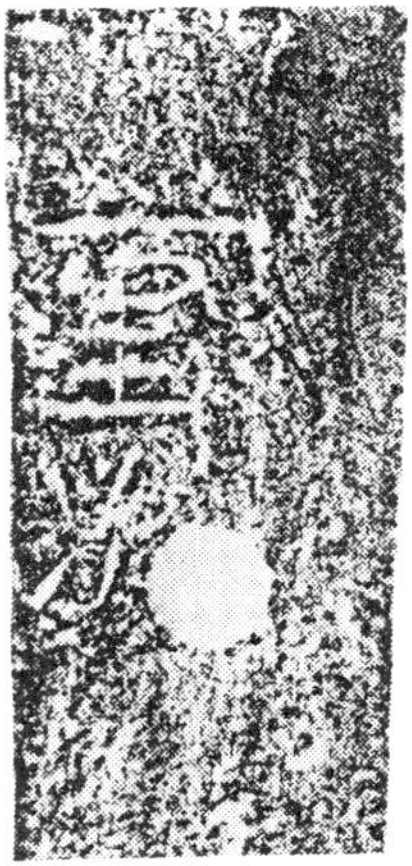

▽**重次**（古青江） 大振り銘力強い 鎌倉初―備中国

▽**守次**（青江） 大筋違鑢がこの派の見どころ 南北朝―備中国

▽**直次**（青江） 左兵衛尉 鎌倉末―備中国

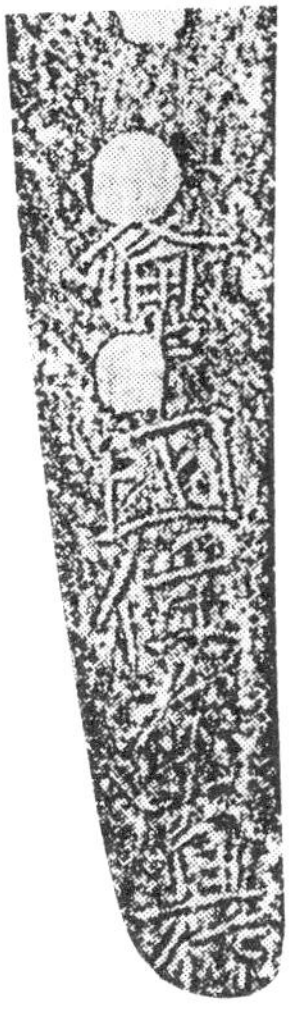

▽**次直**（青江） 南北朝期青江の第一人者 南北朝―備中国

▽**清綱**（二王）直刃を得意とし、逆足が入る

鎌倉末―周防国

▽**清永**（二王）短刀多く刀身彫刻もある

室町初―周防国

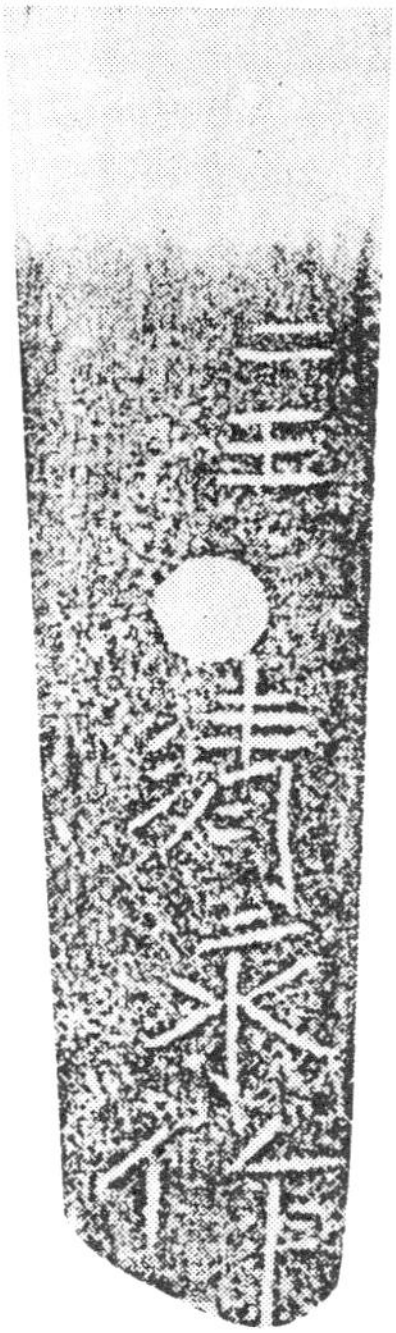

▽**清景**（二王）刃中変化なく淋しい

室町初―周防国

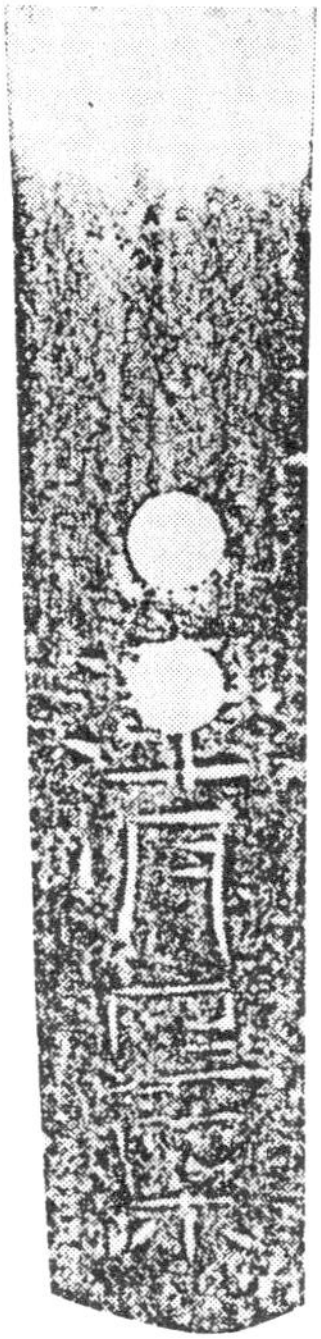

▽**種重**（二王）直刃に小足入り

室町末―周防国

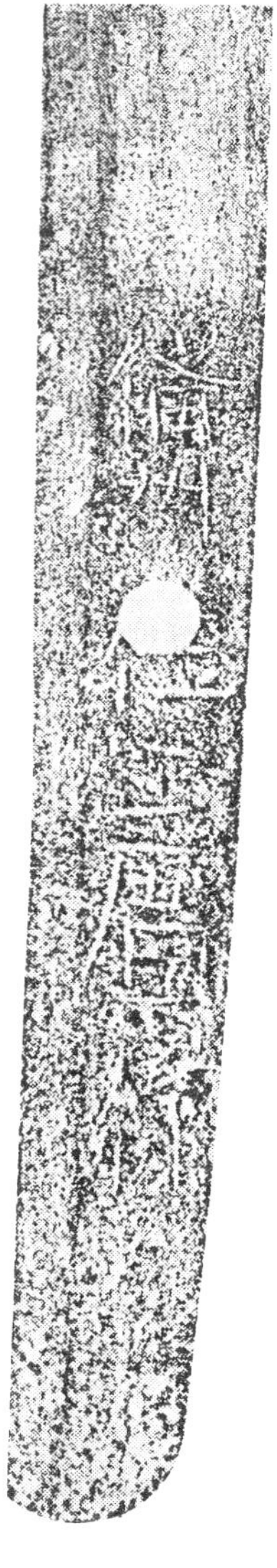

▽**正広**（古三原）　正家の子、直刃主調で刃中淋しい　南北朝―備後国

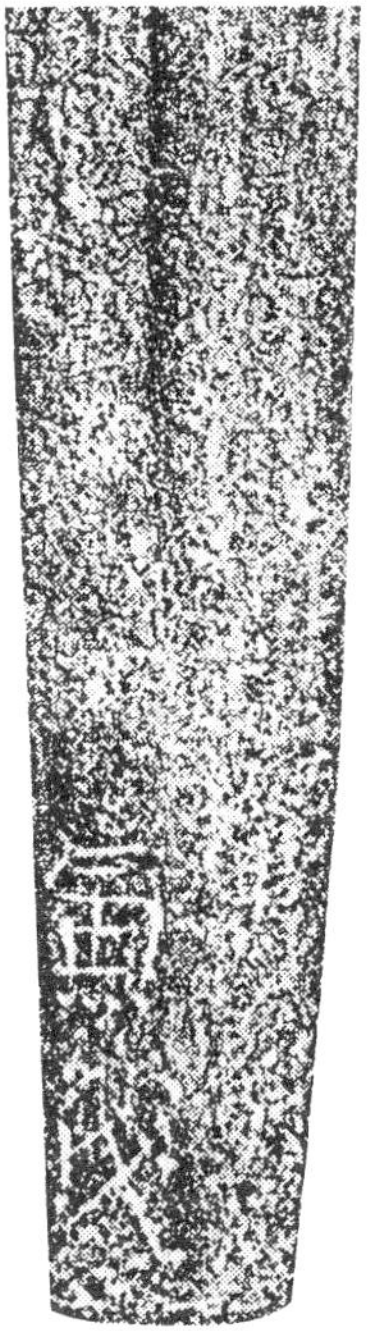

▽**兼氏**（志津三郎）　大和手掻派出身、正宗十哲の一人　南北朝―美濃国

▽**兼定**（和泉守）　孫六兼元と並び美濃関を代表する両雄　室町末―美濃国

▽**兼定**（関） 三代目、いわゆる〝疋定〟 室町末―美濃国

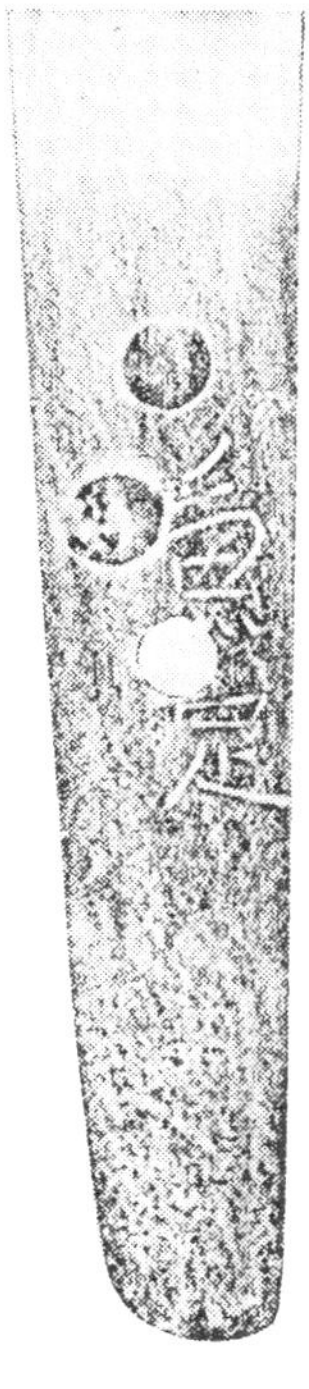

▽**兼元**（孫六） 三本杉刃を焼いて著名、最上大業物 室町末―美濃国

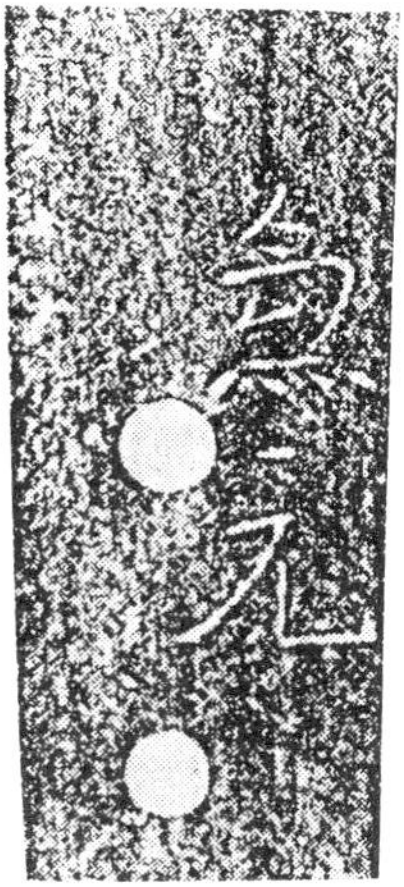

▽**兼房**（関） 頭の丸い兼房乱 室町末―美濃国

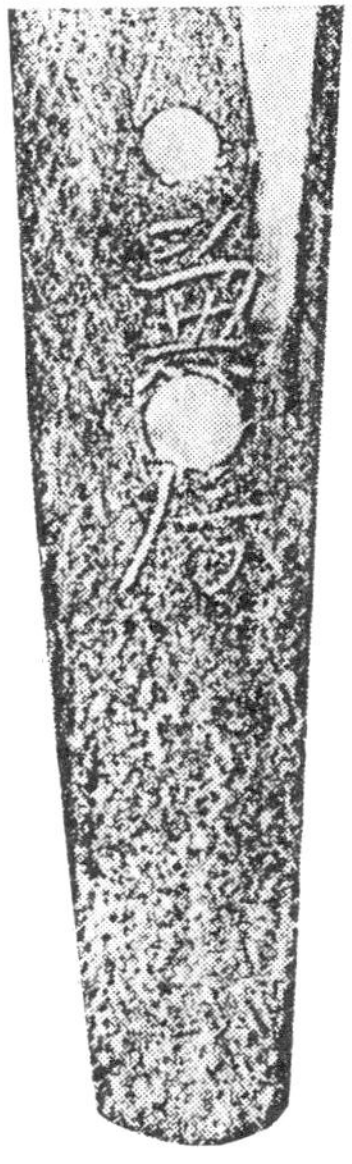

▽**氏貞**（権少将） 若狭守氏房の弟 室町末―三河国

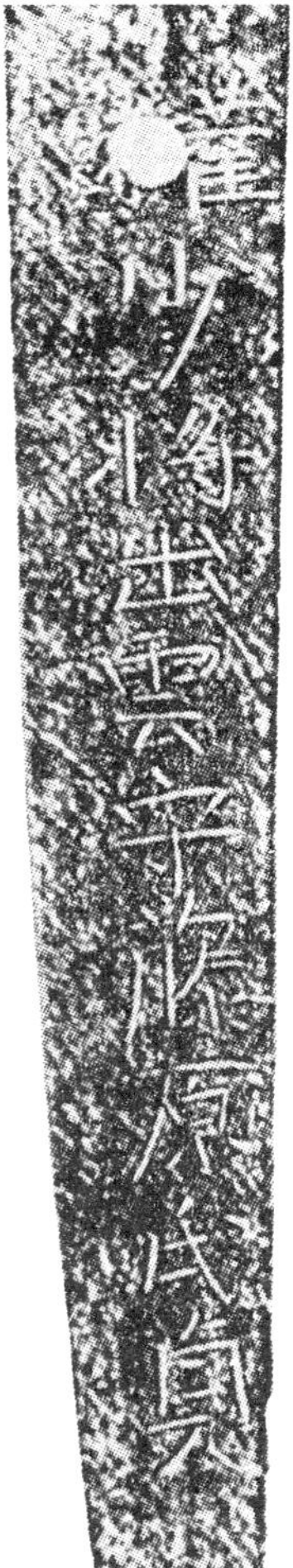

▽**氏房**（若狭守）　関兼房の子、のち三河尾張へ移住
室町末―三河国

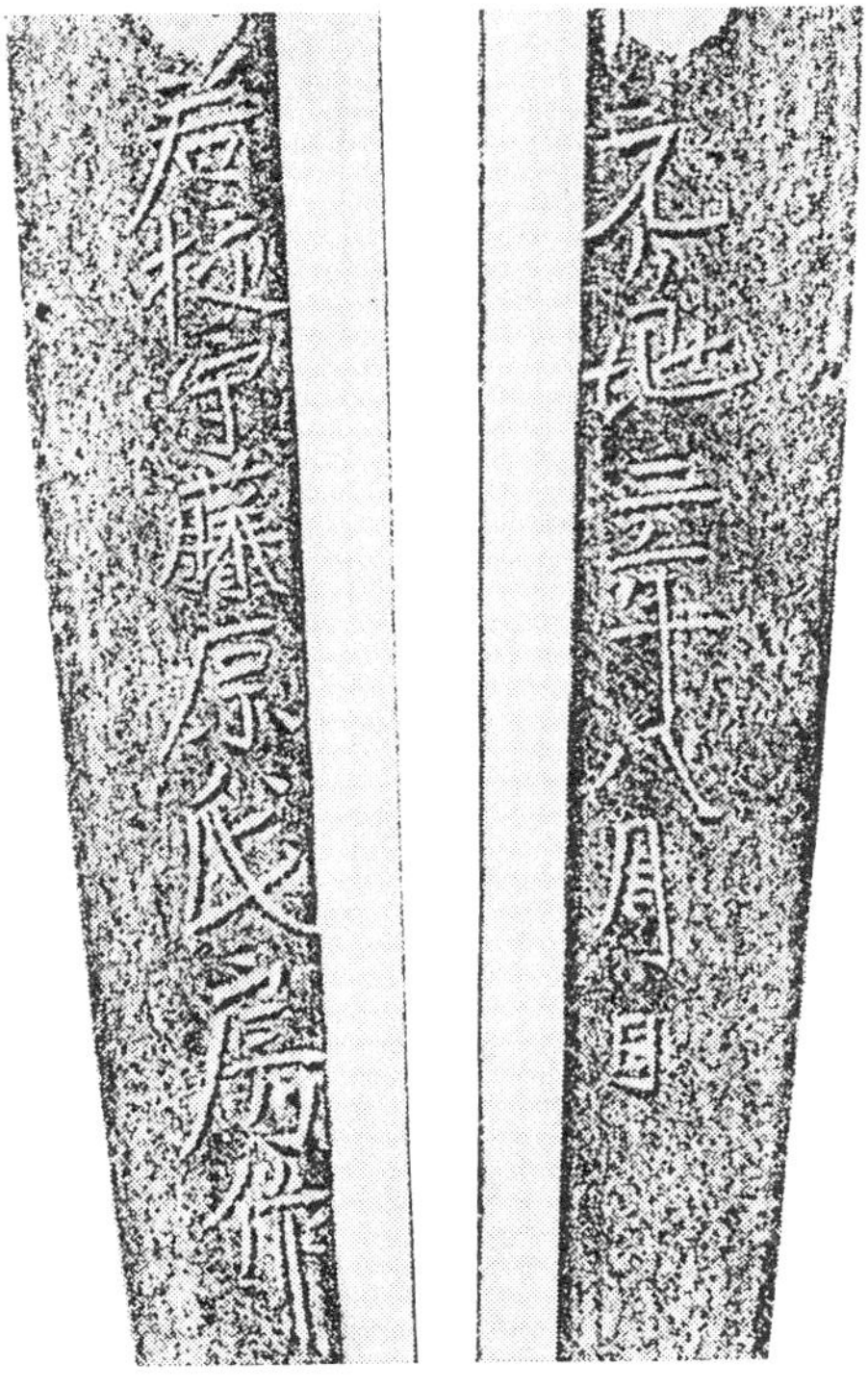

▽**友重**（藤島）　備前と見え、大和にも見える作
室町初―加賀国

▽**国宗**（宇多） 大和宇多郡の出身
室町中―越中国

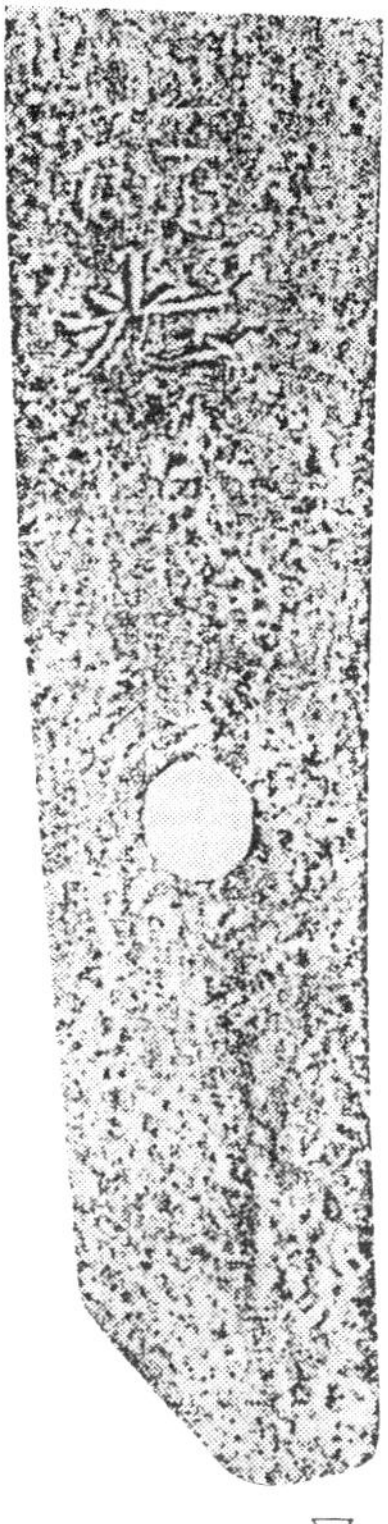

▽**行光**（加州） 刃上りの茎尻
はこの派の特徴
室町末―加賀国

▽**近則**（月山） 綾杉肌
を鍛える
室町末―出羽国

▽**国光**（新藤五）　短刀が得意、直刀の名人　鎌倉中—相模国

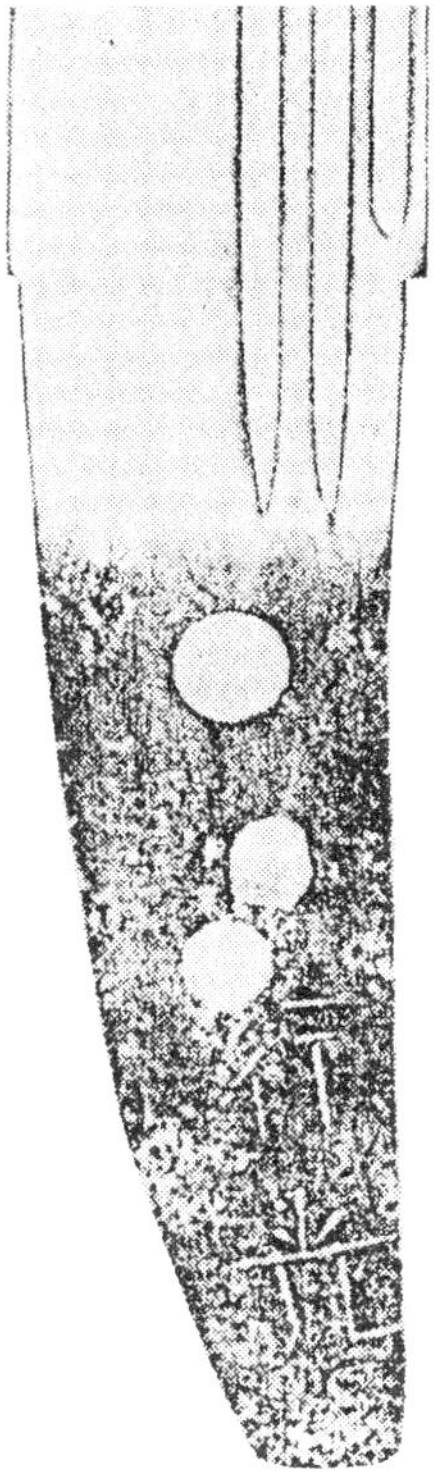

▷**行光**（相州）　新藤五国光の弟子，正宗の父とも伝える　鎌倉末—相模国

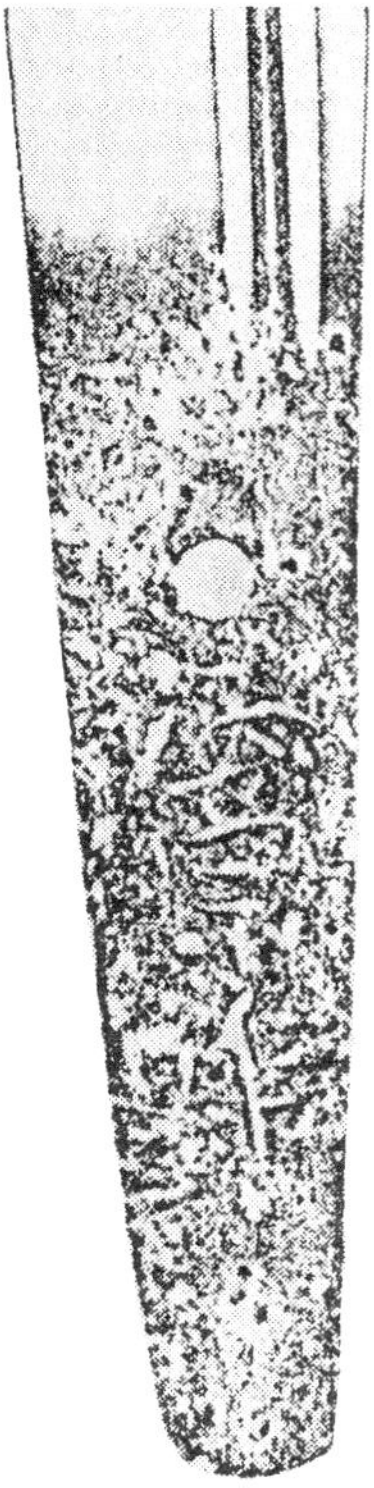

▷**正宗**（五郎入道）　在銘正真作は四振り現存　鎌倉末—相模国

▽広光（相州）皆焼の名人　南北朝―相模国

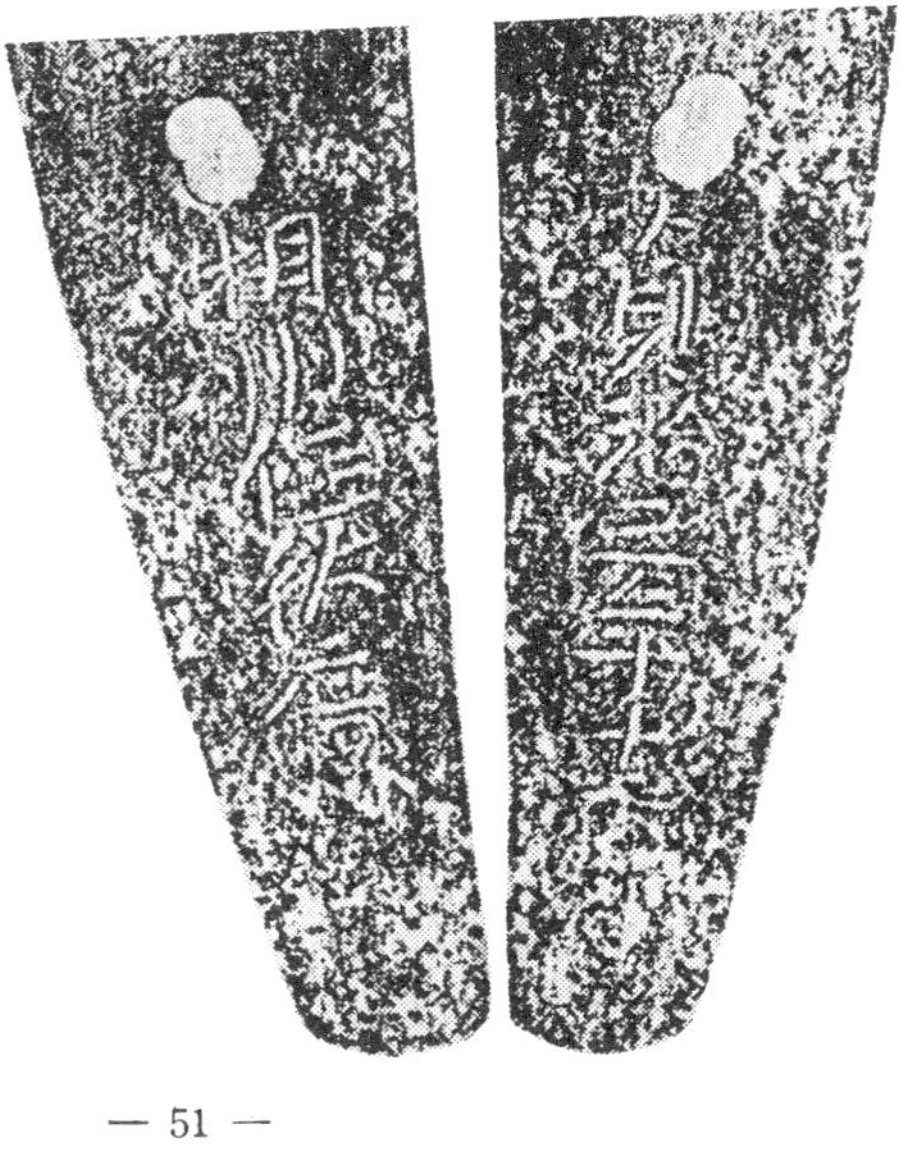

▽秋広（相州）年号に月日を切らない　南北朝―相模国

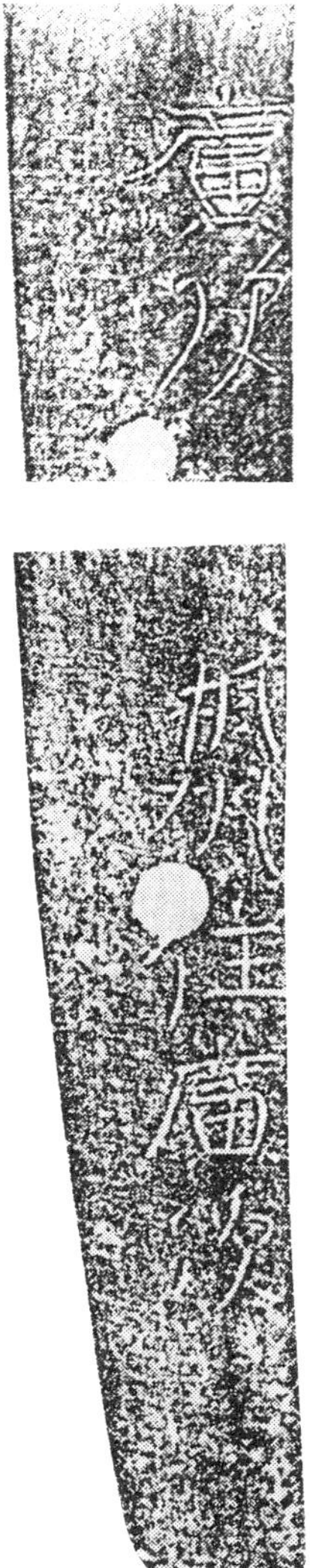

▽**広次**（相州）　文明から永正頃まで作刀　室町後一相模国

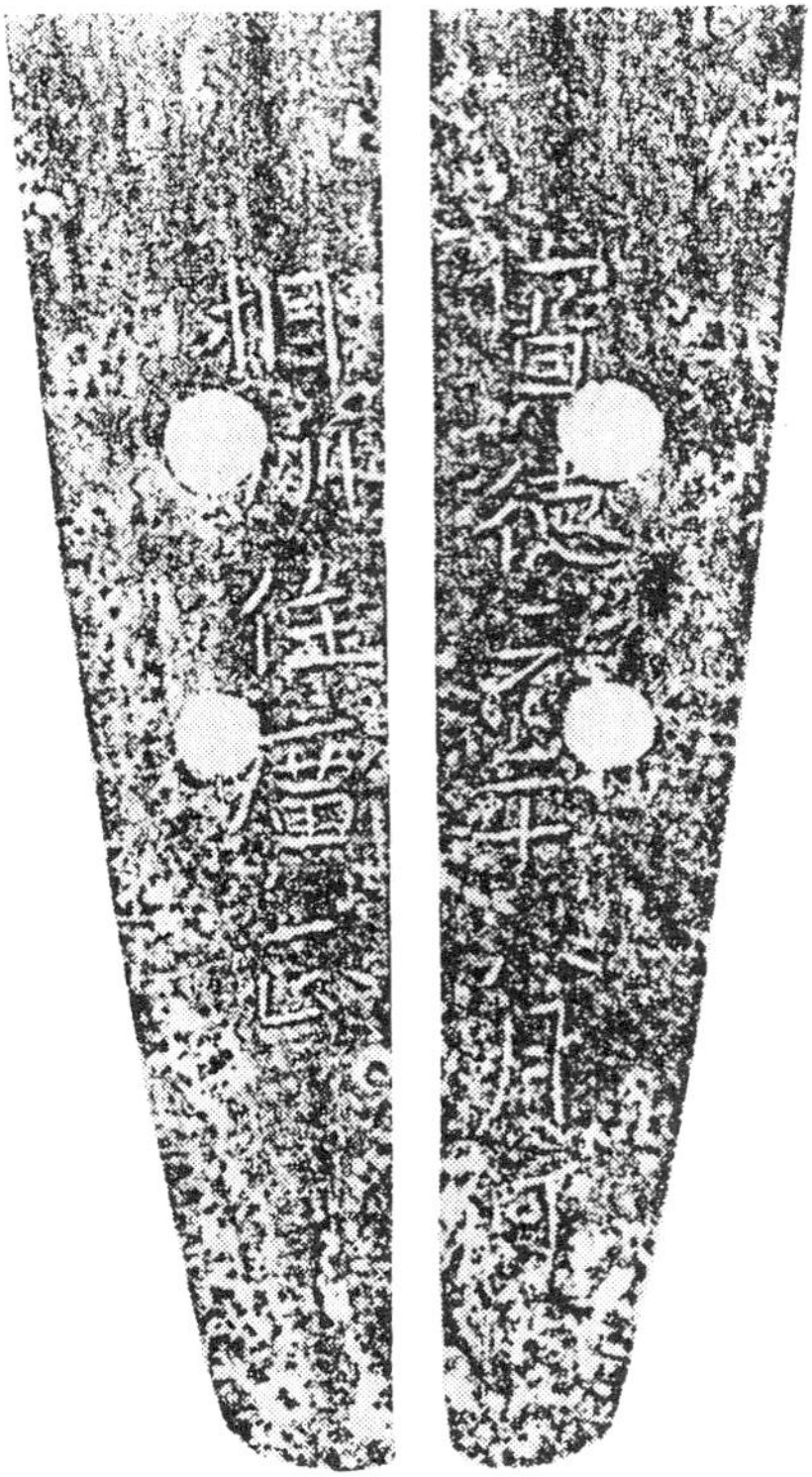

▷**広正**（相州）　小振り緻密な彫物あり
室町後一相模国

▽**助宗**（島田）　初代義助の弟、皆焼がある　室町末—駿河国

▽**広助**（島田）　室町末—駿河国

▽**義助**（島田）　刀は少なく短刀が多い　室町末—駿河国

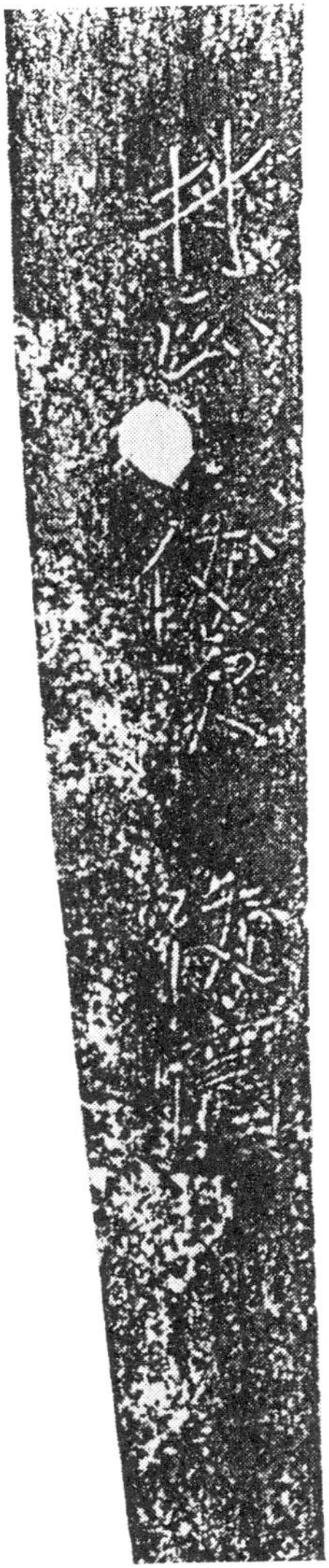

▽**村正**（千五）　刃文が表裏揃う　室町末—伊勢国

▽**正重**（千五）　村正門、箱乱が交じる　室町末―伊勢国

▽**国村**（延寿）　延寿太郎、来国行の聟、延寿派の祖　鎌倉末―肥後国

▽**正真**（千五）　室町末―伊勢国

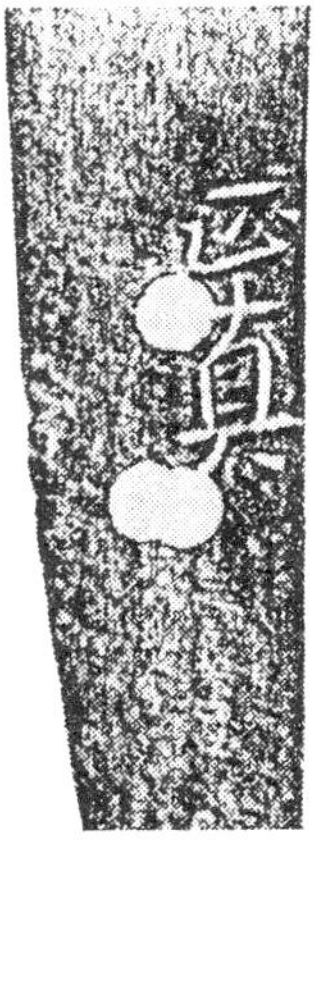

▽国時（延寿）　国吉の子　南北朝―肥後国

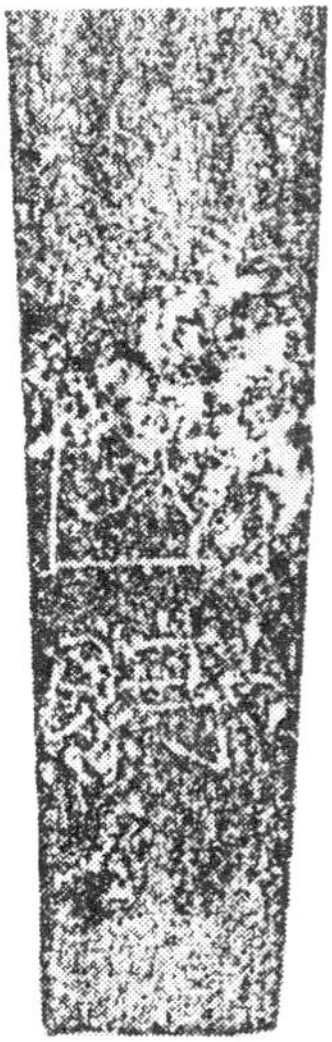

▽国資（延寿）　国泰の子　南北朝―肥後国

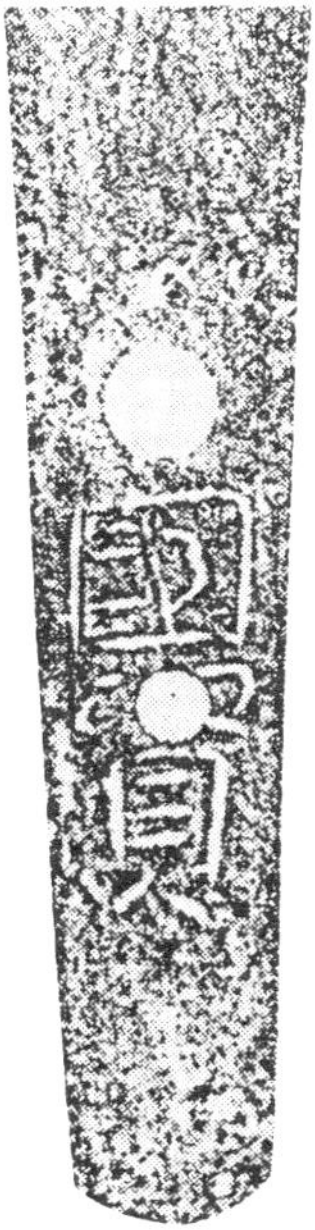

▽良西（筑州）　筑前鍛冶の祖という、この銘現存唯一

鎌倉中―筑前国

▽国泰（延寿）　国村の子

南北朝―肥後国

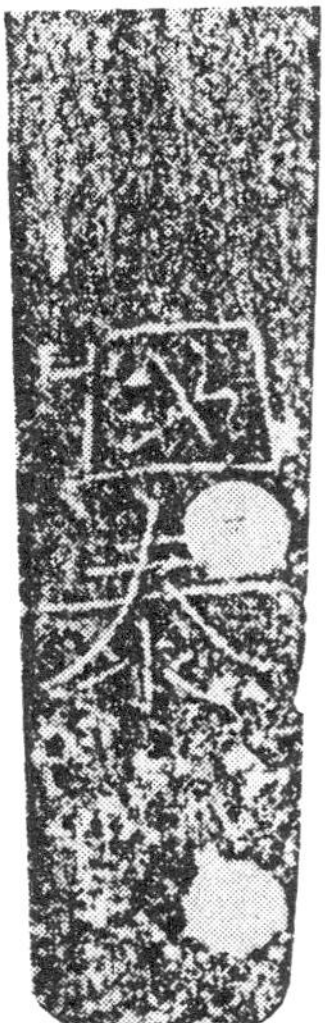

▽実阿（筑州）　左文字の父と伝える、在銘作稀少

鎌倉末―筑前国

▽左（筑州）　左は左衛門三郎の一字をとるという　南北朝―筑前国

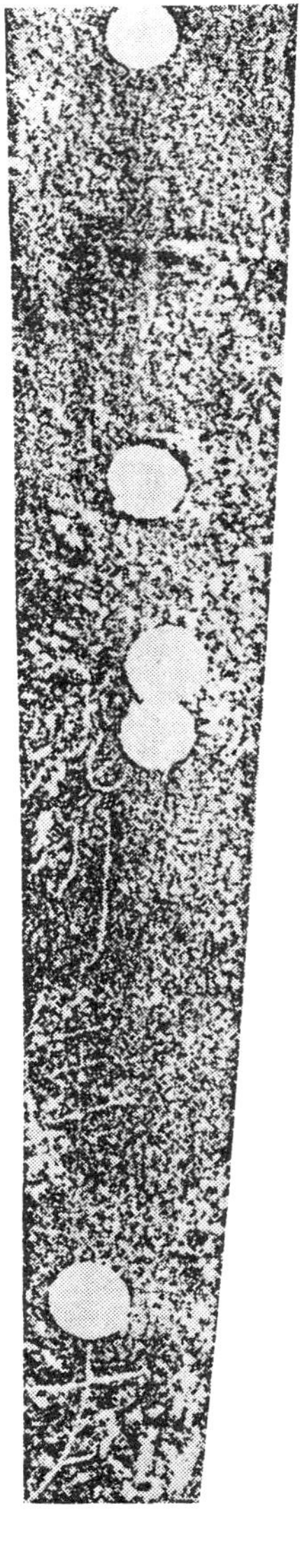

▽安吉（左）　大左の子、帽子先尖って返る　南北朝―筑前国

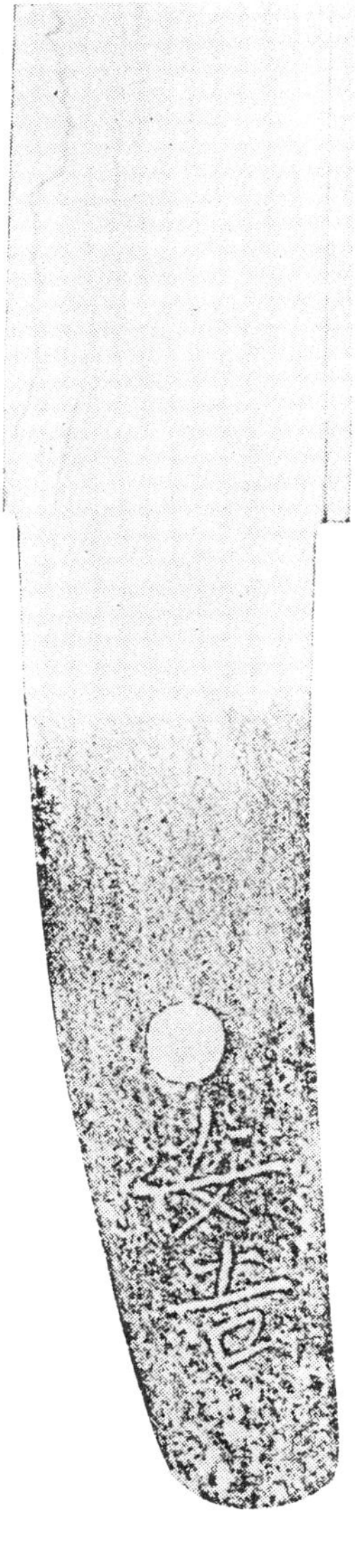

▽**吉貞**（左）　左の一門中、作品概して多い　南北朝―筑前国

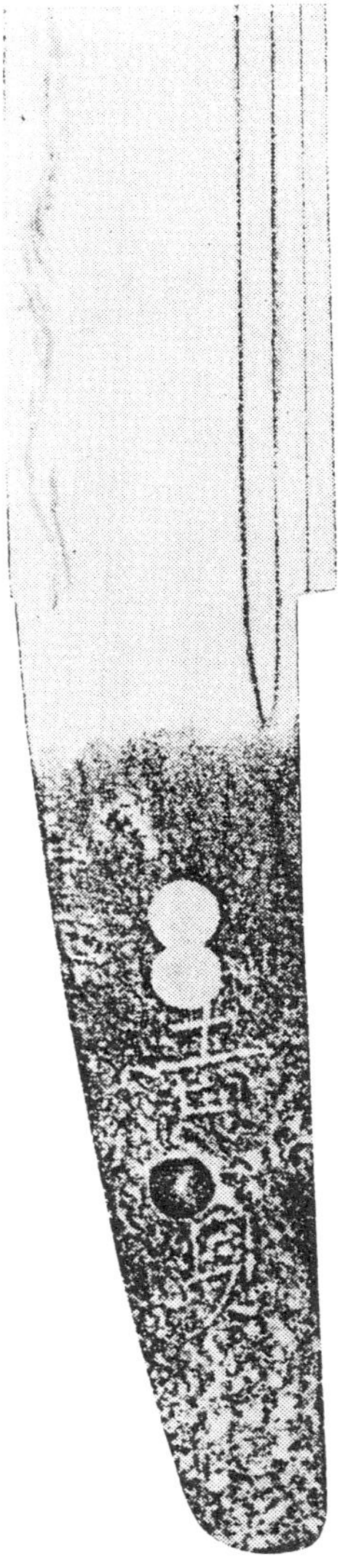

▽**友行**（豊後）　貞治元年八月日　南北朝―豊後国

新刀編

▽明寿（埋忠）　新刀の鼻祖、寛永八年七十四才没　桃山—山城国

▽**国広**（堀川）　堀川一門の頭領、彫物多く得意、上図古屋打銘　桃山—山城国

▽**国路**（出羽大掾）　初銘国道、多作家、彫物多い　桃山—山城国

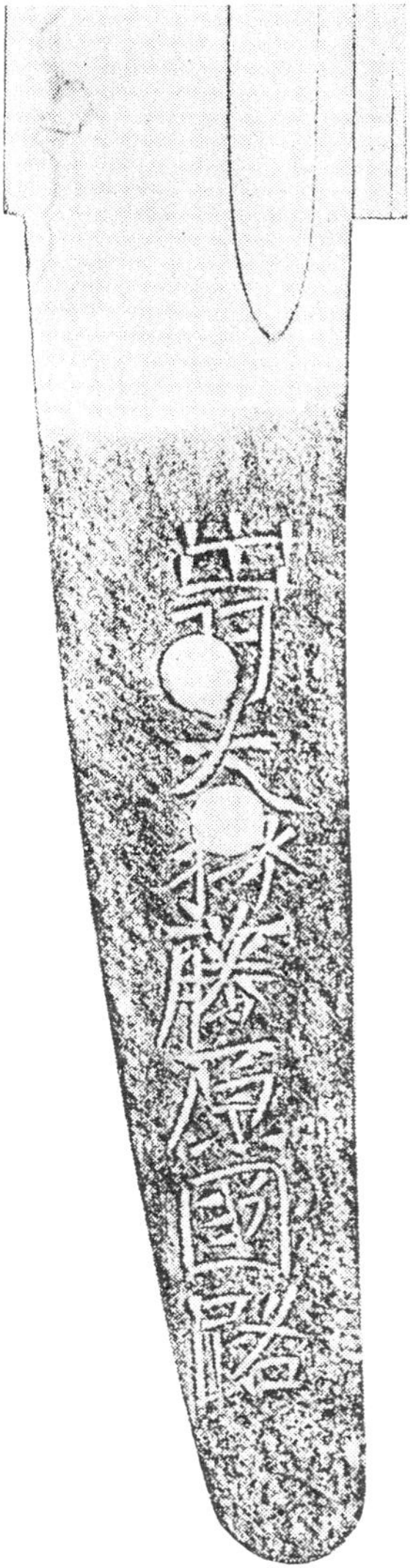

▽**国安**（堀川）　国広弟、左利き刀工　桃山—山城国

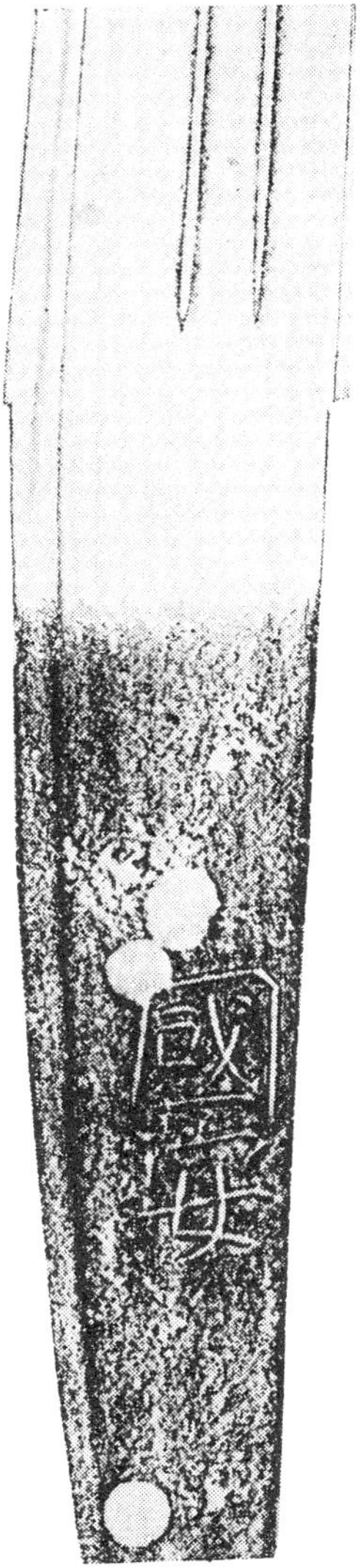

▽国儔（越後守）　堀川一門は大筋違鑢が特徴　桃山―山城国

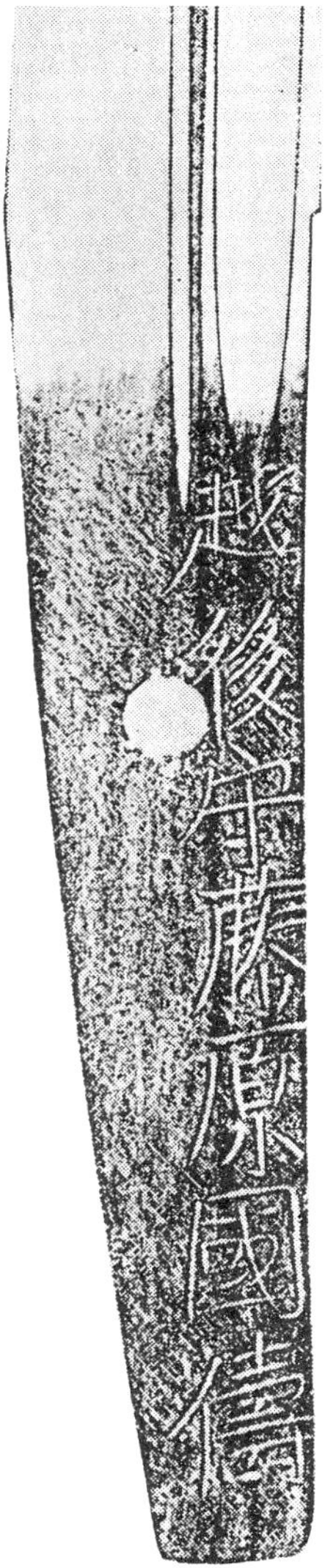

▽金道（伊賀守・初代）　三品四兄弟の長兄、二代以下は日本鍛冶宗匠　桃山―山城国

▽正俊（越中守・初代）　関兼道の四男、一門は三品帽子を焼く　桃山―山城国

▽吉道（丹波守・初代）　関兼道の三男、〝丹〟字から一名帆掛丹波　桃山―山城国

▽**吉道**（丹波守・大坂二代）　簾刃、菊水刃を焼く　江戸中―摂津国

▽**吉道**（大和守・初代）　大坂初代吉道の次男、二代は太銘　江戸中―摂津国

▽**久道**（近江守）　菊紋・技菊を茎に切る　江戸中―山城国

▽**信吉**（越前守）　信吉三代目、各代を通じ最も上手　江戸中―摂津国

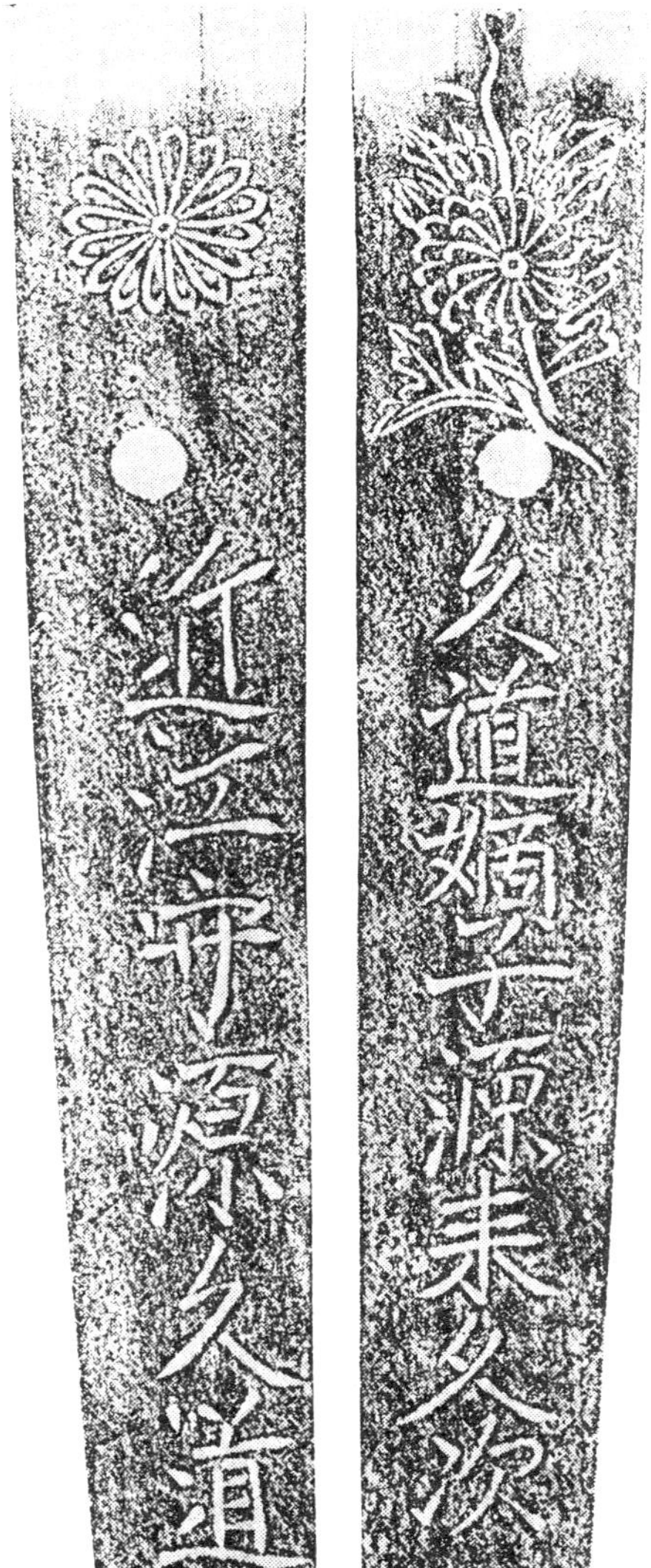

▽**国貞**（和泉守・初代）　堀川国儔門　江戸初―摂津国

▽**国貞**（和泉守・二代）　真改の初銘、助広と並び大坂新刀の双壁　江戸中―摂津国

▽**真改**（井上）　寛文十二年八月から国貞改銘　江戸中―摂津国

▽**国助**（河内守・初代）　堀川国広末弟子　桃山—摂津国

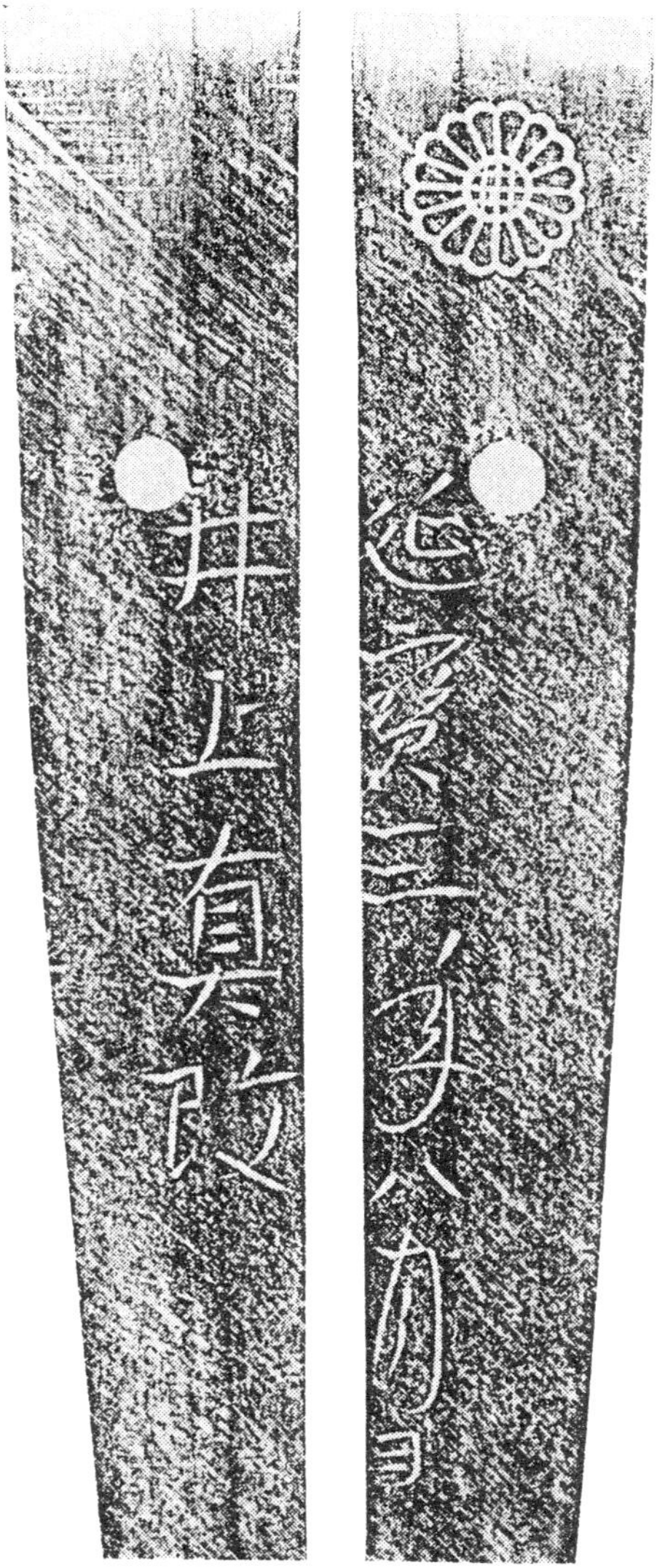

▽**国助**（河内守・二代）通称中河内、拳形丁子刃が独特　江戸中―摂津国

▽**国輝**（小林）初代国助の四男、ご幣形茎が特徴　江戸中―摂津国

▽**国康**（肥後守）　初代国助の三男、拳形丁子も焼く　江戸中―摂津国

▽**助広**（そぼろ）　初代国助の門、播州津田出身　江戸中―摂津国

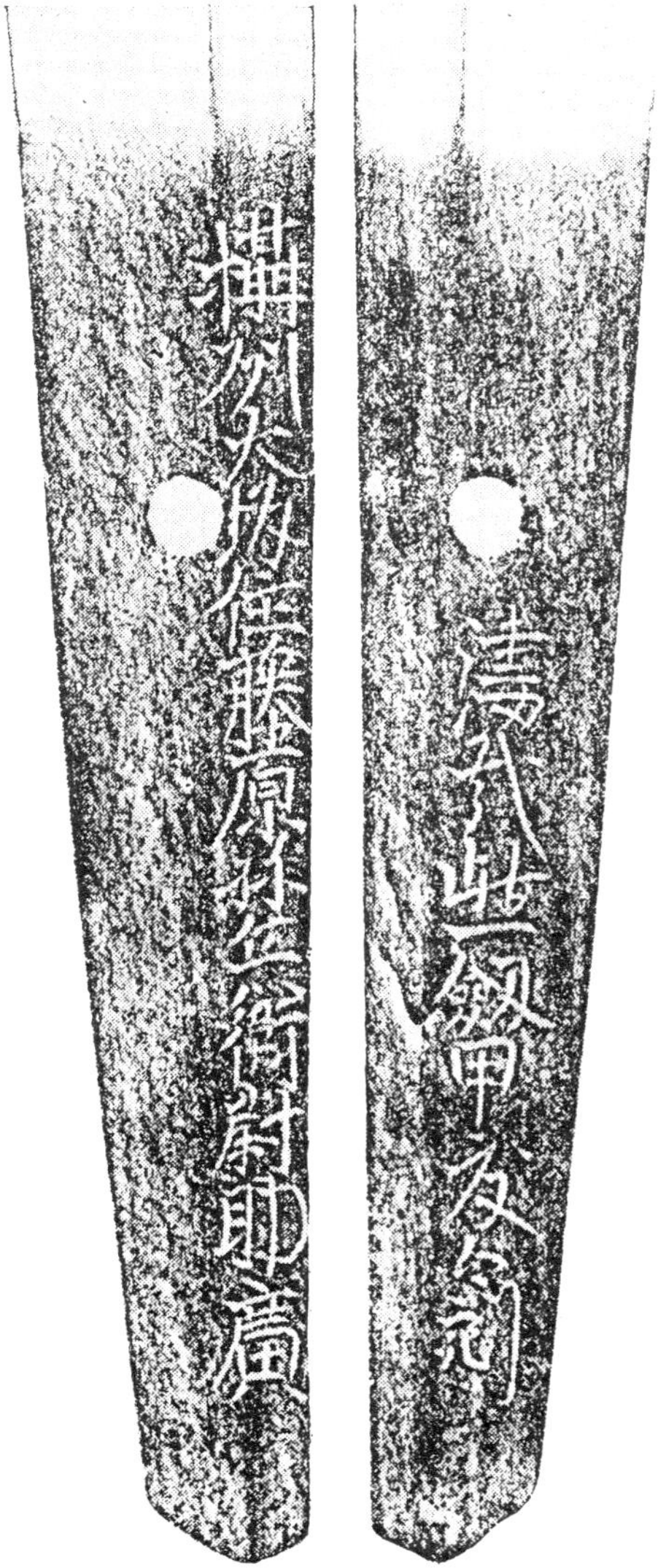

▽**助広**（角津田）　濤瀾刃の創始者、華麗さが一世を風靡　江戸中—摂津国

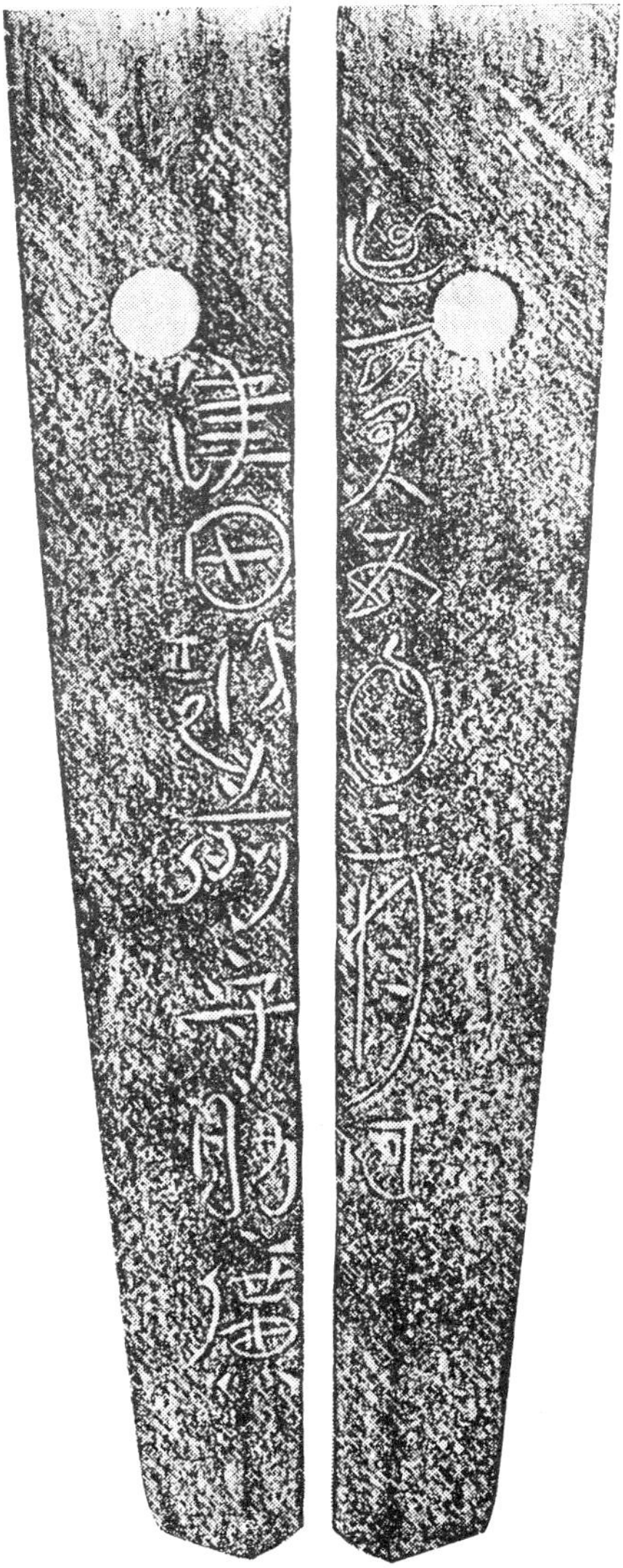

▽**助広**（丸津田）　延宝二年八月から草書体の丸津田銘、角津田同人　江戸中—摂津国

▽**助直**（高木）　近江高木の出身、師父助広に迫る手腕者　江戸中―摂津国

▽**助直**（高木）　銘を緩急自在に切り分けた能筆家、前者同人　江戸中―摂津国

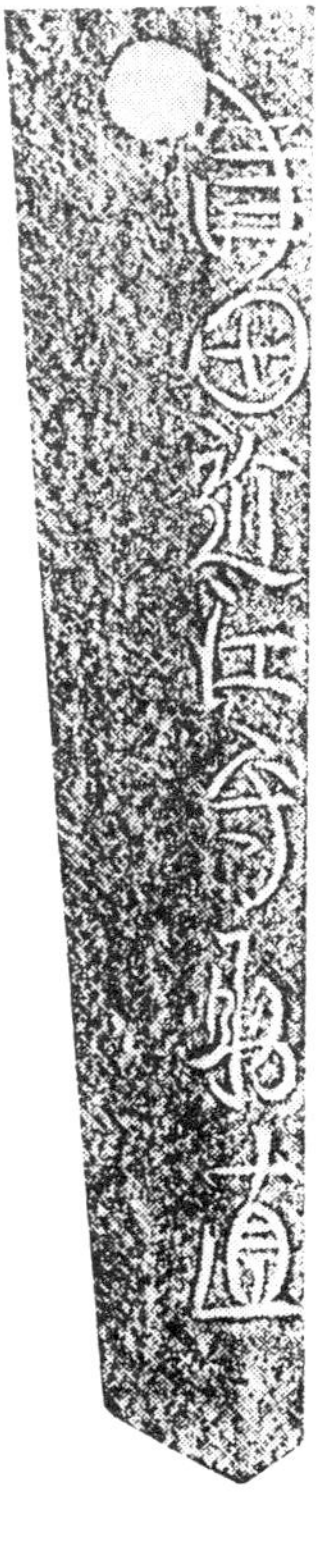

▽**包貞**（越後守・初代）　山田平太夫、骨っぽい銘が特徴　江戸中―摂津国

▽**包貞**（越後守）　初代包貞弟子、のち養子、**濤瀾刃巧み**　江戸中―摂津国

▽**照包**（坂倉言之進）　延宝八年二月から包貞改銘　江戸中―摂津国

▽**長幸**（多々良）　古作一文字をねらった丁子乱華やか　江戸中―摂津国

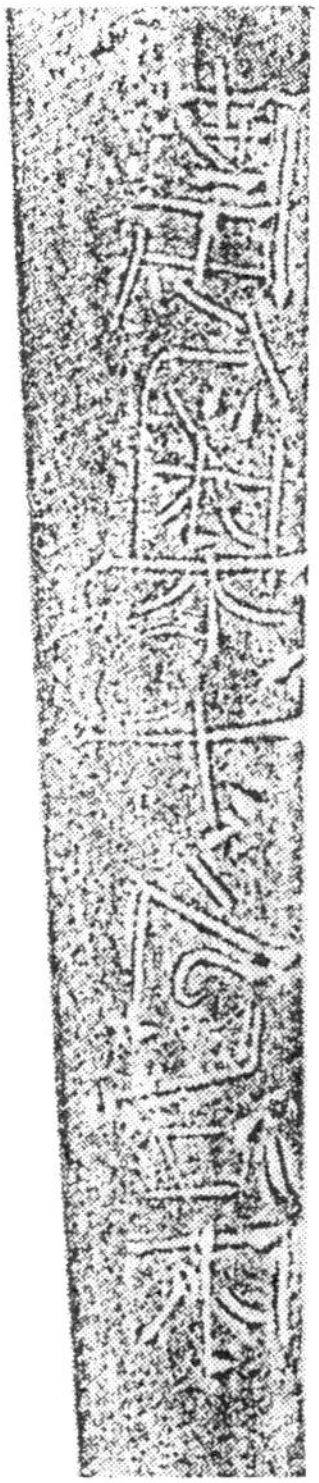

▽**包保**（左陸奥）　左文字、勝手上り鑢で左利き刀工　江戸中―摂津国

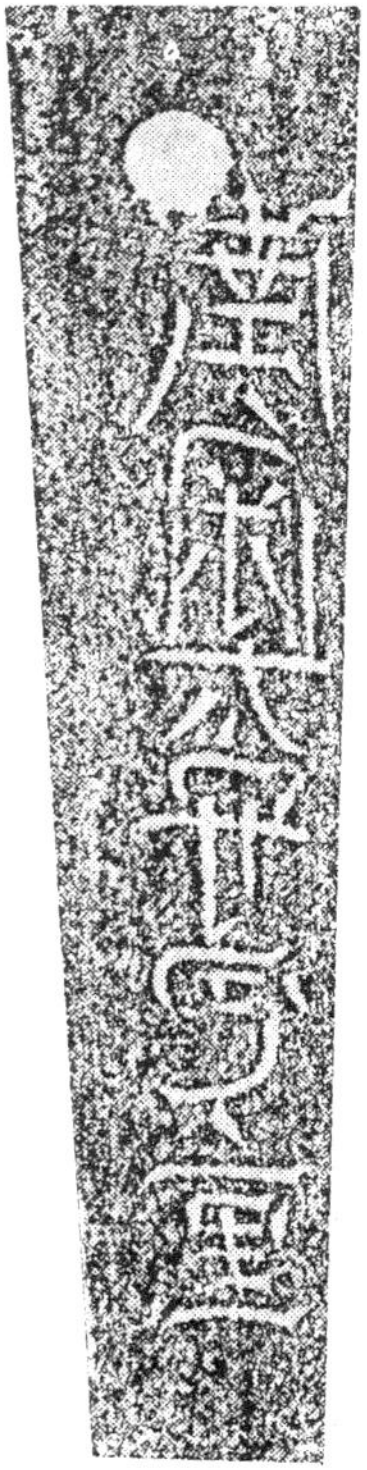

▽**包重**（右陸奥・包保）　師父とも水野家抱え工、右字尋常にも切る　江戸中―摂津国

▽**忠綱**（粟田口・初代）　浅井姓、播州姫路の出身　江戸中—摂津国

▽**忠綱**（一竿子）　足長丁子、濤瀾刃が得意、彫同作品を珍重　江戸中—摂津国

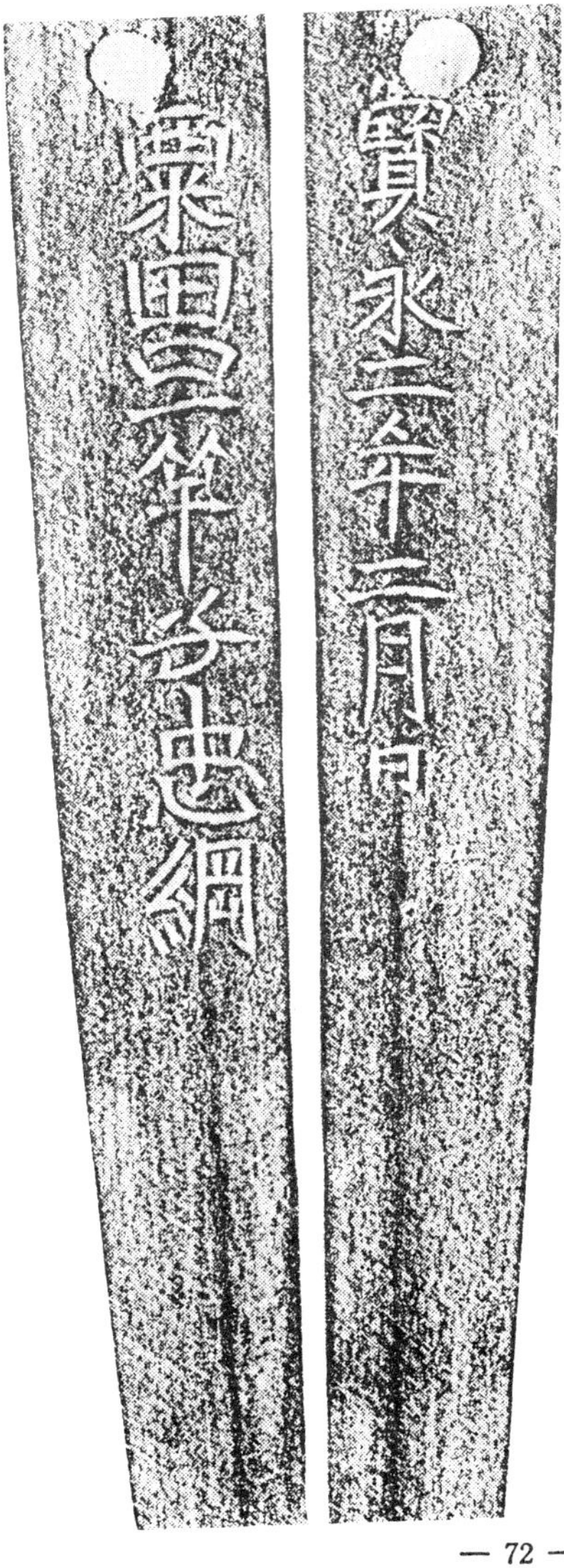

▽**長綱**（聾）　初代忠綱門、聾の刀工　江戸中―摂津国

▽**康継**（越前・初代）　葵紋と〝康〟字を家康から贈られる　桃山―武蔵国

▽康継（越前・二代）　初代の嫡子、通称市之丞　江戸初―武蔵国

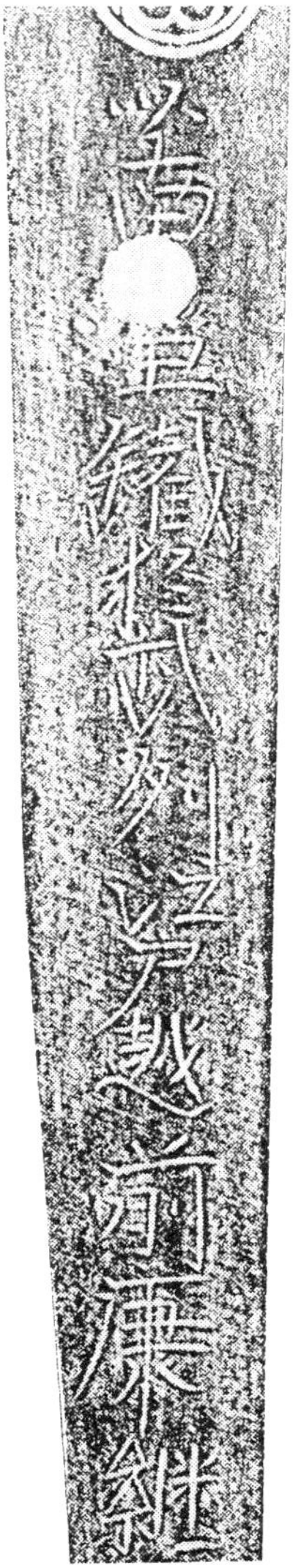

▽康継（越前・三代）　初代の三男、天和三年没　江戸中―越前国

▽康継（江戸・三代）　二代の嫡子、越前三代と伯仲の腕前　江戸中―武蔵国

▽**繁慶**（野田）初銘清堯、もと鉄砲鍛冶、地刃の覇気汪溢
桃山―武蔵国

▽**興里**（虎徹・はね虎）〝虎〟のハネ具合から〝はね虎〟銘、彫も見事　江戸中―武蔵国

▽**興里**（虎徹・角虎） 地刃明るく冴える新刀期の巨匠、〝角虎〟銘 江戸中―武蔵国

▽**興正**（虎徹・二代） 二代虎徹、通称は庄兵衛
江戸中―武蔵国

▽**兼重**（和泉守） 虎徹の師と伝える
江戸中―武蔵国

▽**兼重**（上総介）　和泉守兼重の子または弟子という　江戸中—武蔵国

▽**安定**（大和守）　越前出身、初代康継の門、良業物作者　江戸中—武蔵国

▽**正弘**（法城寺）　法城寺一門の頭領、作振り虎徹に似る　江戸中—武蔵国

▽**吉次**（肥後守）法城寺国正の門、のち薩摩へ移住　江戸中―武蔵国

▽**長旨**（小笠原）轡鍛冶の出身、昌斎また庄斎と称す　江戸中―武蔵国

▽**安国**（武蔵太郎）下原一派、大村加卜の門　江戸中―武蔵国

▽**綱広**（伊勢大掾） 同銘五代目、新刀綱広中で優れる 江戸中—相模国

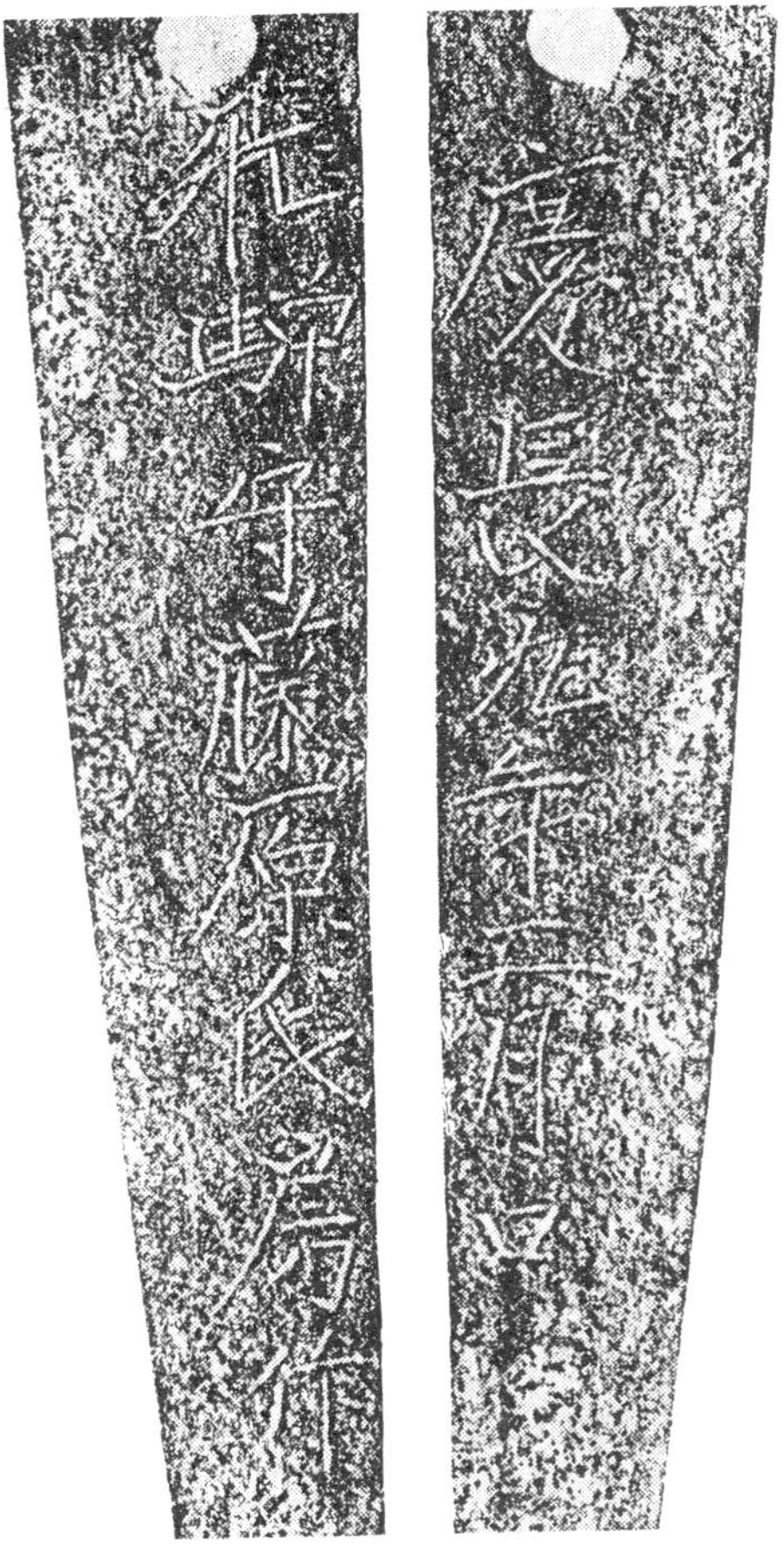

▷**氏房**（飛騨守） 本国美濃，荒沸つき烈しい作風 桃山—尾張国

▽**政常**（相模守）　初銘兼常、福島正則の抱工　桃山―尾張国

▽**政常**（美濃守）　相模守政常の養子、二代目に相当　江戸初―尾張国

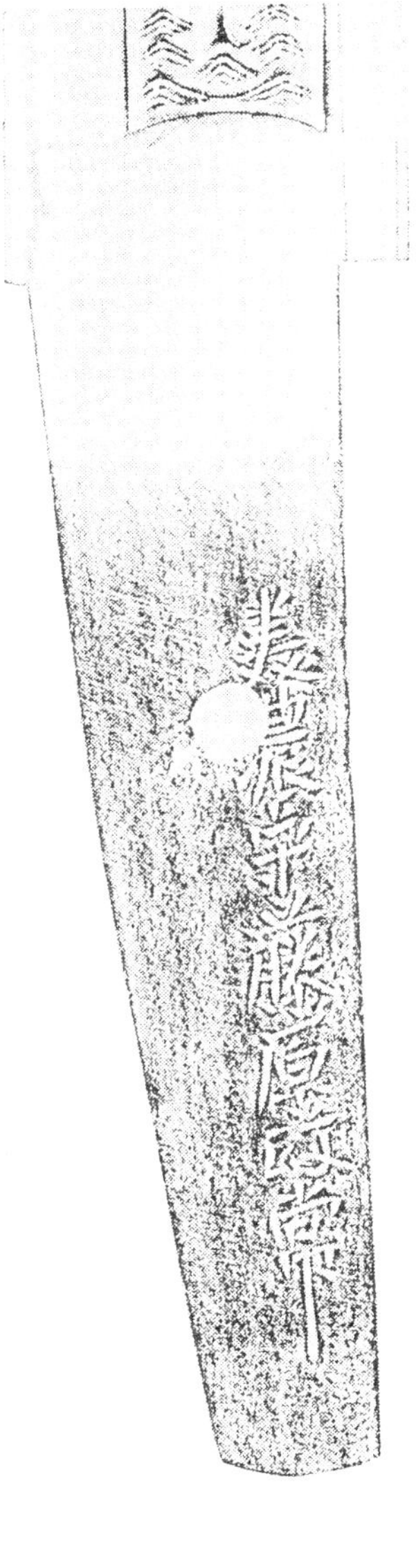

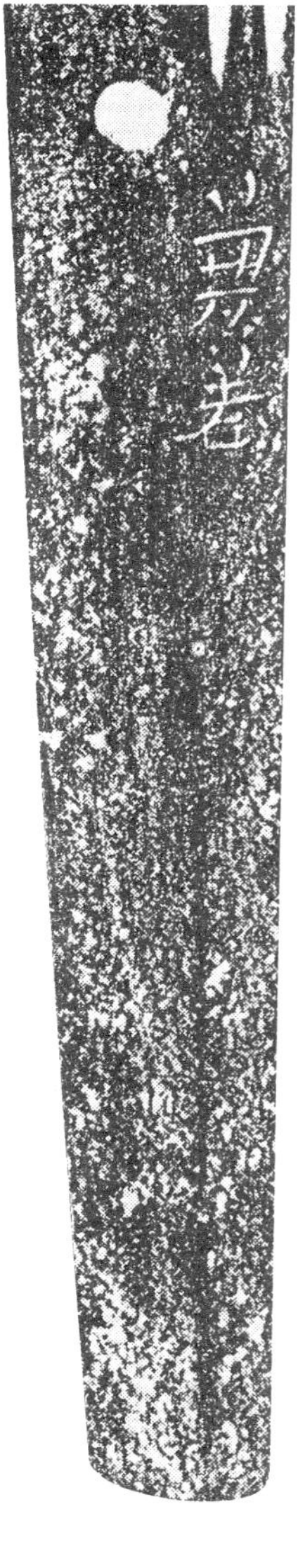

▽**兼若**（甚六・初代）　美濃出身、志津伝を鍛え、箱乱交じる

桃山―加賀国

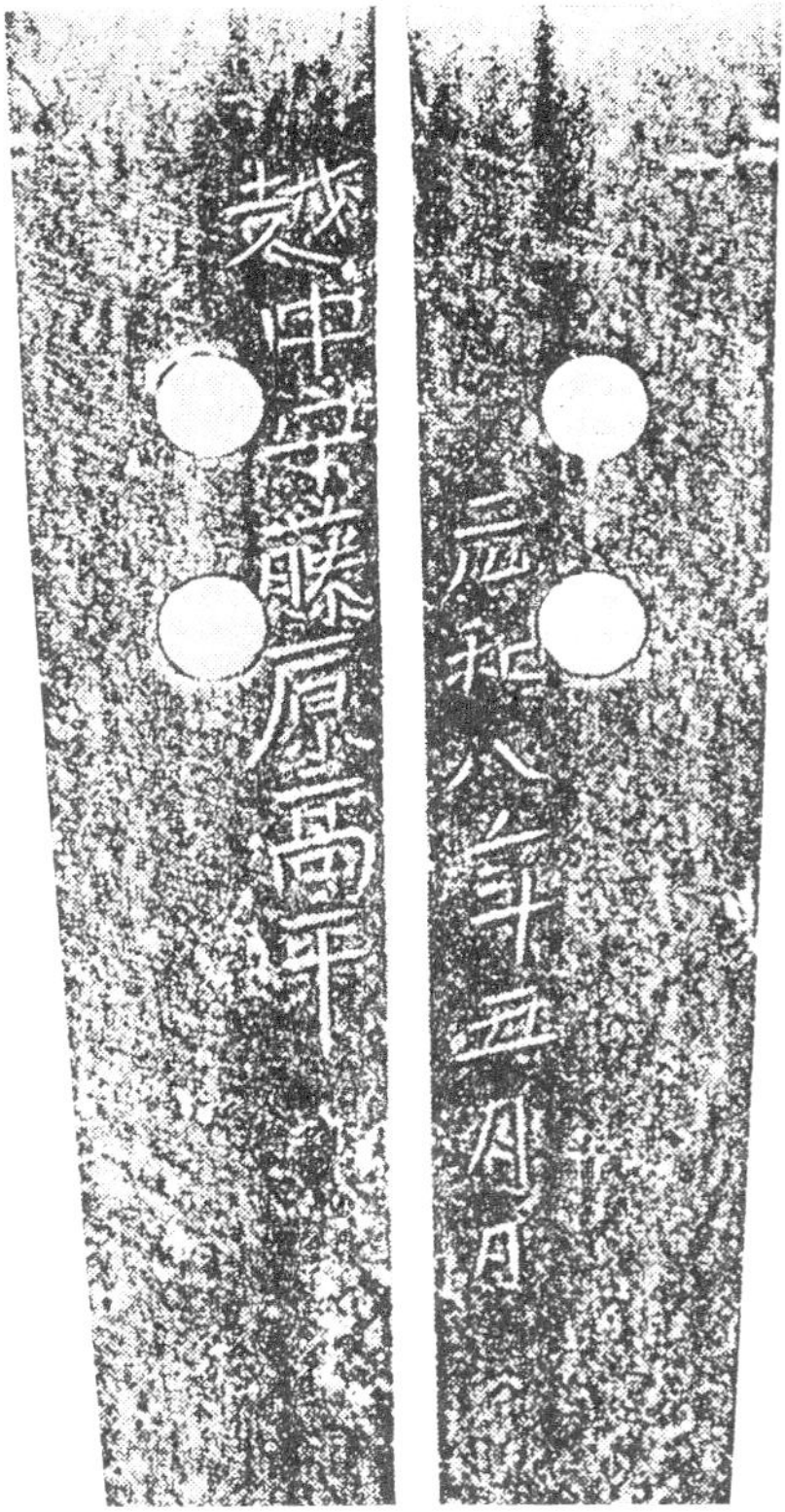

▷**高平**（越中守）　初代兼若の晩年銘

元和五年高平と改銘

桃山―加賀国

▽**国包**（山城大掾・初代）
仙台伊達政宗の抱工、大和伝を再現
江戸初—陸前国

▽**国包**（用恵・初代）　初代国包の晩年銘、寛永十五年に入道　江戸初—陸前国

▽**国包**（山城守・二代）
初代国包の子、直刃主調、柾鍛をよくする
江戸中—陸前国

▽**長道**（陸奥大掾・初代） 初銘道長、最上大業物作者 江戸中―岩代国

▽**勝国**（陀羅尼） 初銘家重、三本杉刃を焼く
江戸中―加賀国

▽**正則**（大和大掾） 湾れに互の目、焼頭の揃う互の目などを焼く 江戸初―越前国

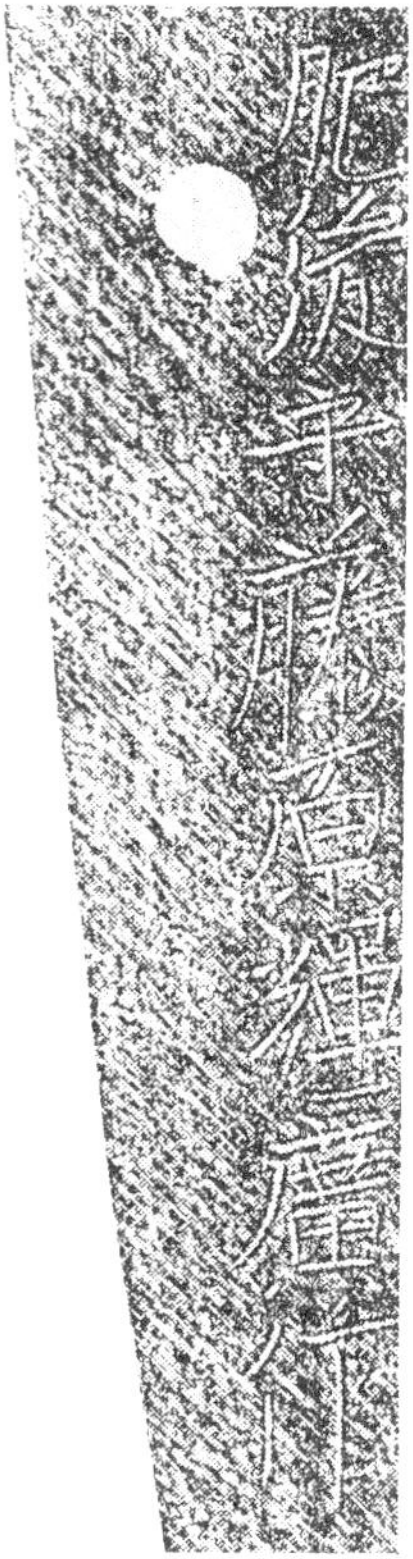

▽**輝広**（肥後守）　埋忠明寿の門、福島正則の抱工　桃山―安芸国

▽**国重**（大与五）　国重三代目、大乱に荒沸つき華やか　江戸初―備中国

▽**重国**（南紀）　徳川家康の抱工、のち紀州へ移住　桃山—紀伊国

▽**忠吉**（五字・初代）　埋忠明寿の門、宗長の刀身彫りあり　桃山—肥前国

▽**忠広**（武蔵大掾・初代）　元和十年から武蔵大掾を受領し改銘、初代忠吉晩年銘　桃山—肥前国

▽**忠広**（近江大掾・二代）

元禄六年八十才まで長命、終始忠広銘

江戸中—肥前国

▽**忠吉**（陸奥守・三代）

二代嫡子、父より作品少なく、貴重視されている

江戸中—肥前国

▽宗次（伊予掾）　丁子、華やかな作、佐賀また諫早住　江戸初—肥前国

▽行広（出羽守）　初代正広の弟、出羽大掾のち出羽守　江戸中—肥前国

▽上野介（同田貫）　幅広く、豪快な姿　桃山—肥後国

正清（主水正）　初銘清盈、一平安代と共に御浜御殿で鍛刀　江戸中―薩摩国

▽安代（一平）　将軍吉宗の佩刀を鍛える、大業物作者　江戸中―薩摩国

▽正房（初代）　美濃国氏房の子、兵右衛門　桃山―薩摩国

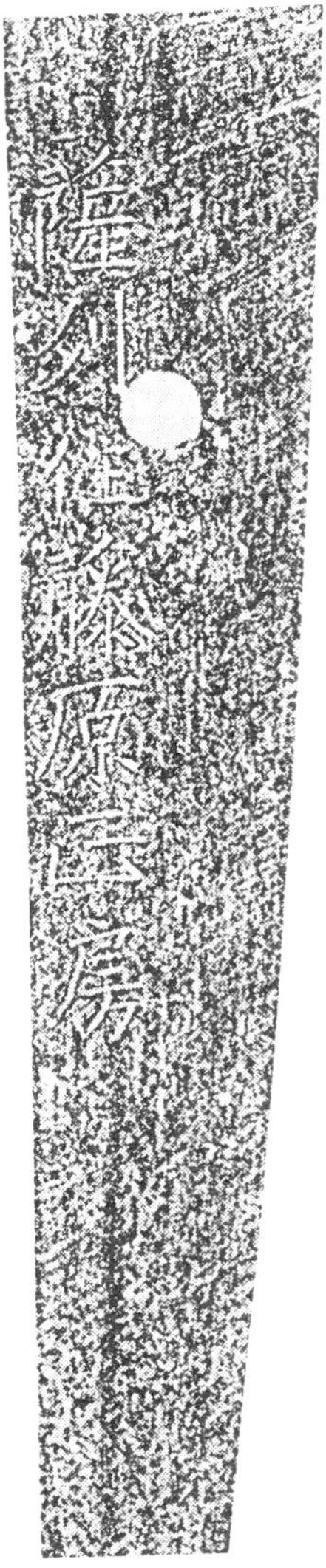

新々刀編

▽**貞一**（月山）　号雲竜子、帝室技芸員、彫物の名手　幕末―摂津国

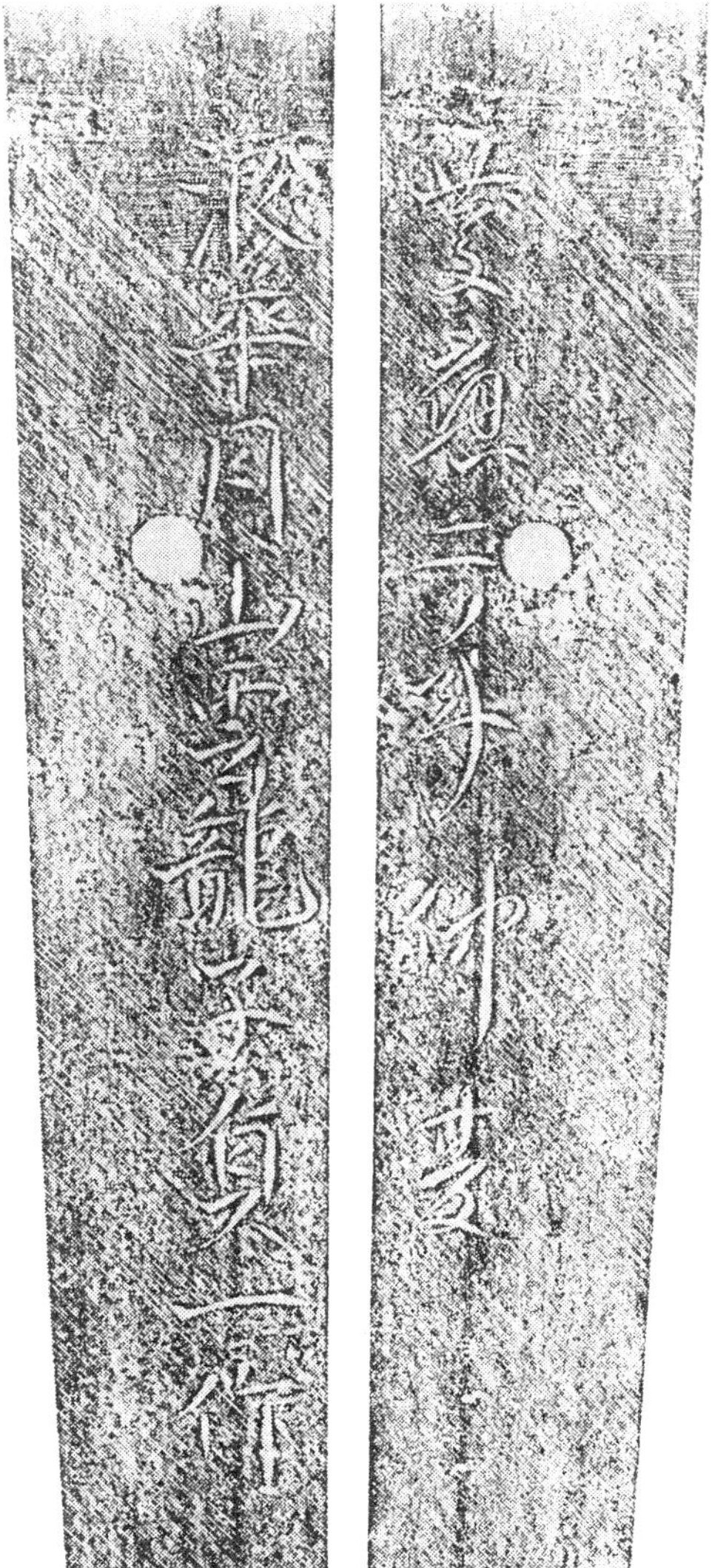

▽助隆（尾崎）　黒田鷹諶の門、濤瀾刃が上手　江戸末—摂津国

▽正秀（水心子）　羽前山形の藩士、復古論者、門人多数を育成　江戸末—武蔵国

▽正秀（水心子）　濤瀾刃が巧み、湾れ、丁子など多作　江戸末—武蔵国

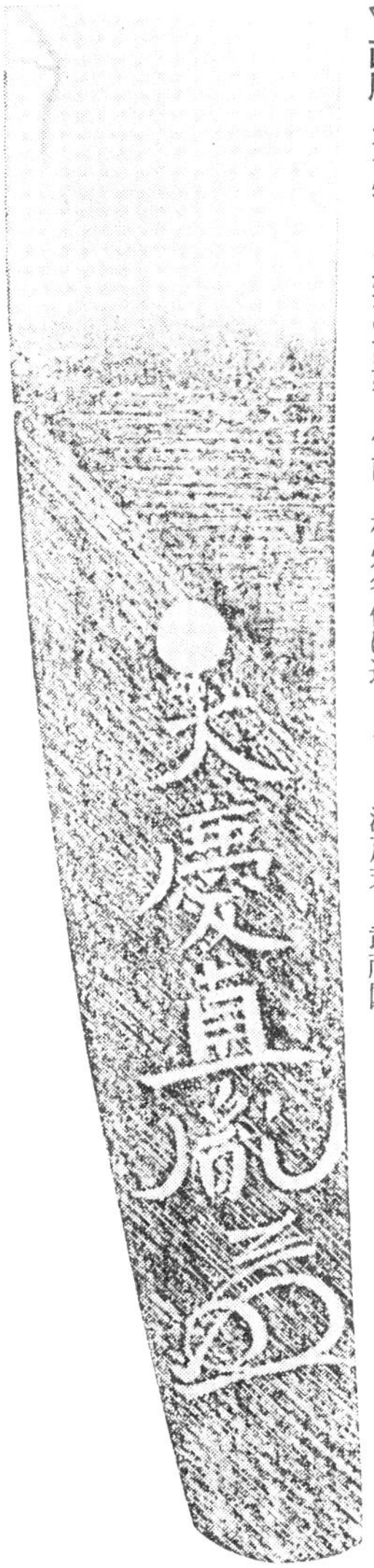

▽**直胤**（大慶）　正秀の高弟、備前、相州各伝に通じる　江戸末―武蔵国

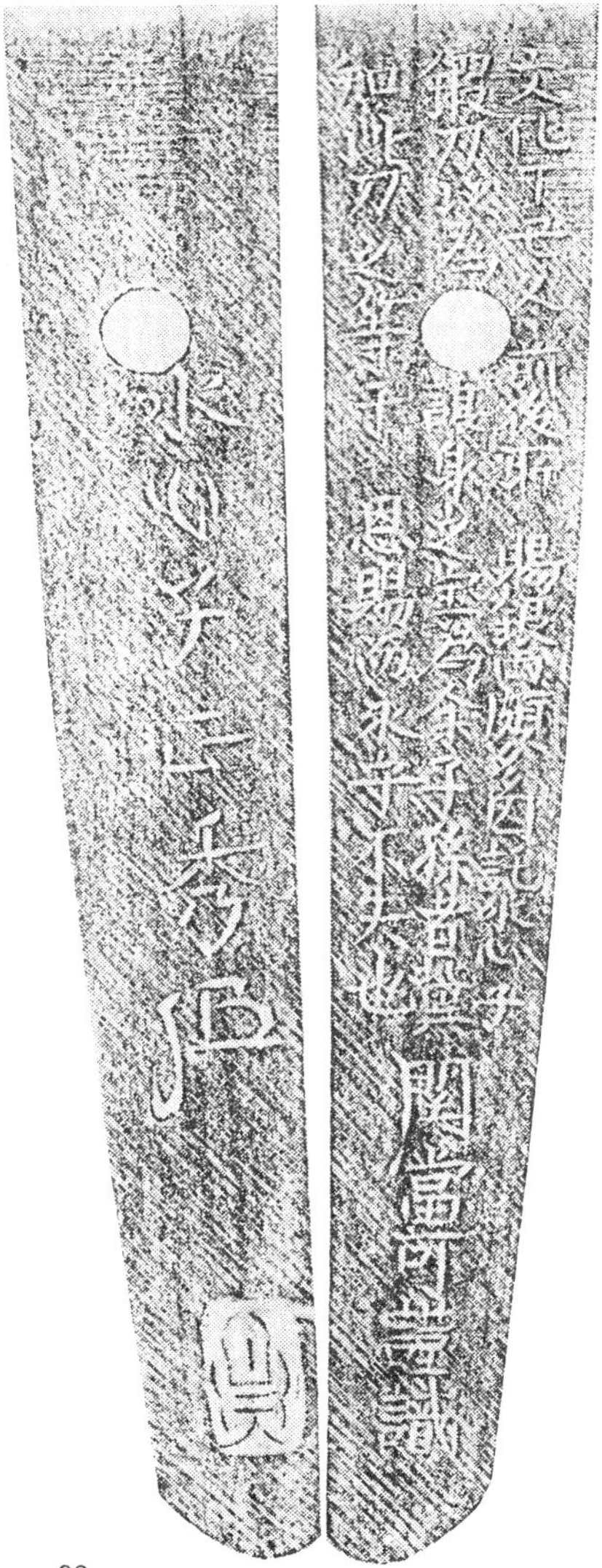

▽直胤（大慶）　渦巻肌が特有、緻密な彫口の義胤彫あり　江戸末―武蔵国

▽正義（細川）　初銘正方また守秀、深い鑢目が特徴　江戸末―武蔵国

▽**直勝**（次郎太郎）　直胤の養子、片落互の目あり　江戸末―武蔵国

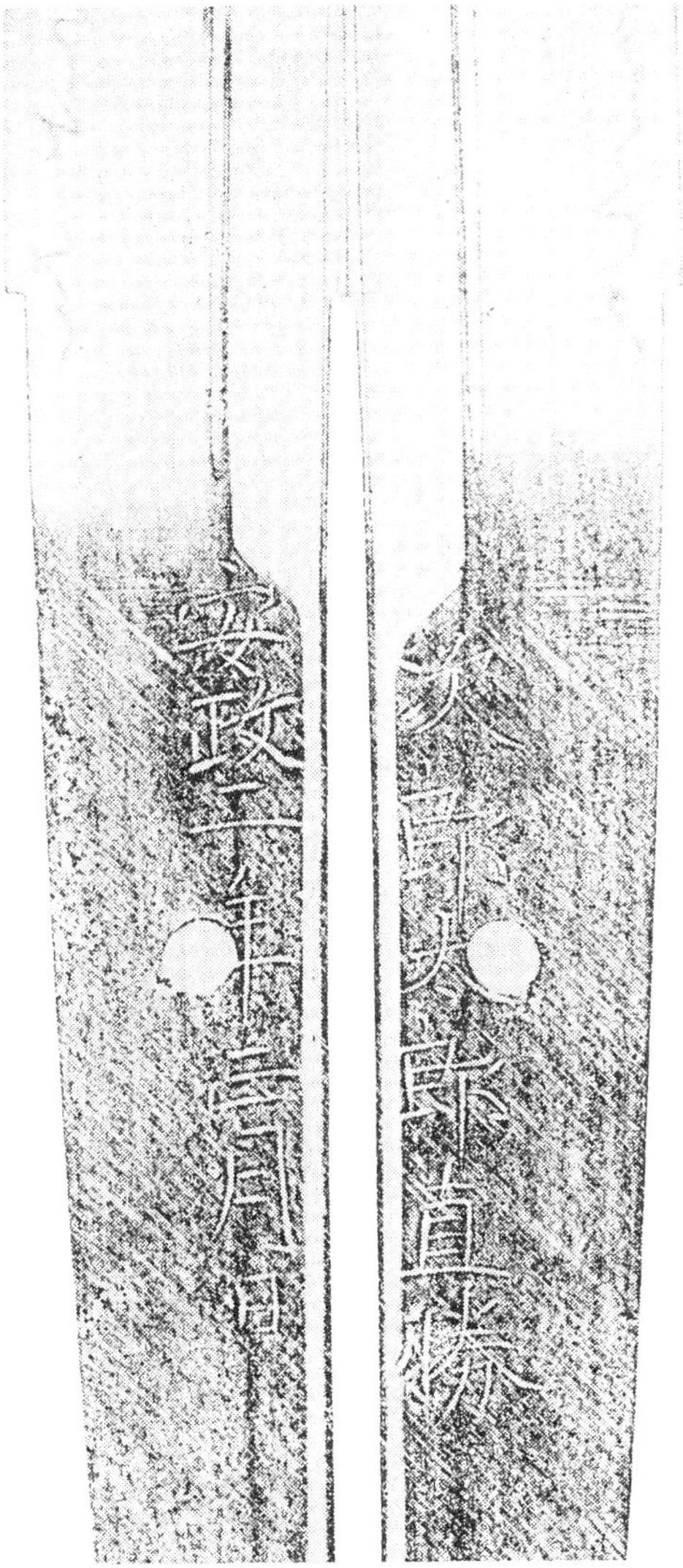

▽**宗次**（固山）　加藤綱英の門、桑名藩工、丁子が得意　幕末―武蔵国

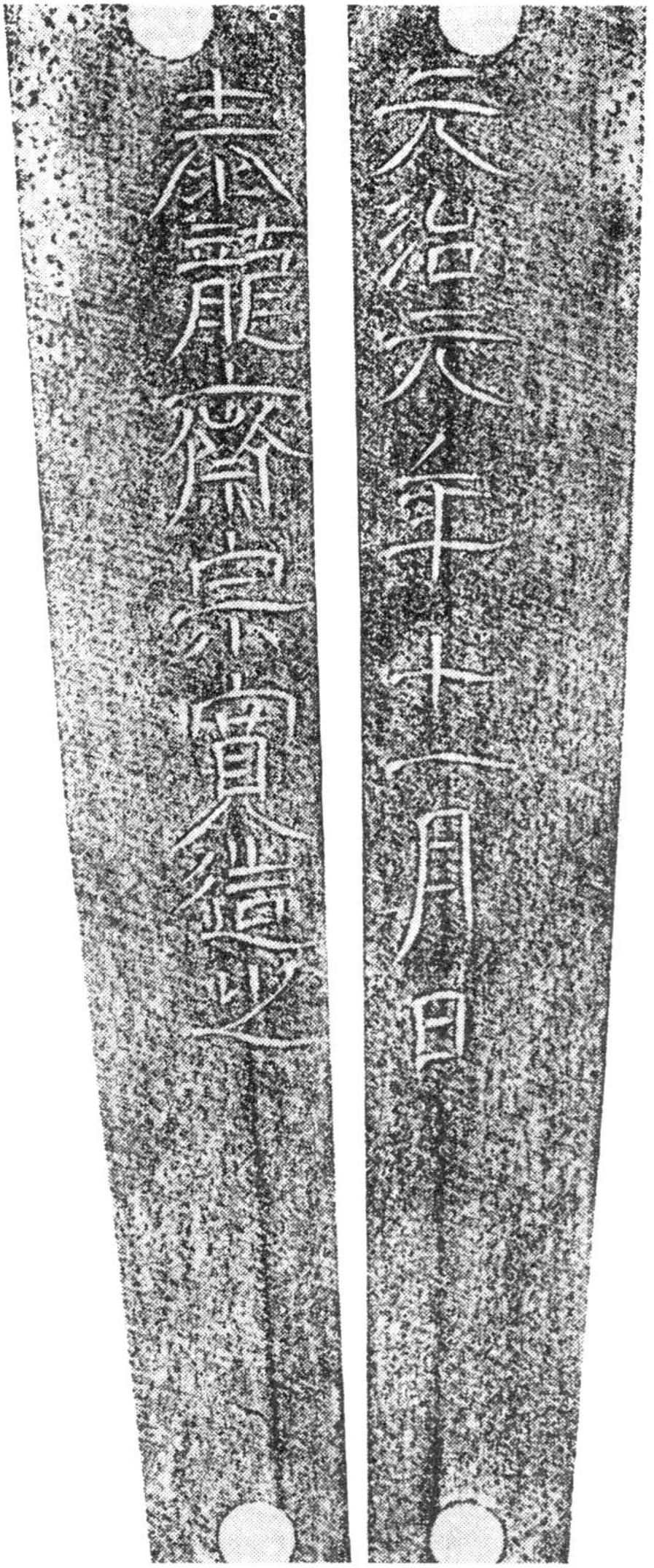

▽**宗寛**（泰竜斎）　固山宗次の門、丁子刃足を揃えて焼く　幕末—武蔵国

▽**綱俊**（長運斎） 羽州米沢の出身、長運斎、のち長寿斎と号す　幕末―武蔵国

▽**是一**（運寿） 是一七代目、長運斎綱俊の甥　幕末―武蔵国

▽**寿格**（浜部） 無地風の地に小丁子、菊花丁子を焼く　江戸末―因幡国

▽**正行**（源）　源清麿の初銘、河村寿隆門、四谷正宗と賞揚されている
幕末―武蔵国

▽**清麿**（源）　破乱、短命の生涯、天才的手腕を発揮する
幕末―武蔵国

▽**信秀**（栗原）　源清麿の高弟、作刀、また彫技優れる　幕末―武蔵国

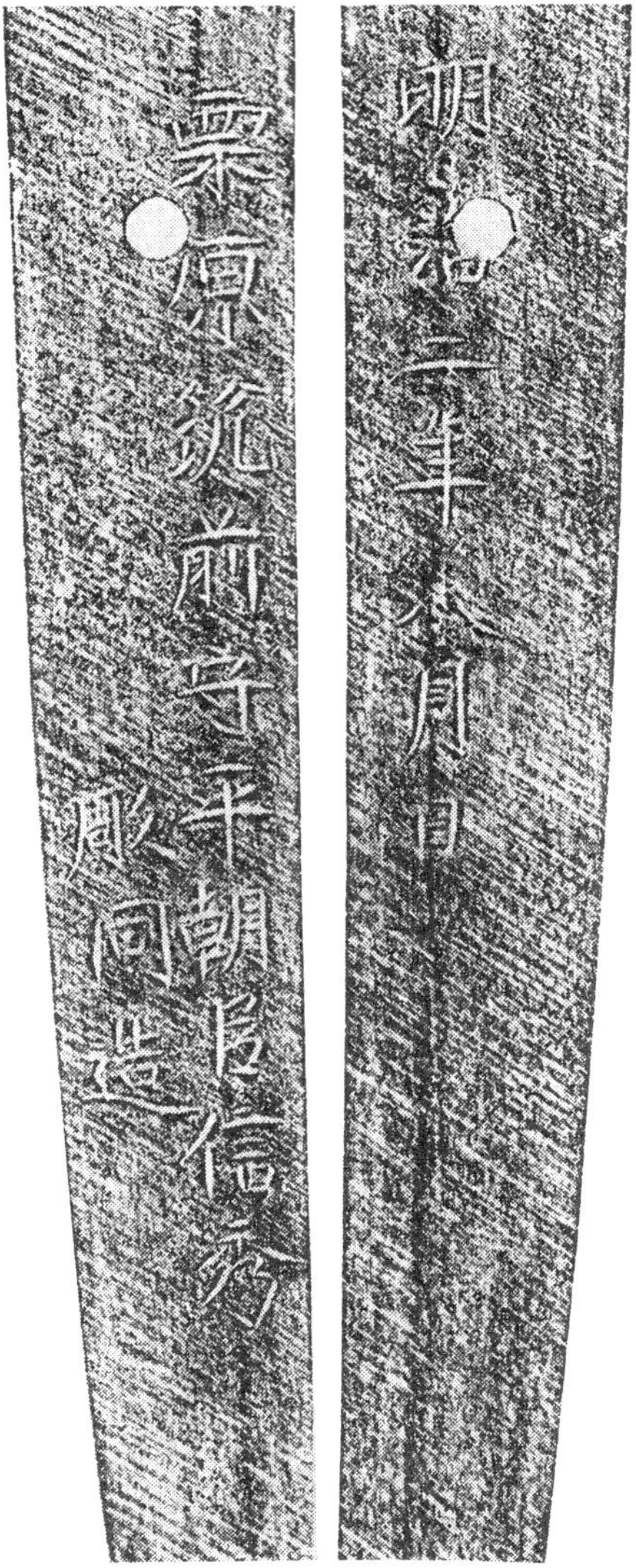

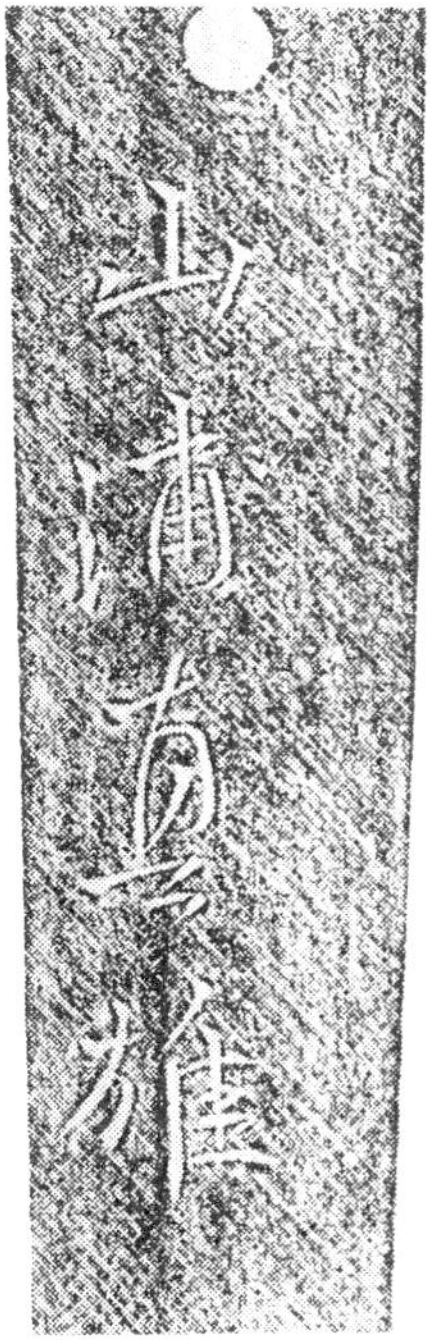

▽**真雄**（山浦）清麿の兄、寿昌、正雄、寿長と銘す　幕末―信濃国

▽**正雄**（源）清麿門中の古参者、函館でも作刀　幕末―武蔵国

▽**清人**（斎藤）　出羽庄内の出身、清麿門　幕末—武蔵国

▽**長信**（高橋）　長運斎綱俊の門、松江藩工、雲州の出身　幕末—武蔵国

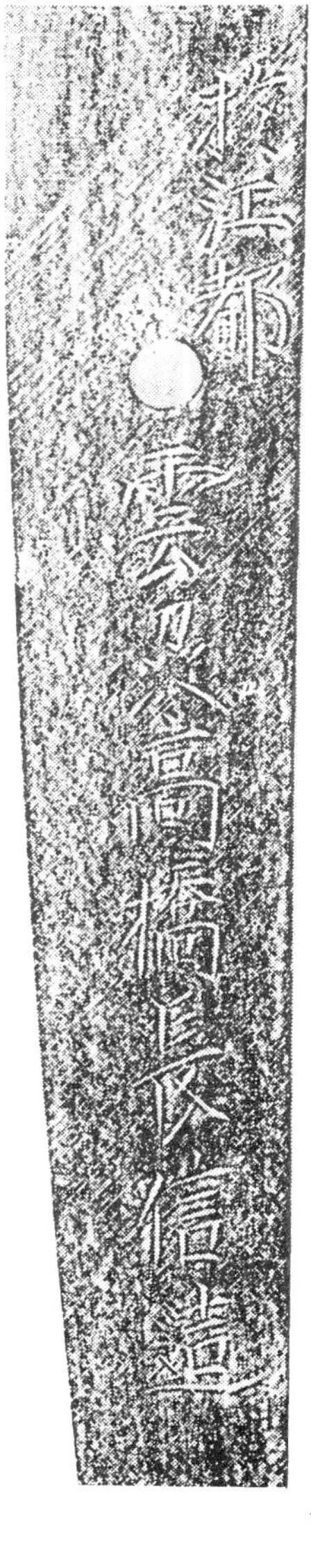

▽**行秀**（左）　号東虎、姿豪壮、匂口深い広直刃を焼く　幕末—筑前国

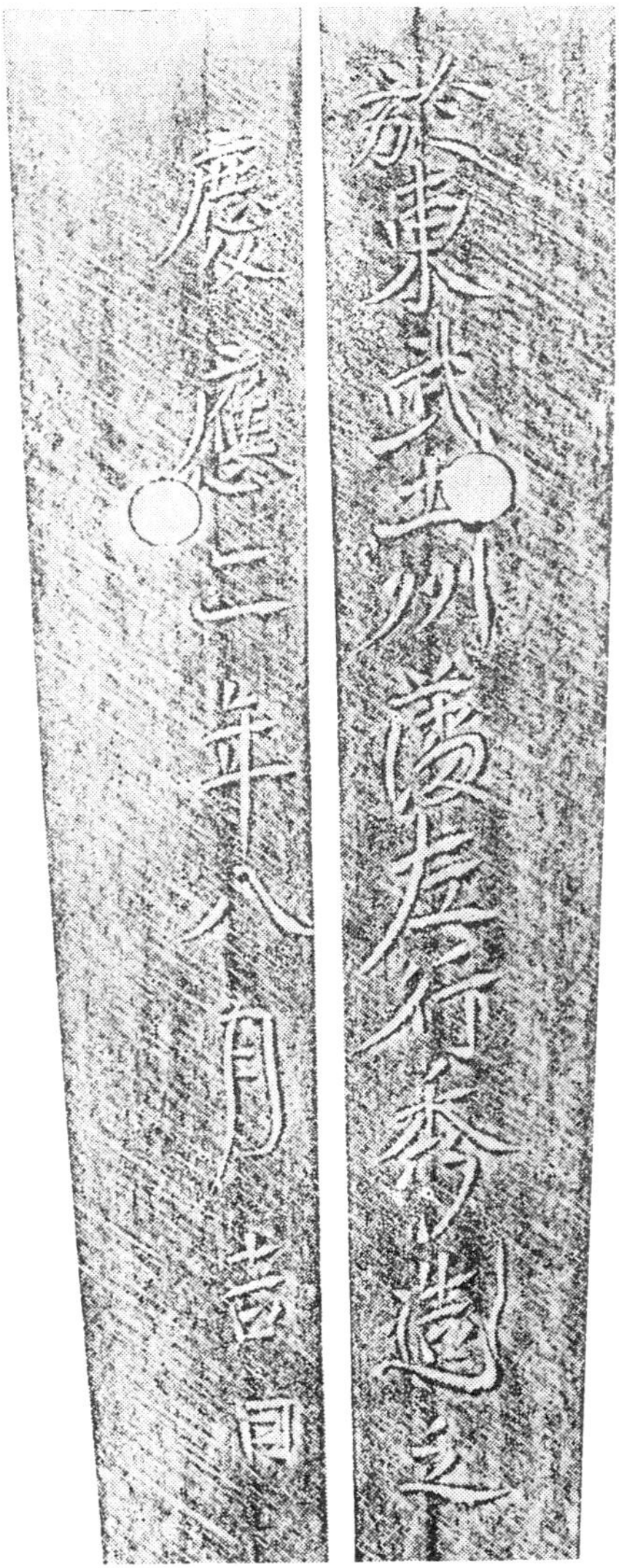

▽**徳隣**（市毛）　水戸随一の作刀者、尾崎助隆門　江戸末—常陸国

▽助政（直江）　尾崎助隆の門、濤瀾刃も焼く　江戸末―常陸国

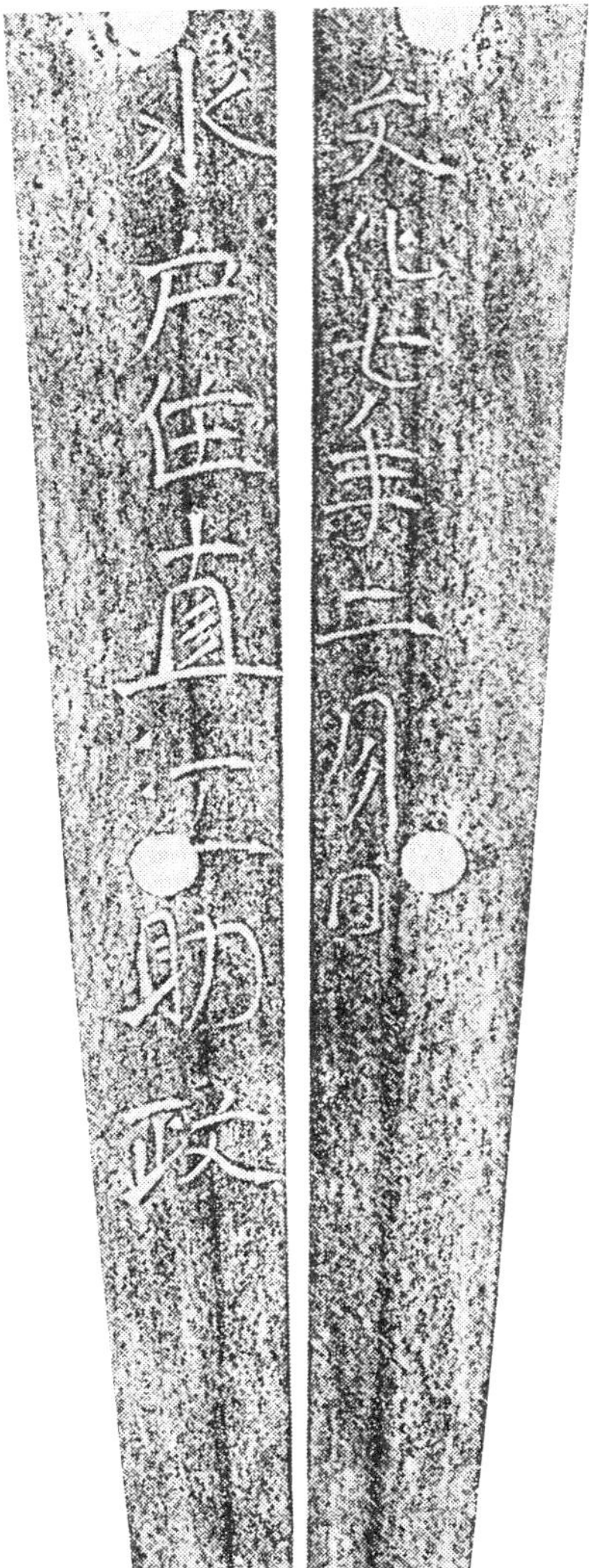

▽徳勝（勝村）　水戸藩士、長刀多く、柾目鍛え　幕末―常陸国

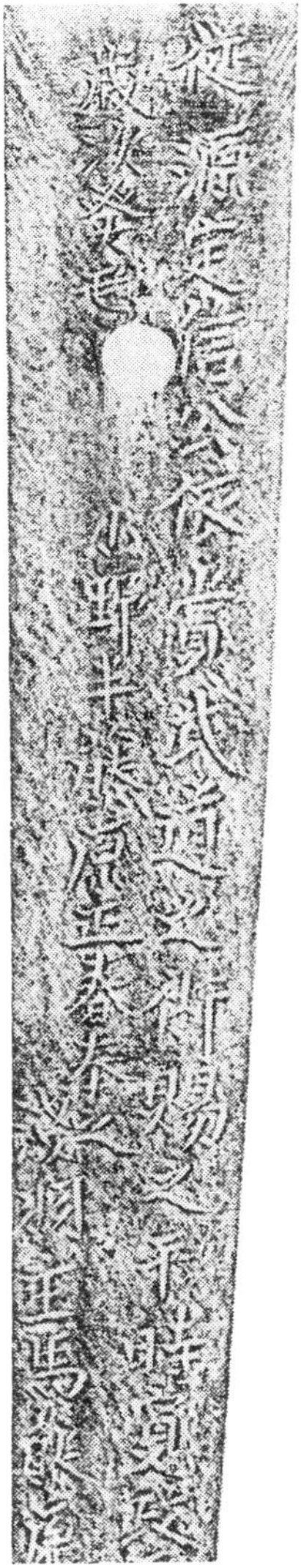

▽**正繁**（手柄山）　初銘氏繁、白河楽翁の抱工、濤瀾刃が得意　江戸末─磐城国

▽**祐永**（横山）　自称友成五十六代孫、鮮明な丁子刃を焼く　幕末─備前国

▽**元平**（大和守）　文政九年八十三才没、荒沸つき互の目華やか　江戸末―薩摩国

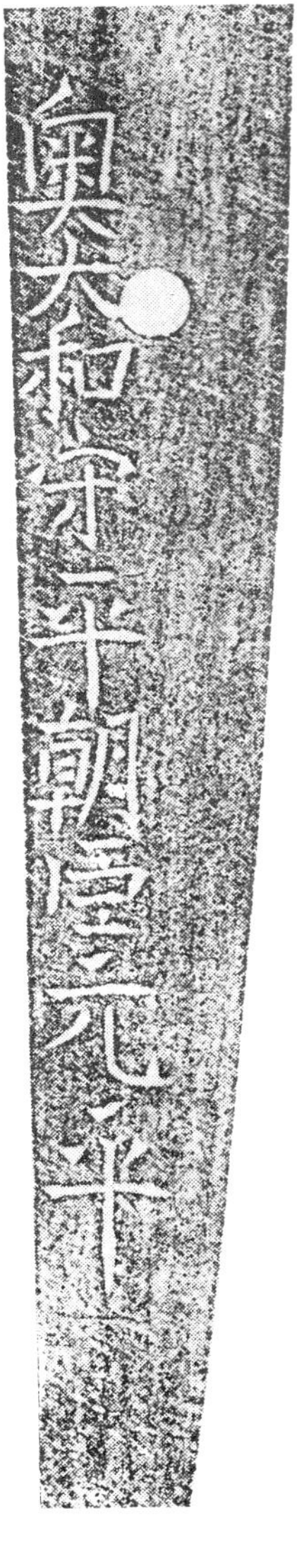

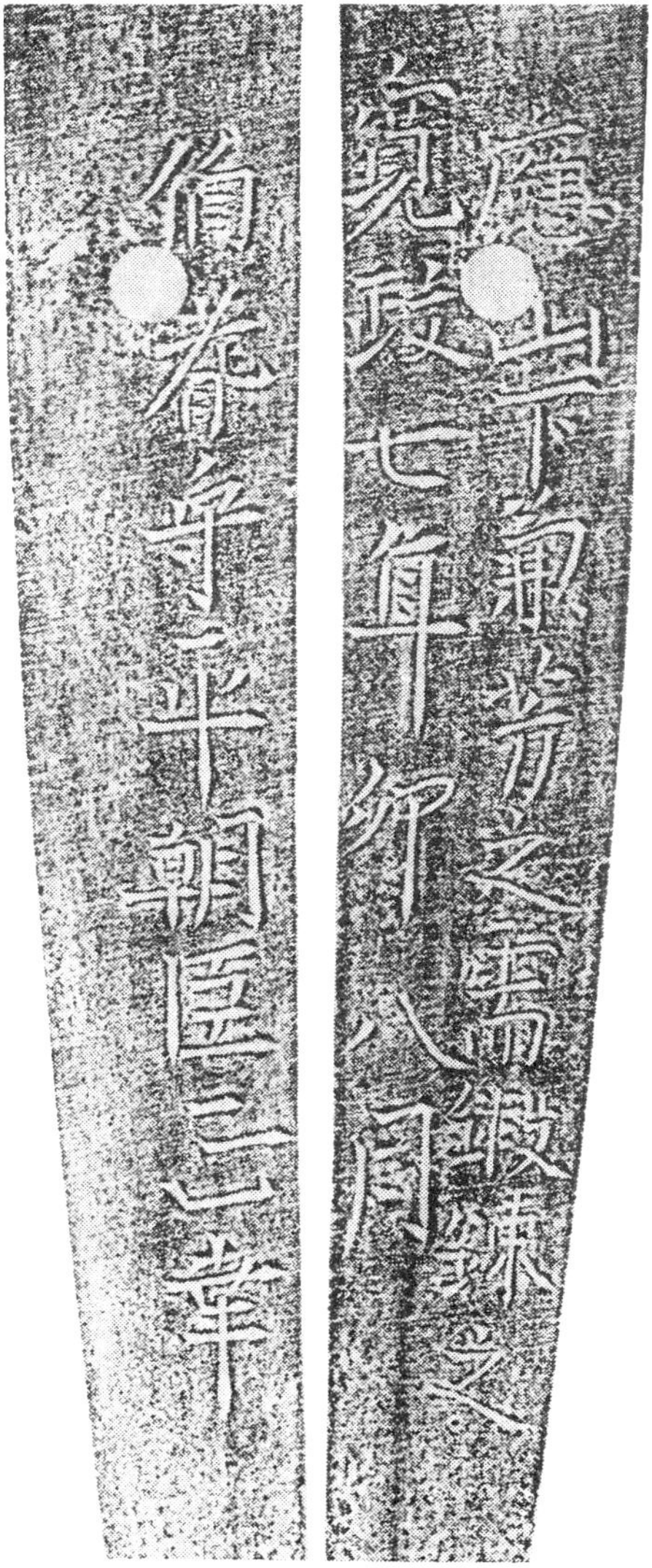

▽**正幸**（伯耆守）　初銘正良、正良三代目、鍛刀の書をのこす　江戸末—薩摩国

現代刀編

▽**貞次**（高橋）　本名金市、月山貞勝門、人間国宝　昭和四十三年六十六才死　現代―愛媛県

▽**昭平**（宮入）　本名堅一、大正二年生、源清麿に私淑、人間国宝　現代―長野県

▽**貞一**（月山）　本名昇、明治四十年生、貞勝子、初め貞光　現代―大阪市

▽**正峯**（隅谷）　本名与一郎、大正十年生、号傘笠亭、両山子　現代―石川県

▽**俊光**（今泉）　本名済、明治三十一年生、天命寿楽を冠称　現代―岡山県

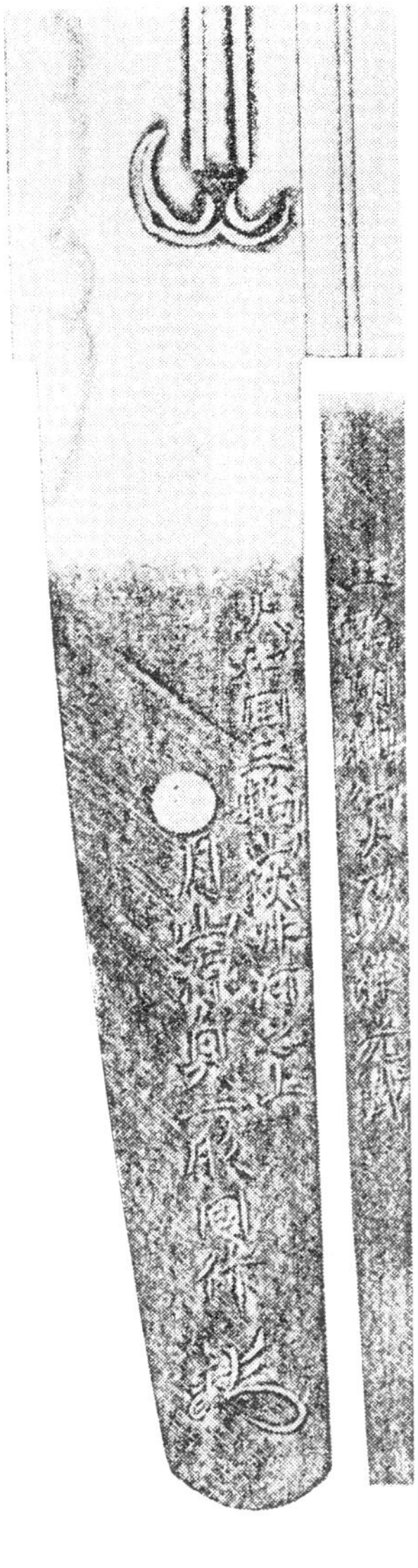

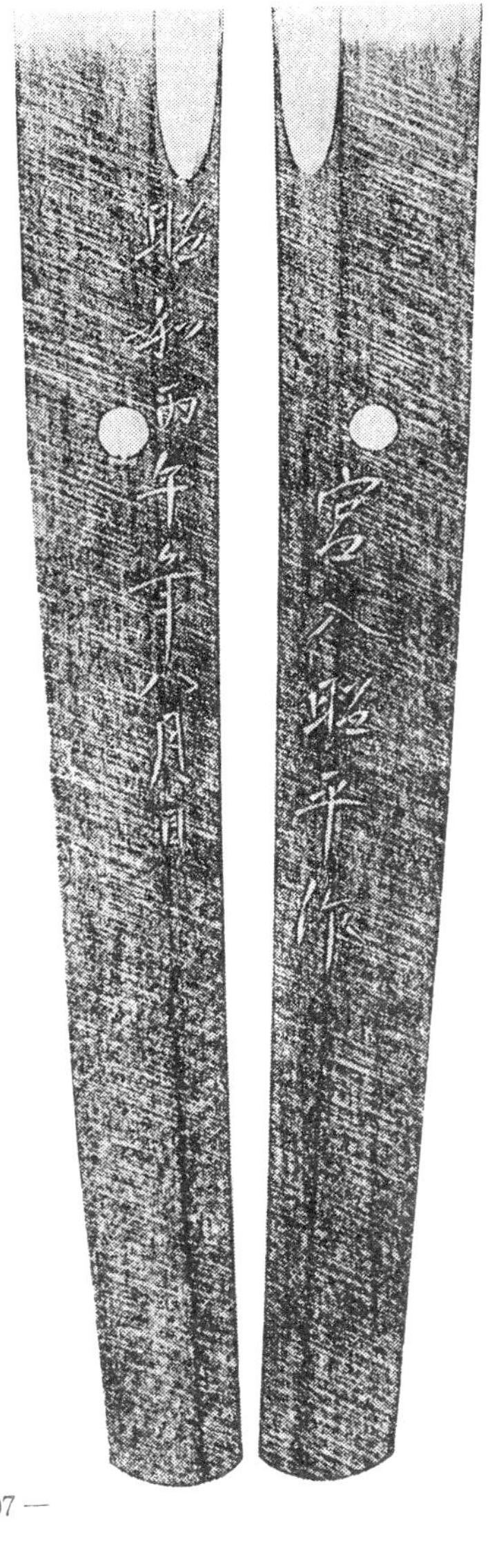
昭和丙午年八月日
宮入昭平作

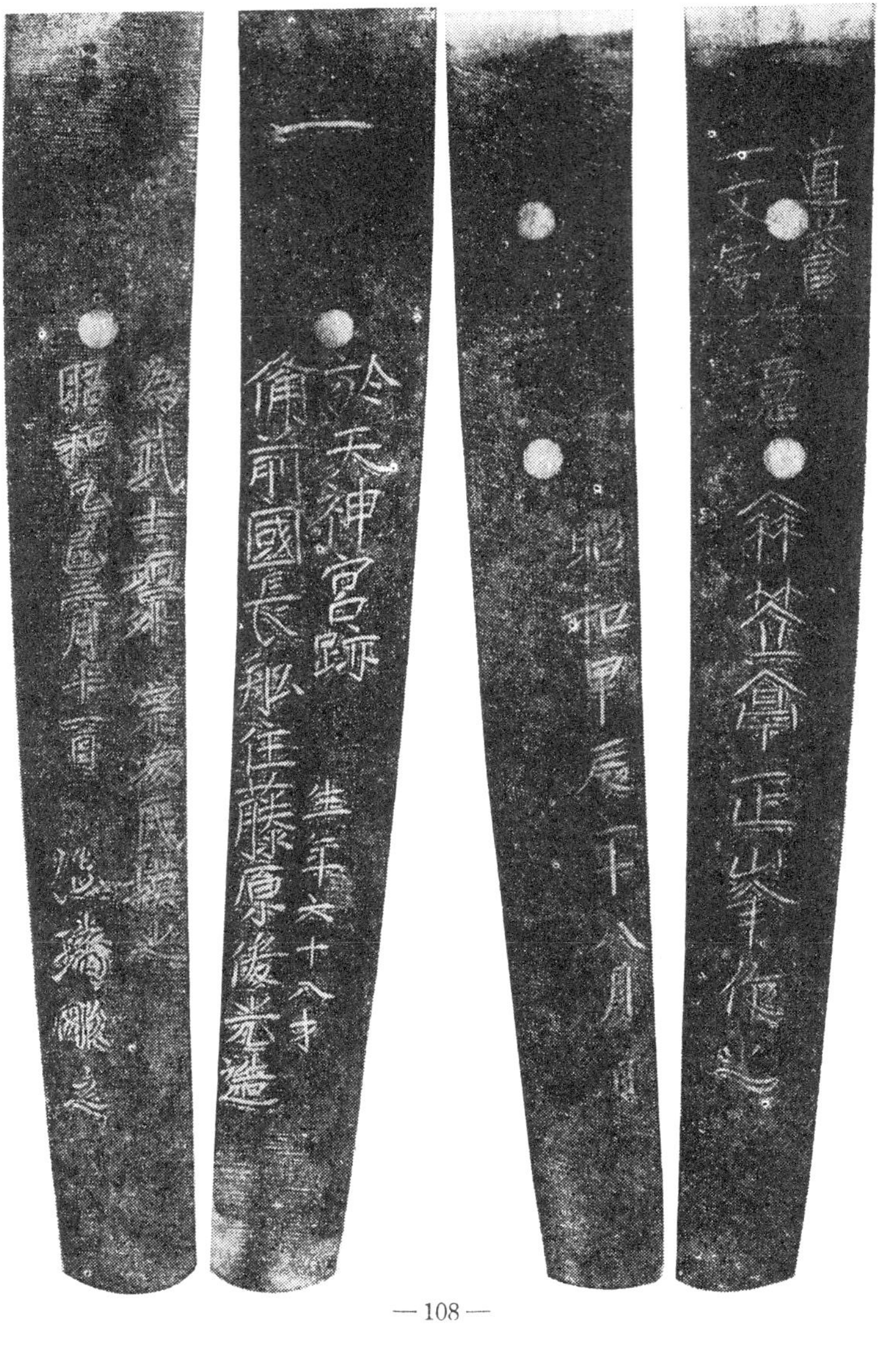
於天神宮跡
備前國長船住藤原俊光造
生年六十八才

刀姿図鑑

太刀・刀の姿の変遷

刀姿図鑑

太刀・刀の姿の変遷

一、平安〜鎌倉時代初期

太刀　鎬造、細身、小切先。腰反り高く、切先へいってやや反りがうつむきごころになった美しい姿のものが多い。

例　三条宗近、五条兼永。大原真守。古備前友成、正恒。粟田口国友、久国。古一文字則宗、助宗。古青江貞次、康次、正恒。豊後国行平。

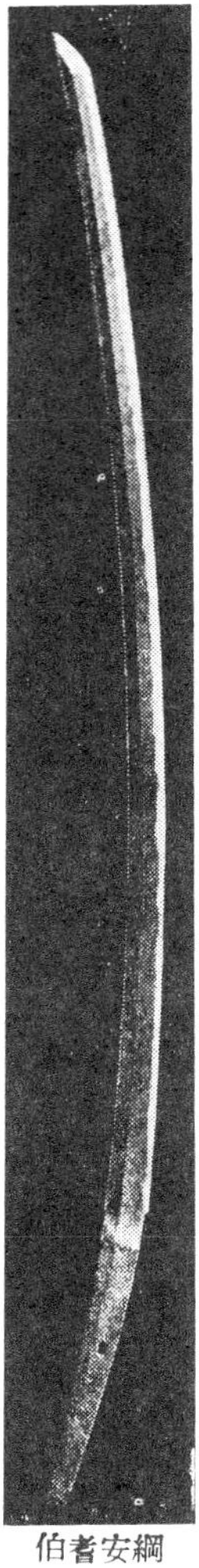

伯耆安綱

二、鎌倉中期

太刀　鎬造、身幅広く、元幅に対して先幅も広く、猪首切先の力強い姿。

例　山城国粟田口則国、国吉、吉光。来国行、同国俊。備前一文字吉房、助真、則房、三郎国宗、長船光忠、長光。

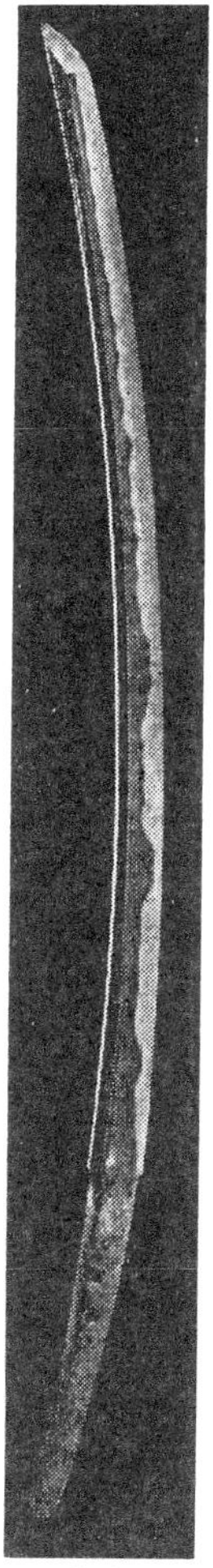

一文字

三、鎌倉末期

太刀　鎬造、身幅広く、切先延びごころとなり、腰反りのものの他に中反りとなるものが多く、総体に豪壮。

例　来国光、来国次。備前国景光、雲生、雲次。備中吉次。大和国当麻国行、手掻包永、尻懸則長。越中国則重。筑前国実阿。

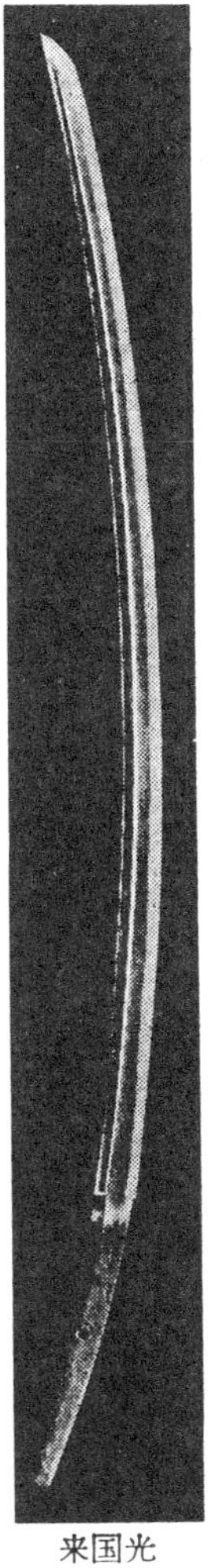

来国光

四、南北朝時代

太刀　鎬造、身幅広く、重ね薄く、反りは浅く、大切先、すべてが大振り豪壮となる。

例　山城国長谷部国重、信国。備前国兼光、倫光、元重。備中国次直、次吉。筑前左文字、美濃国志津兼氏。豊後国友行。

兼光

五、室町時代初期・中期

太刀　鎬造、鎌倉時代初期の細身で反りの高い

例　盛光、康光、経家、則光、二王清永、清貞、京信国、善定兼吉、加州景光、藤島

太刀姿のものへと変遷して、先反りがかかる。

友重、宇多国房。

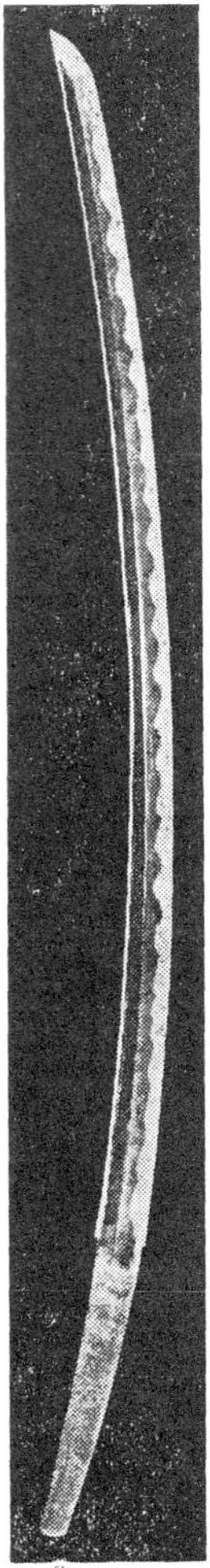

盛光

六、室町時代末期

太刀　極めて少なく、姿は中期と同じ。寸法が二尺一、二寸が普通。

刀　鎬造、中切先延びるものが多く、身幅やや広め。二尺以上の打刀は特に先反りが強いものが多い。

例　平安城長吉、三条吉則。備前国忠光、勝光、宗光、祐定、清光。備後国貝三原物。美濃国兼定、兼元、氏房。相模国綱広、康春。駿河国島田義助、助宗。伊勢国村正。豊後国平長盛。

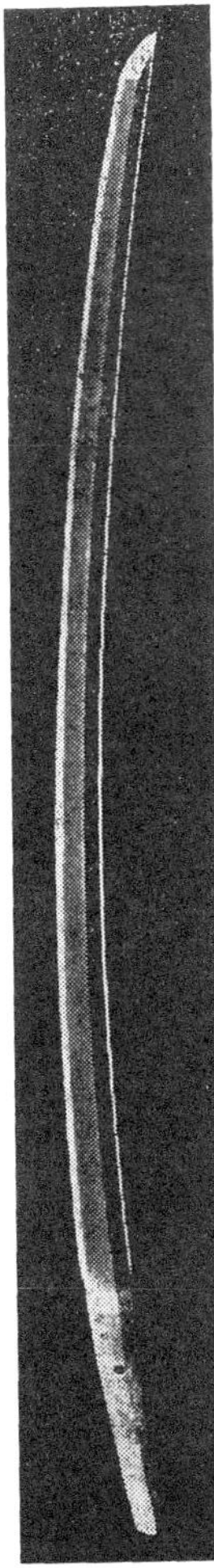

兼定

七、桃山時代

刀　鎬造、身幅広く元幅と先幅の差が少なく

例　山城国埋忠明寿、堀川国広、出羽大掾国路。伊賀守金道、越中守正俊、丹波守吉

切先は延び、反りが浅く、やや重ね厚く、一見磨上に見える。

道。越前国康継。南紀重国。仙台国包。芸州輝広。肥前忠吉。

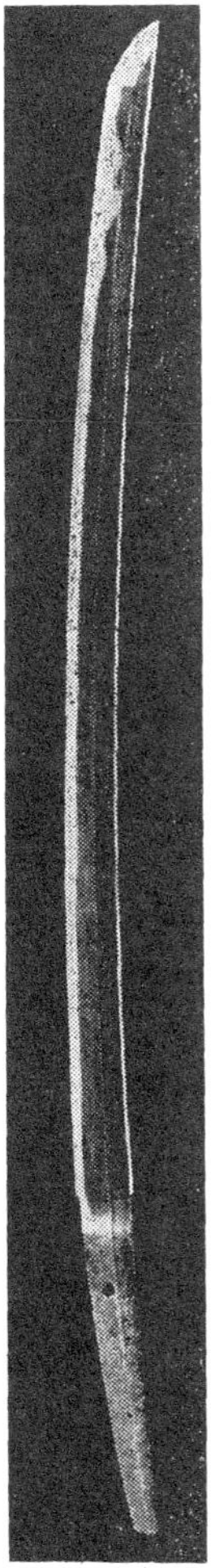
国広

八、江戸時代中期

刀　鎬造、重ね頃合。元幅に比して先幅が狭くなり、切先は中切先が詰まるものが多い。反りは浅い。

例　大坂井上真改、津田助広、同助直、越後守包貞、河内守国助(二代)、一竿子忠綱、多々良長幸。江戸康継、安定、兼重、長曽禰虎徹興里、興正、法城寺正弘、日置光平一派。肥前忠広一派。一平安代。筑前信国吉包。

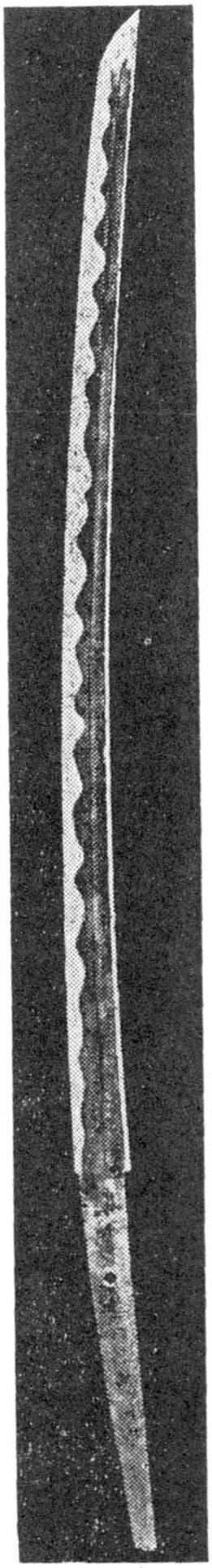
助広

九、幕末時代

刀　南北朝時代、桃山時代の作刀に似て身幅

例　江戸水心子正秀、大慶直胤、細川正義。石堂是一、源清麿、栗原信秀、清人、長

が広く、反りが浅く、そして大切先のものが多いが、鎌倉時代に範を求めた太刀姿のものもある。長寸ものが多い。

連斎綱俊、固山宗次、左行秀。大坂月山貞一、尾崎助隆。薩摩元平、正幸。

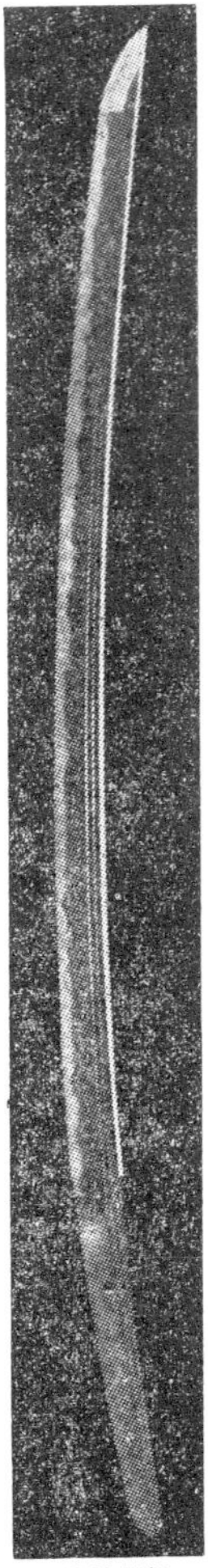
源清麿

刃文図鑑

刃文の見どころと作似工
帽子の見どころと作似工
焼出しの見どころと作似工

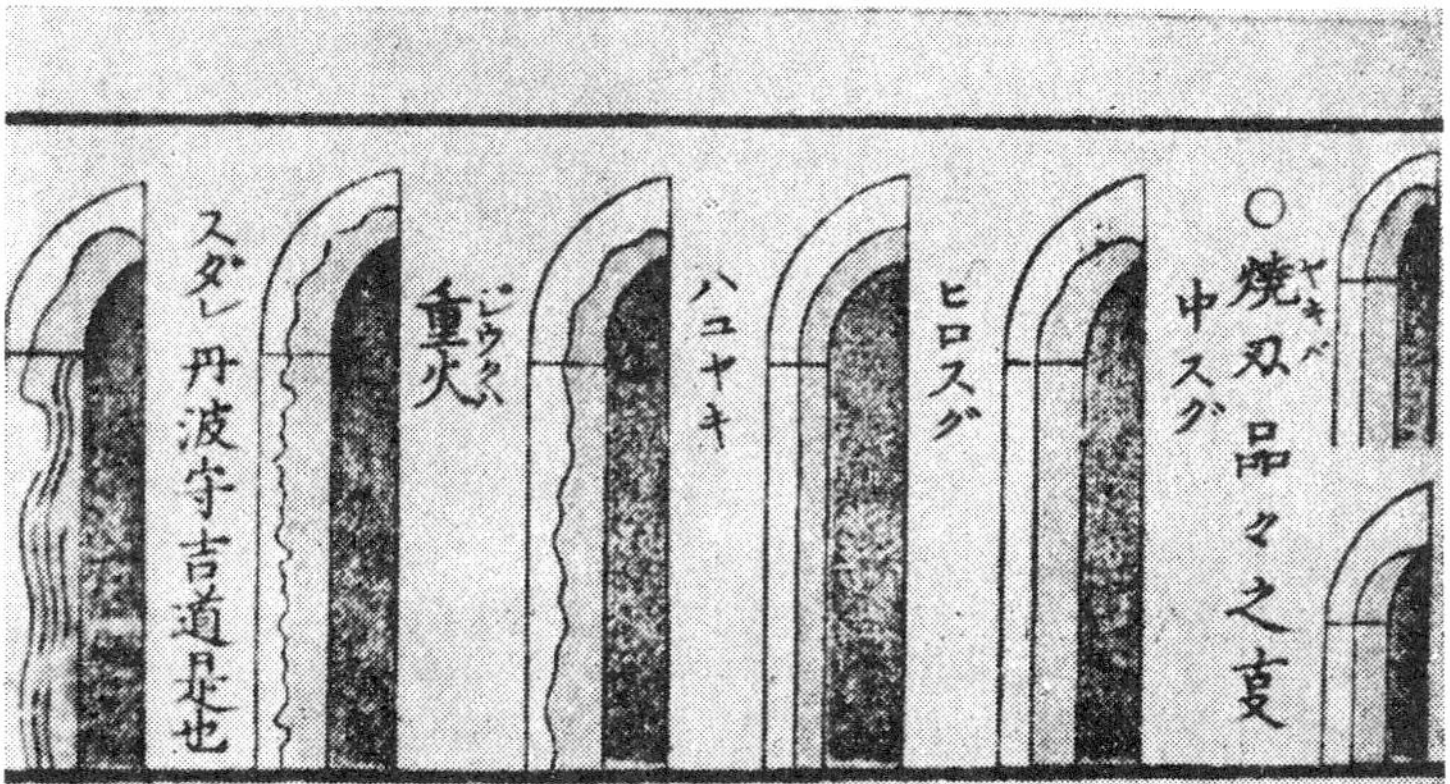

（新刃銘尽大全から）

直刃

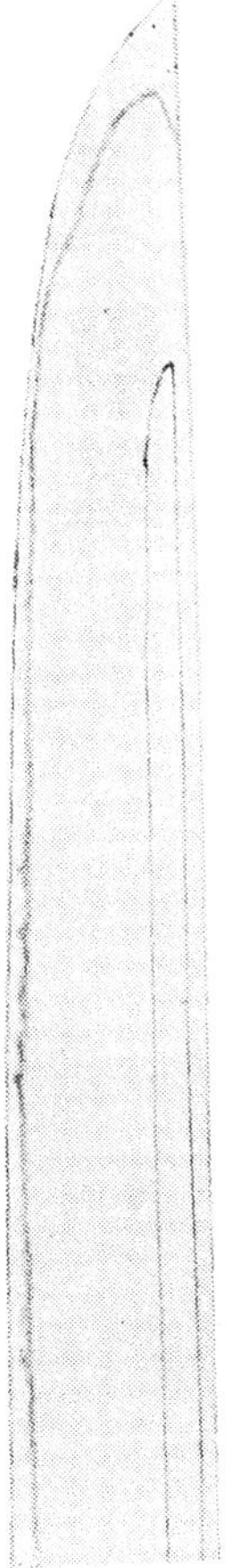

細直刃＝粟田口吉光

〈作似工〉新藤五国光（糸直刃）、手搔包永、粟田口国吉、来国俊、雲生、雲次、土佐吉光（重ね厚い）、波平一類（鎬筋高く綾杉肌）

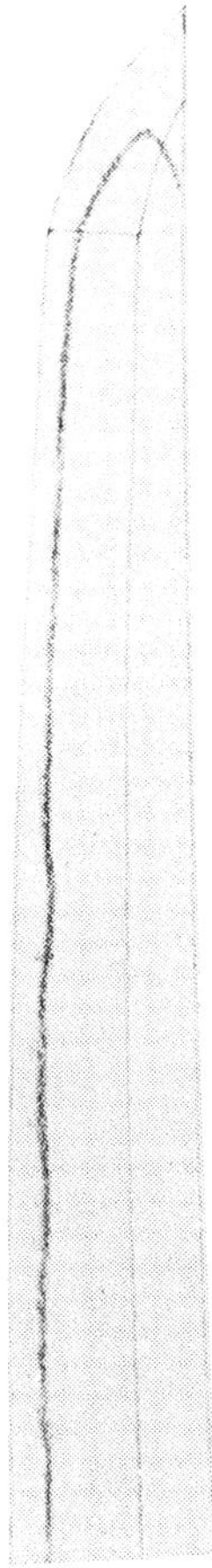

中直刃＝来国俊

〈作似工〉来国光、来光包、山城信国、長光、景光、近景、兼光、元重、雲生、雲次、三原、二王、延寿、末月山（綾杉肌）

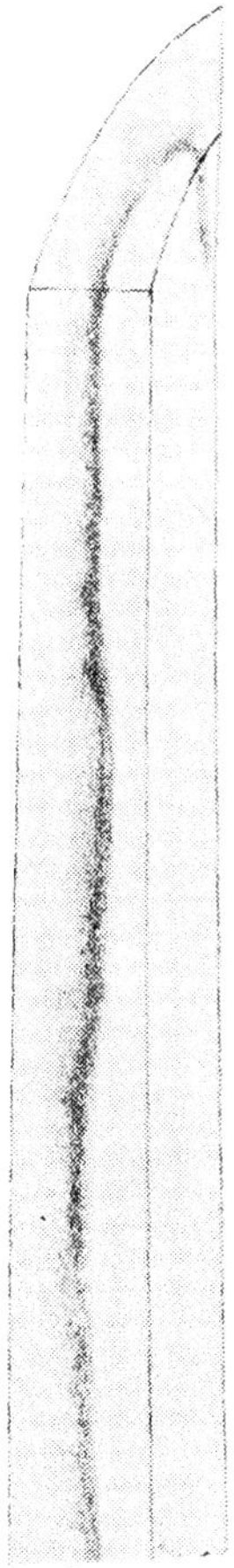

中直刃＝津田助広

〈作似工〉津田助直、坂倉照包、肥前忠吉、左行秀（匂口深い）、手柄山正繁、薩摩正清、元平（沸荒い）

広直刃＝粟田口国吉

〈作似工〉来国光、来国次、来光包

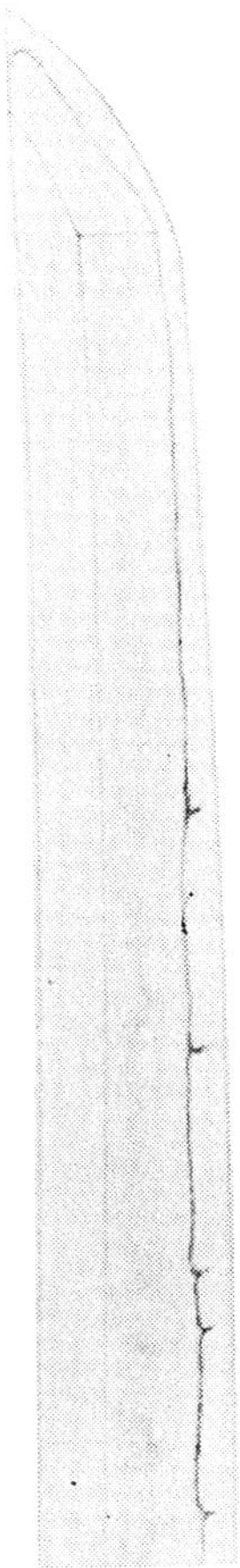

直刃に小足入り＝真長

〈作似工〉長光（刃足多く入る）、景光、景秀、近景、元重、山城了戒（刃中淋しい）、備前秀光など小反物、肥後延寿（刃中淋しい）

直刃＝新藤五国光

〈作似工〉粟田口吉光（物打辺の刃幅狭い）

直刃にほつれかかる＝保昌貞興

〈作似工〉千手院一類、手掻一類、尻懸則長（小互の目交じる）、当麻、山城三条、三原、二王、宇多、仙台国包

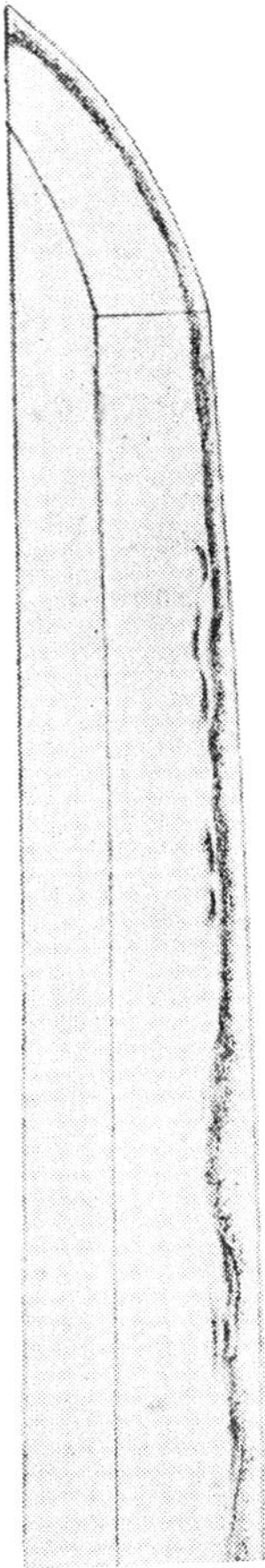

直刃にほつれ、打のけかかる＝手掻包永

＜作似工＞大和保昌（焼詰帽子）、三原、二王（刃中淋しい）、波平、越前康継、肥後大掾貞国、越中守正俊、仙台国包、会津兼定、水戸市毛徳隣、水戸徳村徳勝

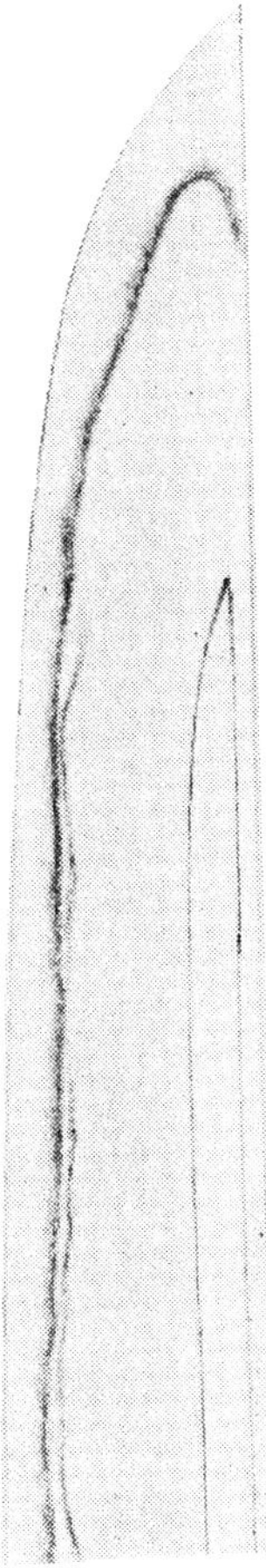

直刃に二重刃かかる＝来国光

＜作似工＞手掻包永、来国俊、山城了戒

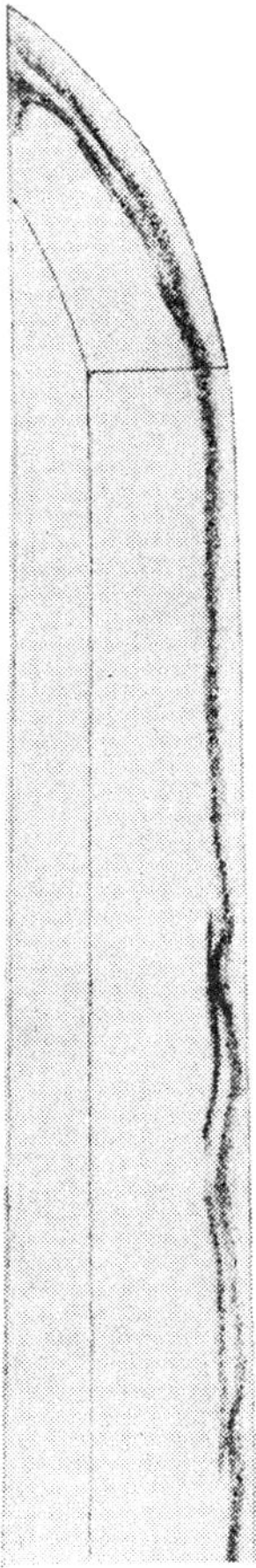

直刃に二重刃かかる＝南紀重国

＜作似工＞仙台国包（柾肌）、大慶直胤（大和伝の作）、細川正義、斎藤清人、会津兼定（匂口締る）

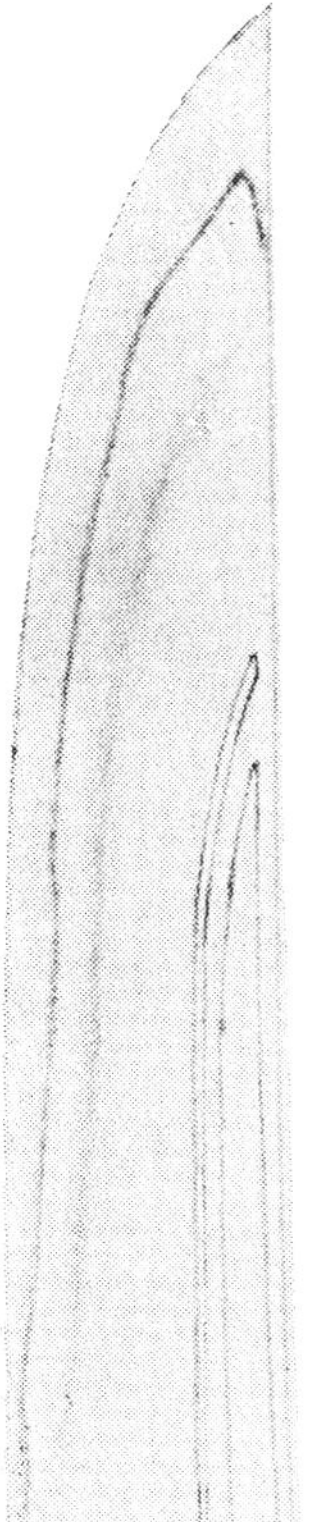

直刃に湾れかかる＝長船康光

＜作似工＞盛光、法光、則光、応永信国、因州景長

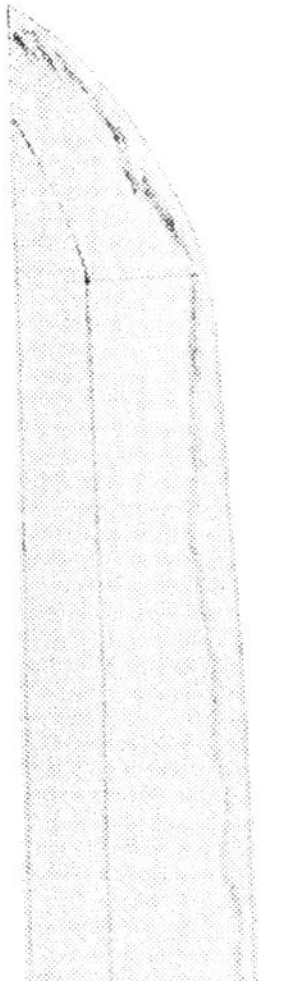

直刃に小乱が交じる＝波平行安

＜作似工＞来国俊、来国光、千手院、保昌

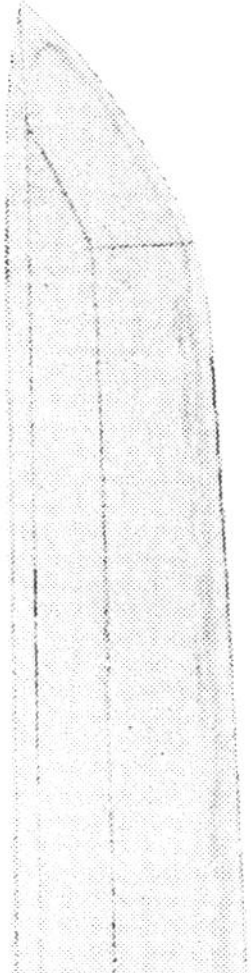

直刃に小乱が交じる＝豊後行平

＜作似工＞粟田口久国、有国、来国行、綾小路定利、古備前友成、古青江正恒、守次、貞次、恒次、伯耆安綱

直刃に喰違刃が交じる＝大和当麻

〈作似工〉来国俊、来国光、大和手掻、越前康継、肥後大掾貞国、尾張政常、仙台国包、南紀重国、肥前忠吉

直刃に逆足、逆乱が交じる＝備前雲次

〈作似工〉来国光、景光、近景、元重

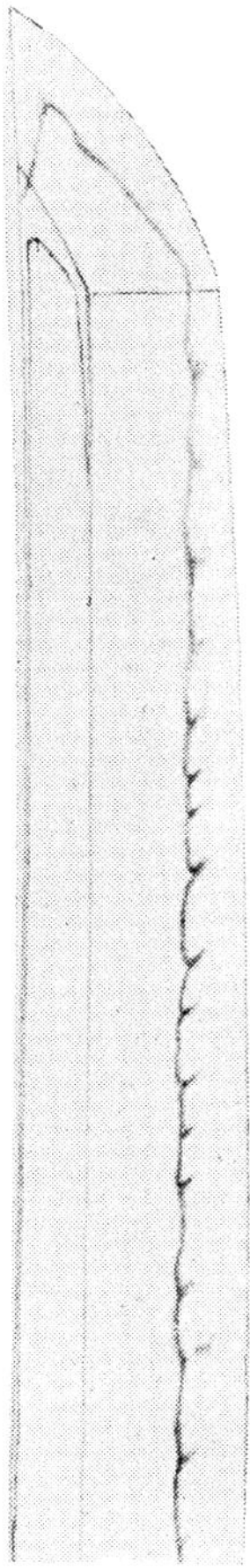

直刃に逆足、逆乱が交じる＝青江直次

〈作似工〉青江次直、次吉、吉次、守次

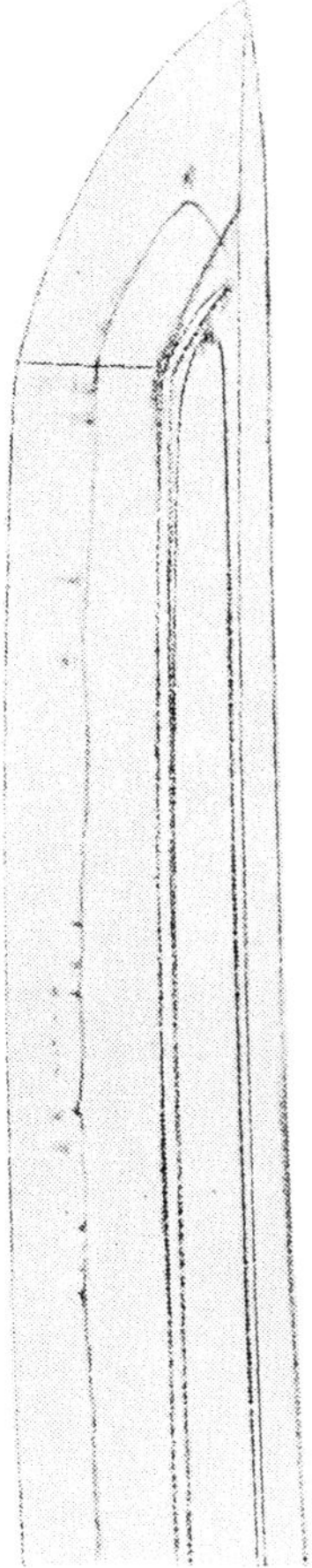

広直刃に小足・葉が入る＝与三左衛門祐定

〈作似工〉長船清光、治光、忠光、平長盛など豊後高田一類、若州冬広

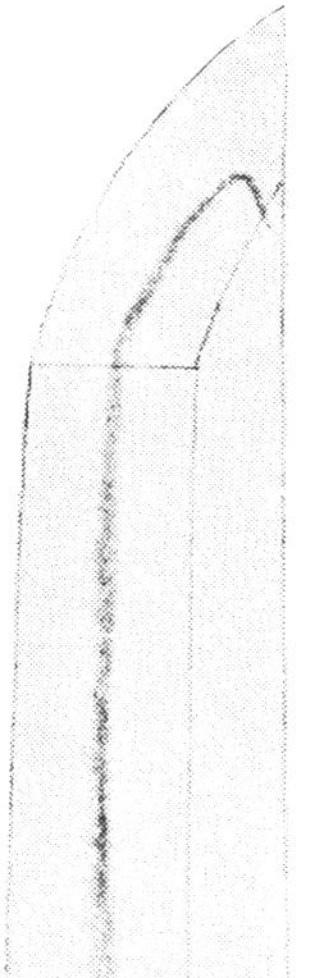

広直刃に足が入る＝法城寺正弘

〈作似工〉虎徹興里、上総介兼重、法城寺貞国、同吉次

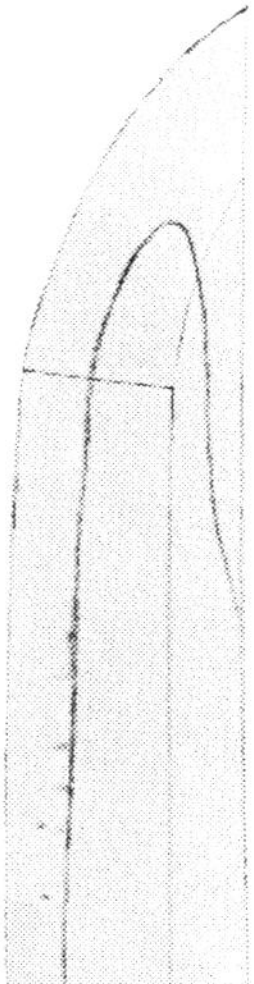

直刃に小足・葉が入る＝長船忠光

〈作似工〉長船清光、勝光、豊後高田一類、冬広、筑前信国

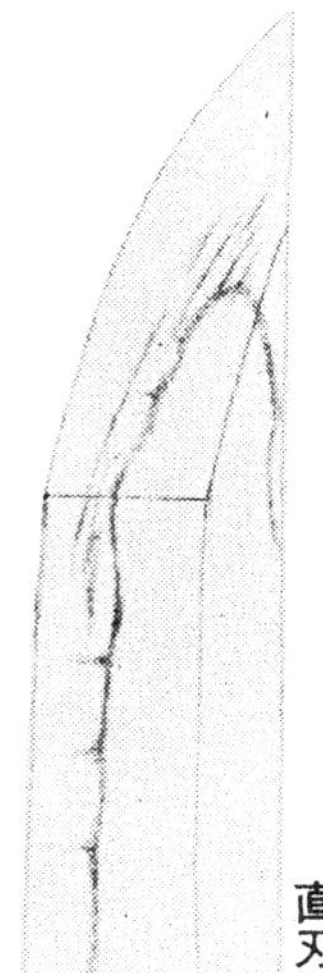

直刃に小足・葉・砂流しが入る＝長船清光

＜作似工＞長船祐定、忠光、豊後高田一類、冬広、筑前信国

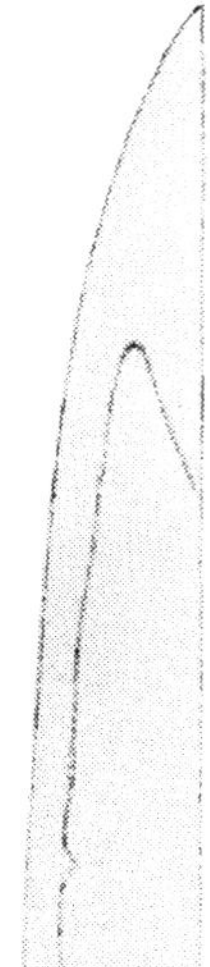

直刃にフシがつく＝関兼貞

＜作似工＞関兼貞、兼常、兼吉など末関、小笠原長旨

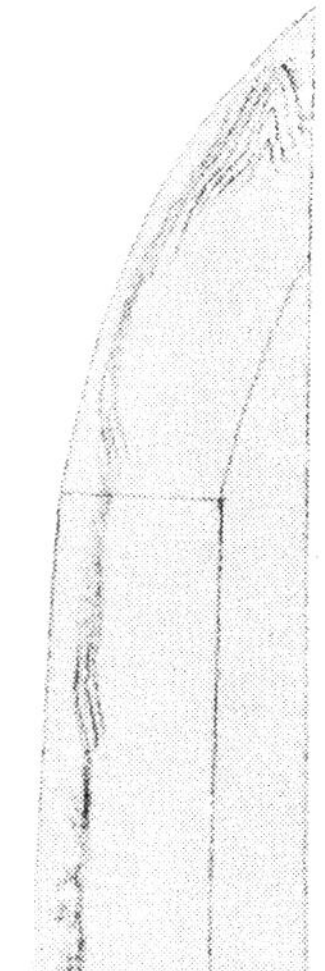

直刃に丁子足が入る＝月山貞一

＜作似工＞大慶直胤、直勝、正義、水心子正次

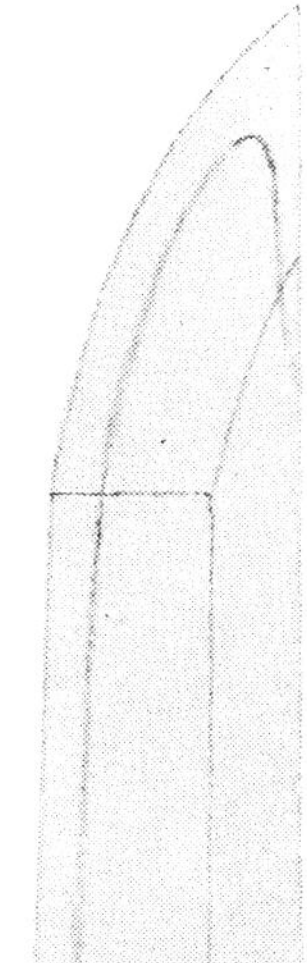

匂口の締った直刃＝水心子正秀

＜作似工＞月山貞一、貞勝、固山宗次、池田一秀、川井久幸、六代忠吉、八代忠吉、後代国包（柾肌）、斎藤清人（身幅広い）、勝村徳勝（柾肌）、会津兼㝎（柾肌）

乱刃

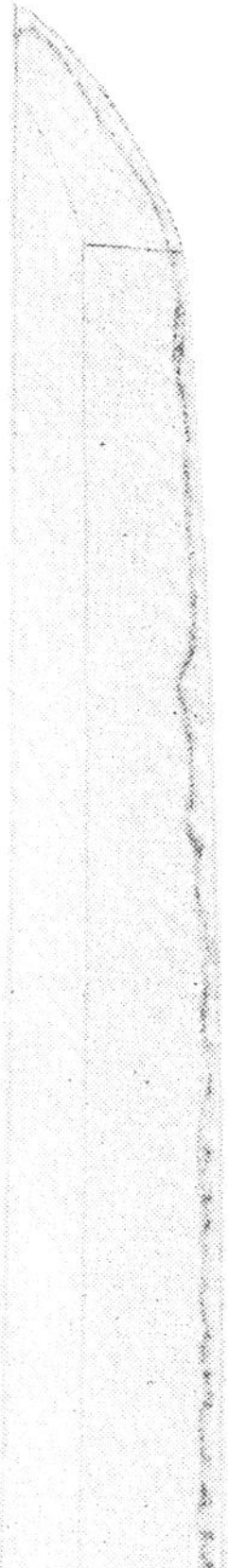

小乱＝友成

＜作似工＞包平、助平など古備前、則宗、助宗など古一文字

小乱＝正恒

＜作似工＞古備前、古一文字、三条吉家、五条兼永

小乱に二重刃かかる＝定利

＜作似工＞宗近、吉家、兼永、国永、粟田口国友、国綱、久国、国清、国安、来国行、千手院、竜門延吉、宝寿

小乱＝古青江次忠

＜作似工＞守次、貞次、助次、康次、恒次

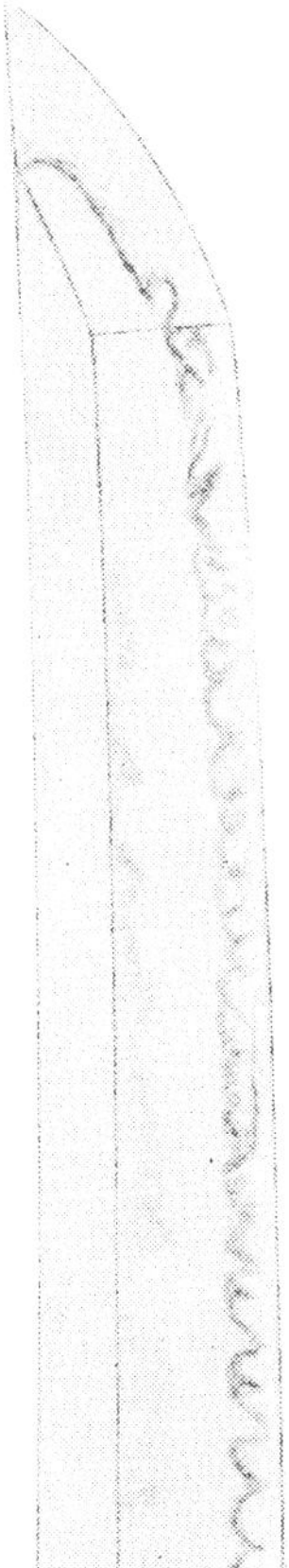

小乱＝安綱

＜作似工＞大原真守、有綱、豊後行平、宝寿、舞草

丁子

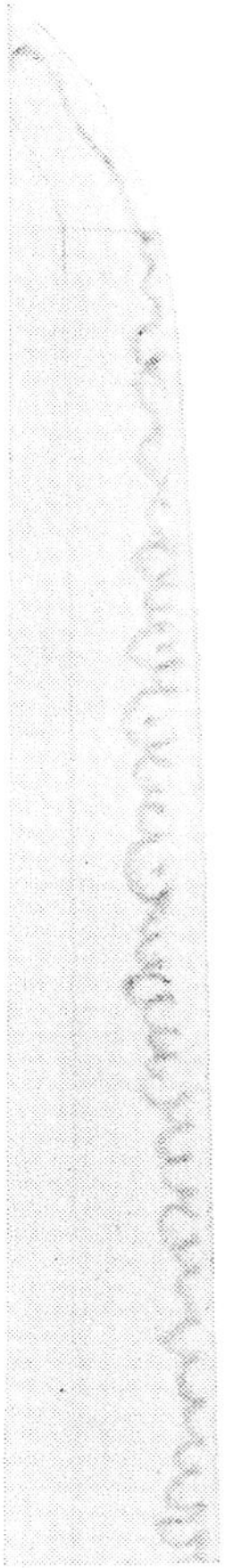

小丁子＝一文字延房

〈作似工〉一文字則宗、助宗、成宗、助包、吉宗、粟田口国安、国綱

大房丁子＝一文字吉房

〈作似工〉吉平、助房、則房（逆がかる）、助真など一文字、守家

重花丁子＝一文字助真

〈作似工〉吉房、吉平、則房、助房など一文字

蛙子丁子＝守家

〈作似工〉一文字

丁子＝備前三郎国宗

〈作似工〉守家、助真、長光

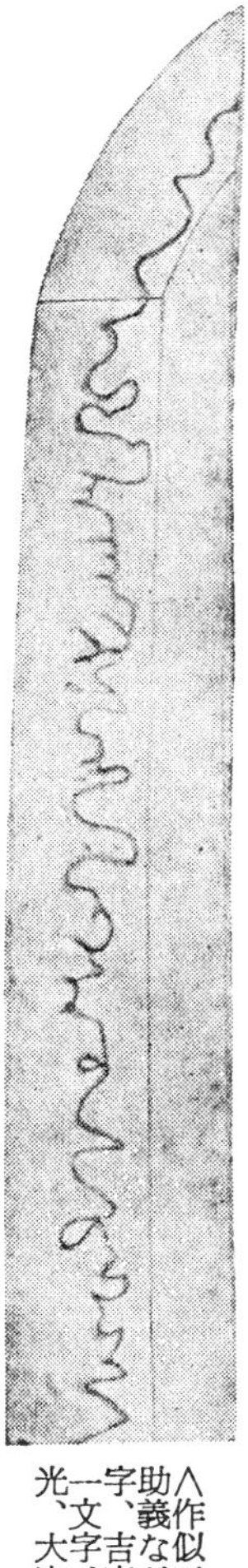

互の目の交じる丁子＝吉岡一文字助光

〈作似工〉助吉、助義など吉岡一文字、吉家など岩戸一文字、長光、景光、大宮盛景

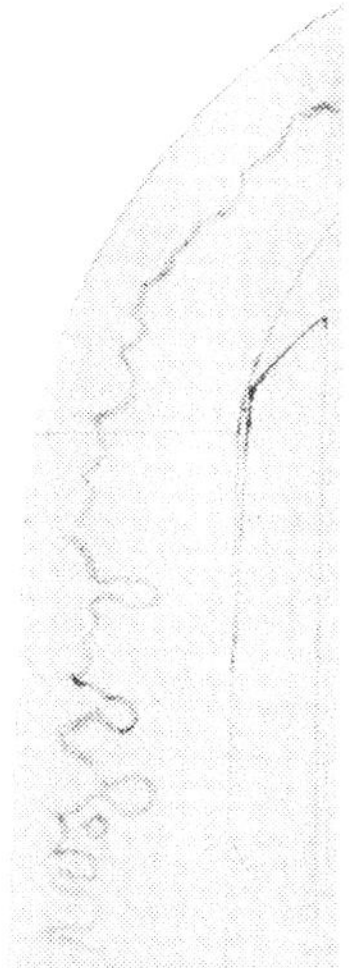

丁子＝光忠

〈作似工〉長光、国宗、守家、二字国俊

直小丁子＝一文字助宗

〈作似工〉古一文字、長光、景光、真長、近景、元重、雲生、雲次、青江吉次（逆足が入る）、直次、三条吉家、五条兼永、粟田口国友、国綱、国清、来国俊、来国光

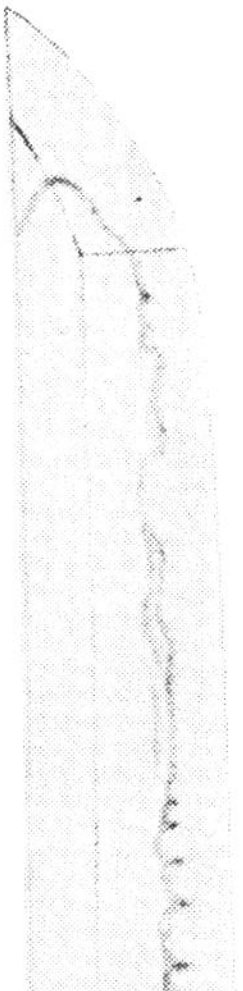

直丁子＝来国行

〈作似工〉綾小路定利、来国俊、来国光、来国次、来光包（刃中淋しい）

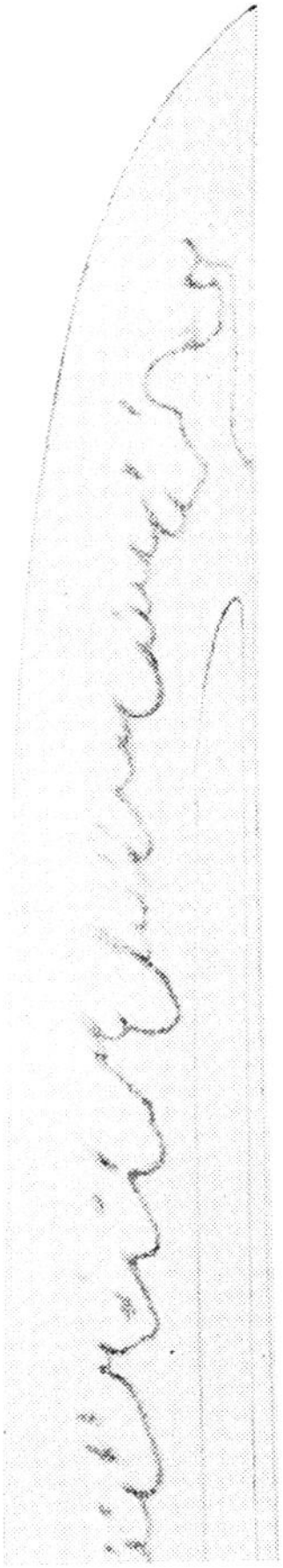

逆丁子＝青江次直

〈作似工〉片山一文字、青江吉次、直次、次吉、守次

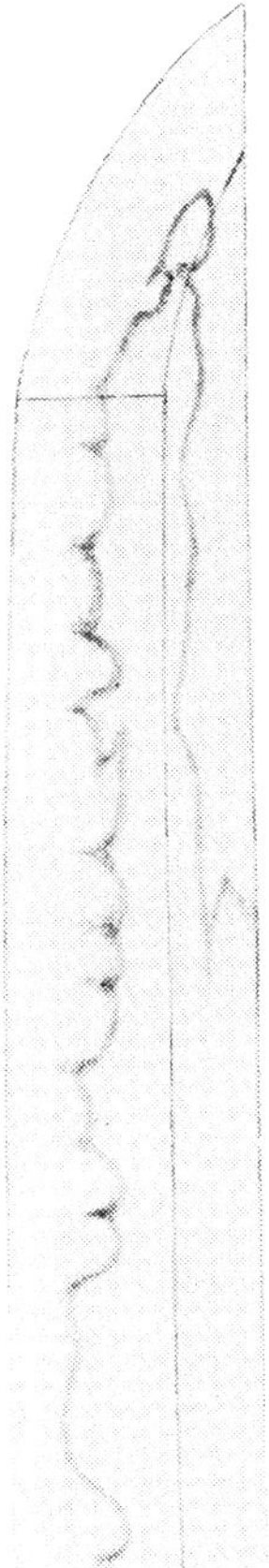

互の目丁子＝兼之

〈作似工〉石州直綱、藤島友重、兼房など末関物、末相州物、末高田物、越前兼法

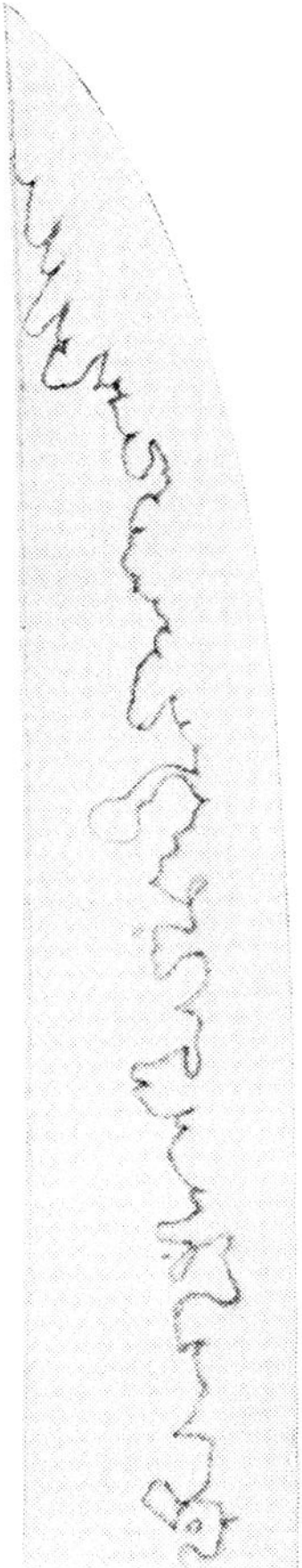

丁子＝相州助広

〈作似工〉末相州物、康春、康国等

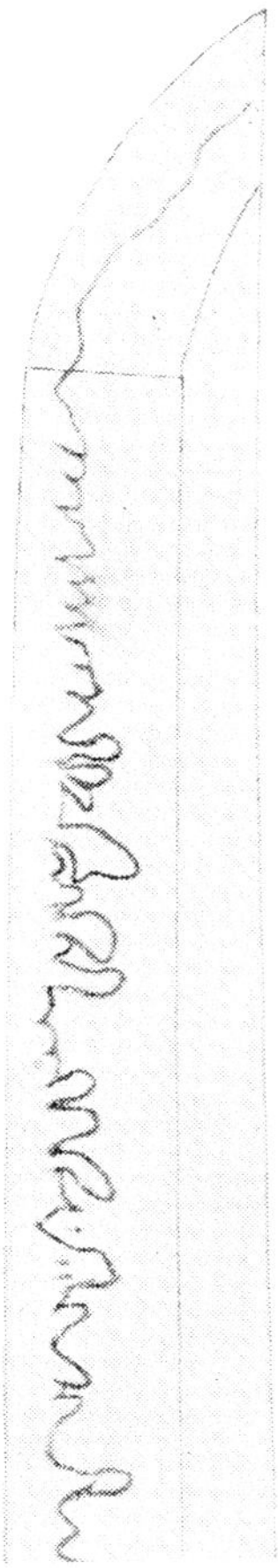

丁子＝多々良長幸

〈作似工〉初代助広、備中守康広、紀伊為康、佐々木一峯、筑前信国

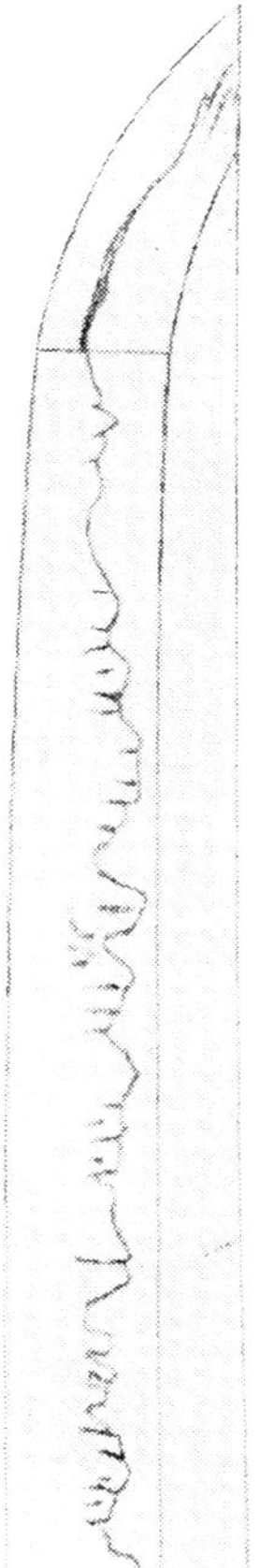

丁子＝備中守康広

〈作似工〉紀伊為康、常光、光平、是一、初代助広、信国吉政、同是次

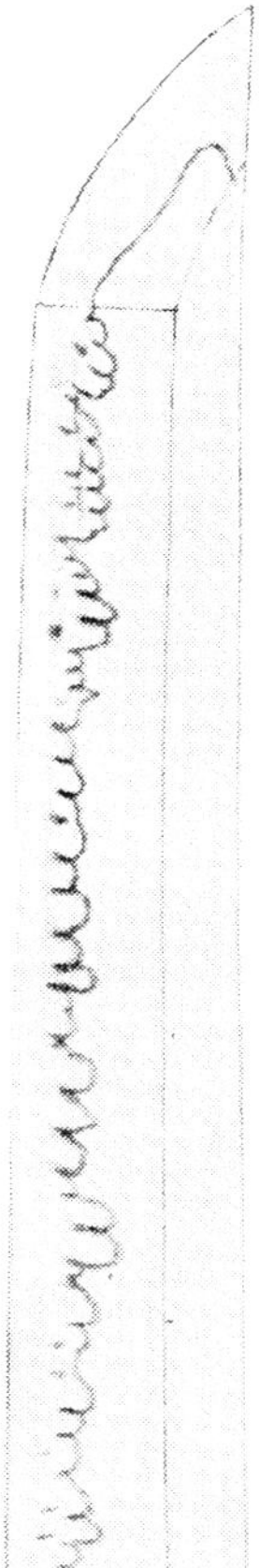

丁子＝光平

〈作似工〉石堂一類（大阪、江戸、近江、紀伊、筑前）、初代助広、筑前信国

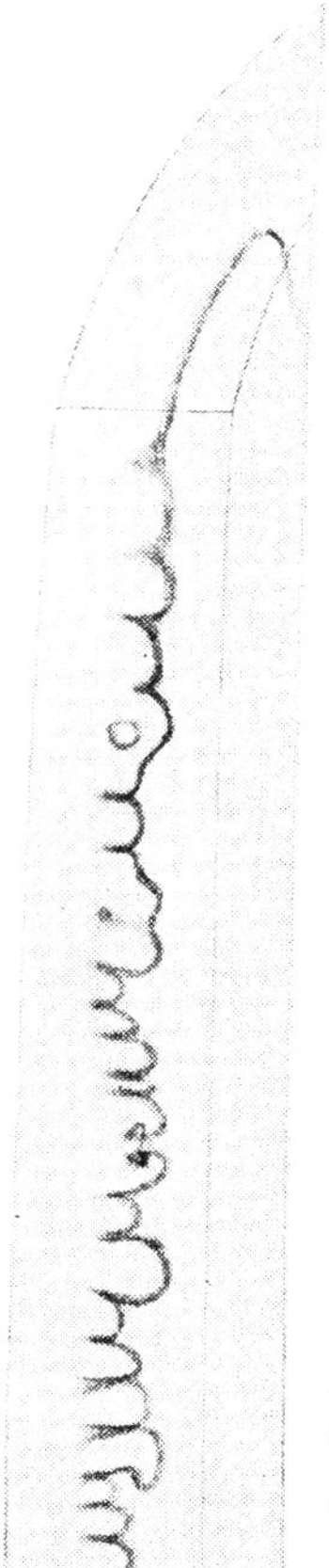

足長丁子＝長綱

〈作似工〉初代忠綱、忠行

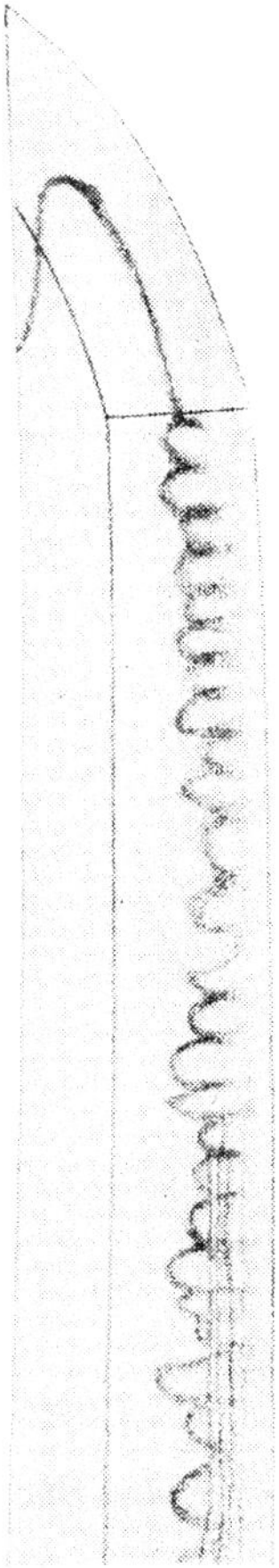

足長丁子＝播磨大掾忠国

〈作似工〉武蔵大掾忠広、二代忠広、三代忠吉、行広、正広

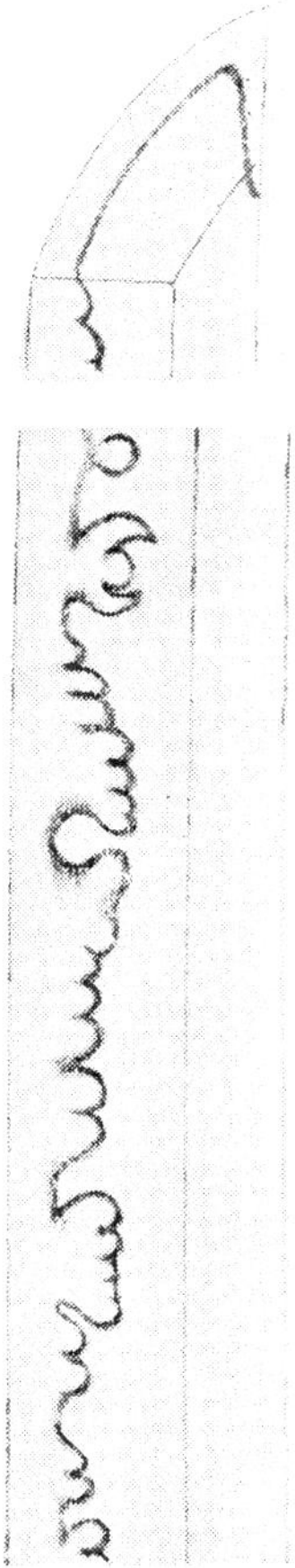

拳形丁子＝河内守国助（二代）

〈作似工〉国助各代、肥後守国康、大阪丹波守吉道、大和守吉道、石見守国助、横山祐包、祐永

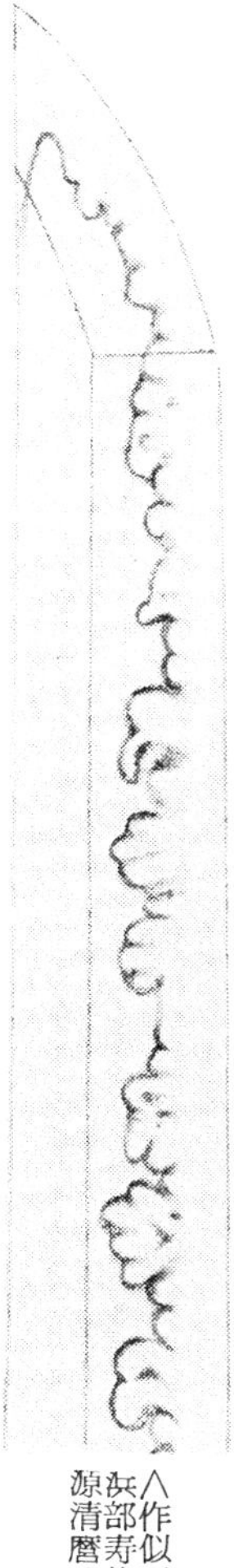

丁子＝横山祐永

〈作似工〉祐包、浜部寿格、寿隆、源清麿（初期作）

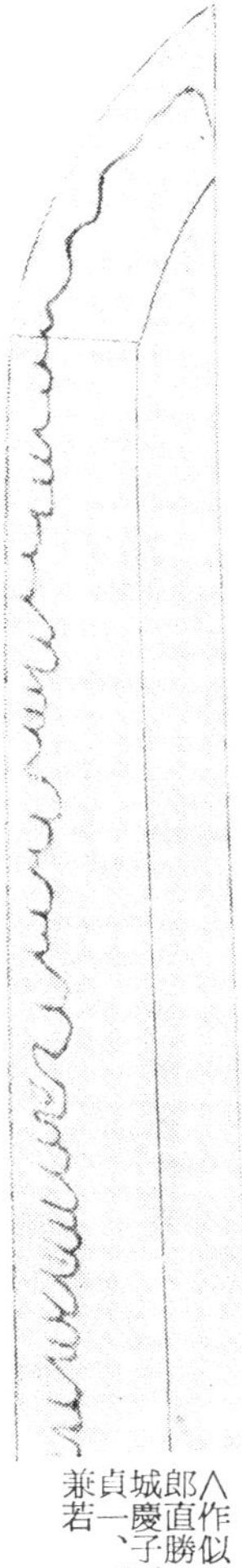

逆丁子＝水心子正秀

〈作似工〉次郎太郎直勝、細川正義、城慶子正明、月山貞一、四郎右衛門兼若

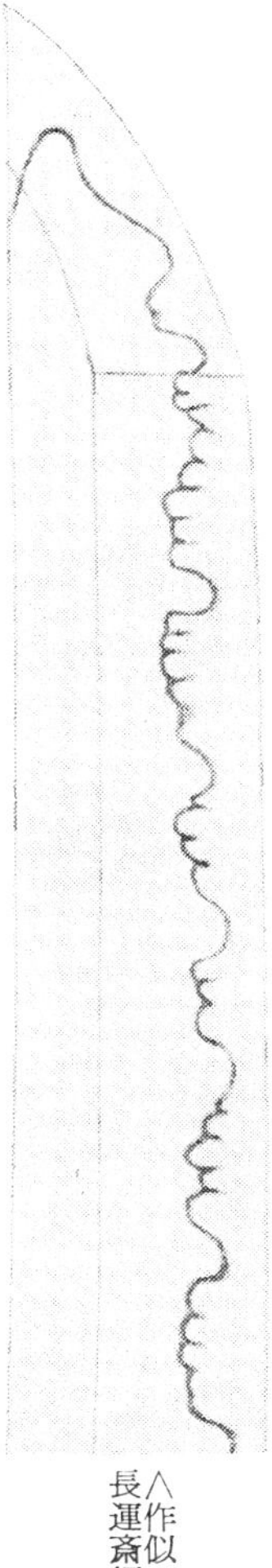

丁子＝宗次

〈作似工〉宗寛、長運斎綱俊

互の目

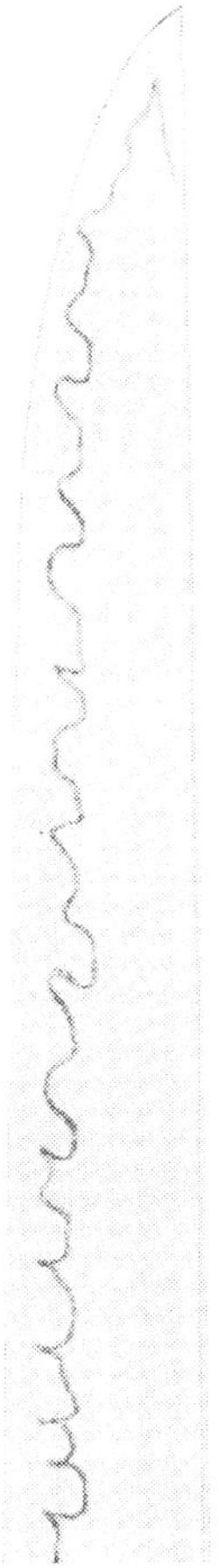

片落互の目＝景光

〈作似工〉兼光とその一門、小反物

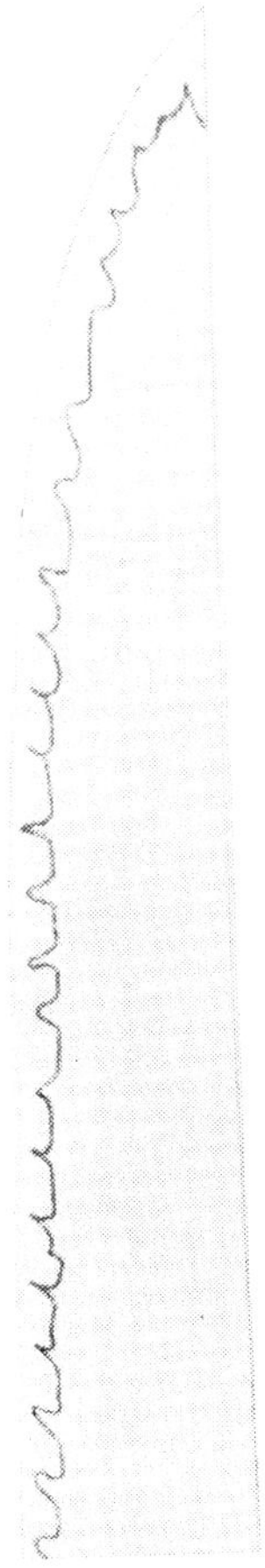

片落互の目（鋸刃とも）＝兼光

〈作似工〉景光、近景、元重、政光、秀光、長船、家守、成家

小互の目が揃う＝吉井真則

〈作似工〉吉井一類、小反物、石州直綱、同貞綱、美濃為継、高田物

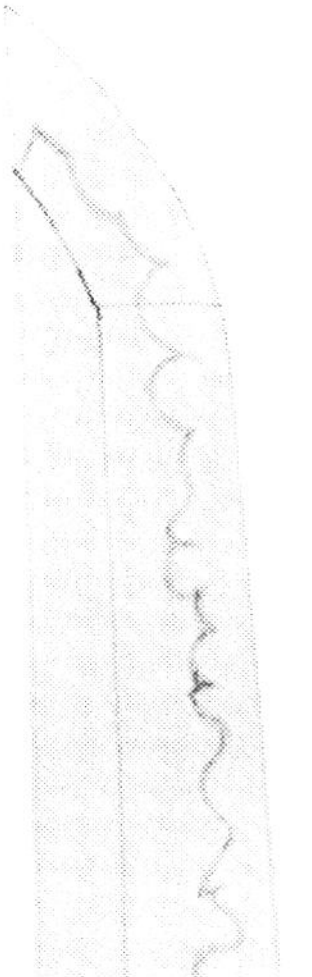

腰の開いた互の目＝康光

＜作似工＞盛光（やや大模様）、家助、経家、師光など応永備前、また永享備前

腰の開いた互の目＝盛光

＜作似工＞康光（やや尖り刃目立つ）家助、経家など応永備前、また永享備前、大宮盛景

腰の開いた互の目＝祐定（蟹の爪刃交じる）

＜作似工＞末備前

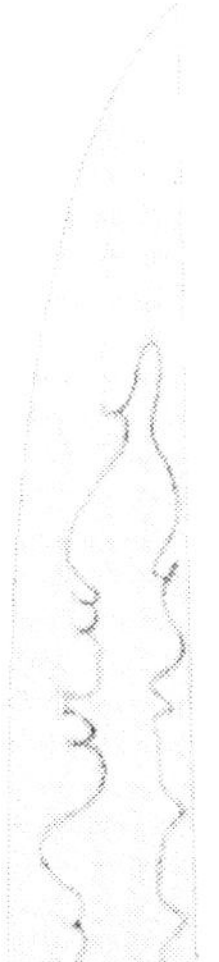

腰の開いた互の目＝祐定（両刃造り）

＜作似工＞末関物、末相州物、島田物、末高田物

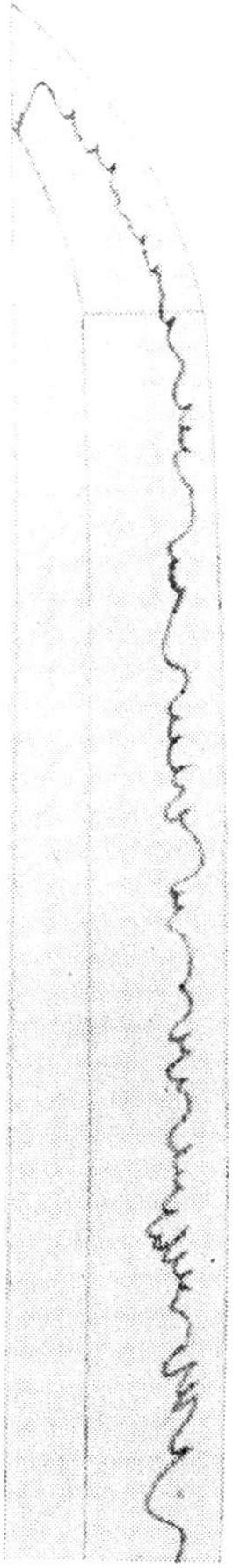

腰の開いた互の目に丁子交じり＝則光

〈作似工〉応永備前、永享備前、末備前

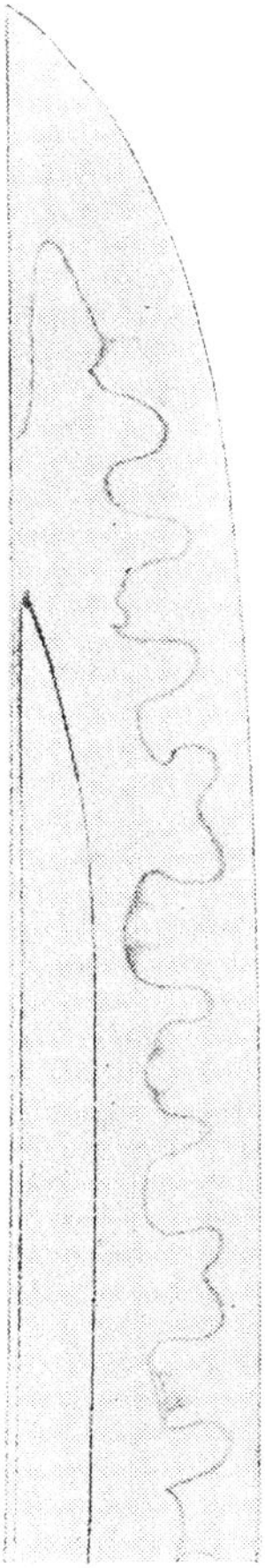

兼房乱（互の目丁子）＝兼房

〈作似工〉末関物

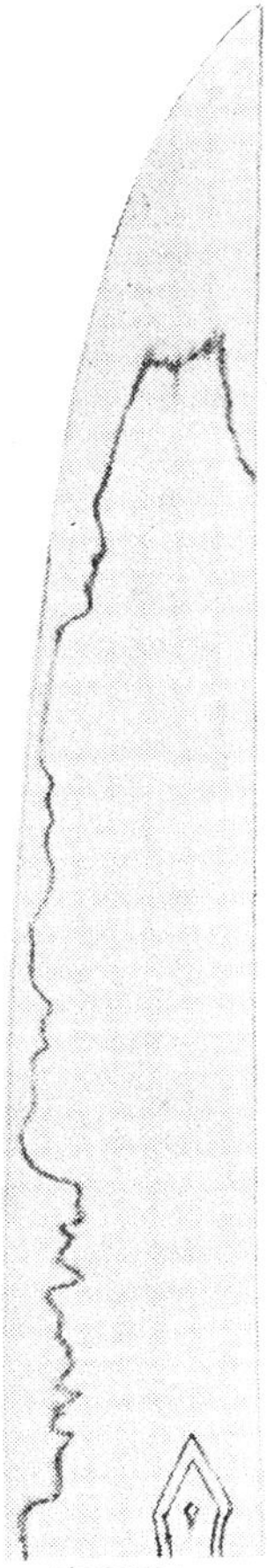

箱乱（表裏の刃文が揃う）＝村正

〈作似工〉正重、平安城長吉、和泉守兼定、加州兼若、高平

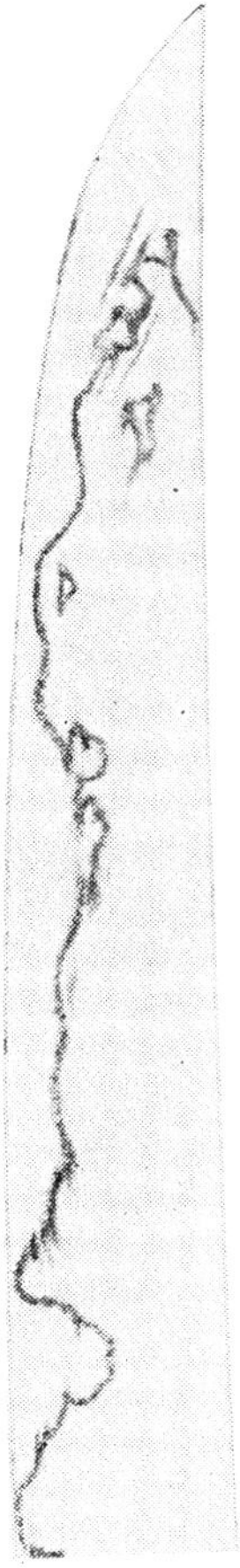

箱乱（角ばった互の目）＝正重

〈作似工〉村正一門、平安城長吉、和泉守兼定、越前関

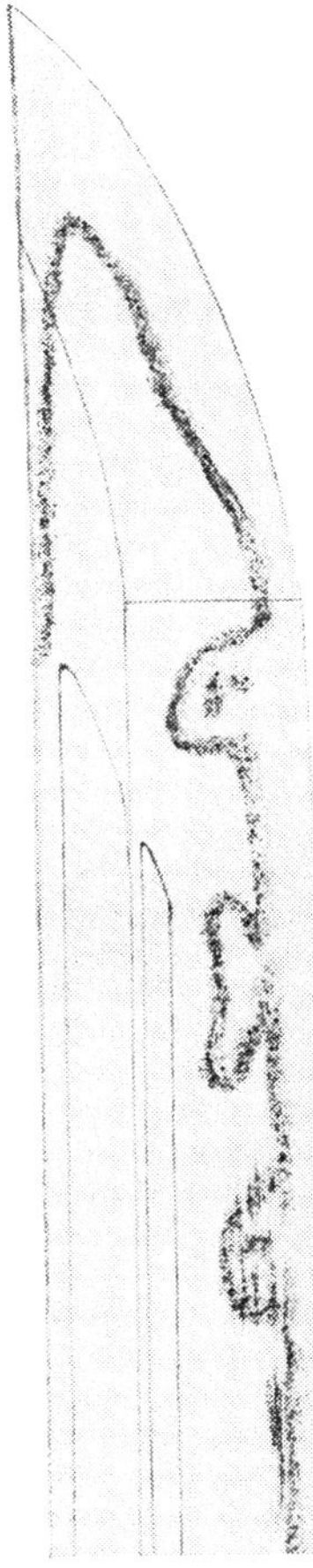

互の目に湾れ交じり＝康継

〈作似工〉大和大掾正則、伯耆守汎隆など越前新刀、加州兼若、東山美平、左陸奥包保、大村加卜

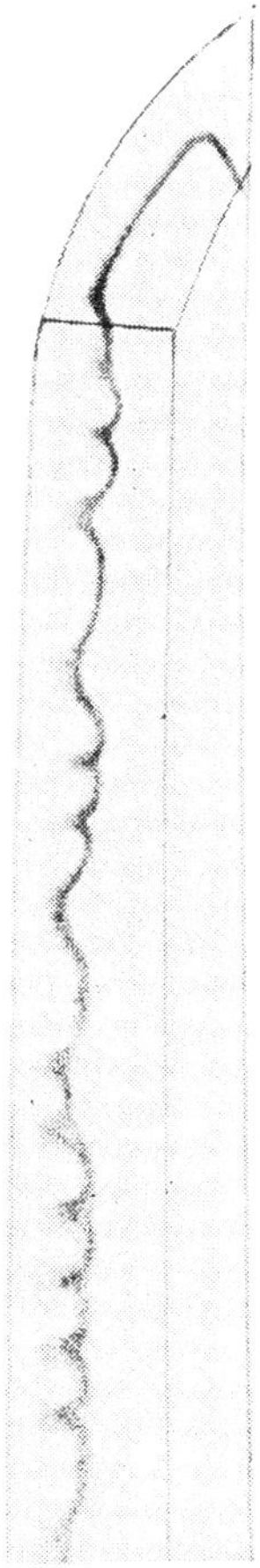

匂口の明るい互の目＝虎徹（数珠刃）

〈作似工〉虎徹一門（興正、興久、興直）、上総介兼重、大和守安定、法城寺正弘とその一門、三善長道、津田助広、助直、越後守包貞

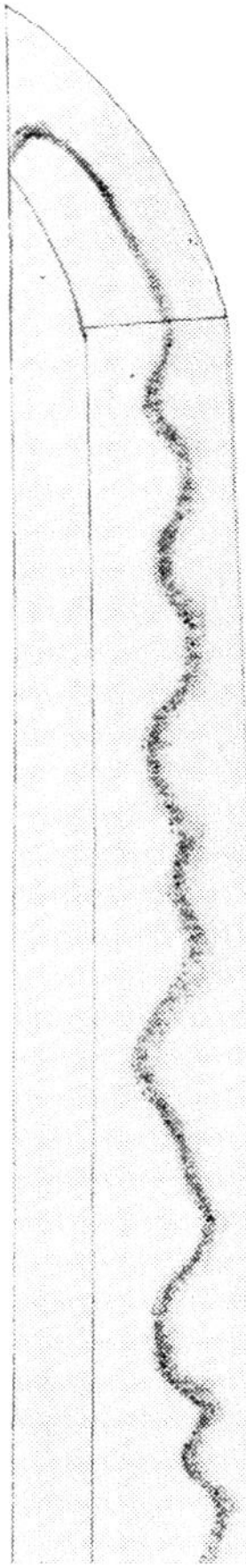

大互の目乱＝大和守安定

〈作似工〉上総介兼重、井上真改、陸奥守歳長、三善長道、伊勢大掾綱広

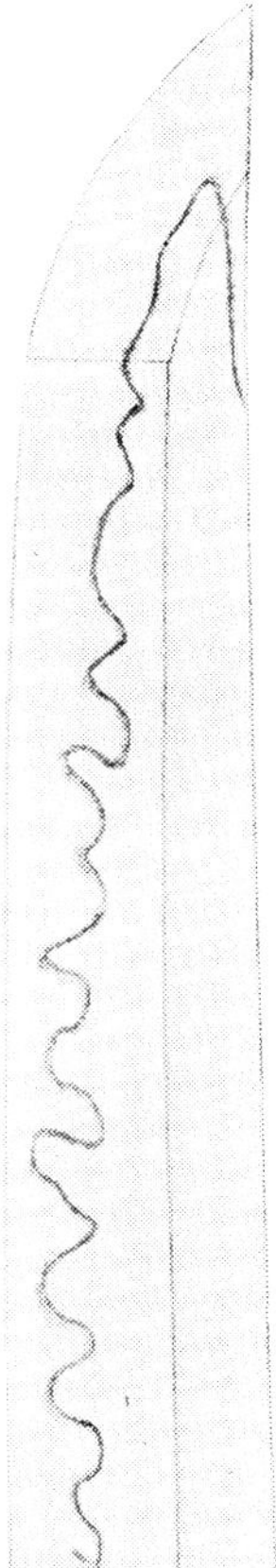

匂口の締った互の目＝大和大掾正則

〈作似工〉兼定など末関物、越前新刀、寿命など新刀関

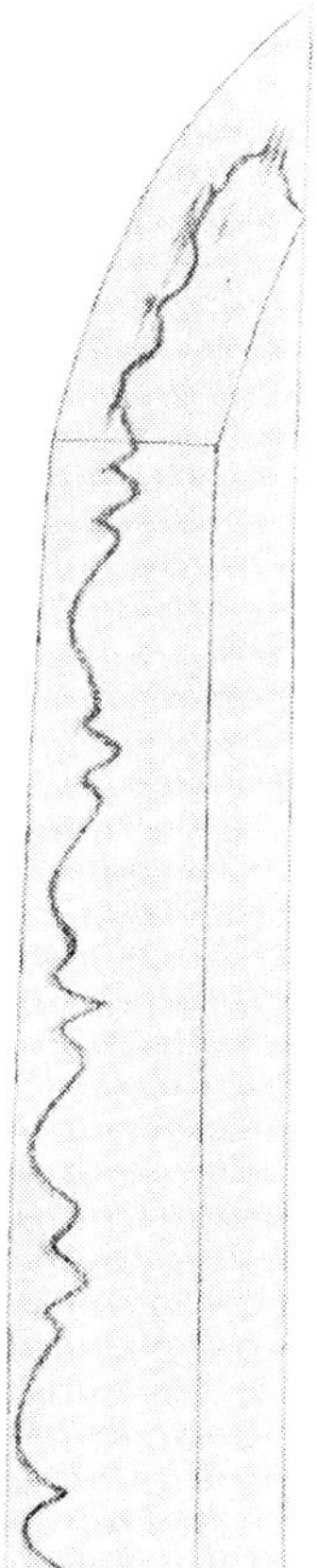

尖り互の目（三本杉）＝兼元

〈作似工〉兼定、兼延など末関物

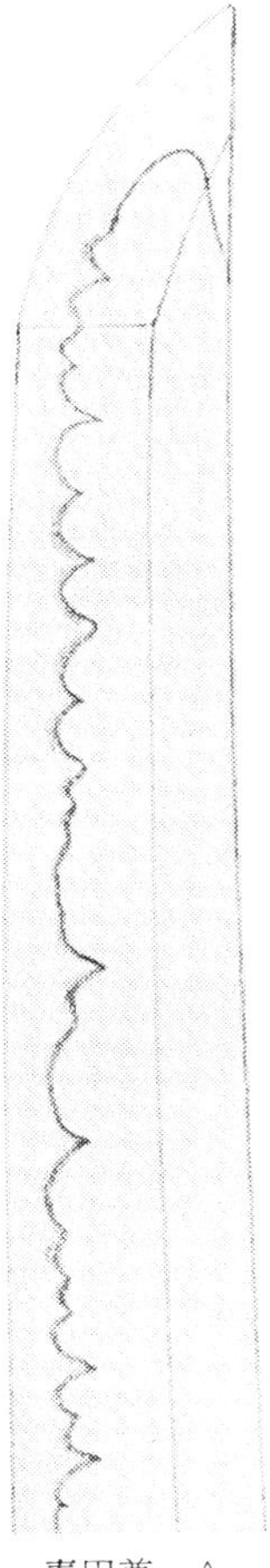

尖り互の目（三本杉）＝勝国

〈作似工〉陀羅尼一門、越前兼則、兼正、加州家平、田代兼信、同兼元、寿命など新刀関

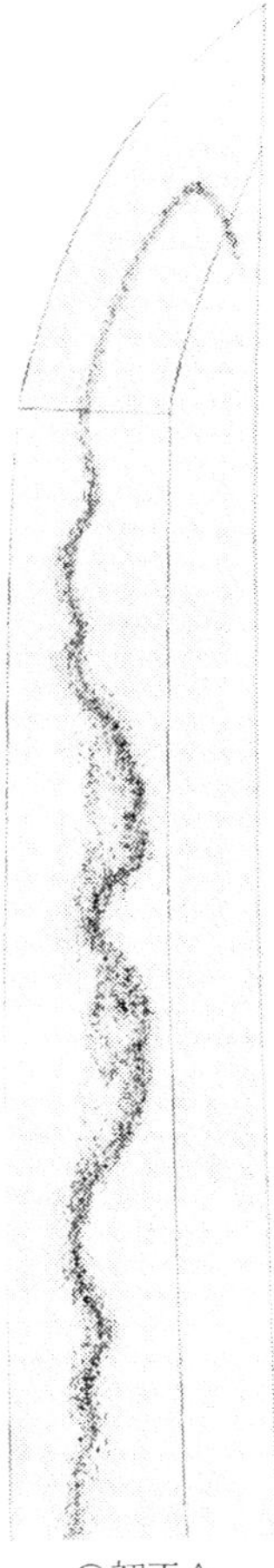

大互の目に湾れ交じり＝堀川国広

〈作似工〉大隅掾正広、国安、国路、初代康継、輝広（匂口締る）

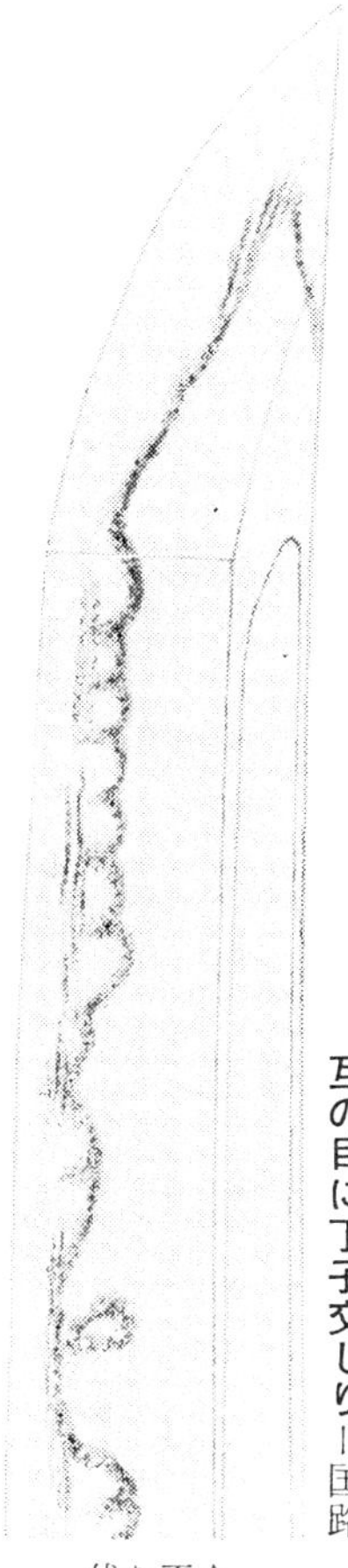

互の目に丁子交じり＝国路

〈作似工〉越中守正俊、伊賀守金道など三品一門、初代康継

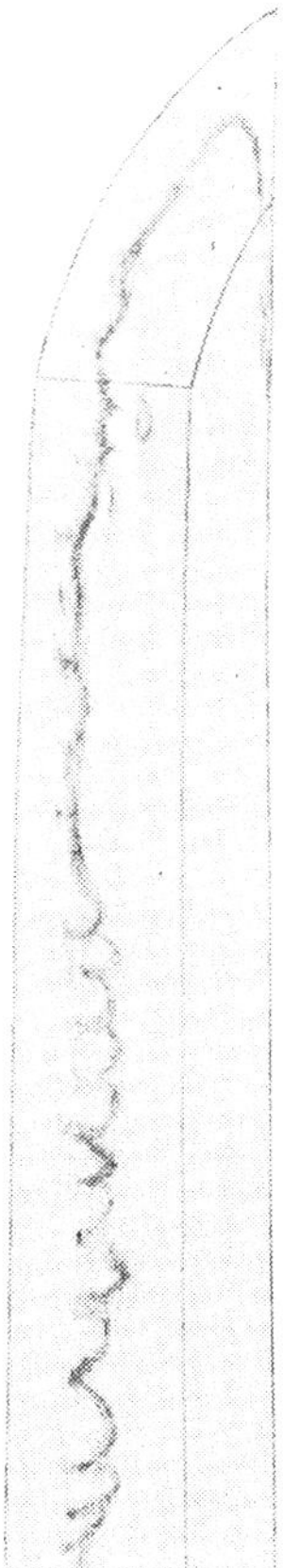

小互の目＝初代国貞

〈作似工〉初代越後守包貞、初代助広

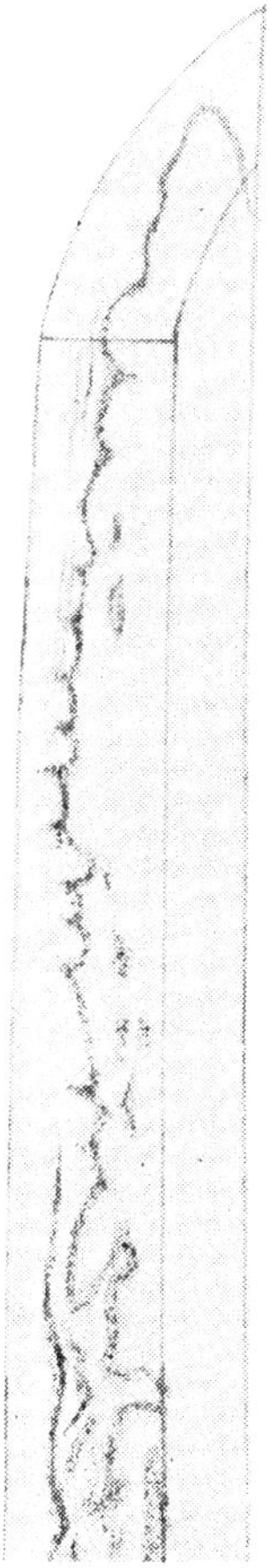

互の目大乱＝伊予掾宗次

〈作似工〉肥前正広、行広、吉信、吉房、越前康継

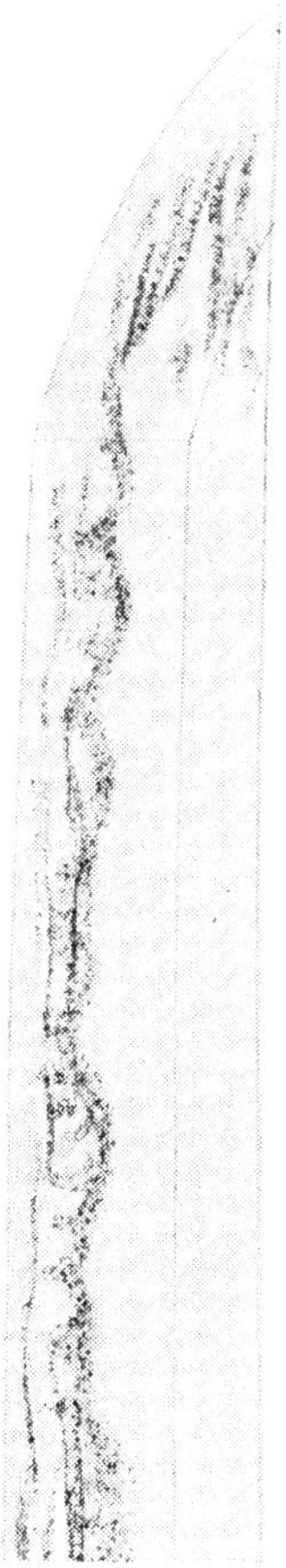

互の目大乱＝繁慶

〈作似工〉南紀重国（初期作）、常陸守宗重、摂州住則房（則重の末）

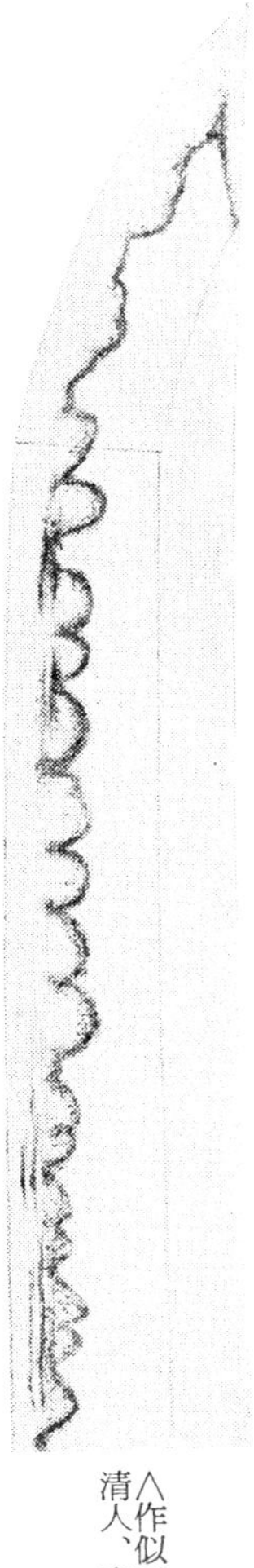

互の目＝源清麿

＜作似工＞信秀、清人、真雄、正雄

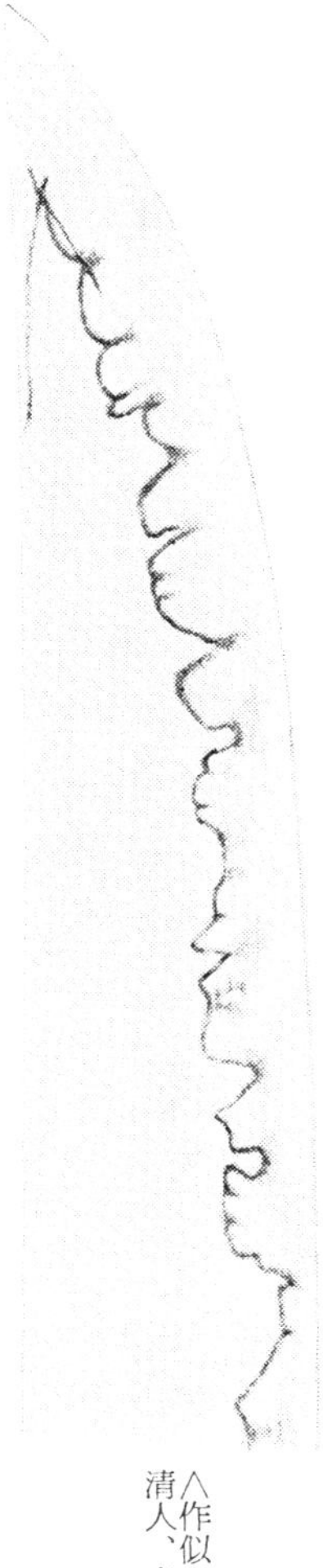

互の目＝信秀

＜作似工＞清麿、清人、真雄、正雄

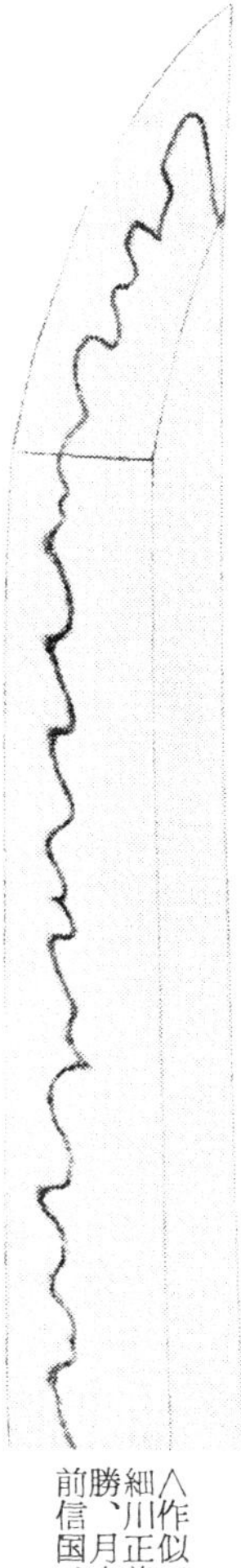

逆互の目＝直勝

＜作似工＞直胤、細川正義、弥門直勝、月山貞一、筑前信国、加藤綱英

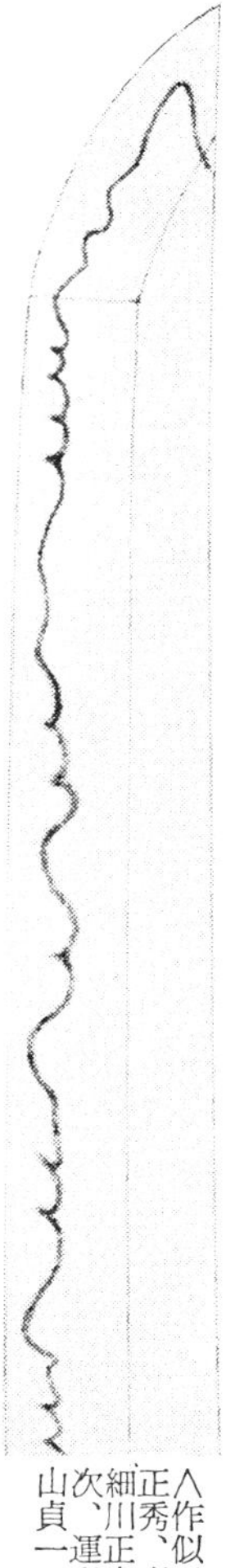

逆足が入る互の目＝細川正義

＜作似工＞水心子正秀、直胤、直勝、細川正守、固山宗次、運寿是一、月山貞一

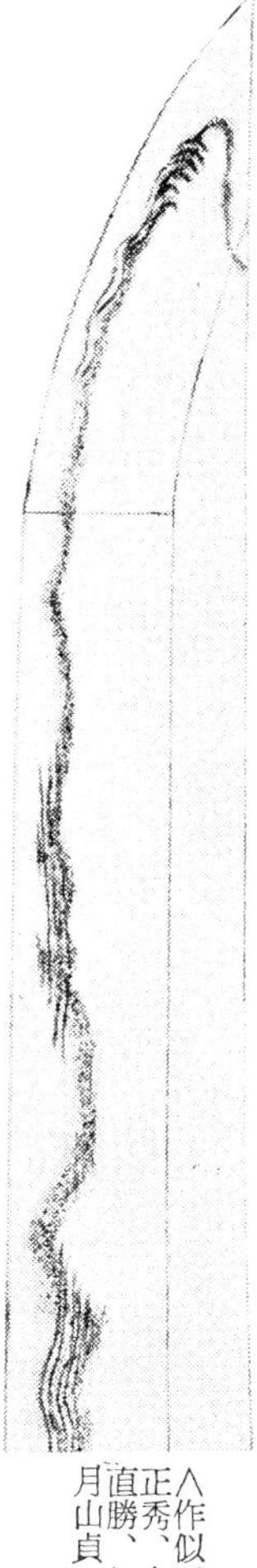

互の目大乱＝水心子正次

＜作似工＞水心子正秀、大慶直胤、直勝、細川正義、月山貞一

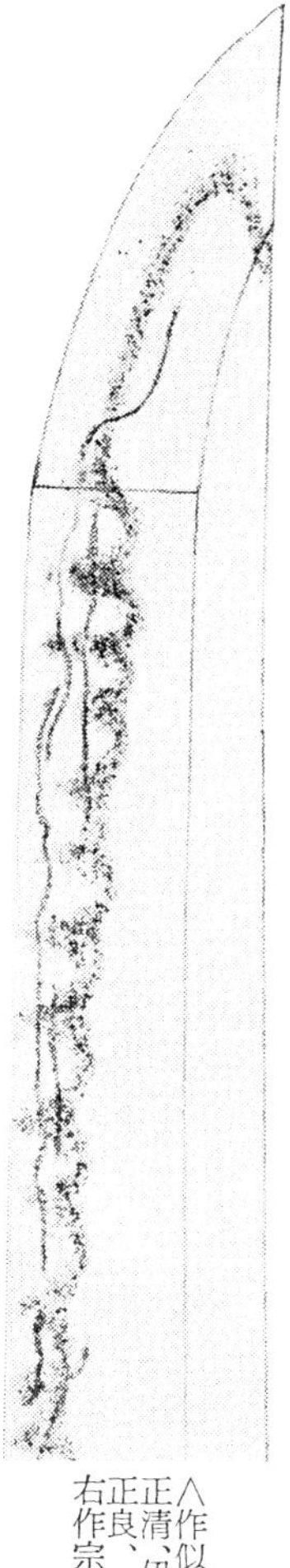

荒沸のついた互の目＝元平

＜作似工＞主水正正清、伊豆守正房、正良、正幸、正近、右作宗栄

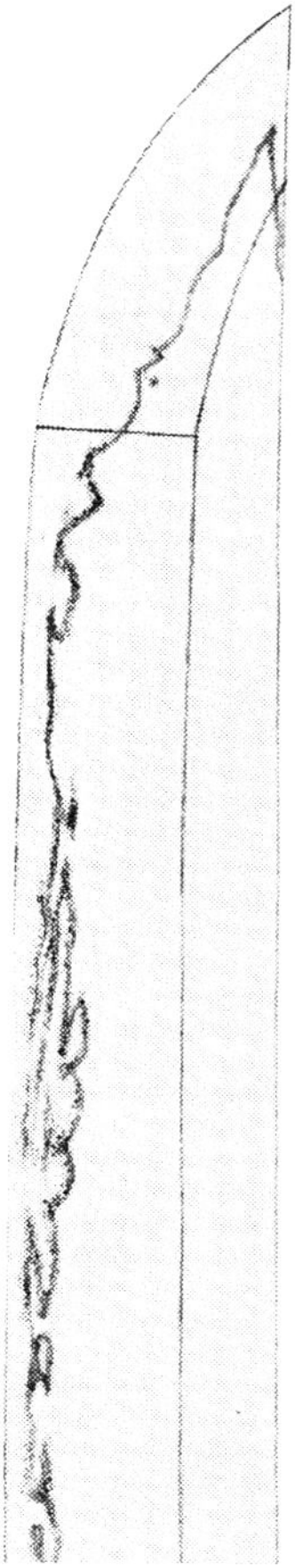

菊水刃＝伊賀守金道

＜作似工＞丹波守吉道（山城・大阪）、後代河内守国助、浜部寿格

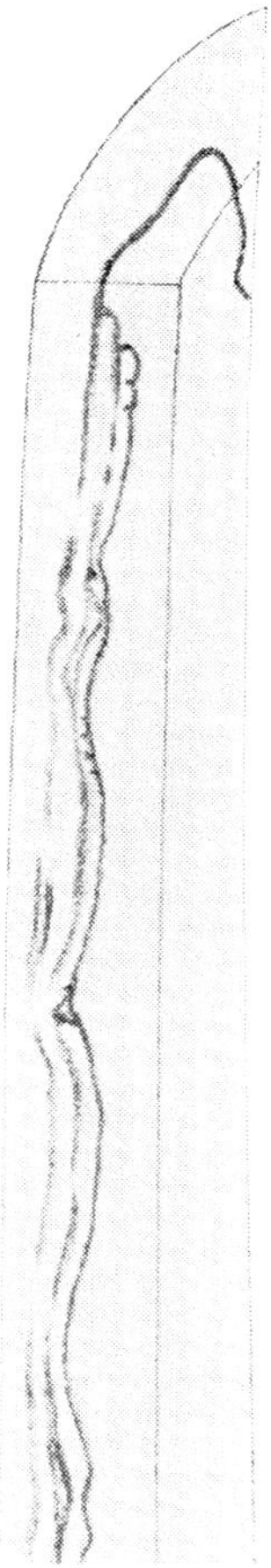

簾刃＝丹波守吉道（二代）

＜作似工＞吉道各代

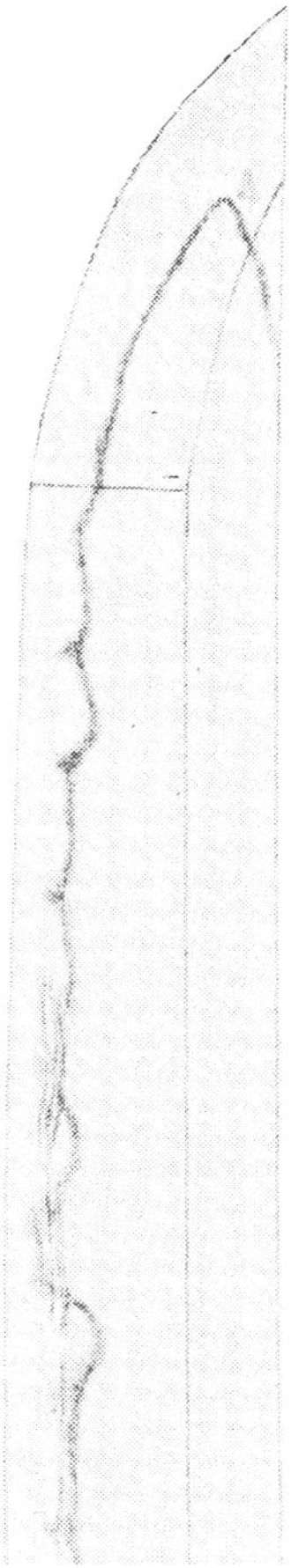

互の目に湾れ交じり＝輝広

＜作似工＞埋忠明寿、堀川国広、越前康継、肥前忠吉

湾れ

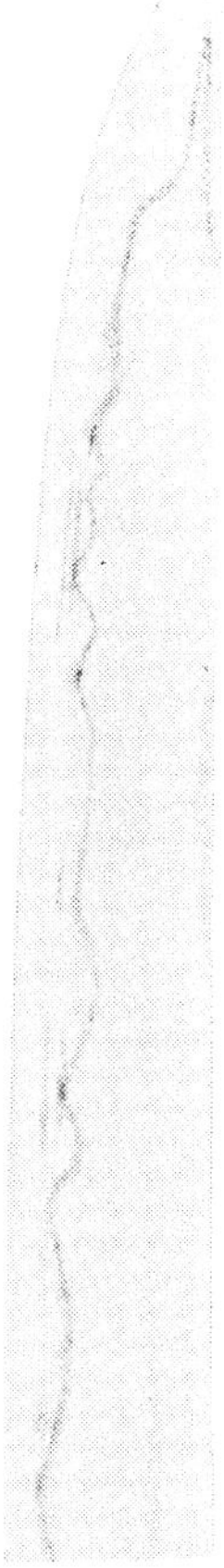

小湾れ＝左

〈作似工〉左一門、正宗、貞宗、兼光、来国光

大湾れ＝信国

〈作似工〉行光、正宗、貞宗、信国、来国次、来倫国、長義、兼長、平安城長吉、村正、兼定、陸奥守大道、尾張関

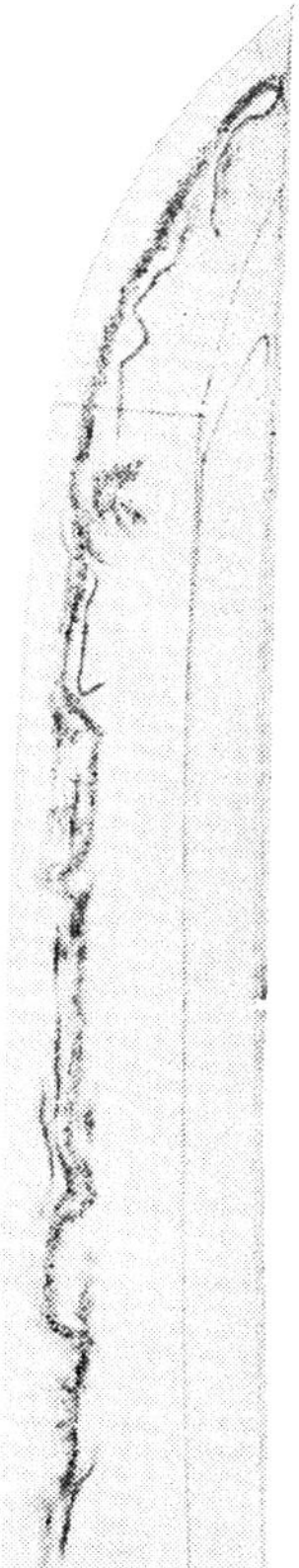

湾れに乱＝正宗

〈作似工〉行光、貞宗、則重、義弘、為継

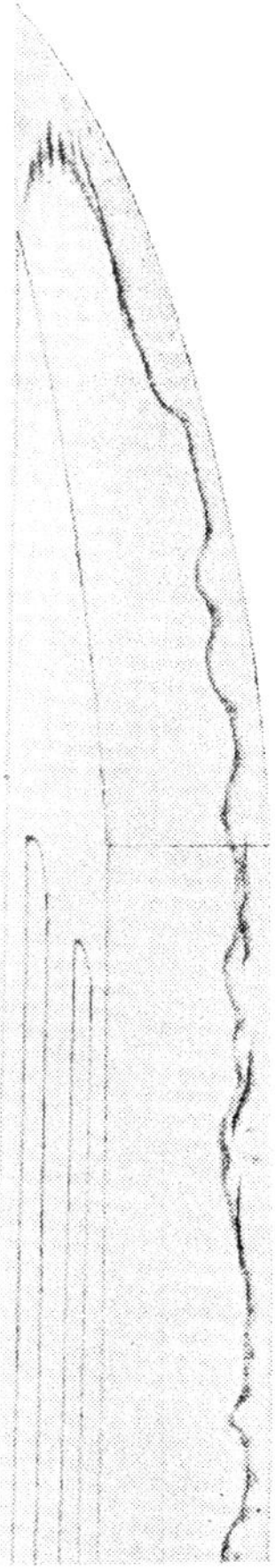

湾れに互の目交じり＝兼氏

〈作似工〉金重、直江志津兼友、同兼次、貞宗、信国、長義（大模様になる）、兼光、倫光、左一門

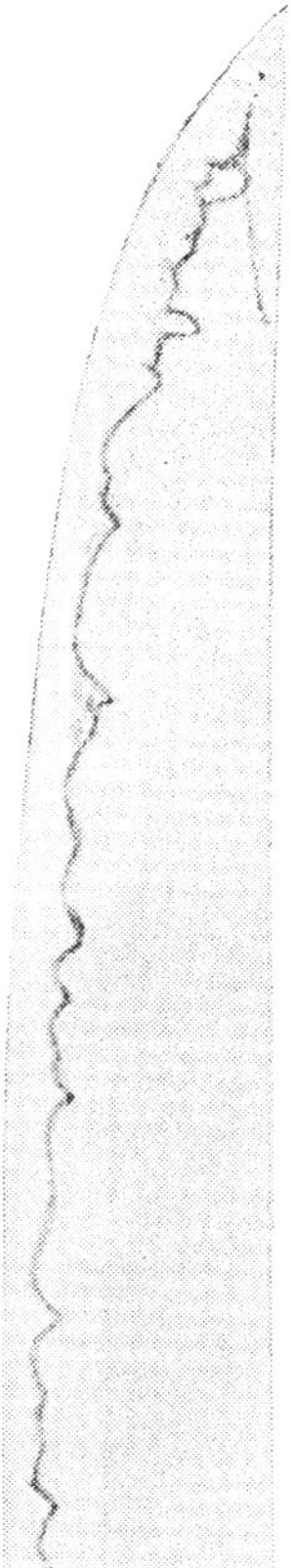

湾れに互の目交じり＝左安吉

〈作似工〉兼光、義景、盛景、小反物、志津

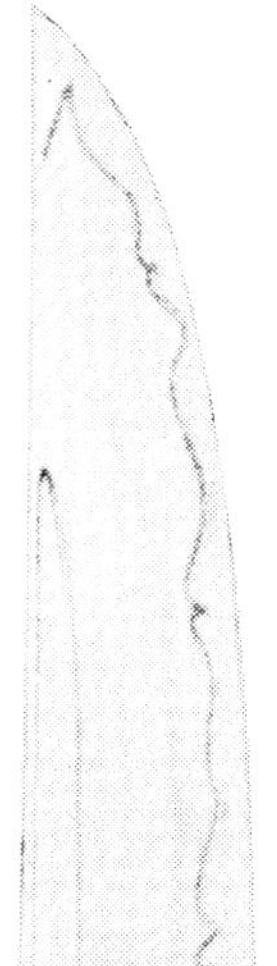

湾れに互の目交じり＝康光

〈作似工〉盛光など応永備前、則光、祐定、冬広、兼定、氏房、義助、広次

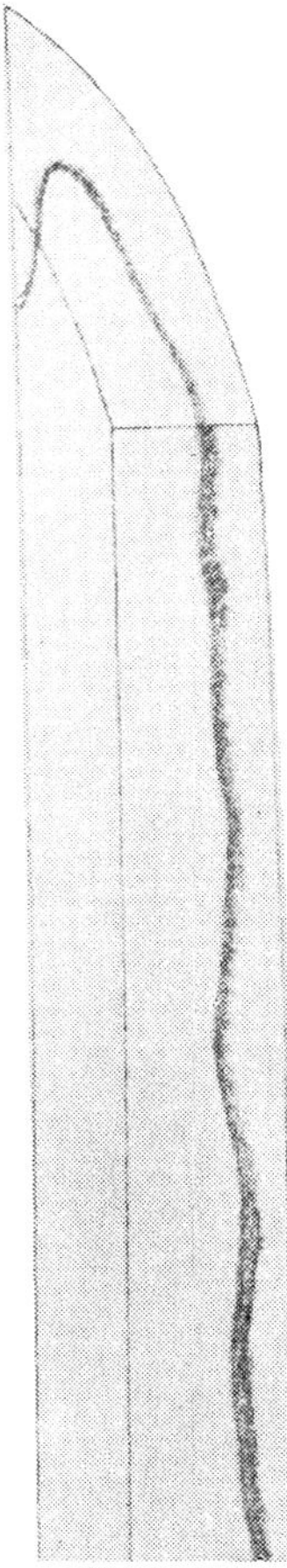

浅い湾れ＝忠吉

〈作似工〉堀川国広、越前康継、肥後大掾貞国、伯耆守汎隆、芸州輝広、政常、仙台安倫、直江助政

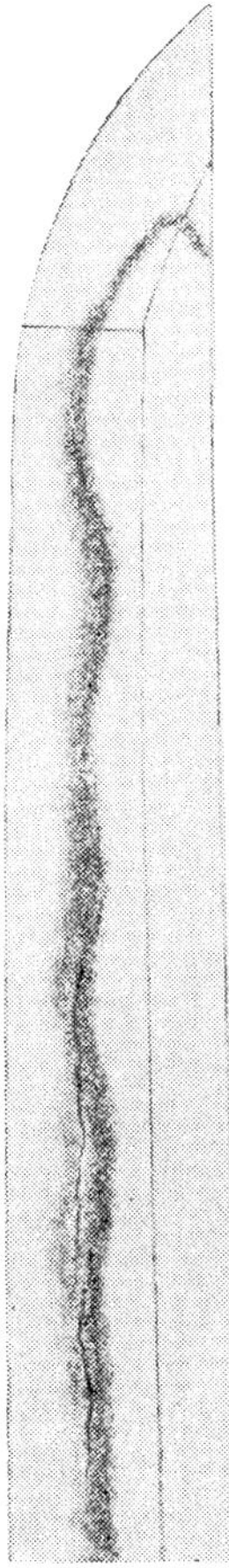

浅い湾れ（匂口が明るい）＝真改

〈作似工〉虎徹興里、興正、大和守安定、上総介兼重

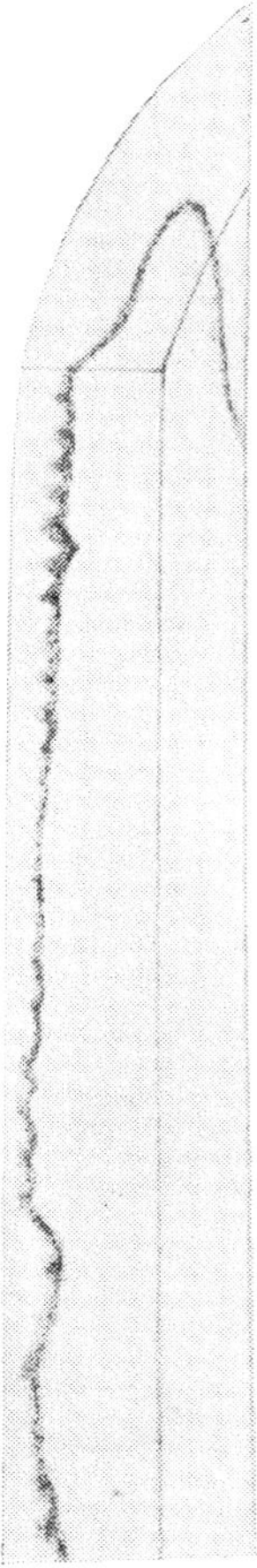

湾れに互の目交じり＝康継

〈作似工〉堀川国広、肥後大掾貞国、肥前忠吉、芸州輝広

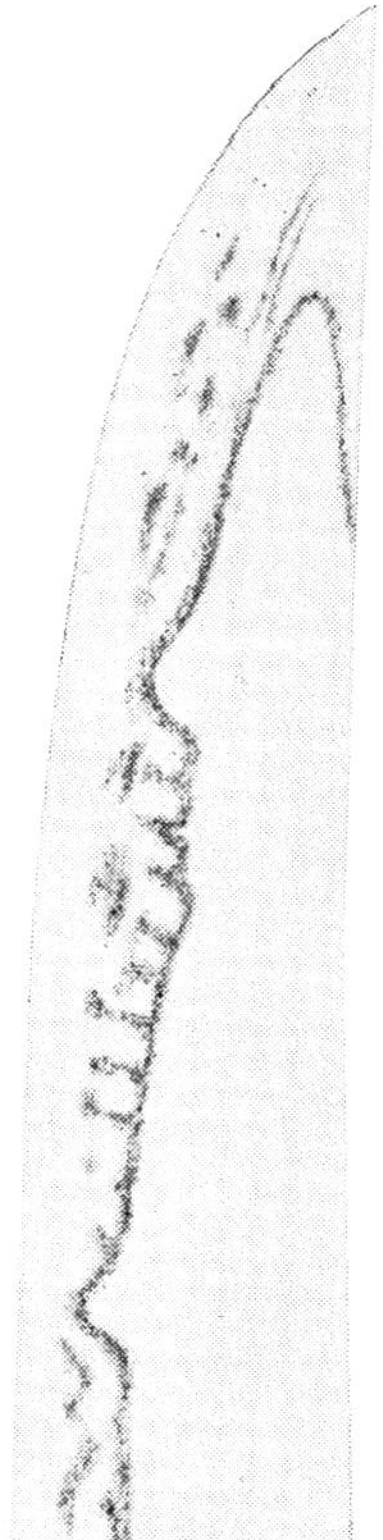

湾れに互の目交じり、足・葉が入る＝越中守正俊

〈作似工〉越前康継、加州兼若、伊賀守金道

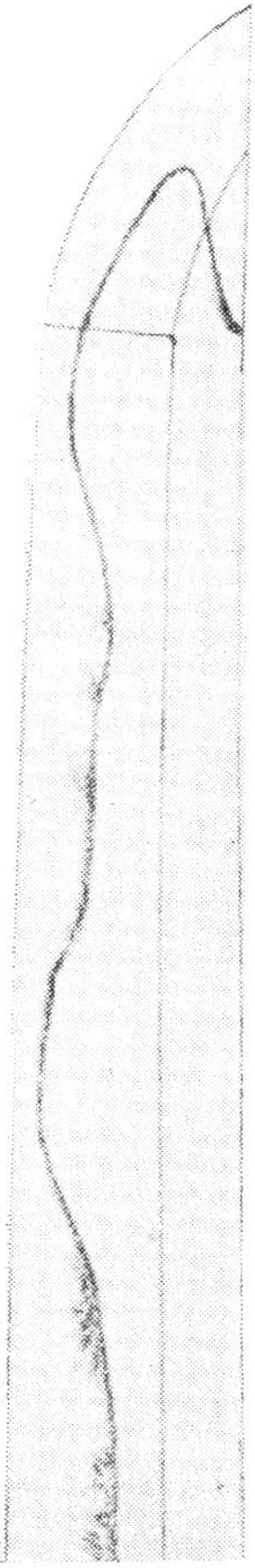

大湾れ＝輝広

〈作似工〉埋忠明寿、国広、康継、肥後大掾貞国

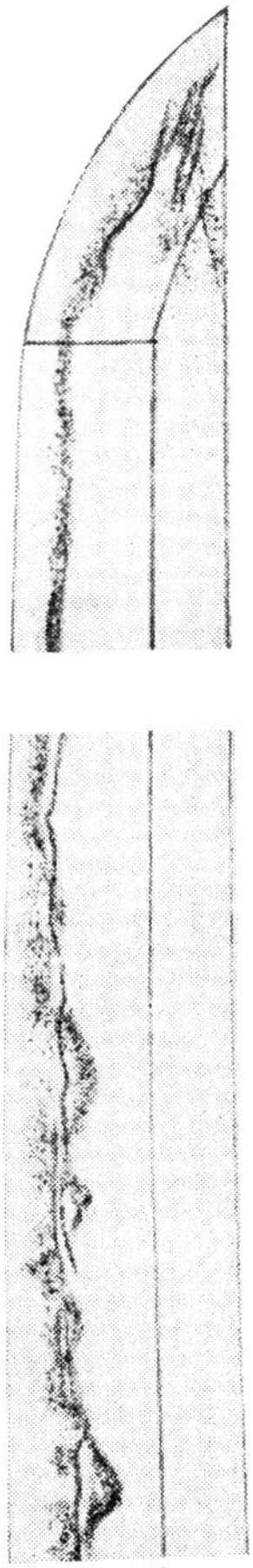

互の目の目立つ湾れ＝主水正正清

〈作似工〉一平安代、正幸、元平、波平行周、同安周、運寿是一

皆焼刃

南北朝時代から始まる。相州物、末備前物、末関物などに多く、幕末までみる

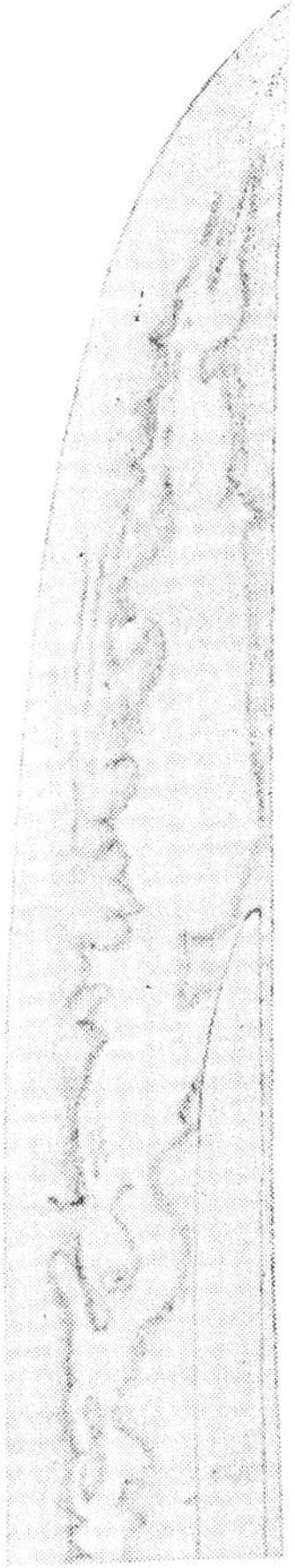

秋広の皆焼刃

〈作似工〉広光、正広、広正、広次、長義、兼長

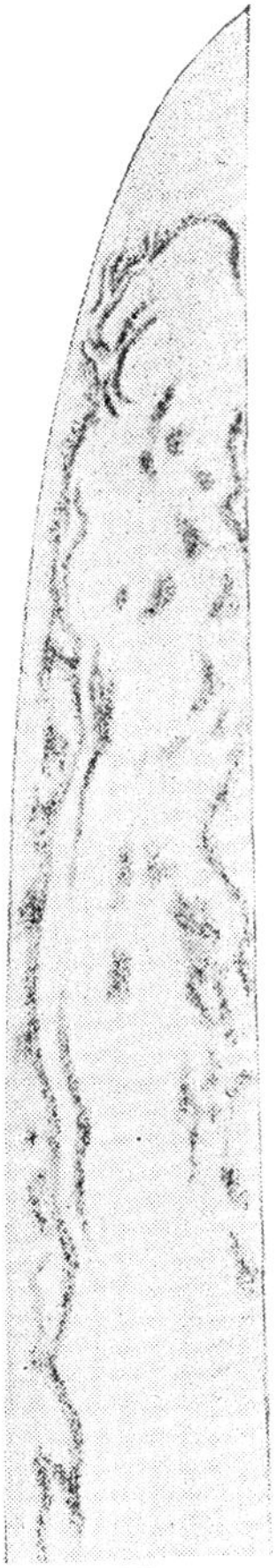

長谷部国重の皆焼刃

〈作似工〉長谷部国信、山城信国

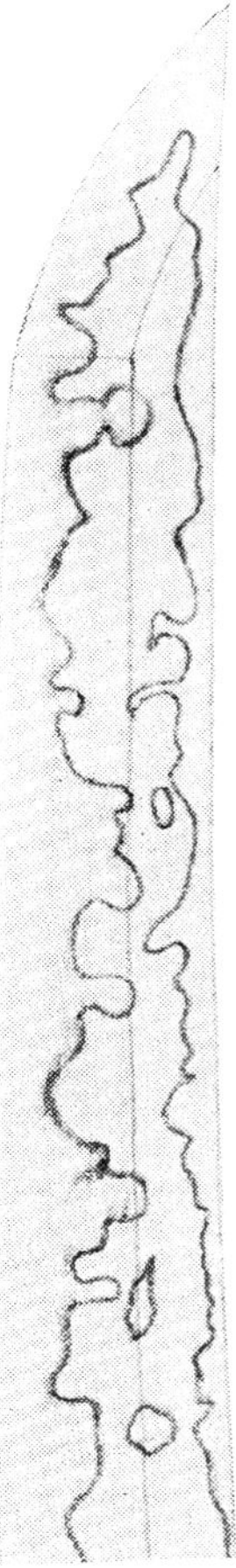

綱広の皆焼刃

＜作似工＞末相州物、島田義助、助宗、広助等、末関物、越前康継、大和大掾正則、加州兼若、大慶直胤

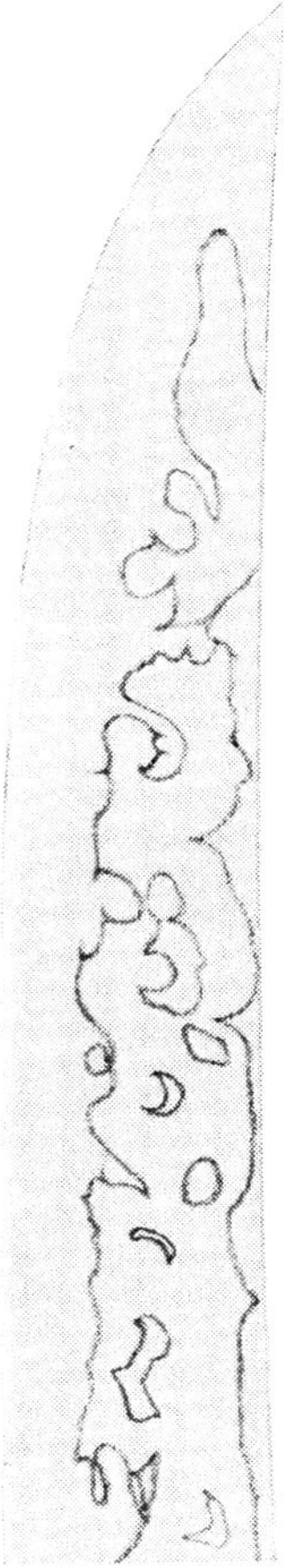

義助の皆焼刃

＜作似工＞末相州物、兼定、兼常等末関物、国宗等宇多一類、下原物、法華、輌貞次、辰房重光、越前康継、越中守正俊、大慶直胤

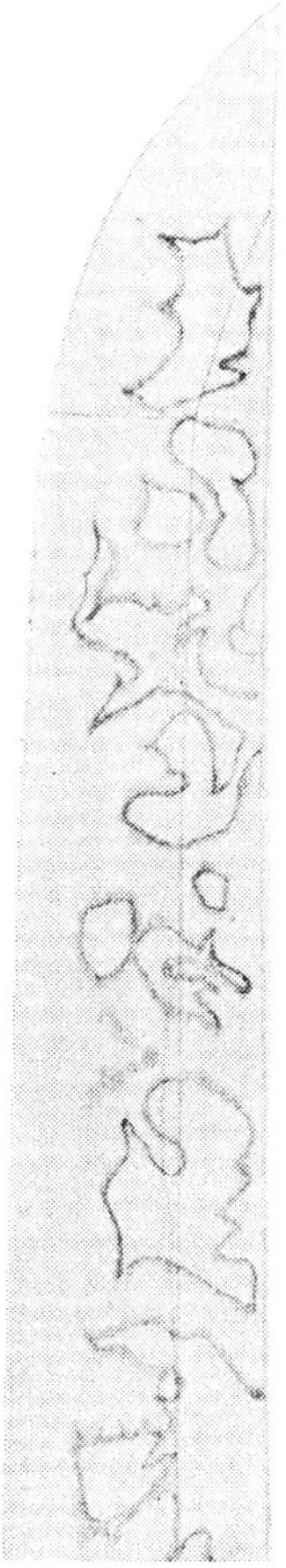

祐定の皆焼刃

＜作似工＞清光、勝光等末備前物、綱広・総宗など末相州物、島田一類、兼房、兼常など末関物、国宗、国次など宇多物、平長盛

濤瀾乱

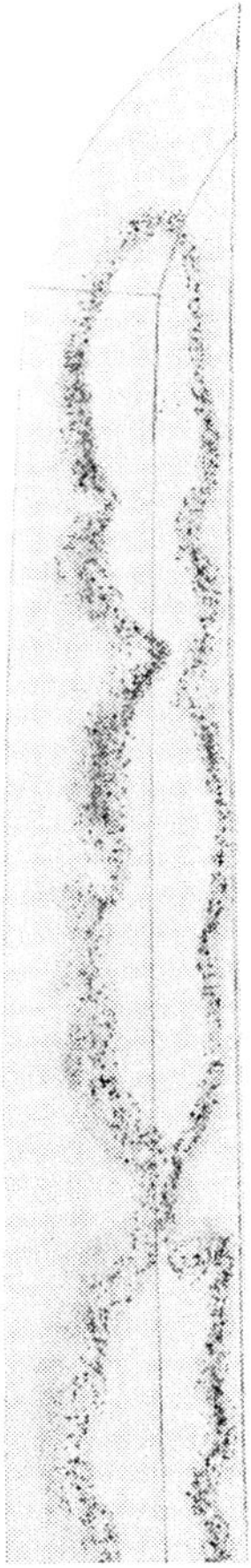

水田国重の皆焼刃

〈作似工〉薩摩物

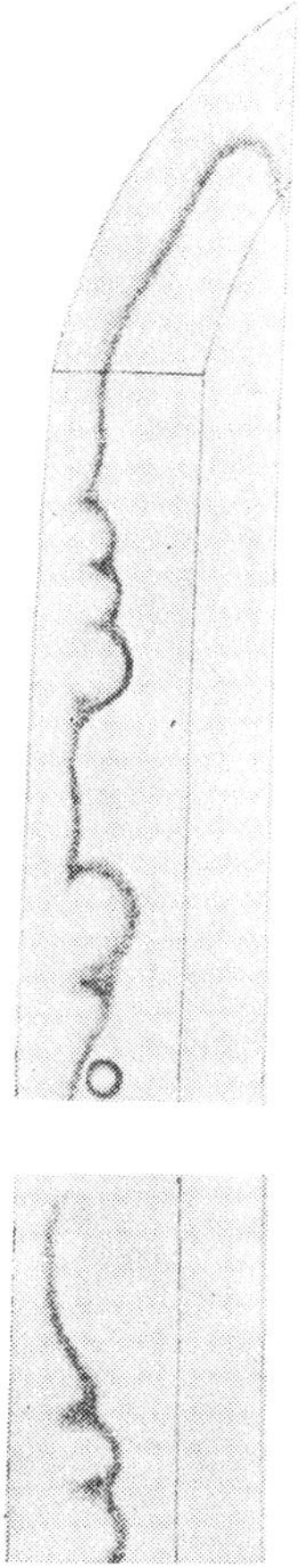

匂口の冴える濤瀾刃＝津田助広

〈作似工〉津田助直、坂倉照包（棟が高い）、伊勢守国輝

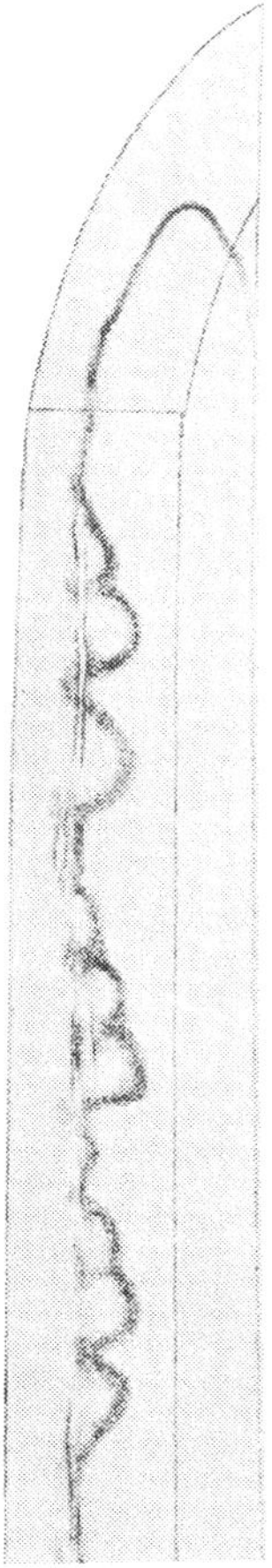

刃中に砂流しの交じる濤瀾刃＝越後守包貞

〈作似工〉坂倉照包（濤瀾の傾斜が急）、津田助直、一竿子忠綱、高井越前守信吉、筒井紀充

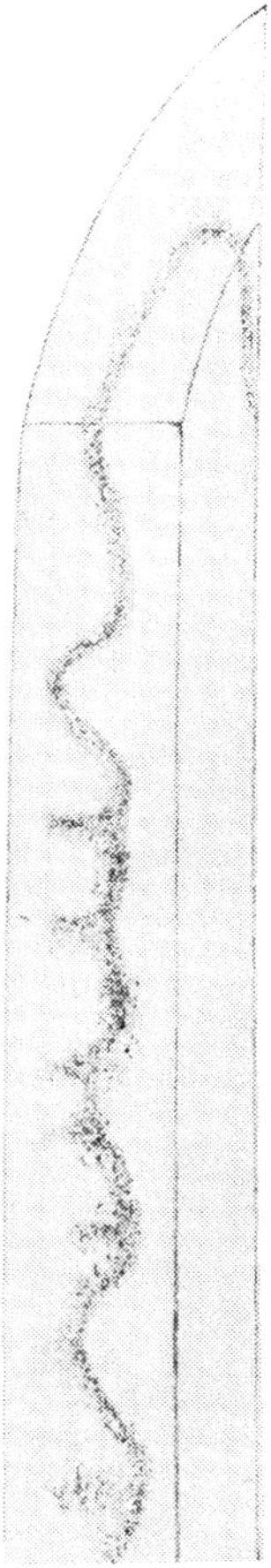

新々刀の濤瀾刃＝水心子正秀

〈作似工〉大慶直胤、市毛徳隣、長運斎綱俊、二代継俊、加藤綱英（玉焼あり）、赤間綱信

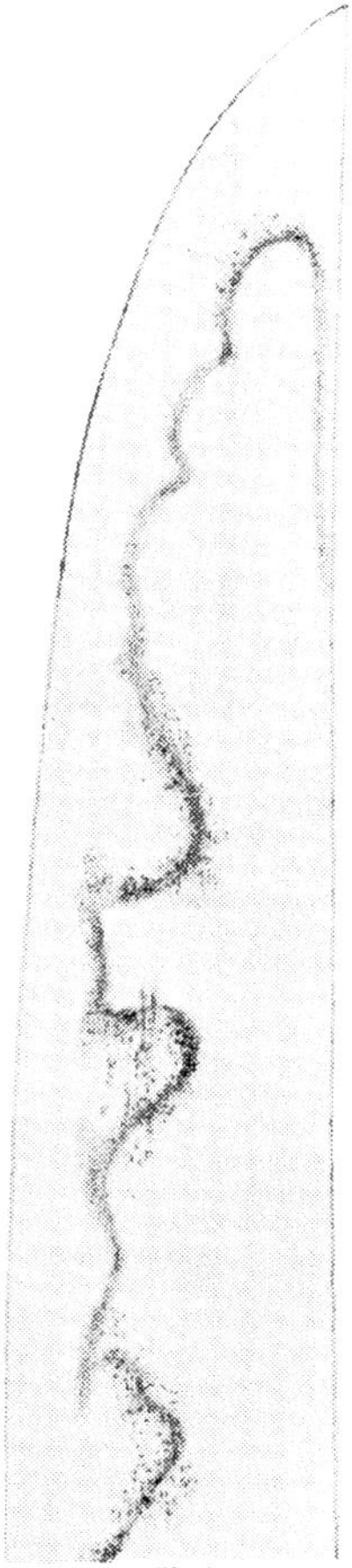

刃中に鋭さのある濤瀾刃＝手柄山正繁

〈作似工〉尾崎助隆（元焼出しが長い）、天竜子正隆

帽子

▽小丸

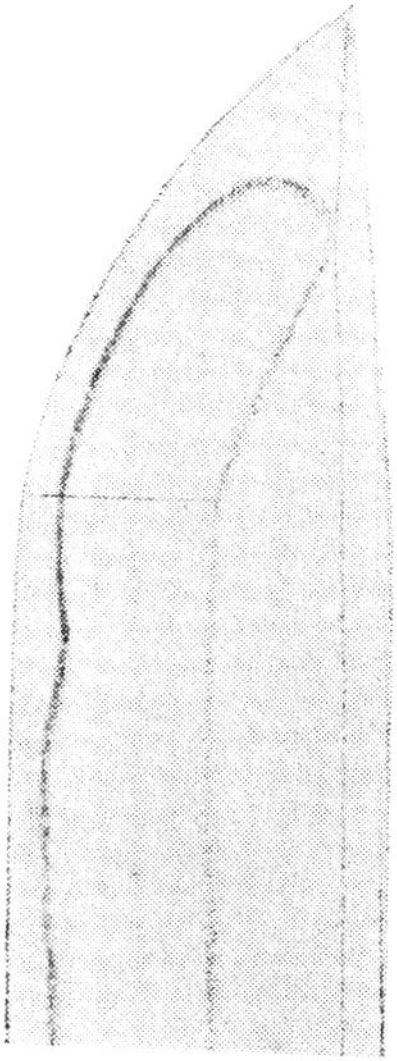

小丸帽子は古刀、新刀を通じて一番多いが、品良く出来たものは少ない。一般に古刀は返りが浅く、新刀はやや深いものが多いが、古刀でも三原物など返りの長いものもある。概して鎌倉時代末期以前の小丸帽子は浅く返っている。

▽返りが寄る（たおれる）

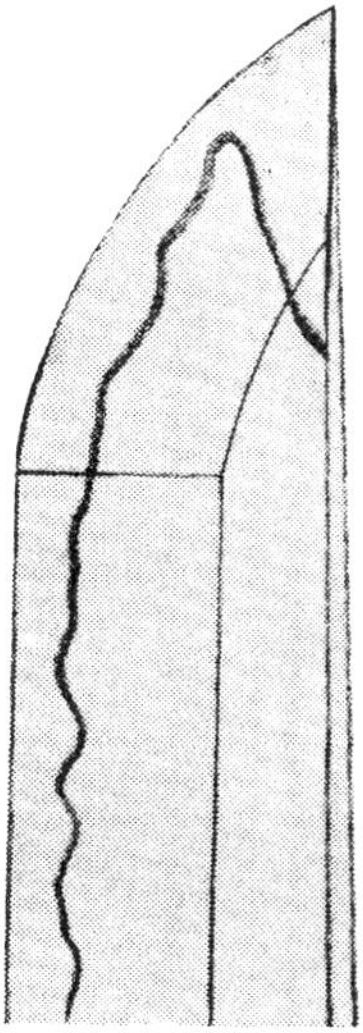

末関物によくみる形で返りの焼幅が広くなったもので、帽子がたおれるとも言われる。地蔵帽子にもこの種のものがある。

▽大丸

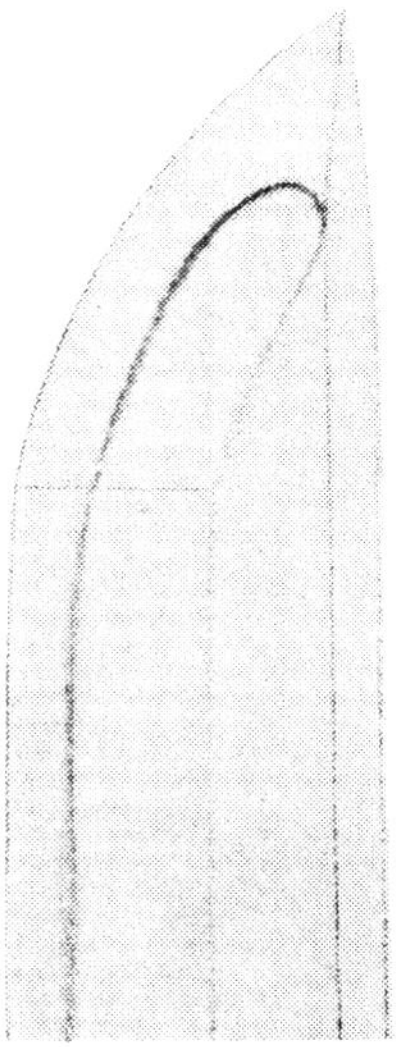

古刀から新々刀まで小丸帽子についで最も多くみられるもので、大きく丸く返っている。

▽焼詰め

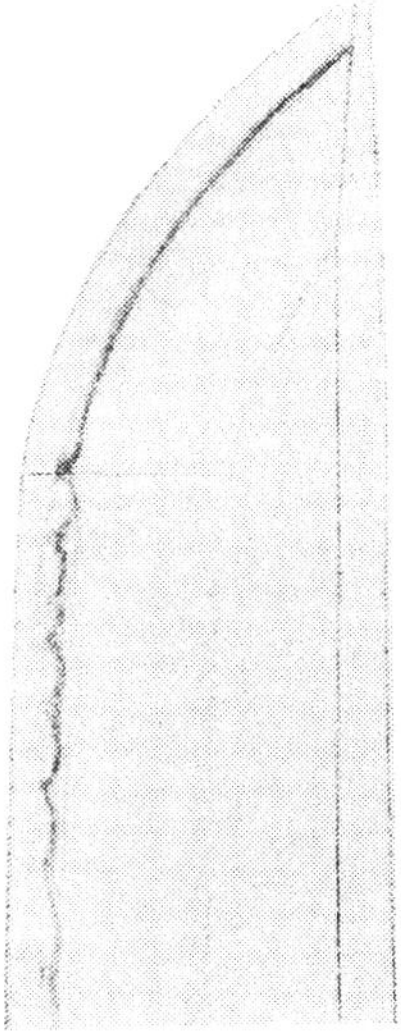

小丸帽子と対照的に返りがなく、そのまま棟に焼き詰めたもの。

〈作似工〉保昌、当麻、千手院、仙台国包、安倫、徳勝、南紀重国

▽乱込み

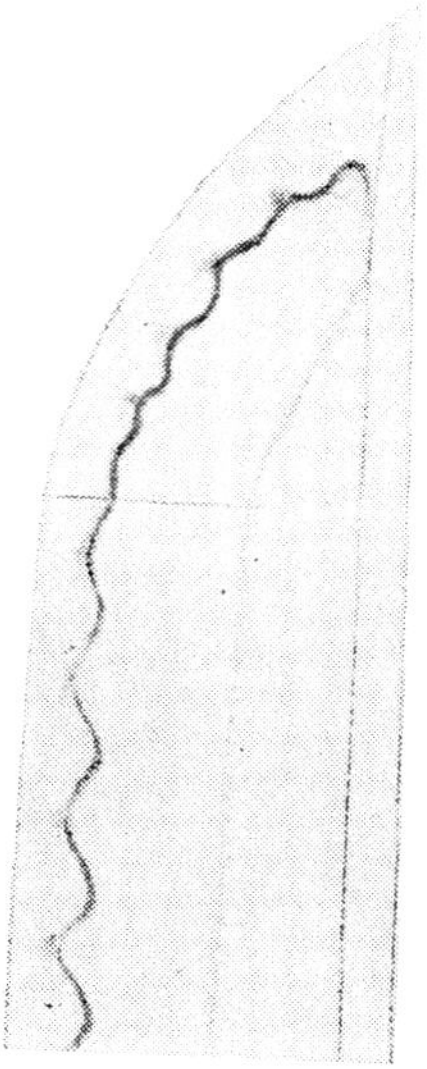

横手を境に帽子先へかけて乱れた帽子で新刀には比較的少なく、古刀とそれを写した新々刀に多い。各流派にみられる。

▽尖る

乱れ込んで先が尖って返る。応永備前（康光、盛光）の帽子に多く、小反物や末備前の則光などにも見られる。

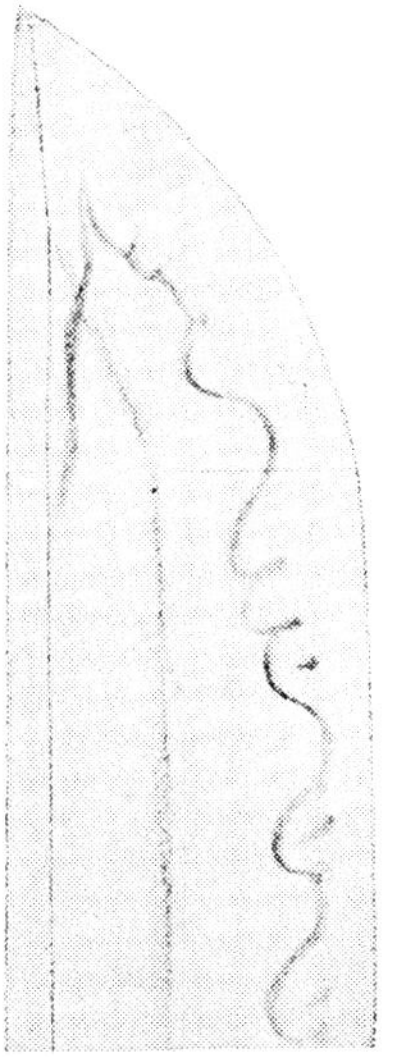

▽突き上げて尖り強く返る

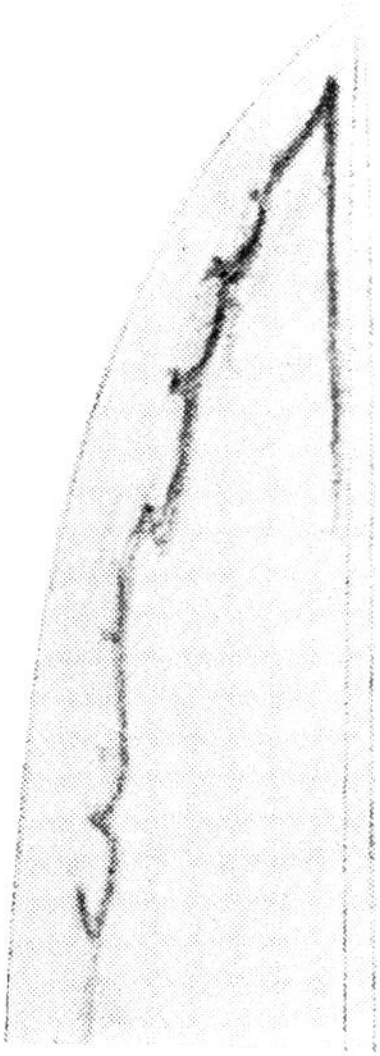

＜作似工＞長義、長重、広光、秋広、青江一類、大左、左安吉、元重、兼光、堀川国広、越前康継、源清麿、大慶直胤、正雄

▽地蔵

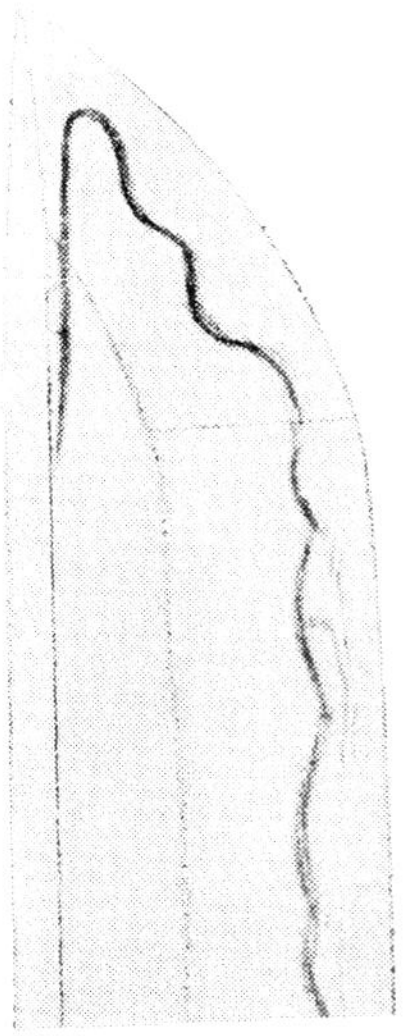

乱れ込んで先が小丸で返りが長い
＜作似工＞直江志津、兼定、兼元、兼房など末関物

▽のたれこみ(たるみ)

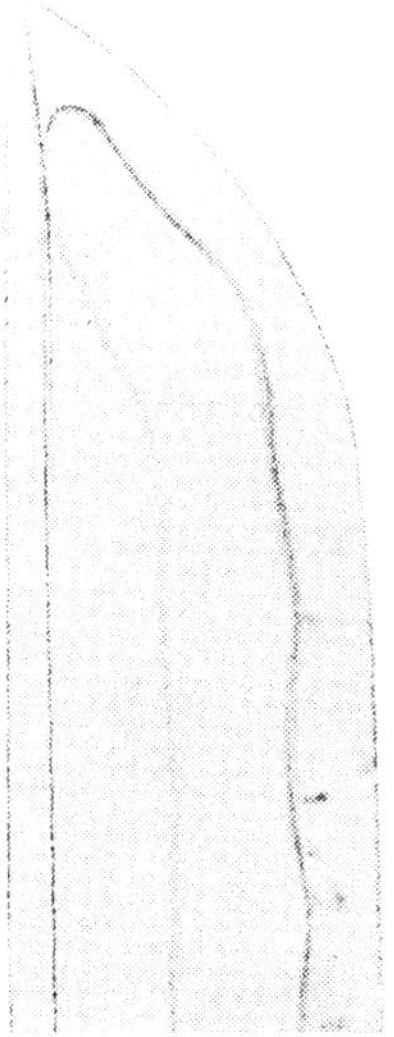

帽子の中央が浅くのたれ(たるむ)ているもの。古くは古備前友成などからみられるが、長船長光、景光、真長の三工に多くあるので、三作帽子とも称している。
＜作似工＞古備前友成、光忠、長光、景光、真長、景秀、一文字

▽のたれ(たるみ)〈三品帽子〉

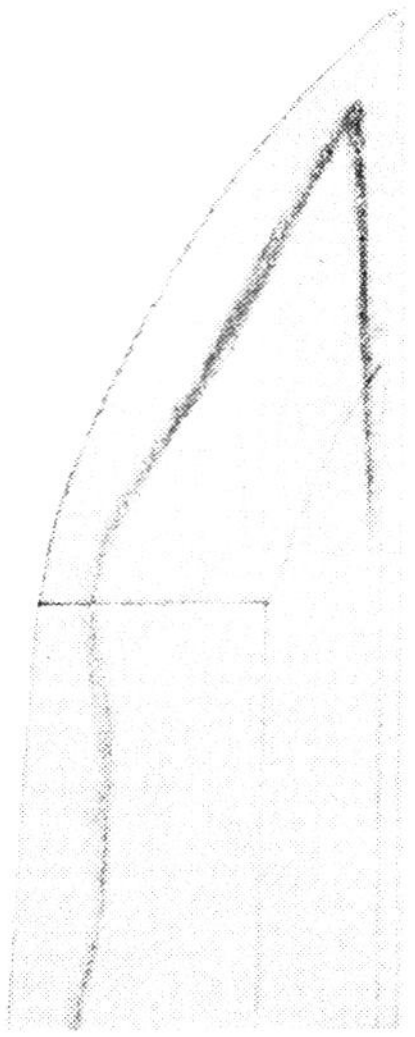

帽子の中央がたるんでいるのは前者の三作帽子と変わらないが、先が尖って返りが長くなる点が相違し、京三品一門に多いところから三品帽子と称している。

〈作似工〉越中守正俊、伊賀守金道、丹波守吉道、来金道など三品一門、越前康継、国広、国路など堀川一門

▽一枚

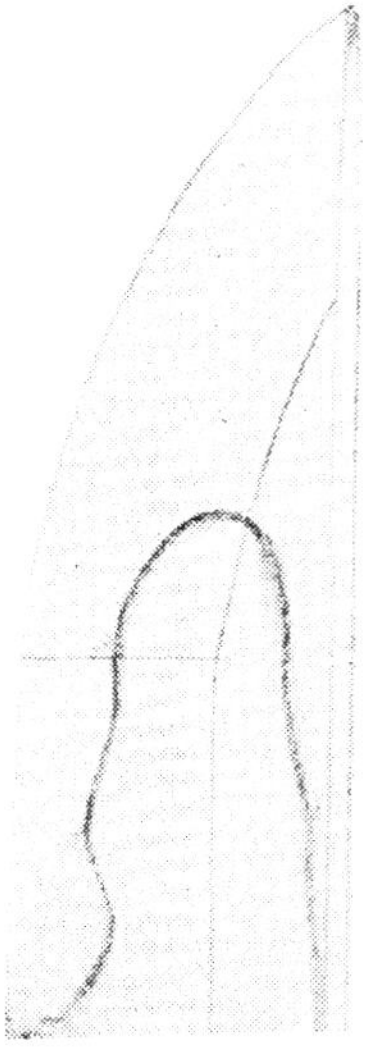

帽子の先が横手線の近く、またはそれより下まで低く下って返る。従って切先全体に焼がはいっているもので、鎌倉時代末期から始まる。

〈作似工〉則重、義弘、兼定、氏房、氏貞など末関物、勝光、祐定、清光など末備前物、綱広、総宗、国次など末相州物、伯耆広賀、宇多国宗、同国次

▽掃掛け

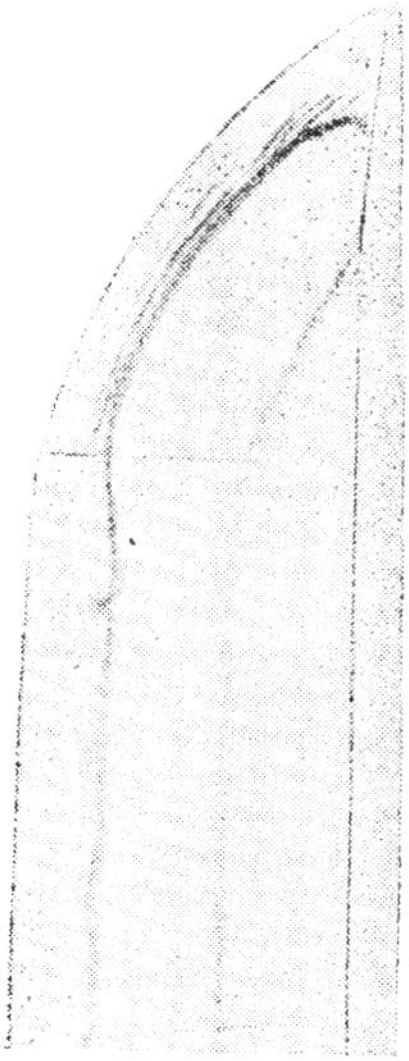

帽子先にみられるもので、大和物とその流れを受けたものに多い。

〈作似工〉保昌、当麻、手掻、千手院、仙台国包、南紀重国

▽火焔

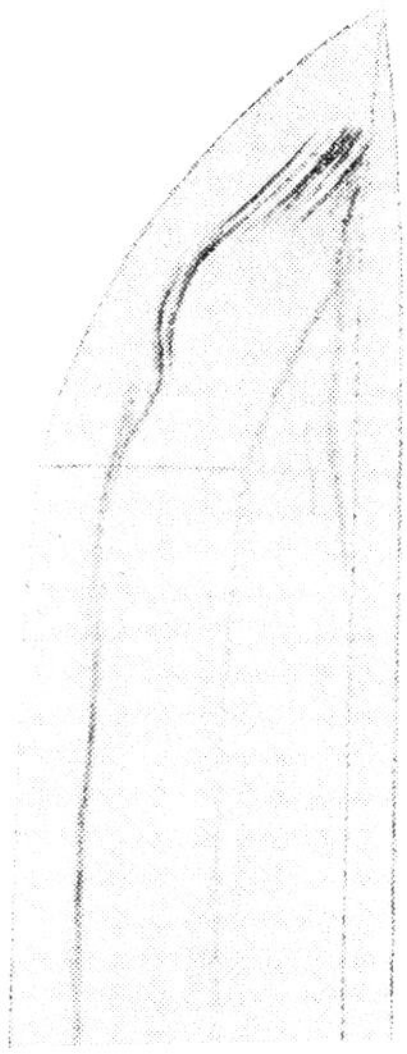

帽子先が火焔の燃えたつように強く掃掛けたもの

〈作似工〉行光、正宗、則重、信国、石州直綱、長谷部国重、広光、秋広、長義、兼長、越前康継、大慶直胤、水心子正次、月山貞一、源清麿、信秀、正雄、運寿是一、勝村徳勝

▽返りの止めが堅い

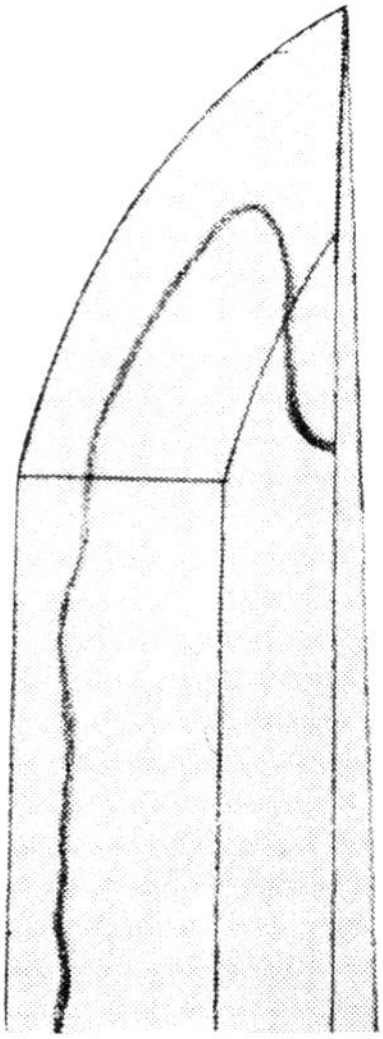

帽子の返り際が柔らかく行かず、カチッと止めて品位にとぼしいもの。末物や新刀、新々刀に多い。

▽二重

帽子にそって二重、また三重に焼きが重なるもの

〈作似工〉吉光など粟田口物、来国俊、来国光、豊後行平、備前三郎国宗、保昌、千手院、手掻包永

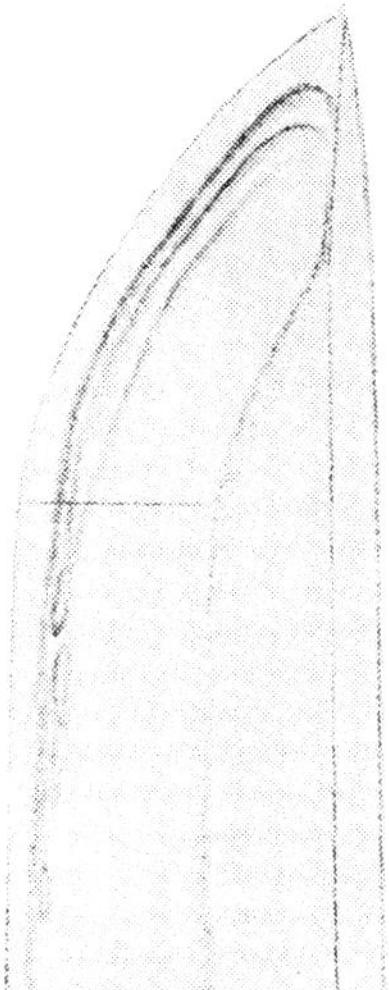

▽沸崩れ

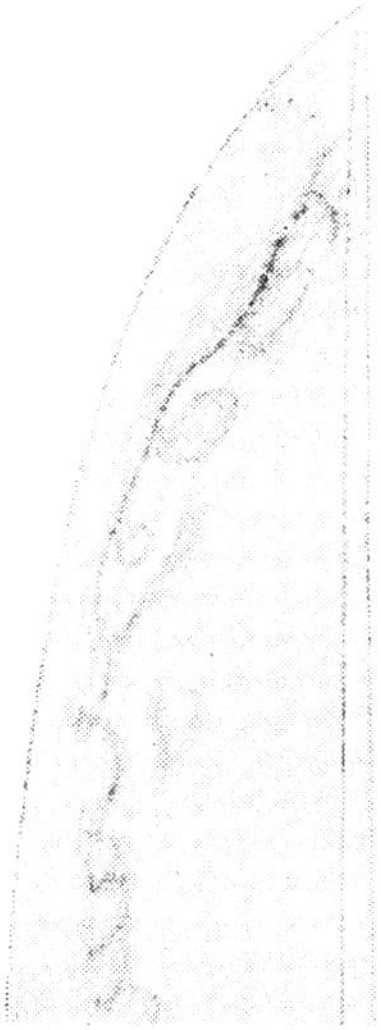

整った刃文にならず叢に沸づいて乱れる帽子

〈作似工〉長谷部国重、国信、則重、広光、秋広、綱広など相州物、直江志津、堀川国広と一門、繁慶、水田国重、薩摩刀一般、直胤、水心子正次

焼出し

▽焼落し＝豊後行平

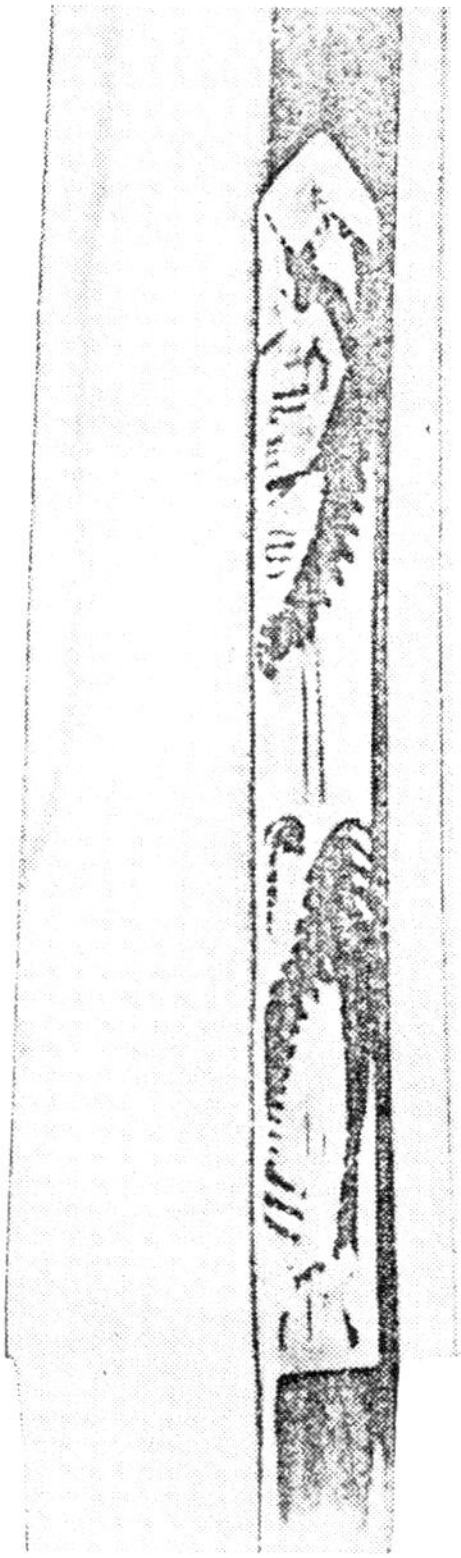

焼出しは普通、茎の上部刃区の付近から始まるが、刃区のかなり上部から焼出すものがある。この状態が焼落しで、再刃の場合と区別する必要がある。鎌倉時代以前のものによくみる時代的特色である。

△作似工▽三池典太、伯耆安綱、雲生、雲次、波平

▽**腰刃**＝古備前吉包

焼出しの刃文がことに大きく乱れたもの

＜作似工＞古備前、一文字、守家、長光、粟田口国綱

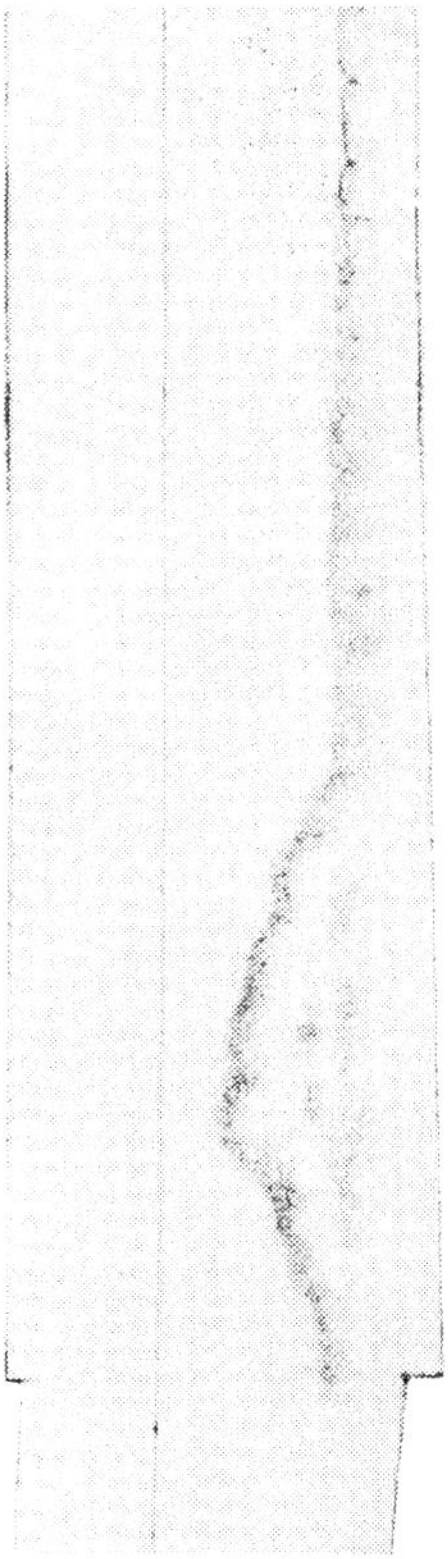

▽**腰刃**＝和泉守兼㝎

＜作似工＞村正、正重、平安城長吉、島田義助、加州兼若、大和大掾正則

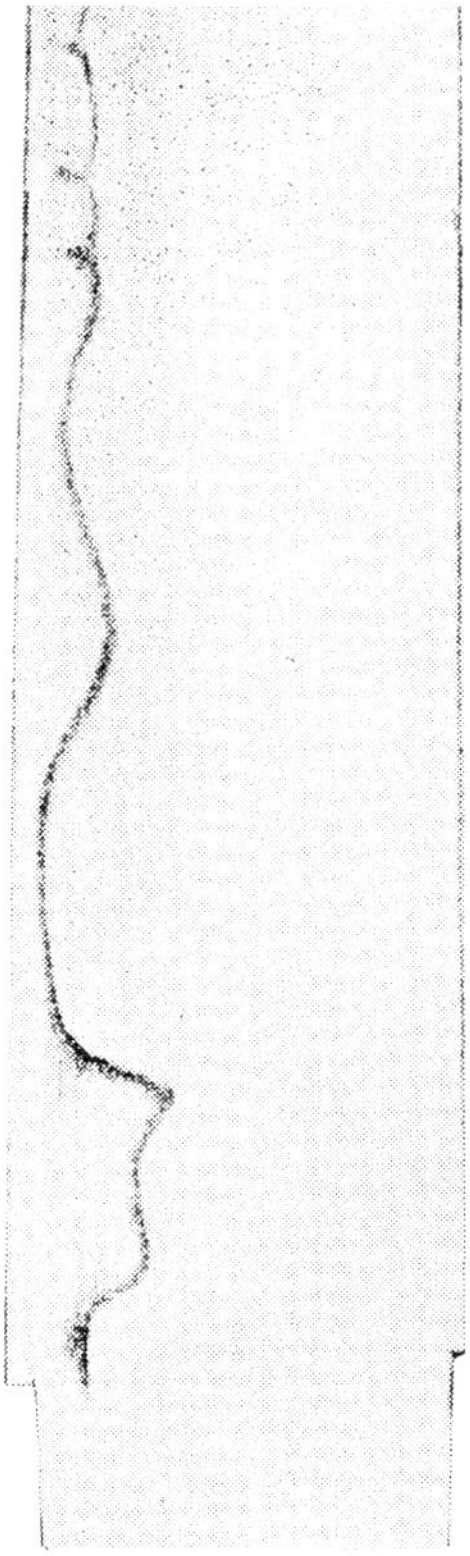

▽**焼き込む**＝新藤五国光

焼出しが刃区の上で小さくのたれ、茎の中心へ向かって焼き込むもの

＜作似工＞新藤五国広、行光

▽**焼き込む**＝左

＜作似工＞来国俊、兼㝎

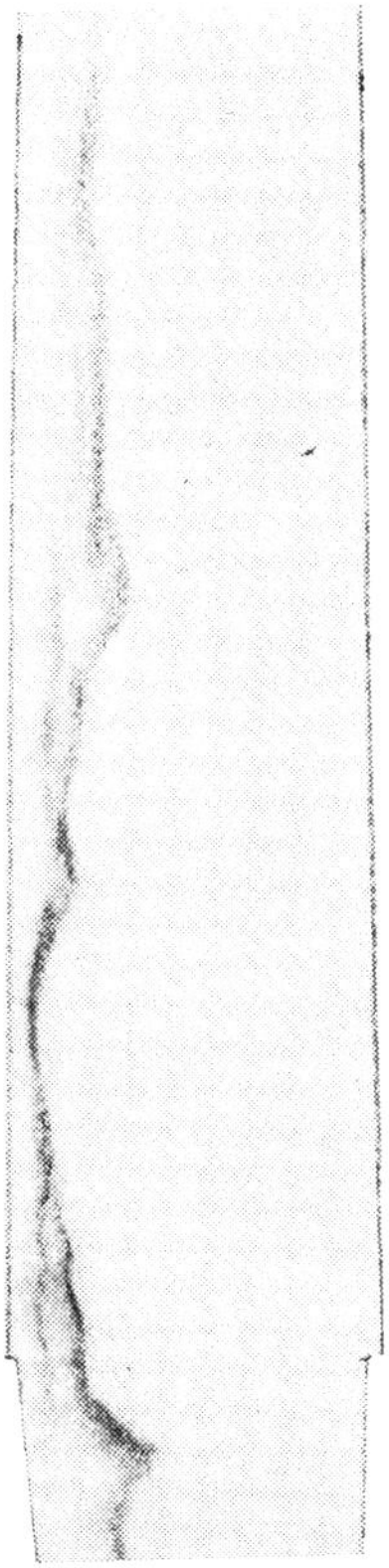

▽焼き込む＝堀川国広

＜作似工＞大隅掾正弘

▽小互の目を揃えて焼く＝粟田口吉光

直刃を焼いていて、腰の部分にだけ小互の目を揃えて焼き出しているもの。

＜作似工＞平安城長吉、兼定、村正、祐定、肥前忠吉

▽**直焼出し**＝虎徹興里

乱れ、または湾れた刃文を焼いても刃区から上部二、三寸だけを長く直刃に焼き出すもの、この状態を〝焼出しがある〟という。

〈作似工〉江戸新刀全般

▽**湾れ焼出し**＝津田助広

（上が湾れ刃）

〝焼出しがある〟状態が直刃でなく、湾れ調のもの。

〈作似工〉大坂新刀全般

▽**焼出しが長い**＝大和守吉道（上が丁子刃）

〈作似工〉大坂新刀全般

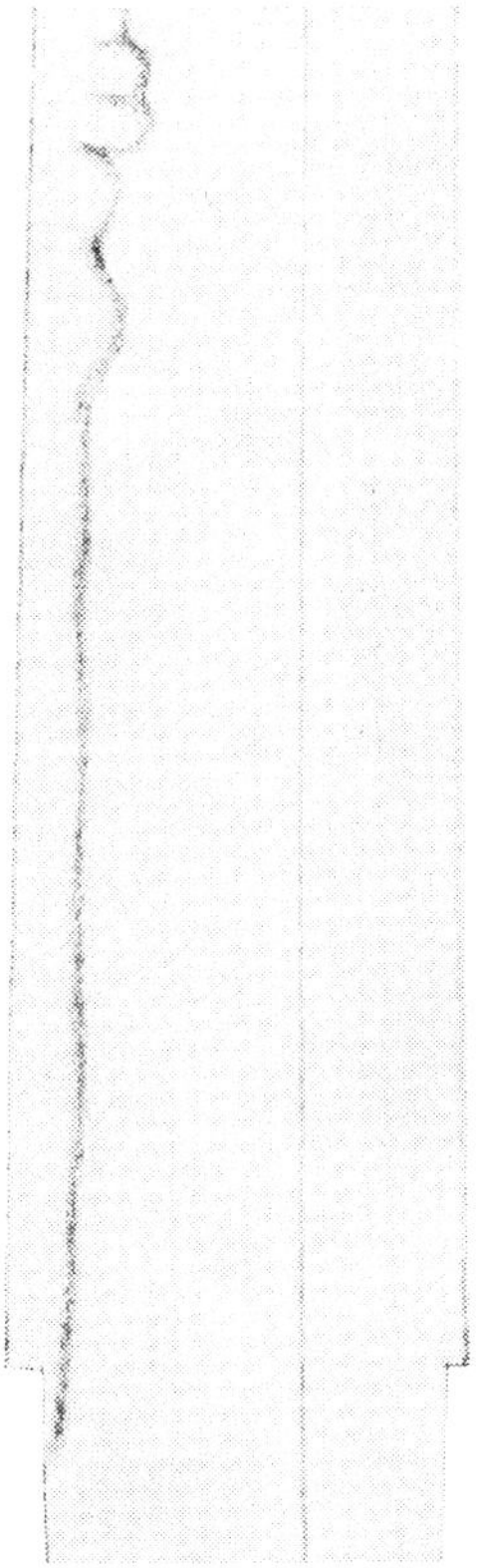

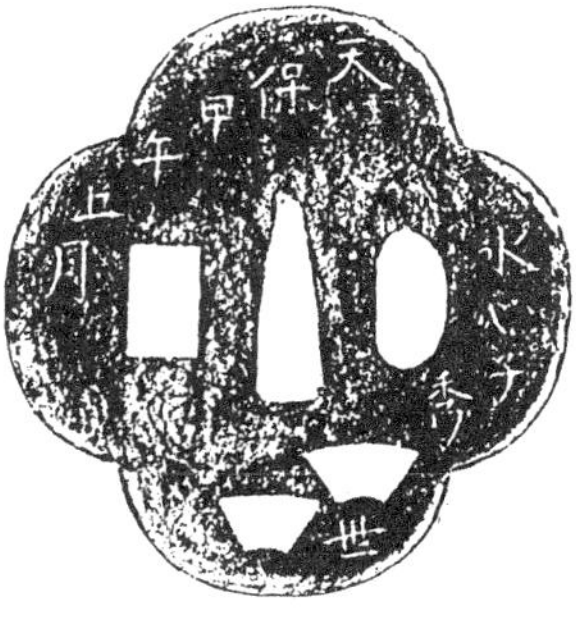

刀工鐔・氷心子秀世作

彫物図表

古刀	粟田口吉光	来国行	二字国俊	来国俊	来国光	信国	長谷部国重	当麻国行	手掻包永	包氏	古備前友成	古備前正恒	長船光忠	長光	景光
棒樋	○	○	○	○	○	○	○	○	○	○	○	○	○	○	○
刀樋	○		○	○	○	○	○								
連樋							○								
添樋	○		○	○	○	○	○			○			○		
二筋樋					○	○	○	○			○			○	○
護摩箸	○			○	○		○		○						
腰樋	○		○	○											○
薙刀樋	○				○										
爪						○	○								
素剣	○		○	○	○		○		○		○			○	○
三鈷剣		○				○								○	○
独鈷剣															
梵字	○					○	○		○						○
龍															
倶利迦羅	○					○								○	○
不動明王	○														
神仏				○											
松喰鶴															
松・竹・梅															
文字						○									○

古刀	長船兼光	畠田守家	宇甘雲生	大宮盛景	吉井清則	秀光	盛光	康光	勝光	祐定	青江次直	安吉	新藤五国光	正宗	貞宗	志津兼氏	兼定
棒樋	○	○	○	○	○	○	○	○	○	○	○	○	○	○	○	○	○
刀樋				○	○		○	○	○	○	○	○					○
連樋	○			○		○	○	○	○	○							
添樋	○			○		○	○	○	○	○		○	○	○			
二筋樋	○	○					○	○			○	○		○	○	○	
護摩箸	○			○				○					○	○	○		
腰樋	○											○	○	○	○	○	
薙刀樋													○				
爪						○		○						○	○		
素剣	○					○	○	○	○			○	○	○	○	○	○
三鈷剣	○			○					○						○		
独鈷剣																	
梵字	○				○	○	○	○	○	○		○	○	○	○		
龍																	
倶利迦羅	○						○	○	○	○			○	○	○		○
不動明王														○			○
神仏										○							
松喰鶴																	
松・竹・梅																	
文字	○						○	○		○							

左	行平
○	○
	○
	○
	○

※通常比較的多く見るものを基準とした。

無銘　伝貞宗

銘　平安城長吉

銘　備前国長船住景光

銘　奉富士宮源式部丞
信国
一期一腰応永卅二
年二月日

新刀	埋忠明寿	堀川国広	国路	越中守正俊	伊賀守金道	丹波守吉道	和泉守国貞	井上真改	河内守国助	助広	助直	照包	一竿子忠綱	多々良長幸	筒井紀充	尾崎助隆	月山貞一
棒樋	○	○	○	○	○	○	○		○	○	○	○	○	○	○	○	○
刀樋	○	○	○	○											○		○
連樋	○																
添樋		○	○	○	○								○		○		
二筋樋		○	○	○			○										○
護摩箸	○	○	○	○	○		○		○		○						
腰樋		○		○			○		○		○		○				
薙刀樋				○													○
爪	○	○							○								
素剣	○	○		○	○			○	○					○			○
三鈷剣	○	○								○			○				
独鈷剣				○													
梵字	○	○	○	○	○	○	○	○	○	○			○	○			○
龍	○	○						○					○				○
倶利迦羅	○	○	○	○	○	○	○	○	○	○			○				○
不動明王	○	○	○			○											○
神仏		○	○														○
松喰鶴													○				
松・竹・梅	○												○				
文字	○	○		○		○											

二代 忠広	初代 忠吉	貞国	兼若	国包	左 行秀	栗原 信秀	源 清麿	固山 宗次	直胤	水心子正秀	日置 光平	和泉守兼重	法成寺正弘	興正	虎徹	康継	野田 繁慶	政常	南紀 重国
○	○		○	○	○	○	○	○	○	○	○			○	○	○	○	○	○
○	○	○	○			○	○	○	○	○						○		○	○
								○											
	○		○	○		○	○	○	○	○					○	○		○	
○	○		○			○	○		○						○	○		○	
○	○		○			○		○							○	○	○		○
	○														○		○	○	
	○						○	○	○						○	○			○
								○								○			○
○	○					○		○	○						○	○		○	○
	○					○		○	○	○					○	○			
	○							○											
○	○					○		○	○						○	○	○	○	○
	○								○						○	○			○
	○	○	○			○		○	○	○		○		○	○	○	○	○	○
	○	○				○		○	○			○			○	○	○	○	
	○	○				○		○	○						○	○		○	
																	○		
○	○	○				○										○			
○				○		○										○			

新刀	正広	伊予掾宗次	主水正正清	安代	元平	正幸
棒樋	○		○	○	○	○
刀樋						
連樋						
添樋						
二筋樋	○				○	○
護摩箸						
腰樋						
薙刀樋						
爪						
素剣					○	
三鈷剣						
独鈷剣						
梵字		○			○	○
龍						
倶利迦羅	○	○			○	○
不動明王						
神仏						
松喰鶴						
松・竹・梅						
文字						

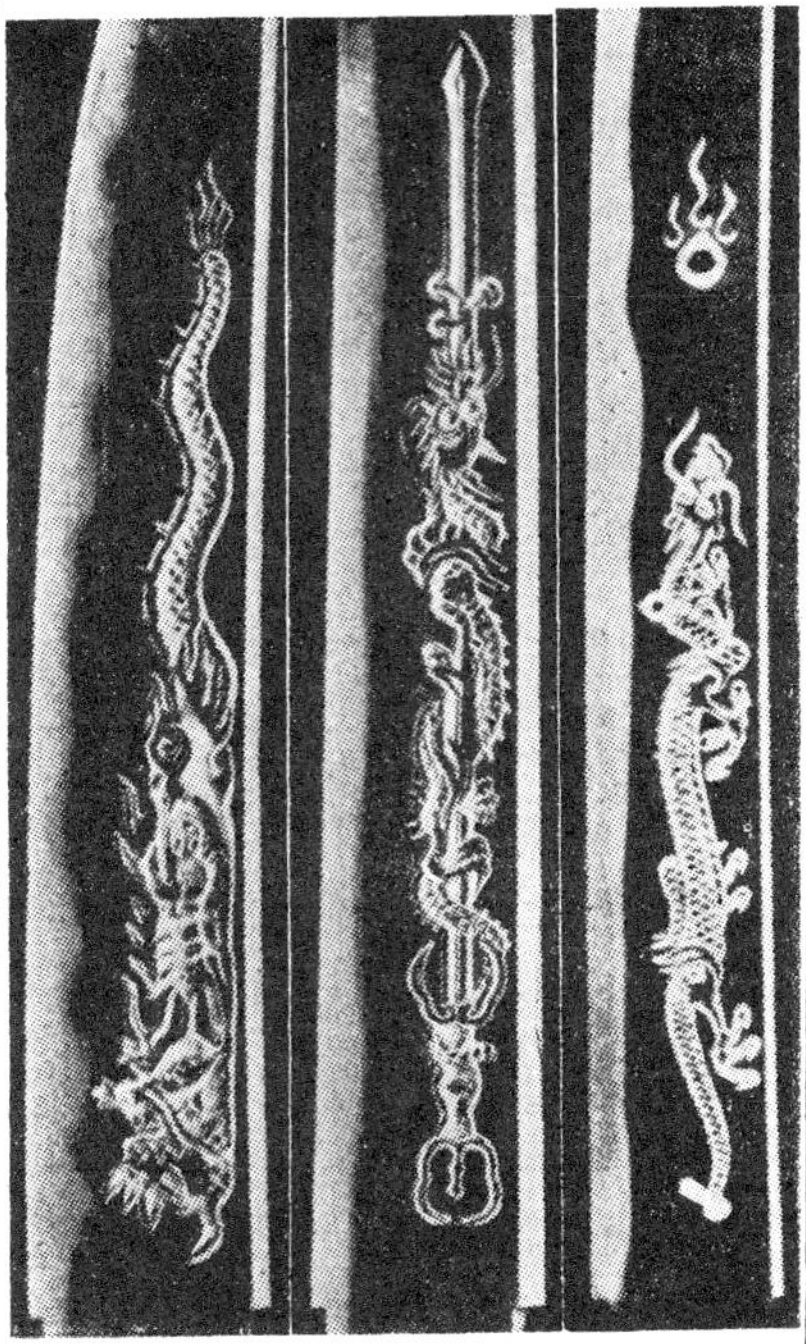

銘 山城国住人埋忠明寿
慶長十三年二月日

銘 粟田口一竿子忠綱
宝永七年二月日彫同作

銘 月山貞一彫同作
丁卯季夏

※通常比較的多く見るものを基準とした。

ホンモノ
ニセモノ

鑑定詳説

真偽を鑑別する勘どころ

ニセモノ看破のカナメ

ホンモノ・ニセモノ鑑定図解

銘字鑑別図解

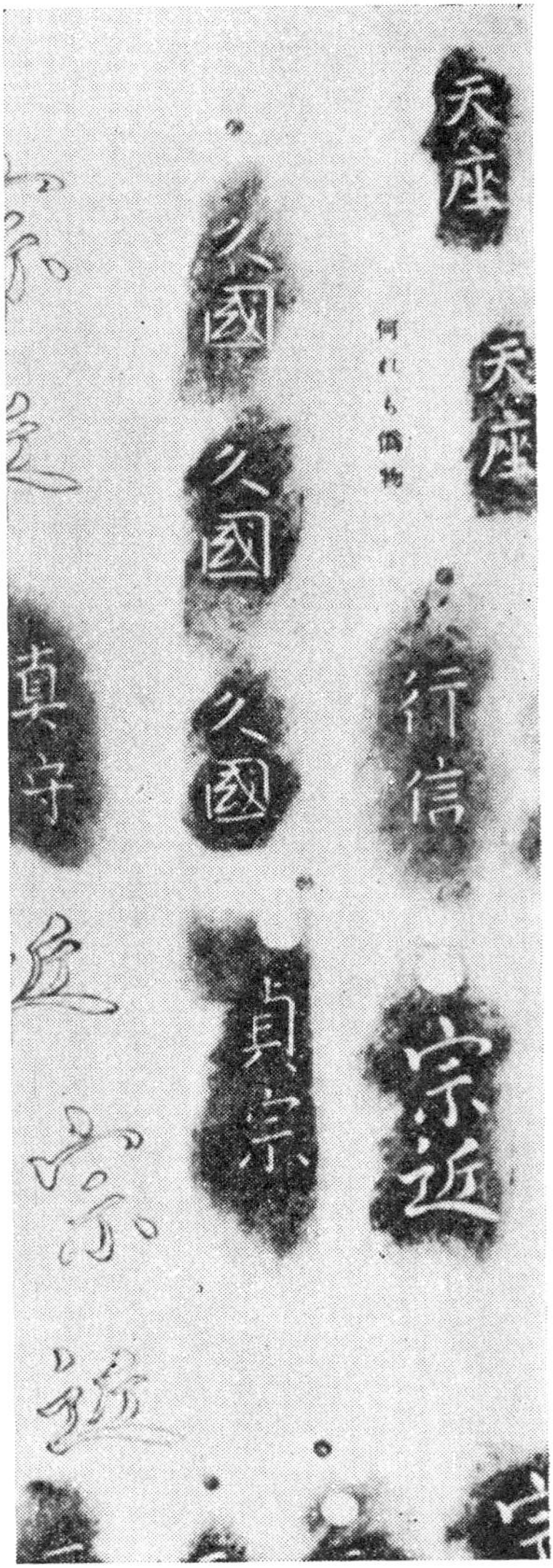

鍛冶平真偽押形集から

真偽を鑑別する勘どころ

ニセモノ看破への着眼

偽物は古く鎌倉時代から始まっている。鎌倉末期の正和頃に書かれ、東寺の観智院にあったいわゆる観智院本銘尽、これの現存するのは応永年間の写本であるが、それには鎌倉初期の名工豊後国行平の作に偽物があったことをあげ、その銘は本物より上手であると記している。室町時代に書かれた刀剣書には茎の鑢目、銘字の書体が記されていて、刀剣鑑定の専門書が必要であったことを示し、それはすなわち、銘の真偽を鑑別する必要に迫られていたことをよく物語るものである。

今日、しばしば見うけられる偽作物のなかで、室町時代の製作と思われる一連のものがあり、これらは二十七センチ（九寸）前後の短刀で、来国俊、来国光、来国次、国光などの銘をきっているものである。これらの偽物に限ったことではないが、偽物は銘の書体、作風の上から鑑別できるものであるが、詳細にみると品格において本物には遠く及ばない。

このような、いわばいまにしては極めて幼稚な偽物が江戸時代にも相当におこなわれたが、ことに維新後、明治にかけて盛んにつくられた。一口に偽物といっても幾とおりかに区別される。その一つは有名な刀工の作に似せて刀を作り、同時にその刀工銘を切りつけるもの。その二は「金象嵌《きんぞうがん》銘《めい》」や「朱銘《しゅめい》」の偽物である。桃山時代以後、江戸時代を通じて本阿弥家は、刀剣鑑定の職にあったが、長い太刀を磨上げて無銘になったものに、鑑定銘を金で象嵌した。たとえば豊臣秀吉に仕えた本阿弥光徳が備前兼光・光徳（花押）などと茎に象嵌したものを「光徳象嵌」といって見識があり、珍重される。茎が生ぶで、しかも無銘のものには、朱で鑑定銘を書きいれた。これを「朱銘」という。この金象嵌銘や朱銘に、これまた偽物が多く、ことに本阿弥光徳・光室・光温・光常・光忠など、本阿弥家代々のなかでも鑑識家として名の高かった人びとの名判を入れたにせものが多いのは当然のことといえよう。

その三は無銘の刀、あるいはあまり世の中に名の知られていない刀工の銘を削りとって、別に有名刀工の銘を切りつける。これが本当の偽銘であって、申すまでもなくこの種の偽物がもっとも多い。また中には当然その刀工の作と鑑せられる生ぶ茎の無銘ものに、その刀工銘をきり入れたものもある。これを「追《おっ》かけ銘」といい、この手のものが真偽の判別上、もっとも見落し易いものである。

これらの偽物の鑑別にあたっては、刀の出来具合いをよくみて、時代的に無理がなく、作風の上からも、流派的にそれと充分に首肯し得られるものであり、さらに銘字や銘文も正真作とよく比較検討して間違いないことを確かめることが必要である。しかし、これらは実は言うべくして実際には容易なことではなく、鑑識を充分にたくわえ、多くの経験を積み、さらには無欲で正しい審美眼を養成するとともに、仔細な観察がのぞまれる。その観察の要点を順を追ってみていくことにしよう。

刀剣は、刀身と茎との二大区分によって構成され、大別されている。いうまでもなく茎は刀身と一体であり、刀身は茎のつづきである。茎（なかご）を〝中心〟とも書き、刀剣構成の最も大切な部分である。仮に、古名刀の優美な太刀姿の刀身に、幕末ごろのズ太い茎がついていると想像したら、これは尋常ではない。キメ細かく鍛えられた美しい地肌の刀身であれば、茎の地鉄も美しく整っているはずであり、刀身と茎とは、つねにつり合いがとれていなければならない。これは一例にすぎないが、すべては注意深い観察と研究によって真偽を鑑別することが出来る。こうした観点にたって、次にニセモノ看破の着眼点にふれていきたい。

茎の見どころはまず形

刀の見どころの第一がまず刀姿であるとすれば、茎の見どころはまず形である。丁寧に仕立てあげられた整った形と上手な肉置きに美しさがあるのは鈍刀でない必須条件である。但し、後に磨上げられた茎には、まま均斉を欠いたものがあっても、名刀の茎は丁寧に仕立てられている。茎に施されている鑢目に充分に注意する必要がある。鑢目は細かいのもあり、荒目のものもあり、また切り鑢、勝手下り、檜垣鑢、筋違鑢などさまざまな鑢目はあっても、よいものは鑢のかけ方の如何によらず常にいずれも整然としたものであり、おのずと品位がそなわっているものでなければならない。鑢目の崩れたもの、不自然のものは偽物である。そして第三には錆の状態に留意する必要がある。まず第一に錆色であるが、その刀に相応しい時代の錆色がなければならない。五百年前の刀工の銘なのに、百年位しか時代色のない錆色では不自然きわまりない。しかし、これは生ぶ茎、あるいは元の茎が残っている場合のことであり、大磨上げのときはこの例にはいらないことは勿論である。ツケ錆びの茎によく出合うことがある。時代を古くみせようと、人工的に薬品などを用い錆付けの工作をしたものである。中には年数が経って落ちつきが出ており、錆の時代を見分けにくいほど巧妙なものがある。しかし、よく観察すると色あいや手ざわりに、どこか納得のいかないところがあるものである。しょせん、幾百年の時代を経過してできた自然の錆と、短期間でこしらえた人工の錆付けとの相違である。その鑑別にはなんといっても現物を数多くみることが大切なことであり、そして、常に注意深く観察眼を養っていくことによって解決できる問題であろう。

第四が銘である。刀剣学上でいう銘とは製作刀工の名前をきりつけたもののことである。これに対して、製作年紀をきり加えているものがあり、一般に銘を表に切り、製作年紀を反対側、すなわち裏に切るのが通例であるところから、この年紀銘を俗に「裏銘《うらめい》」とも称している。なお、表裏は刀と太刀の場合ではそれぞれ異なるが、刀は刃を上にして腰に指した時に外側に出るように銘を切るのである。これが刀の表で「指表《さしおもて》」とも言い、こうした銘を「刀銘《かたなめい》」という。太刀は刃を下にむけて腰に佩くもので、佩いた場合の外側が表である。これを「太刀表《たちおもて》」とも言い、表に切ったものを「太刀銘《たちめい》」という。従って刀と太刀とでは表裏が逆の面になり、切られた銘も当然逆の面になっている。短刀は刀銘に切るのがならわしである。

所持者、注文主の名をきり入れたものを「所持《しょじ》銘《めい》」、または「注文銘《ちゅうもんめい》」といって珍重する。新刀、新々刀に多く限られているが、鍛刀と同時に、また鍛刀とは別の後の機会に試し斬りをして、斬れ味を誇るかのように〝二つ胴截断〟〝一の胴土壇に入る〟などときり添えたものを「試銘《ためしめい》」といって、これのある刀は、一段と市価を高めている。銘をきって、同じ面に製作年月日を切り添えているものも稀にはあって、これを「書《か》き下《くだ》し銘《めい》」という。また製作した地名を切っているものは新刀、古刀を通じて非常に多く、これは研究のよりどころとなる。またその太刀や刀につけられた号、刀工の年齢、鍛法、干支、神仏の名号、代付けなどを切り添えたものもある。また無銘のものに後世の鑑定家が「鑑定銘」を入れたものがあり、朱漆で書いたものを「朱銘」といい、金や銀を用いて象嵌したものを「金象嵌銘」、または「銀象嵌銘」という。銀象嵌銘は稀である。本阿弥家では大磨上げの茎には象嵌銘を入れ、生ぶ茎には朱銘を入れるのが約束になっている。

真偽を看破するには、まず刀剣史を充分に勉強して正しい認識に立って物を考え、物を見ていくことが最も大切である。例えば太刀銘に切るということは太刀の流行した時代、すなわち、平安・鎌倉・南北朝時代のものであり、室町時代になると太刀の他に打刀が流行してくる。従って室町以後になると太刀銘のもののほかに刀銘のものがある。これは極めて少ない例外を除いては、どこの国の刀工にも共通である。それ以後、新刀、新々刀を通じては刀銘に切るのが通例であり、ここにも僅かに例外はある。こうした原則的な切り銘に反する刀にぶつかったときはニセモノではないかと一歩退いて再考する必要がある。その他はそれぞれの刀工の銘字や銘振りをよく知ることが最も大きなカナメとなる。

正宗には銘のあるもので正真確実なものは数口しかなく、その弟子の貞宗には専門家が一致してよいと認める在銘の作はいまだに一口も発見されていない。従って相州の貞宗在銘の作はまず現存しないとおもってよく、また正宗十哲の一人である郷の義弘には、古来から「郷と化物は見たことがない」という諺がある程で、これは勿論、郷義弘の存在を疑っているものではなく、銘のある作は皆無に等しいということを教えているものである。

一人の刀工の銘でも、その一生の間にはかなりの変遷を見る場合が多い。それがどのように変わり、何年ごろにはどういった銘振りになるかなどということを知ることは、真偽の鑑定上極めて重大な問題ではあるが、要はその刀工の手クセをつかむことであろう。銘の大きさ、タガネの太さ、タガネのいきおい、それに銘の位置を知ることなども重要なことである。こうした個々の銘についての検討はかなり専門的であって、誰にでも出来ることではない。そこで、ニセモノ看破のカナメはどこかということになる。それはなんといってもホンモノの銘は時代に相応した整いと落ちつきがあり、しっとりとした錆色、優れた書風の銘字など、刀身の美しさとあいまって、いうにいわれぬ味わい深さがあるものである。

茎の形から時代をつかむ

雉子股《きじもも》　中央から下部へ向い、鳥のもものようにそげて細くなった形の茎で、平安時代から鎌倉時代までの太刀にみられる。それ以後の時代の刀にはほとんど見られず、もしあるとすれば特別の目的によって後世に茎をいじったものか、あるいはニセモノとみてよく、新々刀にはその形をはじめから真似て作ったものを間々見受けることがある。

振袖《ふりそで》　短刀のみに見る茎の形で、茎全体がちょ

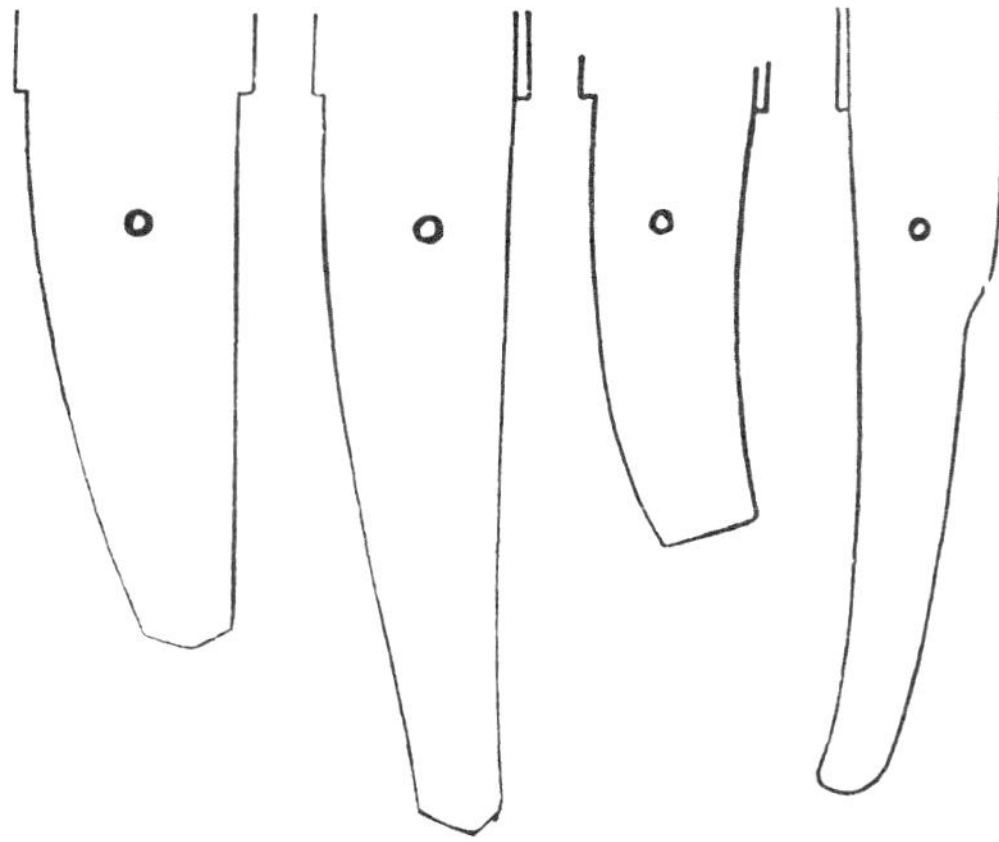

舟　型　　たなご腹　　振袖型　　雉子股型

うど女の人の着る振袖のような形となって反っている。南北朝期以前のもの。

たなご腹《ばら》　魚のたなごに似た形からの名称。室町時代の村正とその一派、平安城長吉などにみられる。

船形《ふながた》　相州茎ともいい、相州正宗から始まり、貞宗、長谷部など相州伝をうけた刀工に多い。

これらは生ぶ茎の場合にあてはまることで、区《まち》を送り、茎先を切ったりした磨上《すりあ》げ、あるいは原形が全く残らないように大きく切り詰めた大磨上《おおすりあ》げの茎では、原形をうかがい知ることのできない場合が多い。鑑定にあたっては原形そのままの生ぶ茎であるか、磨上げか、大磨上げかを見きわめることが一つの重要なポイントになる。

鑢目の特徴をつかむ

切《き》り　真横に切った鑢目で、古刀、新刀を通じて、もっとも一般的である。古刀では備前物に多い。

勝手下《かってさが》り　右手下りの鑢。横鑢に次いで数が多い。古刀にも新刀にもある。

筋違《すじか》い　勝手下りよりも傾斜の急なもの。極度に急なものを大筋違《おおすじか》いといい、古刀では備中青江派、筑前左文字派。新刀では堀川一派の見どころである。逆に左手下りのものを逆筋違《ぎゃくすじか》い、逆大筋《ぎゃくおおすじ》違《か》いといい、左利きの刀工の手になることが多い。

檜《ひ》垣《がき》 大和系統の特徴で、大和物とその流れをうけた美濃関物、薩摩波平派にみられる。

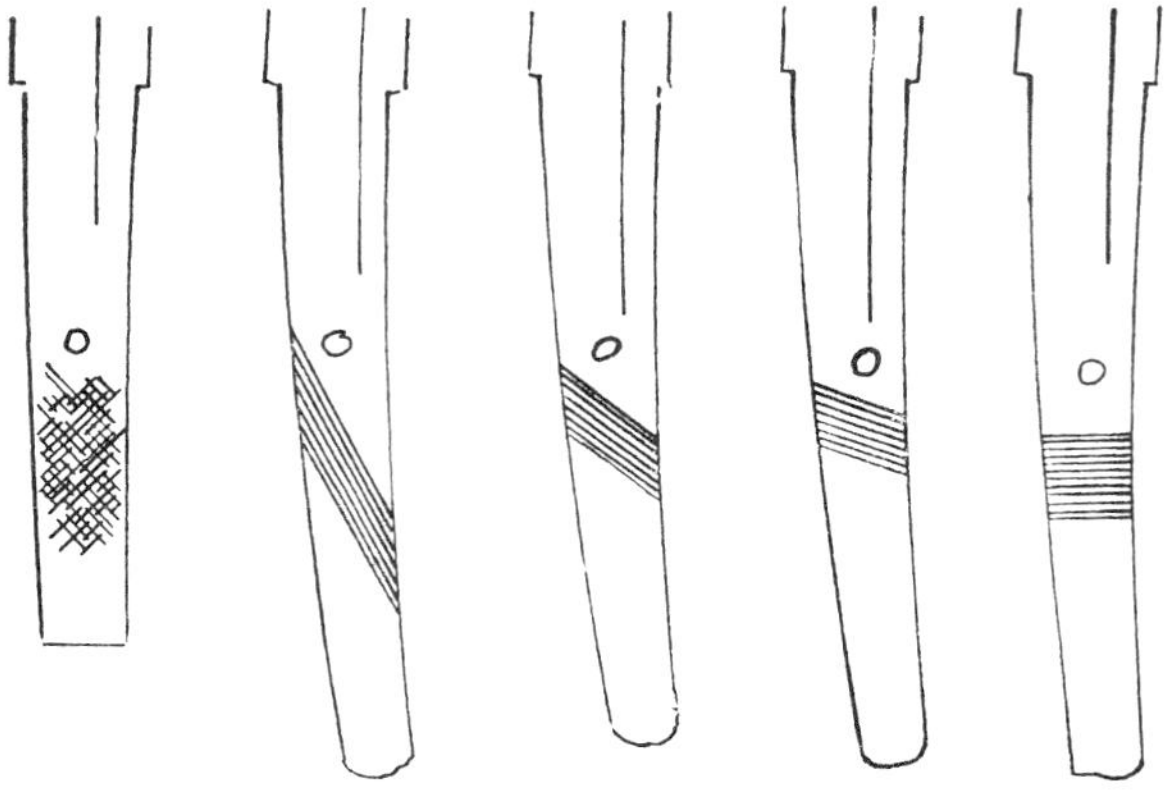

切り　勝手下り　筋違い　大筋違い　檜垣

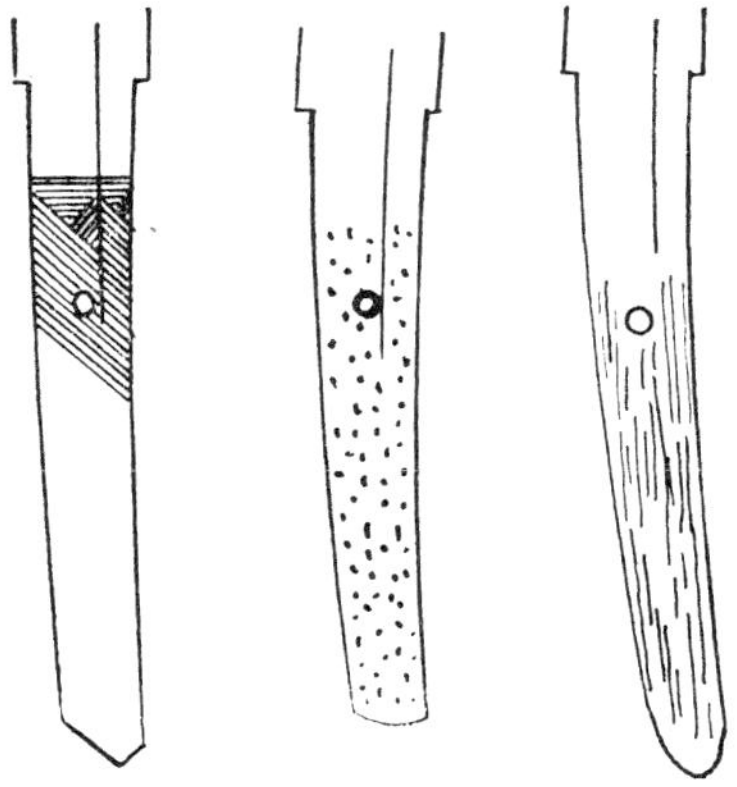

せん鋤　槌目　化粧

せん鋤《すき》 鑢を使って切ったものではなく、せんですいたもの。竪に長く線をひいたように見える。上古刀からあり、美濃物に見る。

槌目《つちめ》 槌で茎の表面をたたいて、全体に凸凹をつけたもの。特殊なもので上古刀に多く、古作にままみる。

化粧《けしょう》 鑢の切り出しに装飾的にかけたもの。新刀、新々刀に限る。従って古刀の銘のあるものに化粧鑢のあるものがあればニセモノと断定してよ

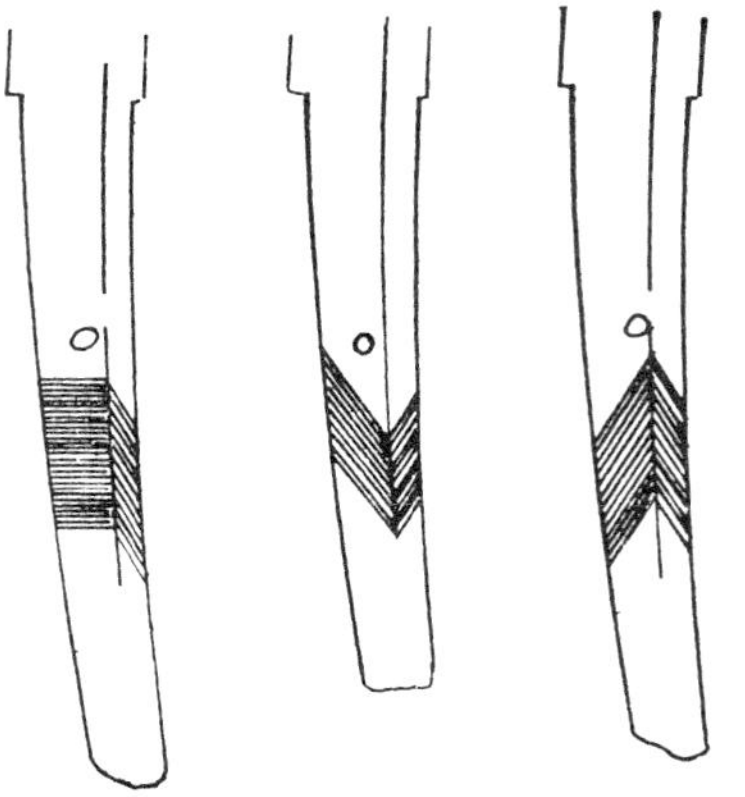

鷹の羽　逆鷹の羽　片筋違い

い。

　このほか**鷹《たか》の羽《は》**（羊《し》歯《だ》）、**逆鷹の羽**（逆羊歯）、**片《かた》筋違《すじか》い**などがある。美濃物、大和物などに多い。

巧妙な継ぎ茎の鑑別

　にせ物の一つに、初心者がよくつかまされがちな継ぎ茎がある。その巧妙なものになると、ベテランでもつい手を出してしまうことがあるので油断ができない。茎は確かにホンモノの銘のものをもってくるので、銘だけみたのでは疑念をはさむ余地がない。しかし、どうも刀身とのつり合いがおかしい、といったものには継ぎ茎であることが多い。刀身は新刀なのだが、茎には古刀の銘がある、といった場合である。それは刀身の出来はいいが茎のイタミがひどかったり、刀身のできが上作にみえるが茎の銘の位が低かったりするものに、まま継ぎ茎の工作がされている。刀身と茎と別々のものを一つに継ぎあわせるのである。昔の継ぎ茎は幼稚で見分けが容易であったが、近来のものは電気熔接、酸素熔接などをするので巧妙である。しかし、仔細に観察すれば発見はさほど困難ではない。では、どういったところに注意したらよいか。それは継ぎ目を発見するか、継ぎ目のあたりに鑢目が消えていたり、不自然な錆気があったりしないかどうかを注意して観察することである。継ぎ目は区の下、鑢の切り出しの辺にあるのが普通だから、この平《ひら》の研ぎだまり付近と、棟《むね》のところがみどころである。熔接のあとには錆付けをするので、いわゆるアバタ錆がブツブツした形で出ている。鑢目もかけなおしたりして乱れがでている。棟も同じで、棟はことに工作者が手心をゆるめるところでもあるので、こうした状況をみつけやすい。

継ぎ茎にも、磨上げのため短くなった茎先に、長さを増すため茎尻を継ぎたしたものがある。継ぎたし茎とでもいうもので、これはかえって刀姿全体のバランスを保つ上に好ましい場合がある。

銘の研究と観察

銘とは茎に切りつけられている銘字で、いろいろの銘のあることを既に説明した。そして製作者自身が銘を切るのが普通であるが、末備前物などのように専門の銘切り師がいて、製作者とは別に銘をきる場合がある。製作工程に分業方式がとられていたことが知られる。師弟、親子、兄弟等の合作には、それぞれの人々が自身で銘を切り分けているものがあるが、中には、その中の一人がきっているもの、師に代わって弟子が代銘をしていることもある。

また刀身に施されている彫刻は、刀匠とは別に専門の彫物師が彫る場合が多い。「彫同作《ほりどうさく》」とあるのは、刀身も刀身彫刻も同一人の手になったことを意味している。その他の場合は彫物師の名前は全く表面にあらわれずにいる、即ち、彫物師の名前がきりつけられていない事が普通であり、特別の場合に限って〝彫物宗長〟などと切り添えたものがある。さらに刀の製作年代とは別に、後世に刀の所持者が何某の所持である旨を銘する場合があり、勿論その場合は刀匠に依頼するわけであるが、製作刀匠とは別人であることは申すまでもない。逆に所持者が変わったため、前の所持者銘の部分をけずり取ったものもしばしば見うける。このように刀を一段とひき立てる銘の面白味もあるし、さまざまの様態が永い年月の間に生じて、その刀の歴史をおもわせたりする。多くの名工の銘字は、書家が見ても感嘆するほどに流暢で味わい深く、古い時代の銘字は雅趣が豊かである。

銘そのものをあらゆる角度から――刀匠の銘振り、手クセ、タガネの動き、若い時の初期銘か、晩年の老後の銘かによる年代の相違など―検討を加えていくのであるが、これはふだんの研究と観察にまつよりない。

特殊な例として〝額銘《がくめい》〟というのがある。大磨上げの場合、銘を失うのを惜しんで、銘の周囲を額形に切って磨上げた茎へ嵌入したものである。正真銘をそのまま嵌入したものなら問題はないが、別の刀からもってきて嵌入したとなると、はなはだ困った問題となる。すなわち銘だけはいいが、刀身が全く似つかわしくないのではニセモノとなってしまう。刀身の出来と額銘とがつねにつりあっていることが尺度になる。作為的な額銘は正真銘をもってくるはずのものであるが、なかにはごていねいに偽銘の切られた額銘を嵌入しているものがある。これなどは額銘には偽銘が少ないという常識の裏をいったものであろう。

額銘とならんで〝折返し銘《おりかえし》〟がある。大磨上げの場合におこなわれるもので、額銘と違って茎の表裏がつづいているのが特徴である。見どころは折返しの部分で、ここに継ぎ目や、折れ目があるかどうかを見極める必要がある。額銘の場合と同じく、偽銘を切ってのち折返しをおこなった手間のこんだものもあることを注意したい。

時代ニセには、高作銘をねらったものがほとんどであるが、近来のものは位列の低い銘のものがあるのが特色である。高名なものは研究がゆきとどいているので、さほど研究が細部にわたっていない位列の低いものをねらいとするわけである。まさかこんな位の低いものに偽銘はないだろう、という常識の裏をかこうとするのがつけめなのだろう。こうした場合は、銘そのもののほか、前述の錆地や鑢目などの諸条件を加味して充分の検討を加えてほしい。

以上ホンモノとニセモノについて見てきたが、まったく油断ができない。しかし、みだりに不信感のみに陥ったり、刀をみたらニセモノとおもうばかりが能ではなく、正しい研究と深い観察眼を養うことによって真偽を鑑別するとともに、愛好心をすすめていただきたいとおもう。よき師、よき刀の友を求めることものぞまれることである。

ニセモノ看破のカナメ

時代ニセと近来のニセ

刀の偽銘はすでに鎌倉時代からあったことは前述のとおりで、いつの時代にも高名なものほど多い。ニセモノにはその刀工の現存した時代に造られたもの、あるいは相当の古い時代に出来た「時代ニセ」と、近来のものとの両種に大きく分けることができる。戦後は大名家の名刀類が数多く放出されたために、名刀を鑑る機会が多くなり、またよい写真版の刀剣書や、豊富な資料を載せた押形集等の刀剣書もいろいろ出版されて研究にはことかかない。しかし、江戸時代には刀鍛冶や銘切り師が名刀類を手にすることはむろん、手本とする押形を手元におくことも容易でなかったことと推量される。従って覚つかない手つきで、見よう見まねで、書き写しの手本などをもとにタガネをはこんだことだろう。だから幼稚な、ホンモノとは似ても似つかぬようなニセモノができた。これらはすこぶる看破しやすいニセモノである。しかし、百年、二百年と自然の時代錆がでて落ちつきをもった茎になっているため、つい迷わされることがある。

それにひきかえ、現代は手本に不足することがない。知能犯的な巧みなニセモノを作りあげる。押形からだけみたのでは、ホンモノとウリ二つのようなものもある。しかし、速成の錆付けによるさび味の悪さはおおいかくしようもない。黒味がかったり、赤味がかったり、どこか異様な色あいが目につくものである。

鑢目と錆色に注意

鑢目の種類は〝鑢目の特徴をつかむ〟項で前述

したとおり、切り鑢がもっとも多く、ついで勝手下り鑢、筋違いの順であるが、これらの鑢目や、鑢のかけ具合いによって、各時代あるいは各流派また個々の刀匠の特色がよく現われるところである。古刀の青江派の刀工はいずれも皆大筋違いの鑢目である。従って、大筋違でないものに青江の銘があってもそれはニセものである。新刀では堀川一派がこの鑢目であり、さらに繁慶であれば表が大筋違い、裏が逆の大筋違いで、棟が檜垣になる、といった個々の刀匠の手クセをつかんでおくことも大切である。

偽銘を切る場合は、元来が無銘のものよりも、位列の低い銘のあるものを一度磨り落としてから高銘のものに入れ直すことが多い。そこで改めて鑢をかけるので、元の鑢と調和しないことになる。不規則だったり、太さ細さが入り交じっていたり、乱れが出ている。元の銘を磨り落すとき、その部分だけ平の肉が落ちるので、茎の厚味を縦にしてみるとへこんで薄くみえるものである。それに、鎬筋をみると、正しいものであれば茎尻まで真直ぐに通っていなければならないはずのものが、磨り落した部分だけゆがんだり、あるいは鎬筋がなかったりしているものがある。これなどは、それだけで偽銘の条件は充分といえる。

鑢目と同時に、錆色の観察も欠かすことはできない。銘を磨り落したあとは時代色がなくなってしまうので、鑢目をかけてから錆つけをする。磨り落した部分の錆がまわりの錆色とあっているかどうかで鑑別がつくが、平の全体を磨り落して錆つけをした場合は、この平地と刃棟《はむね》、区棟《まちむね》、あるいは茎尻の錆色と比較してみる。そして、切銘のタガネの底の錆を検討することが最も大切なキメ手である。もしこの底錆が赤っぽかったり、赤錆が浮いて落ち着かない、といったところを見極めることが出来れば、それは偽銘であると断定してよい。

銘の位置と目釘孔

刀銘と太刀銘については前述した（161頁）とおりで、足利時代以前が太刀銘、以後が刀銘であるのが通例であるが、稀に例外のあることも知っておかなければならない。太刀銘の時代に刀銘に切る一派が古青江派であることは広く知られている。つまり古青江派の守次をのぞく同派の刀工一般、また豊後行平などもそうである。新刀期になって刀銘時代に太刀銘に切る代表的な一派は忠吉を祖とする肥前刀である。一門の伊予掾宗次をのぞく全刀工のほとんどが太刀銘に切っている。ただし、これは刀の場合で、脇指と短刀は刀銘に切っている。また越前の山城守国清なども十本のうち九本までは太刀銘である。

銘は、刀匠がこれならばという自信の作に最後に切り込むもので、切り銘ののちはじめて注文主に納められ、市場に出されるものだけに慎重に切られるのが当然である。会津の初代三善長道は陸奥大掾三善長道と切り銘するとき、切り始めから切り終りまでの長さを二寸八分にしたと伝えている。実際にはそれより短いものがあるようだが、刀匠がそれほどに切り銘を重視しているという好例といえよう。

それとともに目釘孔と銘の位置のバランスに注意したい。山城の二字国俊は目釘孔のすぐ下中央に大きく二字銘に切る。大阪の井上真改は目釘孔のすぐ右下から、初代河内守国助は目釘孔の右に〝内〟と〝守〟の間に目釘孔がくるように切る。

こうした刀匠個々の切り銘の約束を覚えておくことが、ニセモノ看破に役立つのであるが、いわゆる「生《なま》兵法は大けがのもと」ともいい、銘の位置や孔の位置が約束に合っているということが、即ホンモノであるということにはならないことがある。なぜならば、その約束を逆用した巧妙なニセモノが世上に沢山あるからである。やはり、こうした約束をも確かめた上で、総合的に判断することが肝要である。目釘孔一つにしても、古くはロクロで表裏の両面からあけている。その孔も小さい。現代では片面からいっきにドリルなどの機械であけるのでよどみがない。概して大きいわけである。このように、わずかな見どころをも仔細に観察をすすめることが望ましいことであり、それが正しい鑑定にもつながるのである。

ホンモノ
ニセモノ

鑑定図解

古刀編

来国行

畿内・山城
鎌倉・正安

来派の祖国行は来太郎と称して名工の誉高く、それだけに偽銘も多くみられます。現存するものはつねに二字銘で〝国行〟と切りますが、〝行〟字の第三画が①の㋑のように独特の切り方をするのが特徴です。また〝国〟字の国がマネの中が図のように交差するもので、その傾斜する㋐の線によって図のように右上と左下に二つの三角形ができる形をなします。②の偽銘は〝国〟字の中に目釘孔がかかっていますが、傾斜しなければならない線が縦に切られ、また㋒がこれと交差することなく、国行の銘にかなっていません。〝行〟字も同じくで、第四画の横線が㋑にみるような独特な手クセがなく、②は総体にソッケナイといった銘振りを示しています。

このように、刀工個々の手クセといったものをつかむことによって真偽を鑑別できるもの——の例がこの国行です。作刀の多く現存するものには、年代の相違——つまり若いときの銘、中年の銘、晩年の銘——によって、銘振りの変化を的確にとらえる必要のある場合もあります。

来国俊

畿内・山城
鎌倉・正応

　来国俊は「古刀銘尽大全」という古書によると、始めは国俊と二字に切り、三十才から来国俊と三字に切り、六十二才から来源国俊、八十一才から源来国俊と切ると細かく書いています。その年代の真実か否かはさておいて、現存するものでは来国俊と三字に切ったものがもっとも多く、稀に来源国俊銘のものもあります。たいへんな長命者で百五才まで生きたと伝えておりますだけに作刀も多く残っており、従って偽銘作は古刀中の最右翼といえるほどにちょくちょくでくわします。

　このように作刀が多いのですが、銘振りはかなり共通していて、その急所をとらえれば案外に容易な場合があります。

　急所の第一は〝来〟字の第二画です。かならず右から左へとタガネが進んでいるはずです。第二は〝国〟字の㋑が、㋒の縦線と交わらないことです。〝俊〟字は異風ともいえる銘字ですが、細目のタガネで切り込みの冴えた、しかも雅味のある書風はいかにも好ましいものです。

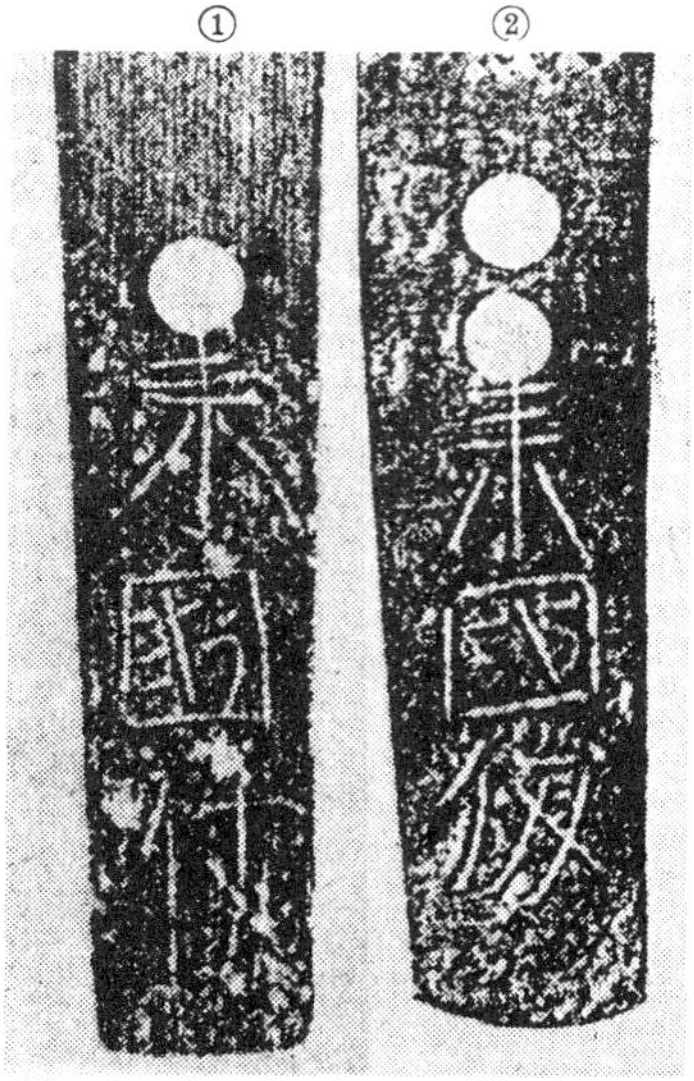

来国次

畿内・山城
鎌倉・嘉暦

(2)の偽銘はいわゆる時代ニセで幼稚な切り方をしています。(1)の正真銘と比べて全く似つかわしくないものです。

もっとも大きな相違は〝来〟字で第三画、第四画の点の向き（**図参照**）が右から左へ向かって打たれるのが来国次の銘振りの特徴となっているのですが、(2)の偽銘はどうでしょうか。これは、この手癖を知らない銘切り師の手になるものであることがわかります。**また**〝国〟字の輪郭は上下、左右の幅がほぼ同じで、縦長になったり、幅広になったりはしません。ところが(2)は縦長となっているところからも偽銘という判定ができますし、〝次〟の字もふくめて総体にタガネ動きが鈍重で力がありません。さらに〝次〟字の第一画の点も向きが違っていて、正真銘はかならず(2)のようにならなければなりません。正真銘の流暢な銘振りこそ正真であって、そのタガネの運びは見事というべきでしょう。来国次は来国俊の聟と伝え、相州正宗十哲の一人に数えられています。

則重

北陸・越中
鎌倉・元亨

①　②

銘の大きさは、個々の刀工によってさまざまです。山城の来国光のように短刀には大振りの銘を、刀にはむしろ小振りの銘を切り分ける人もいますが、概して短刀には小振りに、刀には大振りに切るのが普通です。しかし、この則重のように短刀であって大振りの銘を切る人もいます。それは短刀を得意として、刀の製作が少ない人である場合に往々みられる傾向のようです。それにしても、②の偽銘は大きすぎます。しかもタガネが太すぎます。〝則〟字も〝重〟字もしまりがありません。〝則〟の左側の〝貝〟の端々が離れているのも、しまりのなさを示しています。右側の〝刂〟がおどっているようなタガネ振りもその現われです。〝重〟は第二画と第四画の横線との間隔が開きすぎていますし、第七画の縦線が〝田〟の上へ突き出ていないことは、なにか粗雑さをおもわせます。①の銘字は活字で組んだような形にはまったものではなく、動きのある、それでいてしまりのある書風です。これが六百年を越える鎌倉末期に切られた銘なのです。

則重は正宗の弟子というよりは、正宗の兄弟子説が最近は有力です。

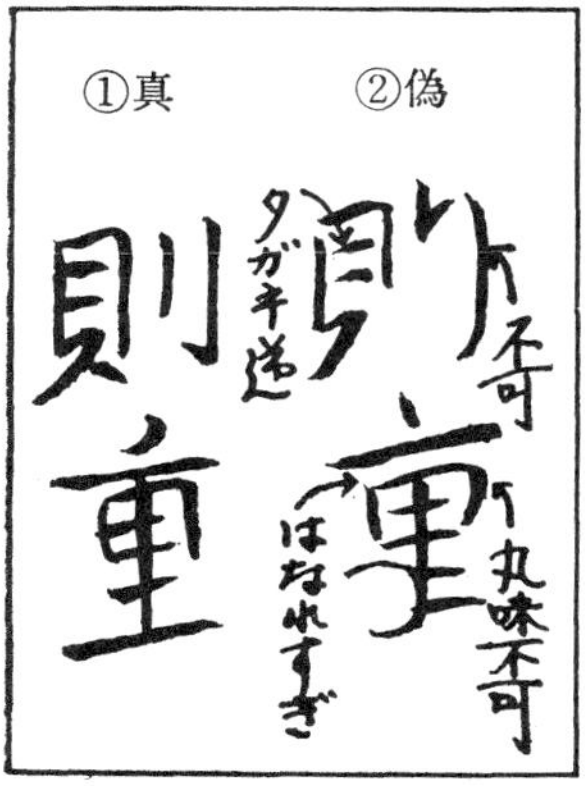

関兼宒

東山・美濃
室町・永正

孫六兼元と並んで関鍛冶を代表する〃の定〃の作銘です。〃定〃字のウ冠の中を〃之〃と切るので〃の定〃と称しています。初代の子で二代目、永正八年の頃和泉守を受領しています。の定の銘は見なれないと①②ともに偽銘にみえるかも知れません。一字一字をみると、右を向いたり左を向いたりして一見、整いがないかとおもえるようです。しかし、よどみなくなめらかで、なお力強さがうかがえるのがこの工の銘字です。②の動きはおもおもしく、〃和〃の右側〃口〃のタガネ動きなど、真似よう真似ようとして切られたものです。

〃兼〃字の第二画、第三画の点はかならず①のようになります。

① ②

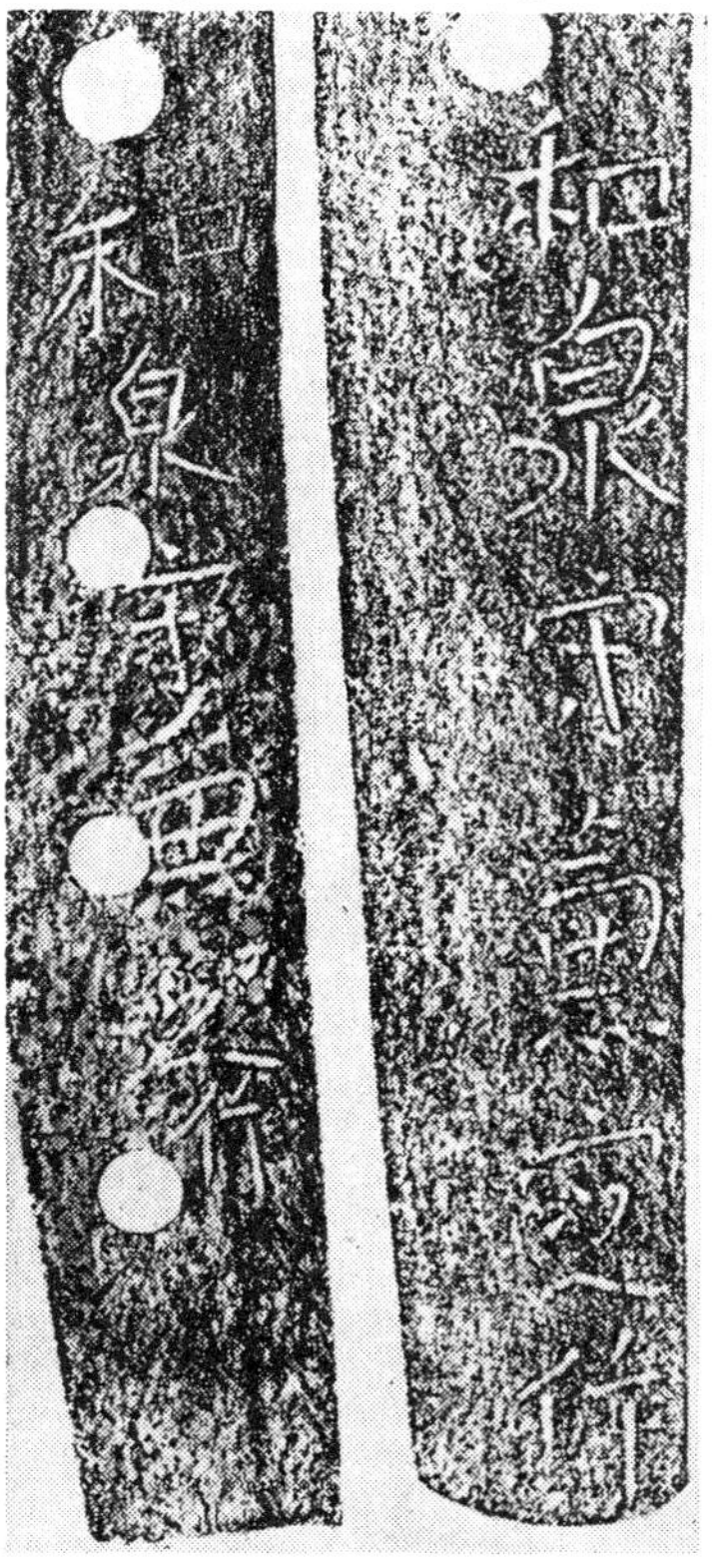

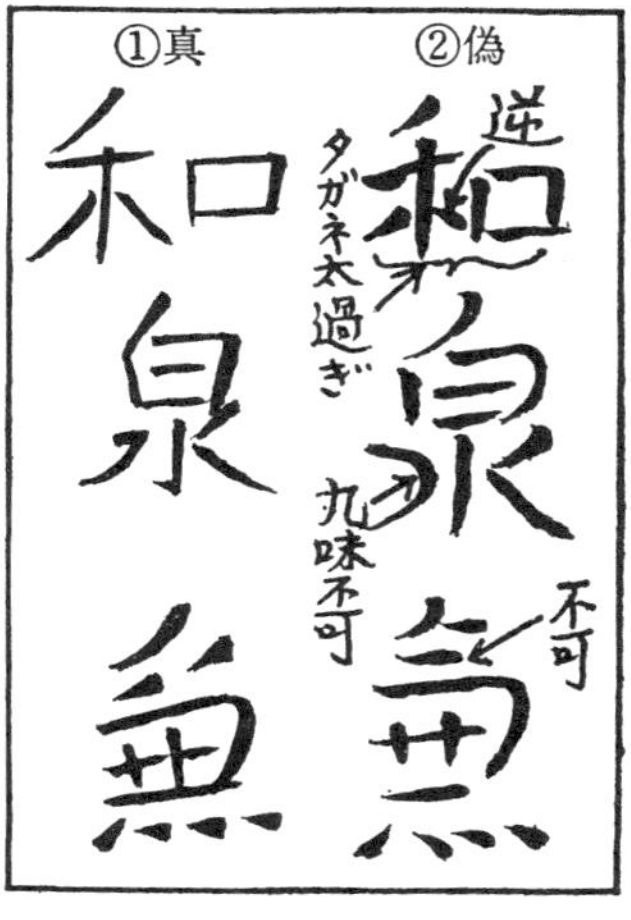

長光

山陽・備前
鎌倉・文永

名工長光は備前刀の中で、偽銘の多いことにかけても知られています。

名工ほど偽銘の多いことをおもえば、当然のことかも知れません。①は長光の代表的な銘です。それを似せた②ですが、仔細にみるとかなりの相違点がみいだせます。〃長〃字では図に示す部分の第三画、第四画の横線の向きが左肩下りになっていて、これは正真銘にはみられません。〃光〃字では第二画の点、最終画の線の角が難点です。最終画の角がこれほど丸味のあるものは正真銘になく、かならず角ばるものです。

長光は光忠の子で鎌倉中期の備前長船鍛冶を代表する一人です。二代あるとされ、一説には「左近将監」を冠するのが二代であるとしています。

長光の時代は文永・弘安の役にあたり、長船鍛冶の嫡流として大活躍をしたとみられます。

① ②

康光

山陽・備前
室町・永享

正真①の康光には永享二年の裏年紀があって右京亮康光の銘であることがわかります。応永の右衛門尉康光が初代、その子である本工が二代に当ります。その銘の多くは「備州長船康光」と六字銘に切り、〃康光〃とばかり二字銘に切る場合もままあります。作品は応永三十年代からあって、永享から文安にかけての銘をみます。

〃康〃字に特徴があって、第二画の横線の終わりから縦線が連らなり〃戸〃の形となっているところがみどころです。〃光〃字の最終画の角には丸味があるもので、これは初代の右衛門尉の場合も同じです。ところが②の偽銘はきっかりと角ばらせて、縦線を一度抜いてから改めて横線を切っています。こうした康光としてあたりまえの約束を無視した切り方は、近代のものではありません。時代ニセです。鑢目をみると①が勝手下りに対して②は切りになって、それが揃わず乱れています。

いわゆる時代ニセの偽銘を切るものには、備前物の高名作が多く、兼光、盛光、祐定などが、この手の銘のものにみられます。

①真　②偽

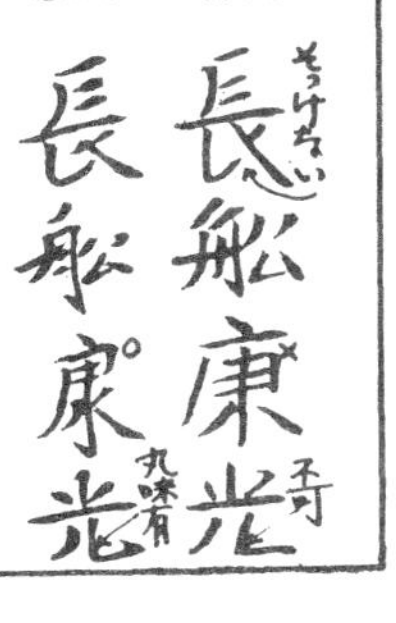

①　②

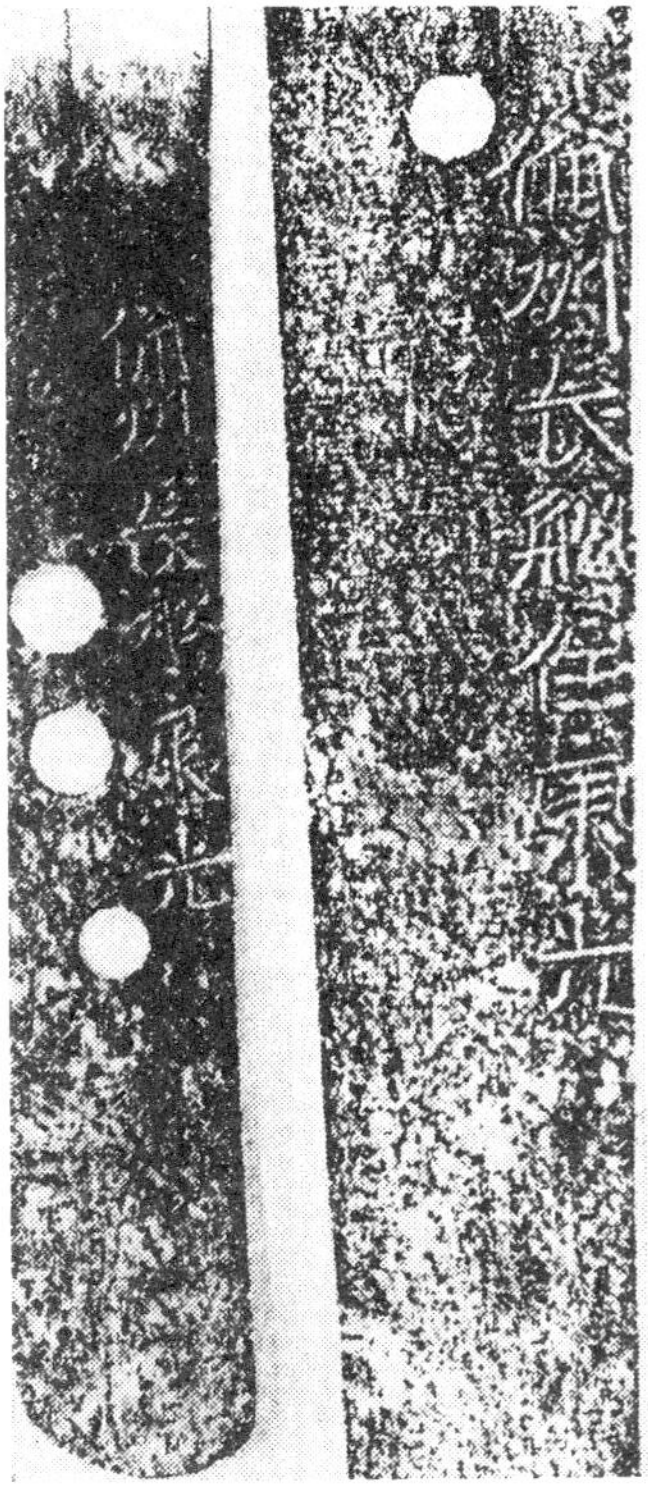

祐定

山陽・備前
戦国・永正

与三左衛門尉祐定の父に彦兵衛尉祐定が長享から永正にかけて作品を残しています。本作は両手とも永正八年の裏年紀がありますので、よく比較対照していただきたいとおもいます。

ここで「桑名打ち」についてふれておきます。幕末の頃、伊勢の桑名でさかんに偽物が作られたといわれています。ときの新々刀期の刀工たちが、始めから偽物を作るつもりで打ち鍛え、銘を切ったものですから、百年以上の時代のついた茎はすっかり落ち着いています。そのねらいの第一が応永備前物、次いで末備前物でした。その意図で作られたものですから、刀身も一見すると康光や盛光、また祐定などに見まがいがちです。しかし、しょせんはニセモノです。刃の形は似ていても刃縁がかたかったり、刃の足が長く刃先に抜けたりしてどこかに馬脚を現わしています。

実はここに掲げた②の祐定が桑名打ちの偽作銘なのです。茎の見どころは平肉にあります。平肉が乏しくなんとも貧弱なところがおわかりいただけるでしょうか。鎬筋が通っていないのもそのためです。銘はかなり巧みに切られています。彦兵衛祐定の銘は①にみるとおり細目のタガネですが、切り始めと切り終りのいわゆる打タガネに力がはいっているのが特色であるのに反して、桑名打の銘がこの急所をはずしていることは図解でおわかり下さるとおもいます。

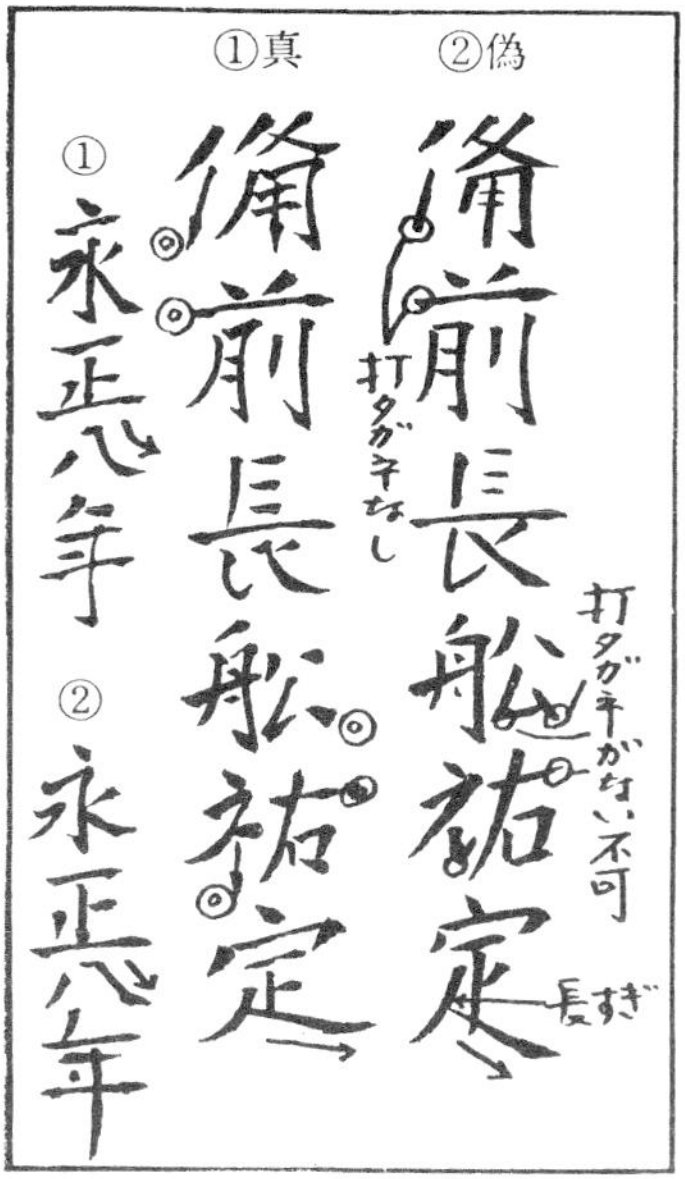

なお、末備前物の銘は「備前国住」であって、「備前国長船住」とは切らないことを知っておかれると、後者の銘にあたったとき、これはまず偽銘だろうという判断がつきます。また「備州長船……」としたものが、いわゆる数打ちの粗雑品に対して、「備前国住長船……」と切ったものは注文打ちといって、特別念入りに注文に応じて打ちあげた場合の銘であることも知っておいて下さい。

同銘祐定を銘する刀工は銘鑑(刀工総覧)によると、古刀四八人、新刀三二人の計八〇人の多きにのぼります。なかでも、与三左衛門、彦兵衛、源兵衛などが著名です。

清　光

山陽・備前
戦国・天文

①は注文者銘がありますが「備州」と切って「備前国住」と切っていません。注文打ちであれば「備前国住長船清光作」と切るのが普通ですから、これは銘をみる限りでは例外的な切り方といえましょう。裏に天文十三年紀があって、銘振りからも清光中の上手とされる五郎左衛門尉清光の作銘とみられます。裏には年紀とともに「八幡大菩薩」の文字が切られていますが、表の所持銘（注文銘）はこのために裏へは持っていけなかったのです。ですから清光は短い茎表の半面に自分の銘を入れるのに「備前国住長船清光作」という長い九字銘を切ることはできないと判断したのでしょう。そこで注文打には異例の銘字となったのだと考えられます。

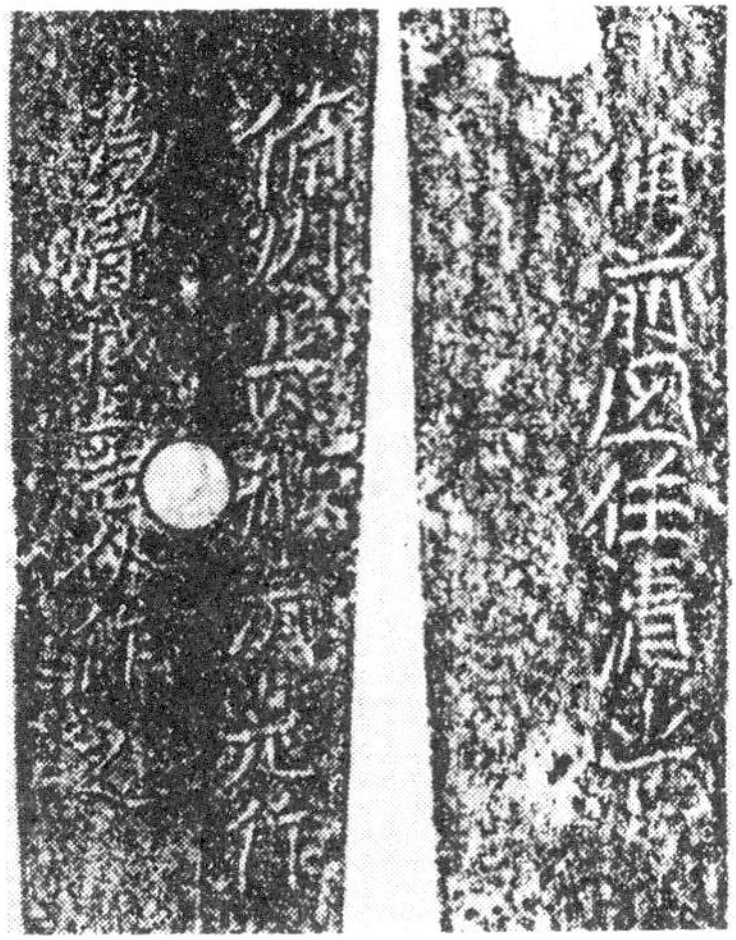

①　②

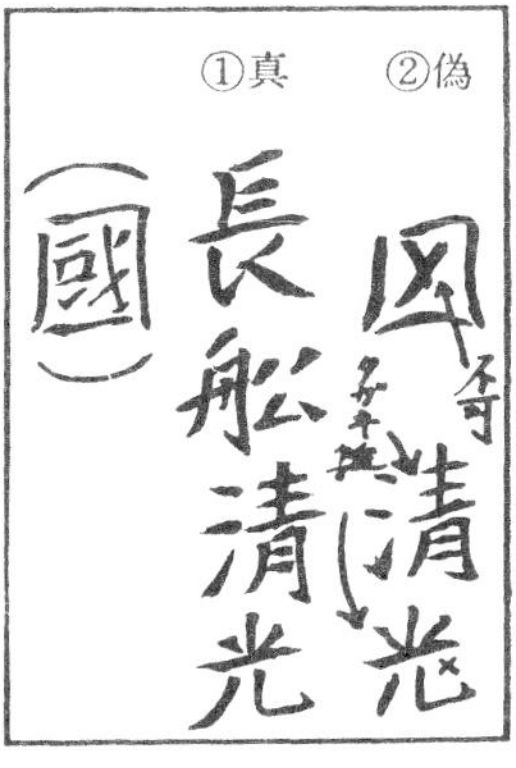

②の偽銘はよく出くわす銘振りです。小さく雑に、〃国〃の字の中を略しているのがつねで、応永から末へかけての備前物、また美濃物に多くみられます。同一人の手になるものでしょうか、明治頃か、それ以前の偽作銘です。清光は同時代の忠光と並んで、末備前物の中で直刃を得意として上手です。

新刀編

堀川国広

畿内・山城
桃山・天正

正真①は国広の日州古屋打ち時代の銘で天正の末、六十才前後の作銘です。八十四才で没した国広として比較的初期のものといえましょう。小振りに、一画一画を慎重に切ったあとがうかがわれます。この頃の銘は〝国〟字の第二画の角、〝広〟字の中の〝田〟の第二画の角が尖り気味にキリッと折れた感じをもっています。②のようにカドをとったものは慶長年代へ入ってからみられます。また㋐と㋑のように内側に反るわずかなタガネ動きのあるのがみどころです。

①

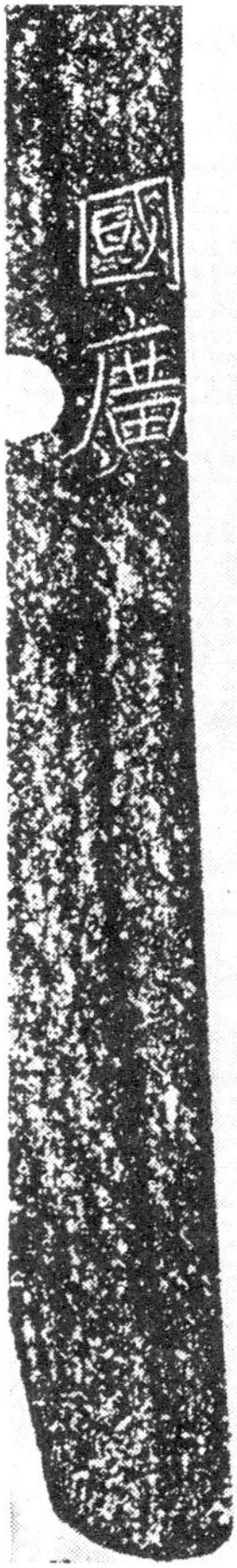

②

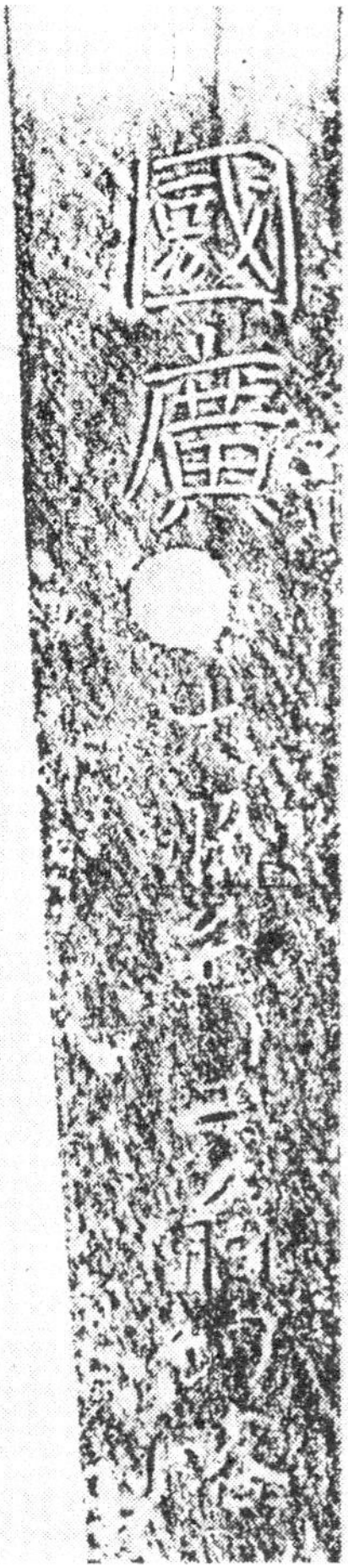

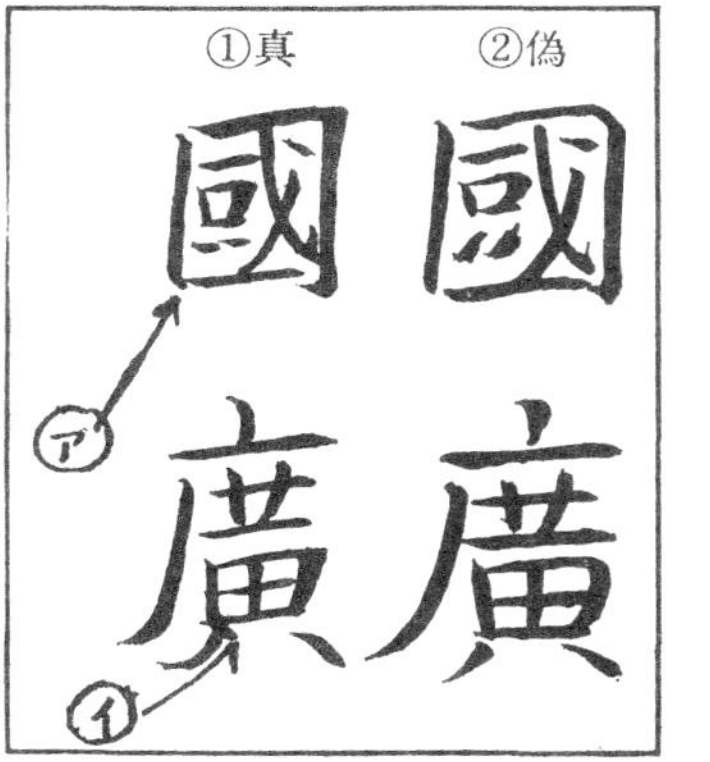

国広

畿内・山城
桃山・慶長

諸国をめぐっていた国広は慶長にはいって京都に定住（慶長四年頃）し、作刀をつづけました。①の銘は慶長十五、六年頃で、すでに八十才を越そうとしていたころのものです。柔らかさ、丸味といったものが銘振りに感じられます〝国〟字の第一画、第二画の動きは、偽銘②の線と比べてカタさが全くありません。〝広〟字は堂々としておおらかな感覚がただよっているようです。巨匠の面かげは銘字の書風にもあふれています。それにひきかえ、②のタガネは弱々しく、よどんだ動きとしかみられません。品格の相違はおおいようがないわけです。

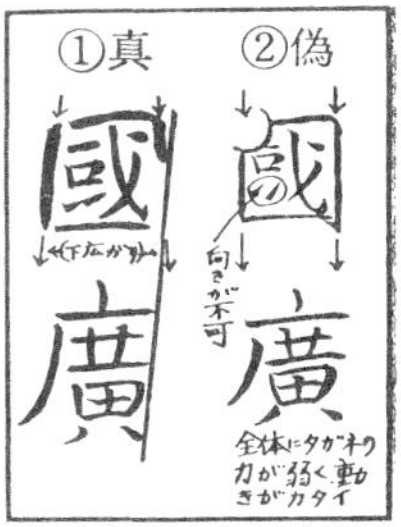

細部をみると、〝国〟の中の第七画、第八画の二点ですが②は上へ向きすぎています。正真銘にこれほど上向きのものはありません。

国広は新刀期を通じての頭領で一門が栄え、その門下から出羽大掾国路、越後守国儔、堀川国安、和泉守国貞、河内守国助など、名工が数多く輩出してみな一家をなしています。父は日向飫肥の刀工で国昌とも実忠とも伝え、父同様伊東家に仕えていましたが天正五年、同家が没落してから京へ上りました。〝山伏〟と銘した作刀があるように、信仰の日々を諸国巡礼に送りつつ鍛刀をつづけていたようです。のち京に定住するという数奇な生涯を送った人です。

国儔

畿内・山城
桃山・元和

堀川国広門下の国儔ですが、②はもっとも巧妙な偽銘といえます。ごく最近に切られたものでしょう。一字一画をまことによく真似ています。素見すると鑑別を迷わされるのがこの手の銘です。

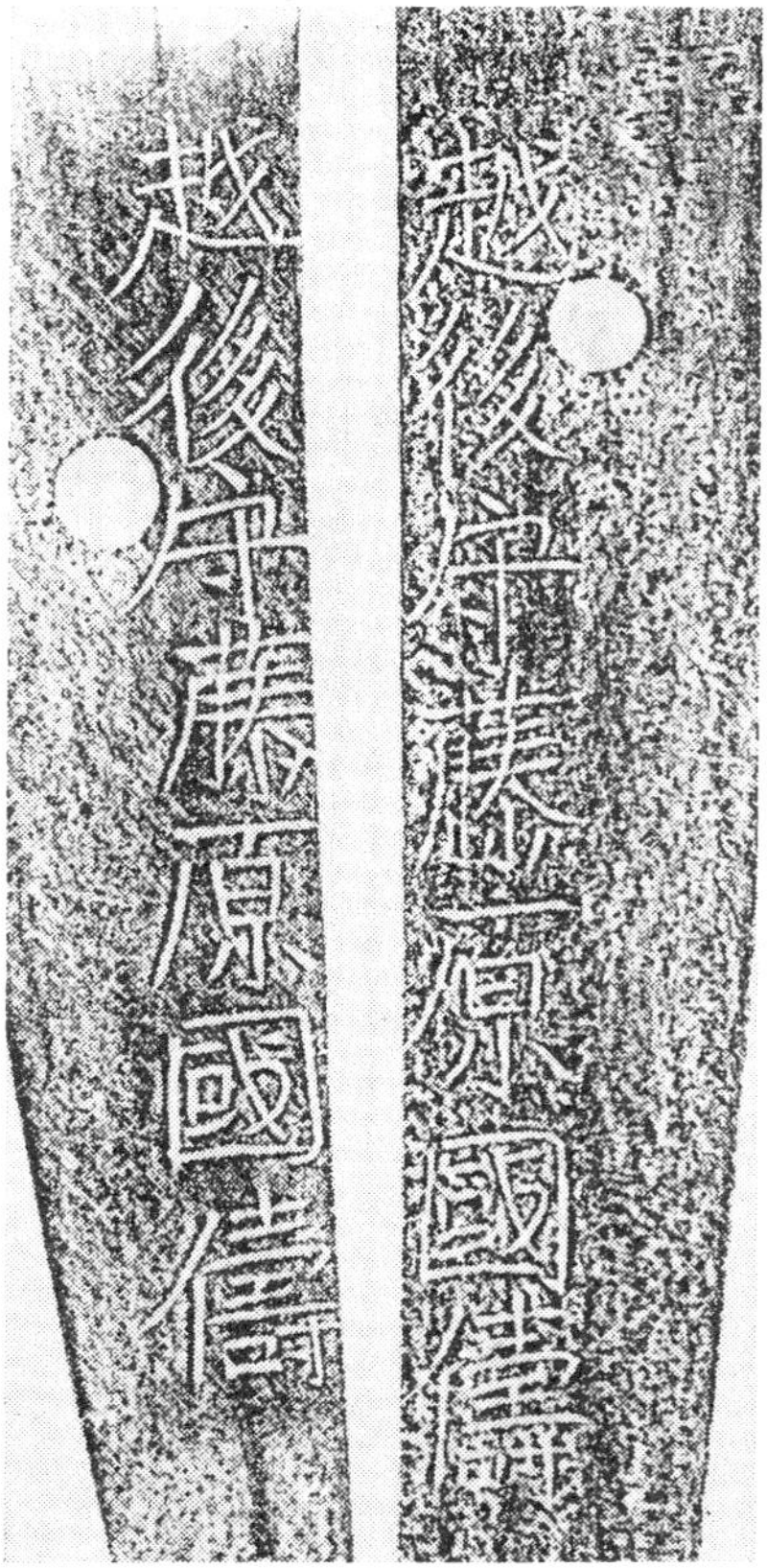

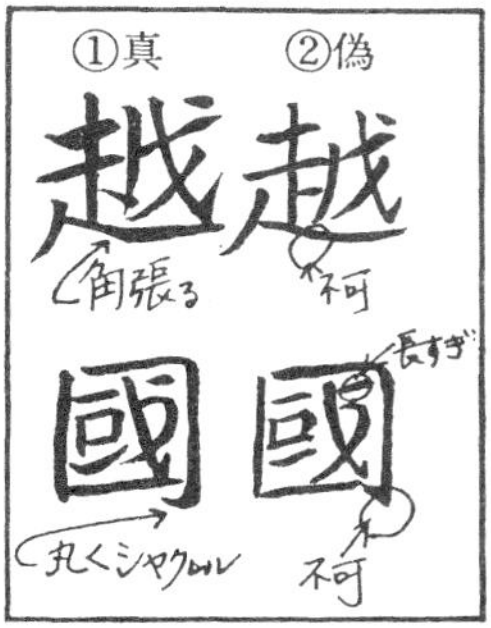

ところが、この偽銘には二つの大きな欠陥のあることにお気づきでしょうか。一つは太刀銘に切っていることでこれは新刀期以降では、例外をのぞいてはまずありませんし、国儔では皆無ともいえます。いま一つは鑢目です。堀川一門は大筋違い鑢が約束になっていて①の正真はまさにその通りですが、偽銘では浅い勝手下りとなって約束にかなっていません。

いかに巧妙な偽銘にもどこかに欠陥のあるもので、それをいち早く看破することが大切です。国儔は生国が日向飫肥、国広の甥とも伝えられ、銘は押形のとおり七字銘に切るのがほとんどです。

①　②

国路

畿内・山城
桃山・寛永

国路は慶長年間は平安城住国路、また出羽大掾藤原国道、元和にはいり出羽大掾藤原国路、または藤原国路、寛永以降は出羽大掾藤原国路のほか出羽大掾藤原来国路と切ります。①は寛永中期以降の晩年に近い銘です。国路の銘の手クセは出羽大掾の四字が真直ぐに切られ、藤原の二字が左へはみ出す気配のあることです〝藤〟字の〝月〟〝国〟字の縦線などを比較して下さい。ただしこの②は裏に〝伊賀守金道揚之〟とあって、五代金道が磨上げて銘を切ったもので偽銘とみなすより〝切付銘《きりつけめい》〟と称し、ものそのものは偽物ではありません。

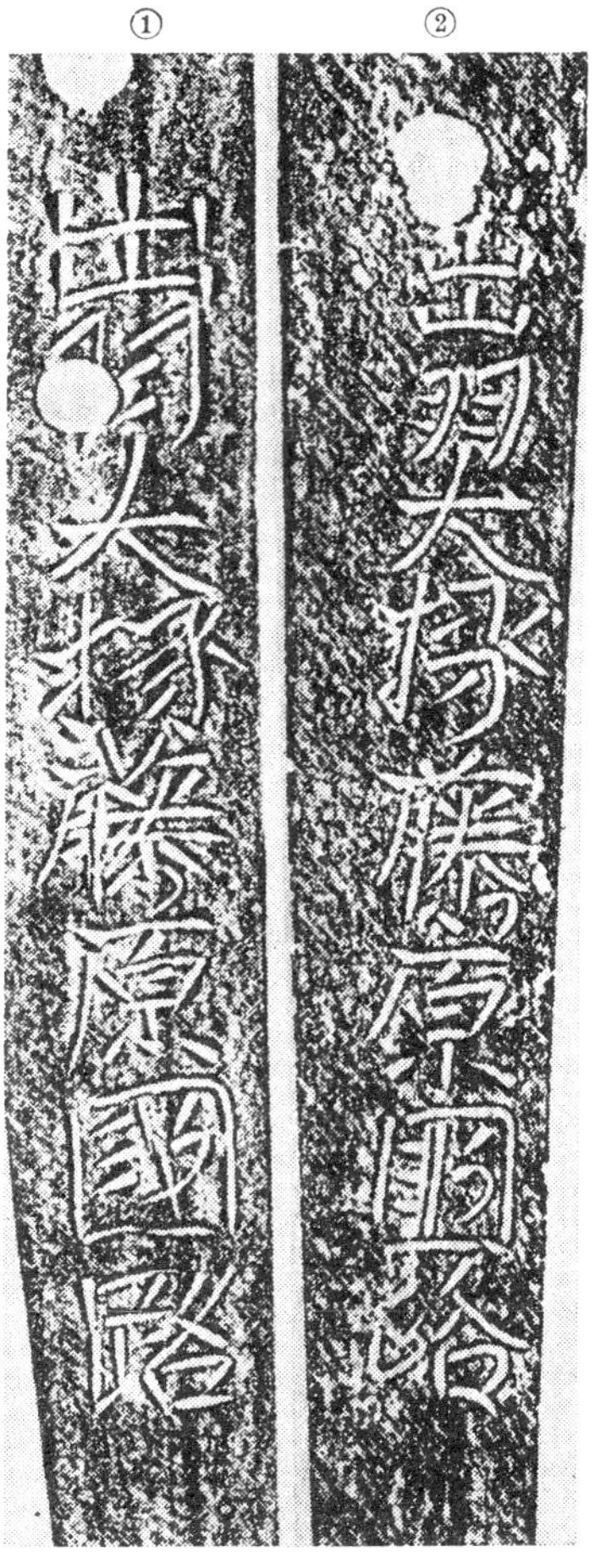

東山美平

畿内・山城
江戸・天和

まず鑢目をご覧願いたいとおもいます。②は勝手下りの鑢ですが、①はこれと逆に勝手上り鑢です。すでにお気づきとおもいますが美平の鑢は全部この勝手上りなのです。なぜでしょうか、それは美平が左利きの人だったからです。区《まち》ぎわの刀身を右手にもって左手でヤスリをにぎり動かすとこうした鑢目になります。左利きの人の場合にみられる鑢目です。では左利きの刀工をあげましょう。堀川国安(山城)、陸奥守包保(大坂)、高橋長信(雲州)、伯耆守正幸（薩摩）などで、いずれもこの手の鑢目をしています。

美山美平の作刀は少ないのですが、まま偽銘のものに出会います。そのほとんどが〝東〟の字をみると〝東〟の字に横線が一本余分についているような切り方になっています。この②の場合もそれです。

②の偽銘はあまり巧みとは言えません。五字の字間が離れすぎていて総体のバランスがくずれています。〝平〟字の縦線がまがっているのは正真銘にはみられないところです。

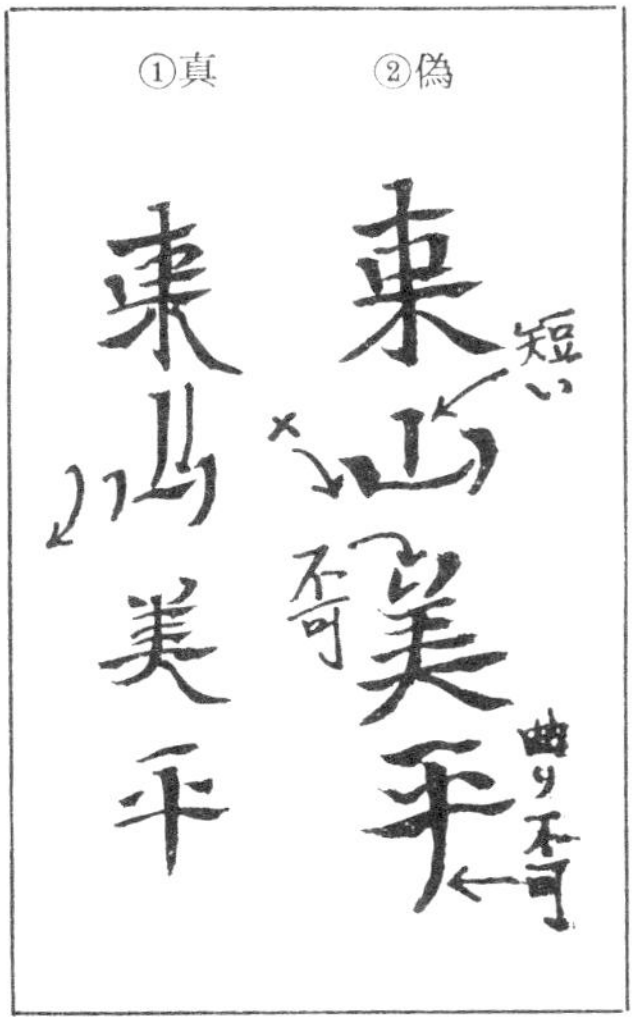

来金道（二代） 畿内・山城 江戸・慶安

正真①の金道はいわゆる来栄泉と称し、来金道の二代目です。慶安三年の裏年紀があります。来金道は少なくも四代までありますが、初代の作に〃和泉守〃の受領をみませんので②の偽銘は二代以降の金道を似せたことになります。それが何代に該当するか明瞭ではありませんが、いずれの代であっても〃守〃の第一画の点の向きが逆であったり、第三画の横線が上方に反ったものはありません。またウ冠の中の〃寸〃の第三画が右上から左下へ向かったものはありません。これらの点からしても②が偽銘であるといえましょう。

二代、三代の来金道の銘はタガネ力の強いのがみどころで、②は弱々しさが総体にみなぎって①と相違しています。

二代来金道は和泉守来金道、大法師法橋来金道、大法師法橋来栄泉などと切銘しています。初代は三品四兄弟の二番目で、本国は美濃、永禄年間に父兼道とともに上京して鍛刀に励み、一門はおおいに繁栄しました。

①　②

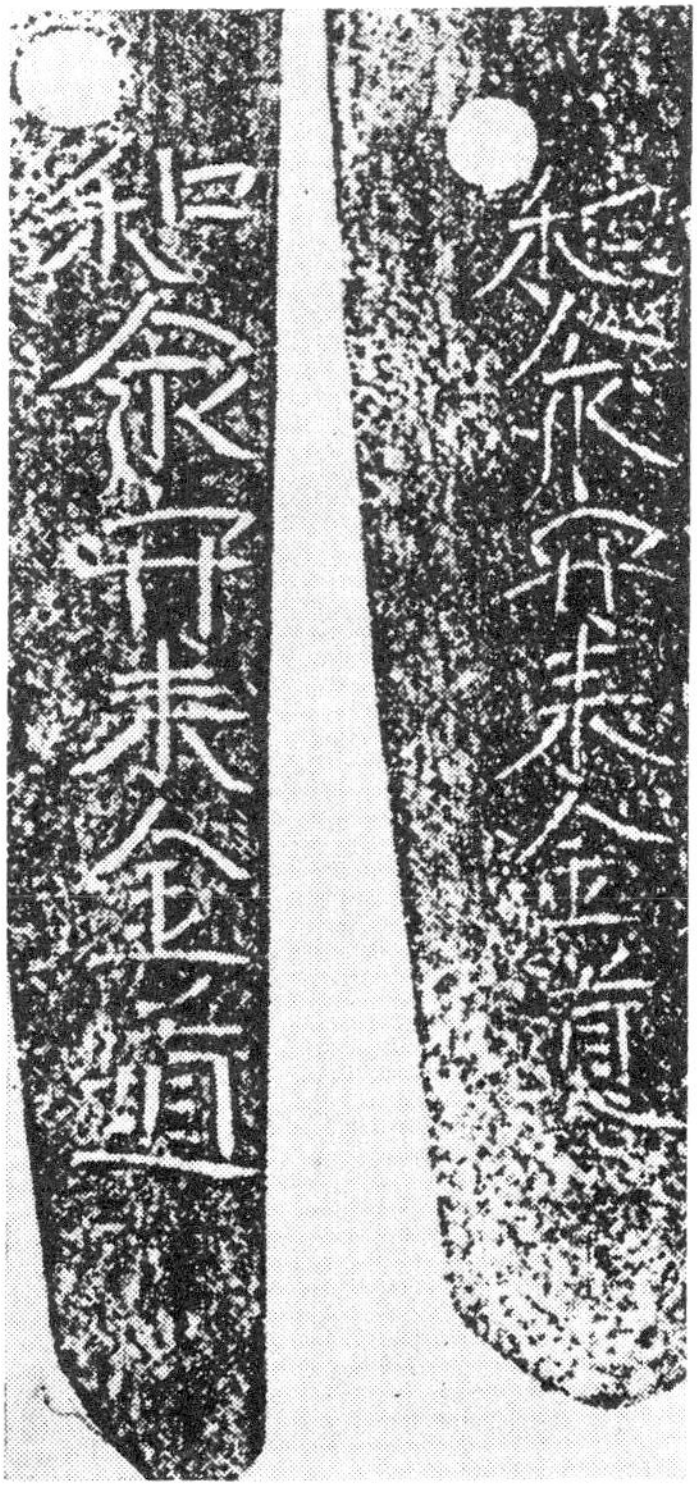

津田助広　畿内・摂津 江戸・延宝

寛文、延宝を中心とする江戸中期は江戸に虎徹、大坂には助広、真改があって盛んな鍛刀活動をつづけ、会津には三善長道、肥前には三代忠吉が台頭するなど新刀期二度目の隆盛時代を謳歌しているときでした。

津田助広は大坂という商業都市を背景に、打ちよせる波濤の姿を刃文にとりいれ、その華やかな刃文が世の賞賛をあびました。流暢な近衛流の銘字もすこぶる好評で、これを真似る偽作が数多く現われたのも当然といえましょう。

正真①には延宝六年、偽銘②には延宝八年の年紀があります。みどころは〝津〟の字で最終画の縦線とサンズイの縦線との止めに横線を引いてみますと②のように最終画線が横線から下に突き抜けていて、これが偽点の一つです。

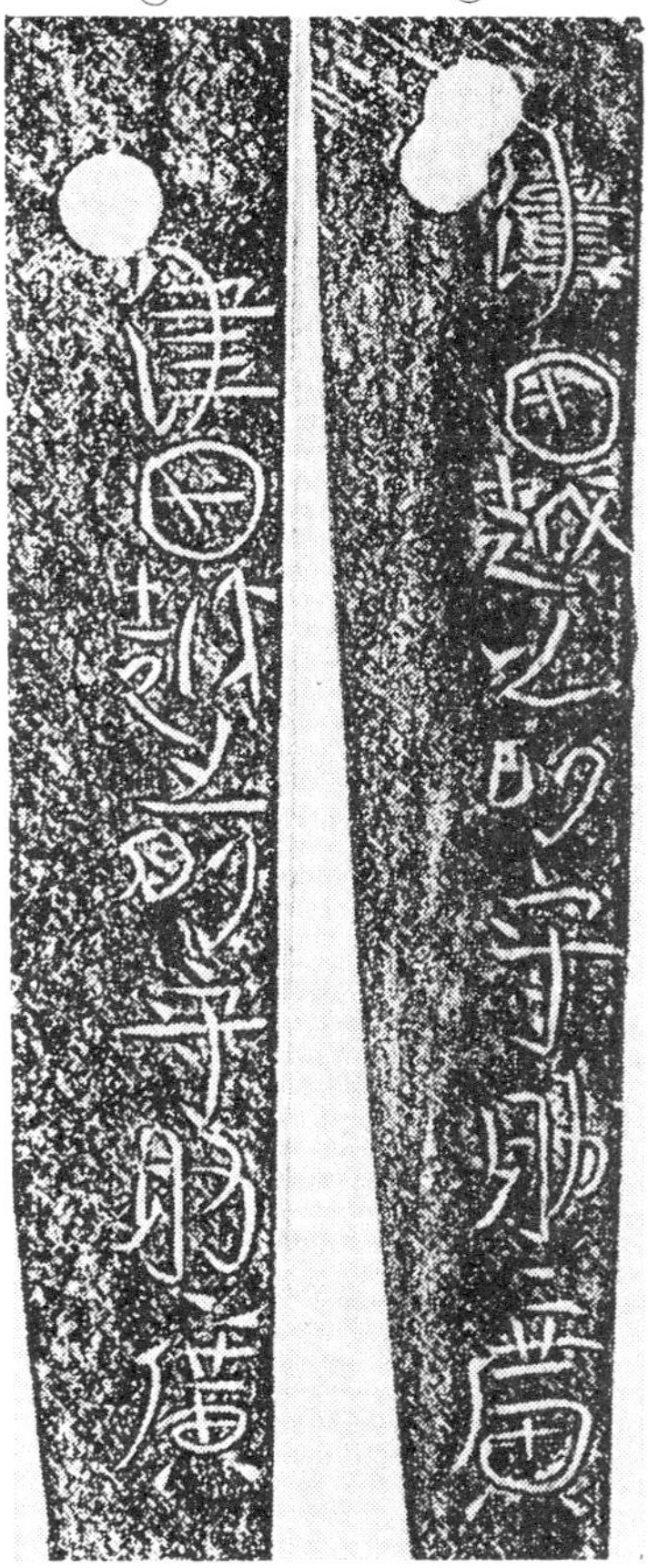

①　②

津田助直

畿内・摂津
江戸・天和

津田助広門の逸足、のち妹聟となった近江守助直の銘も、師助広の銘振りに似て流れるようにあざやかです。正真①は天和二年、四十四才のときの銘で、〝守〟のウ冠の中の縦線を真直ぐに切ります。以後、この縦線が弓なりに反り、晩年にすすむにつれて反りの深さを増していくのが特徴で、その反り具合によって年代を知ることができます。

偽銘②には天和三年の年紀があって、このころはまだ〝守〟の縦線に反りがでていないのですが、これには反りがあって不当です。また〝江〟の最終画には反りがないものですが②は下方へ開くように反っていて、これも偽銘であるゆえんです。

②

①

和泉守国貞（二代）

畿内・摂津
江戸・寛文

これは二代国貞です。初代の次男として生まれ、のち井上真改と改銘して父以上に名を高めるだけでなく、新刀期巨匠としての不動の地位を築いた人です。

初代と違う銘の見分けどころは、〝守〟の第二画が初代は〝ノ〟となるのに対して〝｜〟と真下に向かって切り、〝国〟字の中の右肩の点が、初代は下向きになるのと逆に上向きとなることです。

国貞銘の時代ニセは幼稚で看破しやすいのが多くありますが、これはかなり上手に切ってあります。〝井〟の第四画の縦線が弱く短い。〝国〟の中の縦線が折れている。〝貞〟の第七画の横線が太すぎるといったところが偽点になりましょう。

②

①

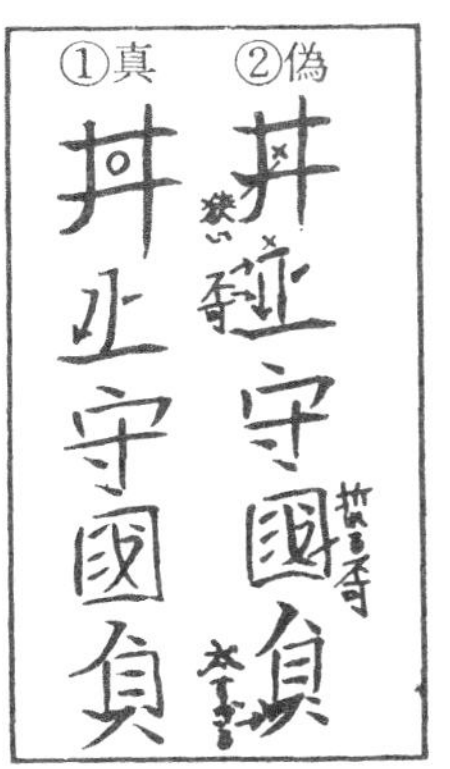

真改

畿内・摂津
江戸・寛文

井上真改の銘で偽銘のほとんどが手を抜いているところは、〃井〃の第四画と〃改〃の第三画の二つの縦線です。

〃井〃の縦線は図のように相違があり、偽銘には左右にふくらみごころのあるものが多いものです。〃改〃の縦線はわたしたちが通常書いても②のようにふくらみをつけるもので、偽銘はこの通例を出ていないわけです。ところが真改はこの線をやや細目に力強く真直ぐに切り下しています。

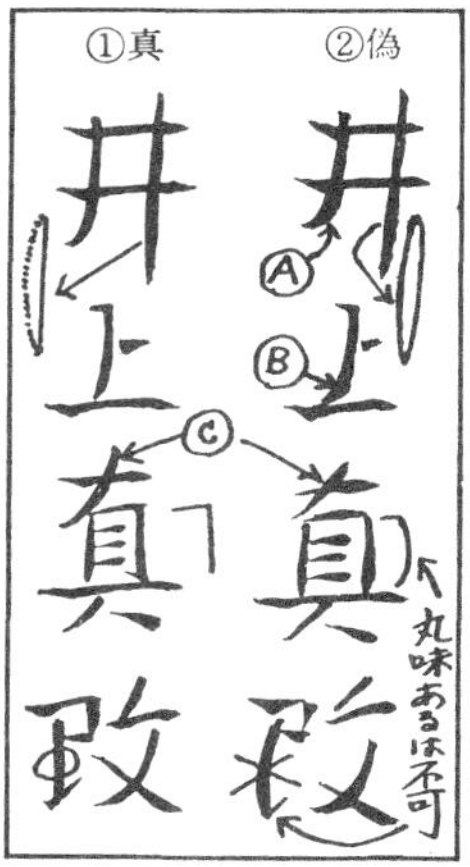

なお細かくみますとⒶⒷの二点が異様にタガネ太で偽銘にありがちの誇張性を示しています。Ⓒはこころもち反ってスラッとのびていなければならないものが、偽銘は反らず、短くちぢこまっています。

①　②

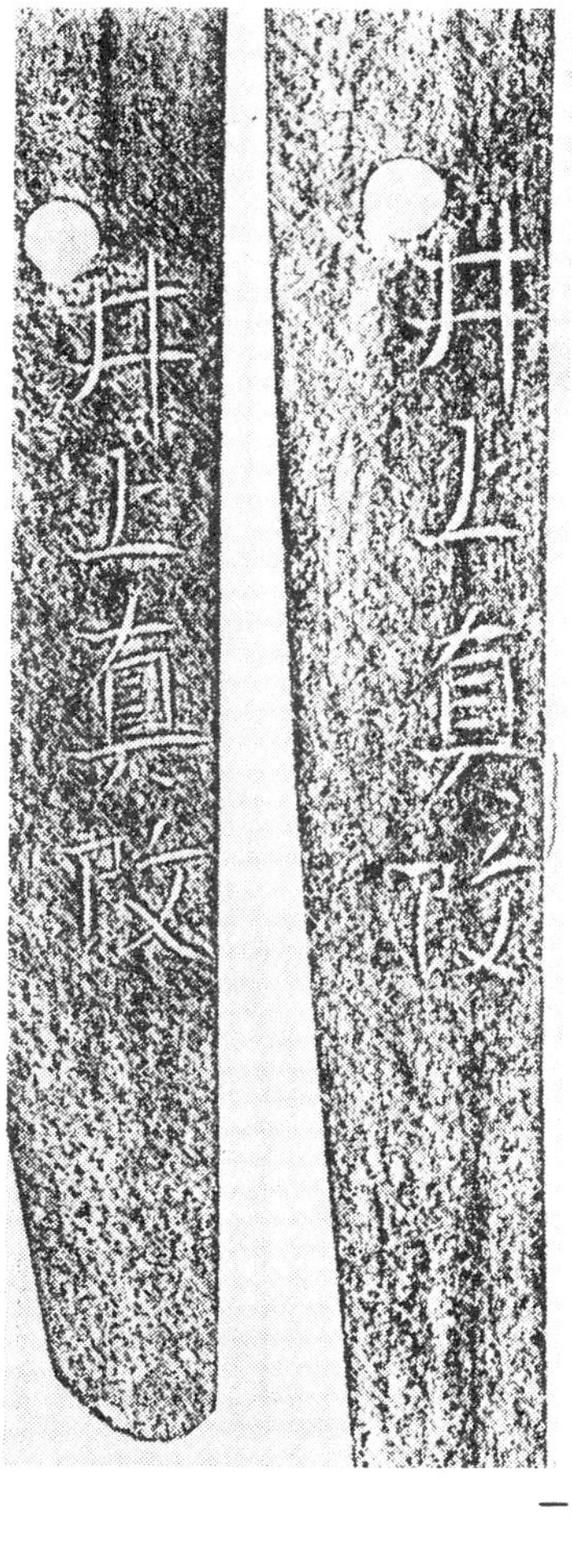

包貞（初代）

畿内・摂津
江戸・寛文

このゴツさのある骨っぽい銘の包貞は初代です。〃包〃字の第四画の点の向きによっても初二代が区別できます。②の向きは二代の場合で、初代は①のように左から右へ図のように打たれています。②は他がすべて初代銘を似せたものでありながら、この点だけ見落して切り違えています。

〃包〃と〃貞〃の第一画の打タガネを比べてみますと、①は短く力強いのですが、②は

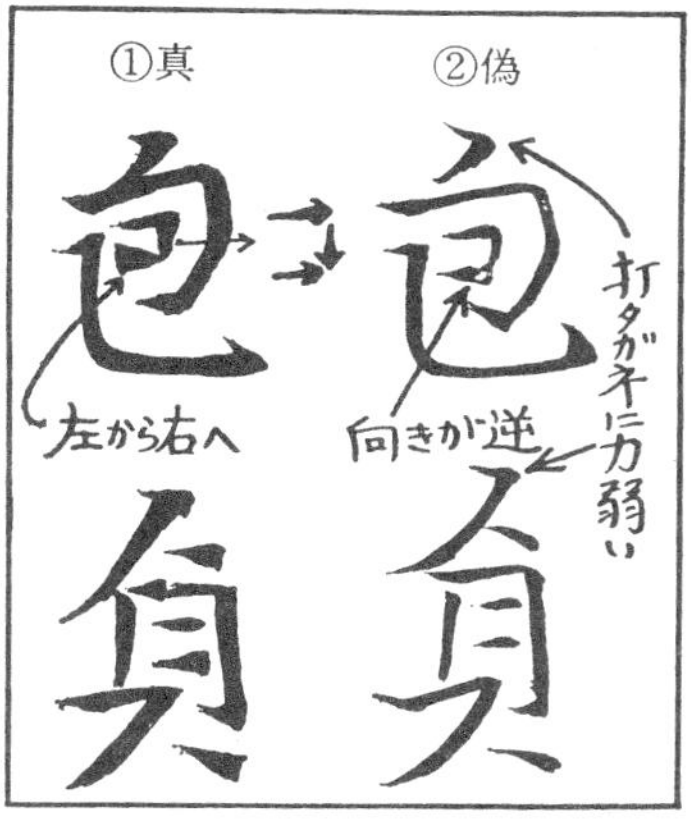

①

②

長く力弱い感じです。打タガネ一点にもこうしたホンモノとニセモノの相違が現われています。打タガネといえば〃越〃〃後〃の字にもその差が明瞭です。

初代包貞は山田平太夫と称し、伊賀守包道の門人。二代包貞すなわち坂倉言之進照包の師。

坂倉言之進照包

畿内・摂津
江戸・延宝

照包は二代越後守包貞と同人で、延宝八年のころ隠居して包貞から照包に改名しています。

〃照〃字の四点の第一点目の向きが正真①は常と違って逆タガネになっています。これは照包には稀にあるのですが、このため迷われて②を正真とされる方があるかも知れません。これは銘の真偽の判別が総体を比較検討して結論を出さなければならないことの大切さをもの語るものといえましょう。

偽銘②は〃進〃と〃包〃字が大き過ぎます。ことに〃包〃の最終画が太すぎてしかも鈍重なのが気になります。〃坂〃〃言〃の字を図版で比較してみて下さい。②は〃土〃と〃反〃が離れすぎていますし、〃言〃の横三線があきすぎているのに気付かれるとおもいます。

② ①

国助（二代）

畿内・摂津
江戸・万治

二代河内守国助は初代と三代の間に存在するところから、世に〝中河内《なかがわち》〟と称されて著名です。

現存する河内守国助の作刀はこの中河内がもっとも多いのです。三代四代国助の年代には市人の帯刀禁止令が数回にわたり出されているなど、供給面への作刀に対するブレーキのかかる条件が生じたことも考えあわせて、元禄文化の開花する以前の中河内の時代が大坂新刀の隆盛をきわめた好時機だったのです。中河内の人気もさることながら、恵まれた時代に活躍しただけに作刀も多く、従ってまた偽銘も歩調を合わせるように多く作られたものです。

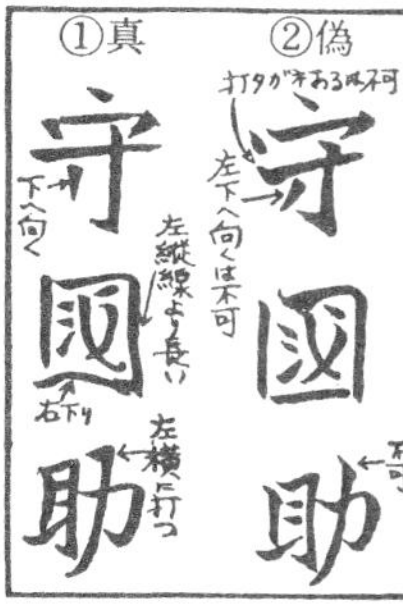

〝内〟字の第三画、〝助〟字の右〝力〟の第一画には右から左へ向う打タガネがあります。ところが②の偽銘には〝内〟字にそれがなく〝助〟字の方は上向きになっています。この相違と〝守〟字の最終画の点が①のようになるのが中河内のタガネ振りです。それに①は〝国〟の字が縦長になっていて、真偽の距離はかなり遠いといえましょう。

河内守国助は二代以降、ことに拳形丁子と呼称する拳に似た丁子刃を焼いて知られています。

②　①

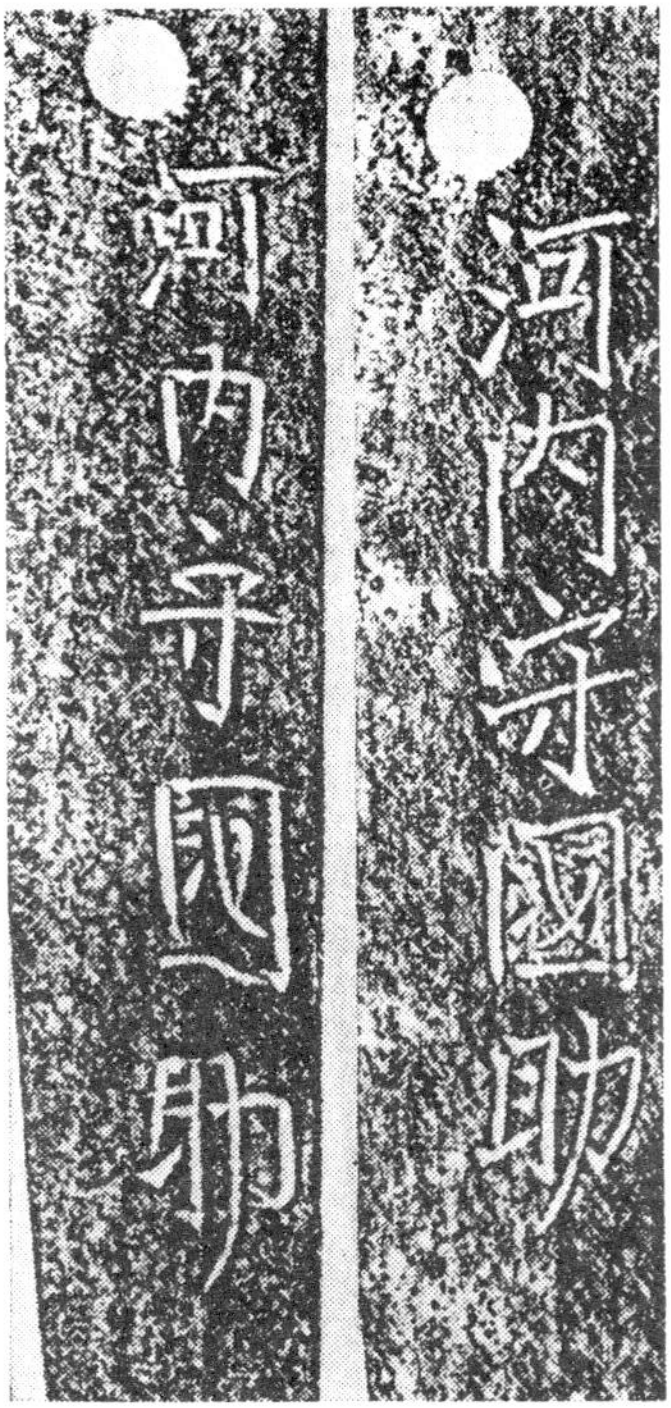

繁慶

東海・武蔵
桃山・慶長

繁慶は〃繁〃の右肩を〃ロ〃に切るのを〃ロ又《ろまた》〃といって壮年、〃ル〃に切るのを〃ル又《るまた》〃といって晩年の銘であると区別しています。これはロ又銘で壮年時のものといえます。繁慶の銘はタガネ銘でなく彫銘で、タガネ枕がない一風変わった字体です。「彫り跡がスッキリしていないのがよい」とされています。銘字の底が丸くなく尖った感じ、つまり薬研形になっているのがよいともいいますが、これは現物にあたって観察しなければならないことで、ここでは表現できそうもありません。

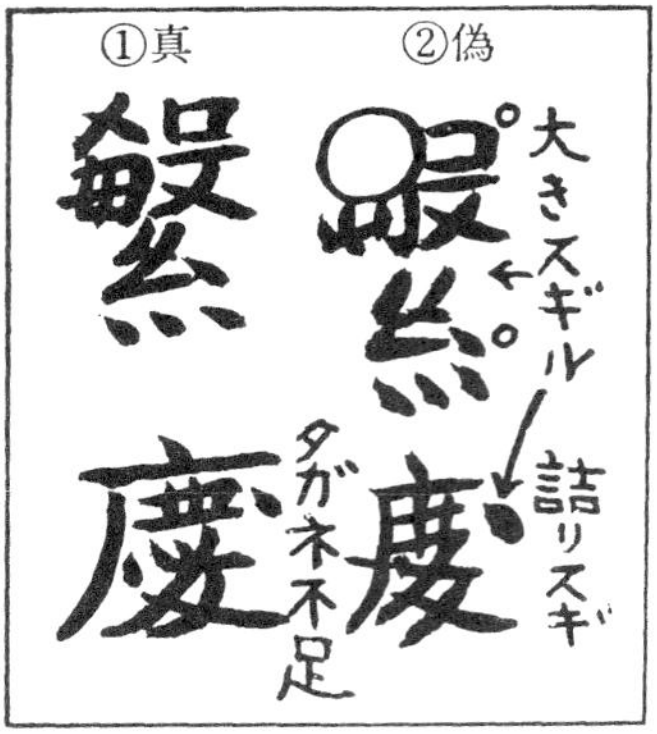

ですから、銘字のバランスによって鑑別することにしましょう。②の〃繁〃の字は敏と糸が上下にバラバラに分かれているうえ、どうも字全体が大きすぎます。それは〃慶〃の点の部分の打ち込みにもいえます。〃慶〃字をよくみるとタガネの数が足りません。〃心〃がないようですし、全体がちぢかんでいるみたいです。こうした押形銘だけからも真偽の鑑別はつくわけです。

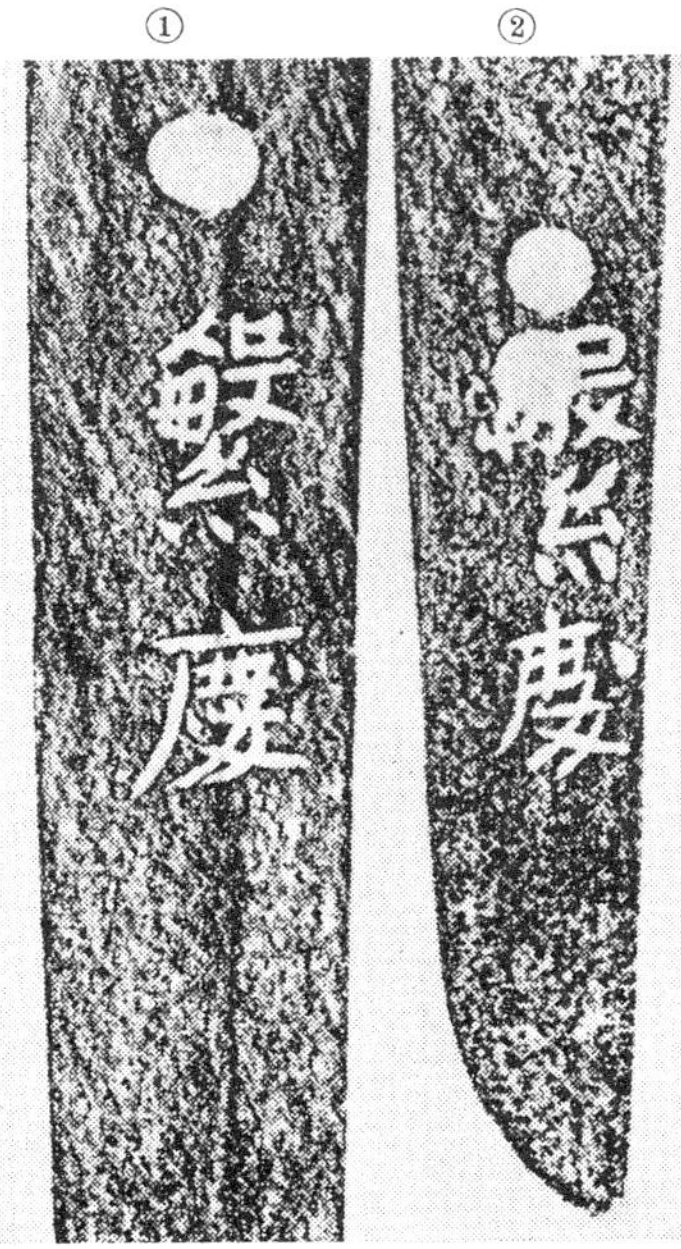

虎徹興里　東海・武蔵　江戸・寛文

〝虎〟の字が角ばった①の銘を〝角虎《かくとら》〟と称します。偽銘②は〝ハネ虎〟銘です。これは大変によく切れたニセモノですが、銘の随所にタガネの離れた部分が目立っています。図解のとおり〝虎〟の第二画、〝興〟の中の数カ所がそれです。また抜きタガネが総体に下向きかげんなのが気になります。〝徹〟の右側〝攵〟の横線〝道〟の右側〝首〟の第三画横線、〝興〟の長い横線、〝里〟の最終画横線などですが、これは幕末の鍛冶平と称する直光の偽作銘かも知れません。

　新刀期を通じて偽銘の多いのが虎徹ですが、これは著名工になるほど偽銘が多く存在します。

②　①

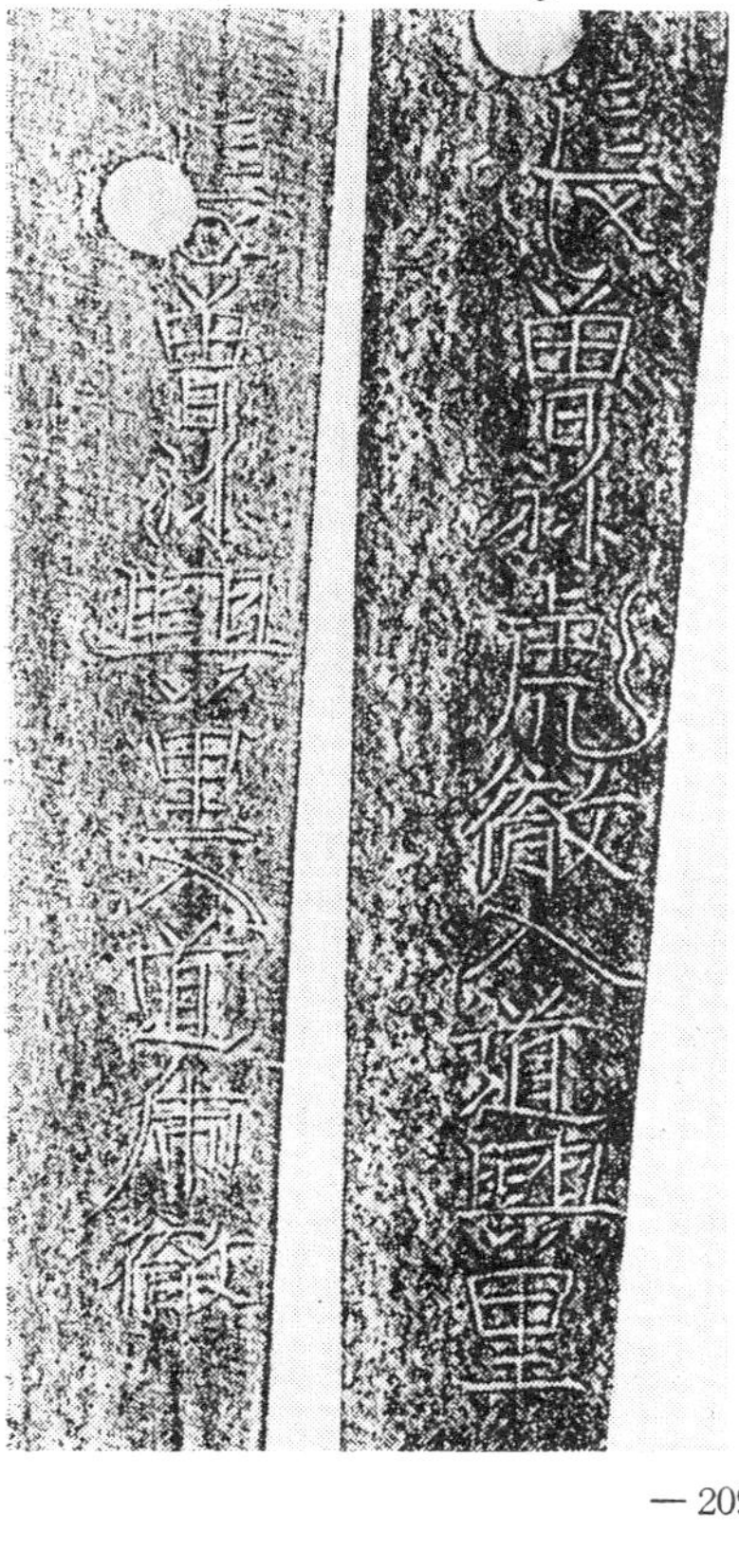

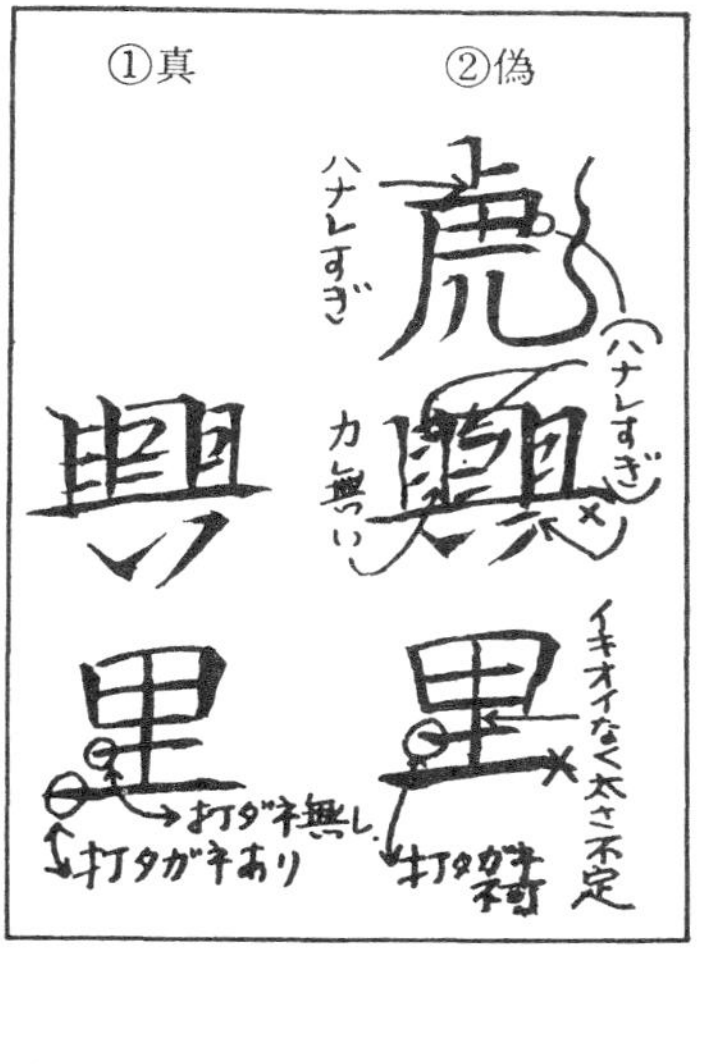

虎徹

東海・武蔵
江戸・寛文

真偽ともに寛文四年の裏年紀があります。〃虎〃の最終画が長くはねているところから〃ハネ虎〃銘と称します。虎徹の銘は鎬筋を中心に切るのが普通ですが、②の偽銘はやや棟に寄って切っているところが第一の偽点です。字配りをみると字と字の間隔が離れすぎているためにバラバラな感じを受けます。次に個々の銘をみますと、〃徹〃〃入〃の最終画のハネ方、〃道〃の最終画の線などが不当です。〃興〃字の横線の異様に太いのなどは偽銘歴然といったところ。〃里〃字も縦線が短く最終画の線にとどきません。

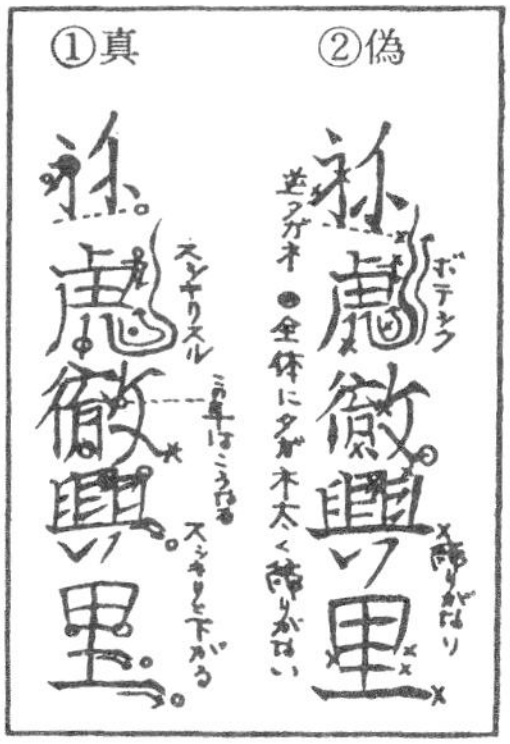

①

②

虎徹興里は生国を江州長曾祢とも越前ともいい、もと甲冑師でしたが五十才の頃刀匠に転向、江戸へ上り、ついに新刀随一と称されるほどの名工となりました。

重国

南海・紀伊
桃山・元和

南紀重国の銘は他に例をみない独特の銘振りで、一字一字をみると整いに欠けるかのようにおもえがちですが、総体のバランスを保ち、細目なタガネ動きがのびのびとして見事な書風を示しています。多くはここにみるような七字銘を切りますが「駿州住」としたもの、また「於紀州和歌山」と添えた銘もあります。②の銘ははたして、のびのびとしたタガネのイキオイがあるでしょうか、例えば〃重〃の字をみてみましょう。第二画の横線一本にしてもすらりとは切れていません。ゆがんでいます。〃南〃の字もなかなか真似にくいとみえます。第三画、第四画の流れによどみがあります。第四画の角がイカツイのは〃造〃の中の第六画の〃口〃の角にも同様のことがいえます。切り手の手クセが出ているのかも知れません。なお、重国の茎尻はごく浅い栗尻になっています。

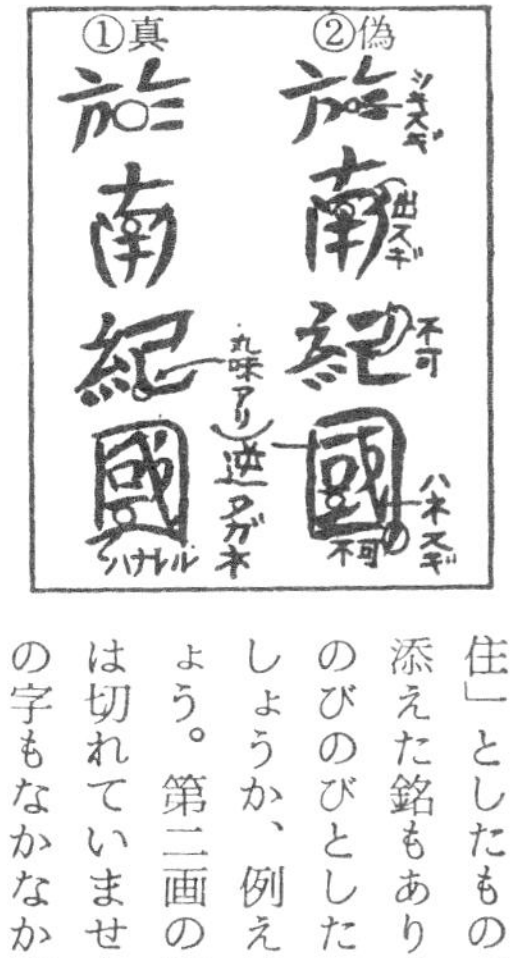

新刀期の巨匠南紀重国は大和国の出身、はじめ徳川家康に抱えられ、のち徳川頼宣に従って紀州に移り、この地に鍛刀の本拠をかまえました。

②

①

国包

東山・陸前
桃山・寛永

保昌貞宗の末流として仙台城下にその人ありとうたわれた初代国包は、伊達政宗ついで同忠宗に召抱えられ、終始大和伝の鍛法を墨守して成功し、新刀期の最上作位を不動のものとしました。山城大掾を受領したのは寛永三年ですが、本作は寛永六年二月の作銘です。

この頃の国包銘は〃包〃字の第二画のカエリに角味を持っているのが特徴です。また〃藤〃字の〃月〃が右にかなり傾斜しているのですが、②の偽銘にはそれがみられません。

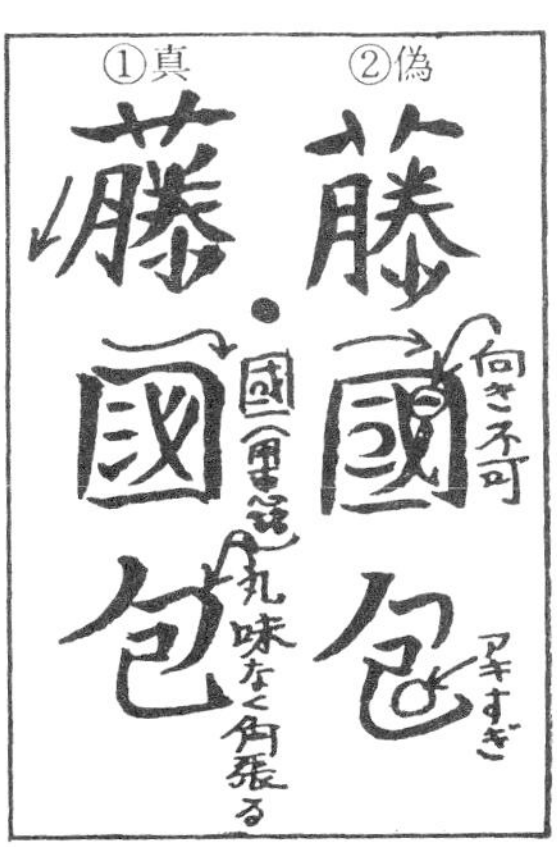

国包は晩年に隠居（寛永十五年）してからは〃用恵国包〃と銘してなお鍛刀をつづけました。山城大掾銘のときは〃国〃を①のように切り、用恵銘のときは図の●印のように切ります。従って②の〃国〃は用恵銘時代を真似たのでしょう、山城大掾銘時代にはみられない銘です。

① ②

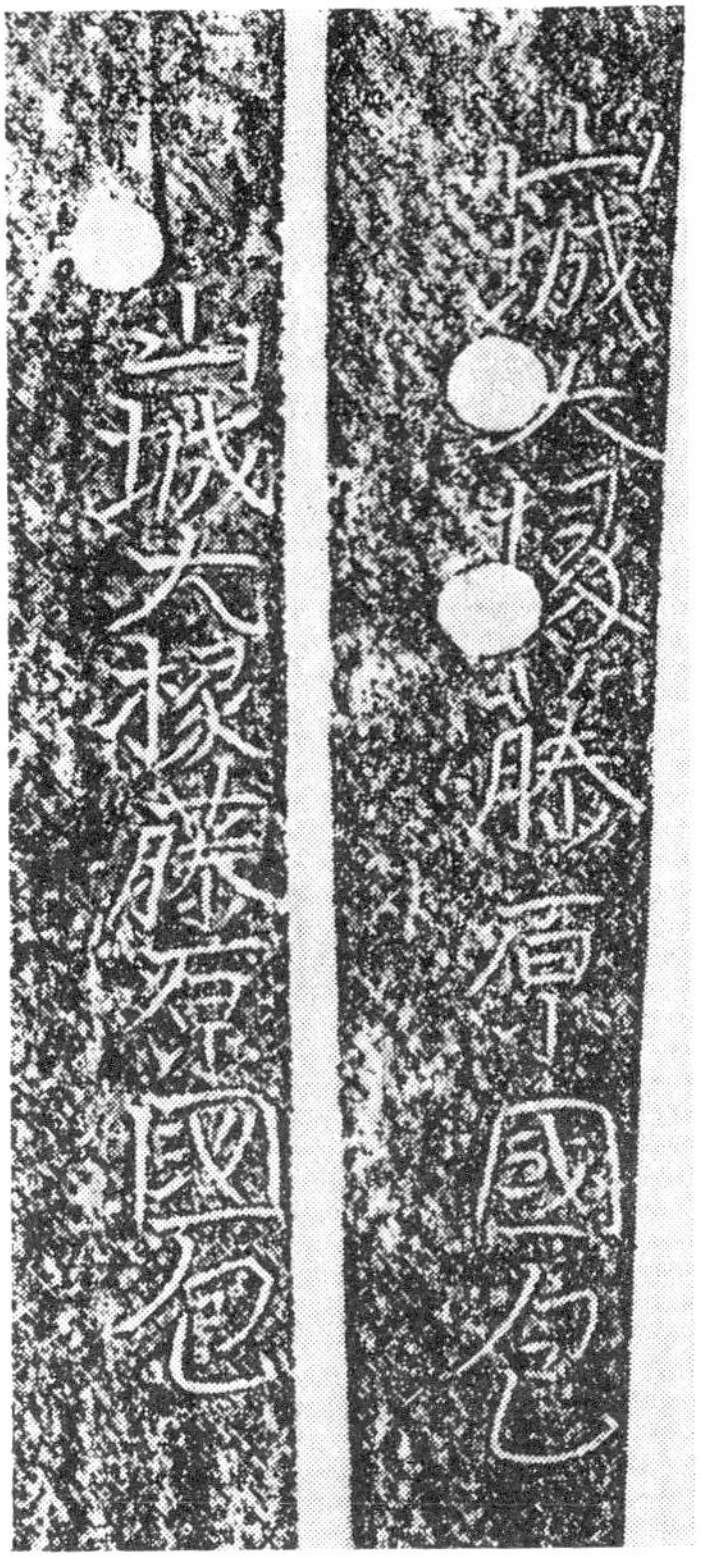

忠吉(初代)　西海・肥前　桃山・慶長

初代忠吉は年代によって銘の切り方を変えています。本作のように五字に切るのを〝五字忠吉〟、住人を添えるのを〝住人忠吉〟、晩年は〝武蔵大掾藤原忠広〟と改銘して、それぞれ銘振りも変えています。

肥前刀は新刀期にあって例外的な銘の切り方をしています。それは刀銘であるのが通例であるはずのところを太刀銘に切ることです。忠吉一門のほとんどがこの例にもれませんが、忠吉各代も稀に刀銘があるのと、伊予掾宗次ばかりが刀銘に切っているのが例外です。

②は刀銘です。こうした例外も正真作に稀にはありますが、まず疑念をもってみていいでしょう。すると、総体のタガネの力が弱々しく、ことに〝国〟字がよたよたしているのが目立ちます。やはりこれは偽銘というよりほかありません。さらによくみていくと〝前〟字の第八画の縦線などこわごわ切ったといった、なんとも素っ気ない感じです。それに比べて①の力強い銘振りは頭領忠吉としてでなければ切れないものといえましょう。

①

②

住人忠吉（初代）

西海・肥前
桃山・慶長

五字銘時代の次にくるのが住人銘時代で、慶長から元和へかけてになります。年齢的には四十代から五十代にかけての頃のものです。

肥前刀のほとんどが太刀銘に切ることは前述したとおりですが、この住人忠吉の銘は①の正真刀銘で、②の偽銘が太刀銘となっています。偽銘の方が約束にかなっていて、正真の方が例外的な切銘なわけです。

①真　②偽

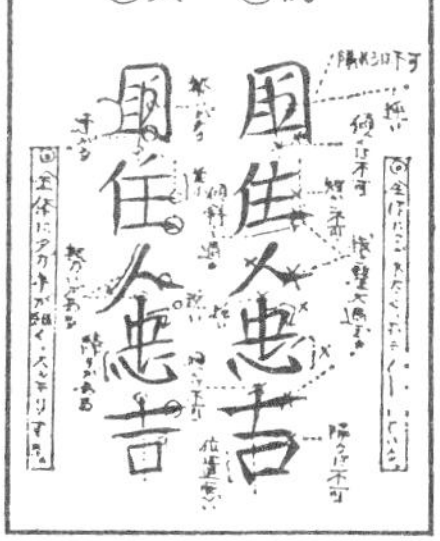

偽銘②は恐らくそう古い時代に切られたものではないでしょう。たいへん力強いタガネ振りで、よく銘振りを似せていますが、住人銘時代のタガネはあまり力強くないのが通例です。むしろ次の時代にくる武蔵大掾銘時代の方が一段と力が入っているもので、かほどに力の入った、むしろ力み過ぎるような手は正真銘にはありません。その例は〃吉〃〃作〃の字にみることができます。ことに〃作〃のタガネは太すぎることはなはだしく①と比べて明瞭です。

②　①

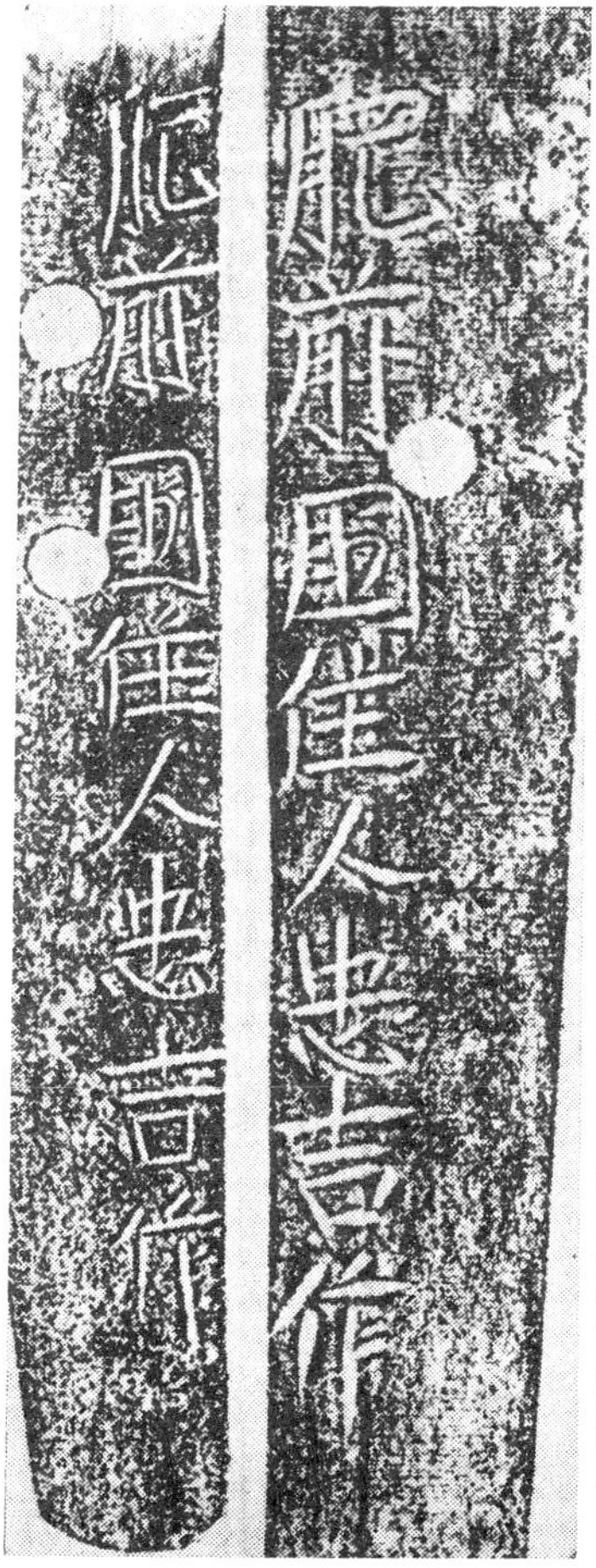

忠広（初代）

西海・肥前
桃山・寛永

従来、武蔵大掾忠広は初代忠吉とは別人であるとの説があったのですが、現在では同人であって晩年銘であるというのが定説となっています。別人説がありましたのは、いっぺんに銘振りが変わってきている上、普通は晩年になるほど銘が弱くなるはずのものが、かえって力の入った切銘となってきたことなどに起因しています。

武蔵大掾を受領した寛永元年（元和十年）から忠吉を忠広に改め、氏も源から藤原へと改めています。寛永九年八月に六十一才で没するまでの九年間、この武蔵大掾銘がみられます。ここにみる偽銘はたいへん下手な切銘なので一見して看破できます。正真①は寛永の中ほど、六十才を過ぎる頃の銘ですがタガネ運びのいきおいといい、書風といい見事ですが、②ははなはだ貧弱です。〝原〟の字〝忠〟の字の×印（図参照）にタガネが足りません。字になっていないほどで、一字一字、一線一線を比較すればなお真偽は明らかとなります。

①　②

①真　②偽

近江大掾忠広（二代）

西海・肥前
桃山・寛永

二代は忠吉を名のらず終始忠広を銘しています。その鑢目は切鑢か、心持ち右肩上りの鑢になりますが、②は筋違い鑢になっていて、これだけみてもニセモノと指摘できるはずです。個々の銘をみてみましょう。もっとも相違点のあるのが〃原〃と〃忠〃字です。〃原〃の第四画は右下から左上へ向かうものですが、②は逆の向きになっています。第五画の返りのカドには丸味がなければなりません。

〃忠〃字の第二画にも返りの丸味についてはいえるわけで、やはり①のようにならなければならないのが②では角ばって返っています。

二代忠広は長命者で元禄六年、八十才まで六十年の長きにわたり鍛刀をつづけています。近江大掾を受領したのは寛永十八年です。

①　②

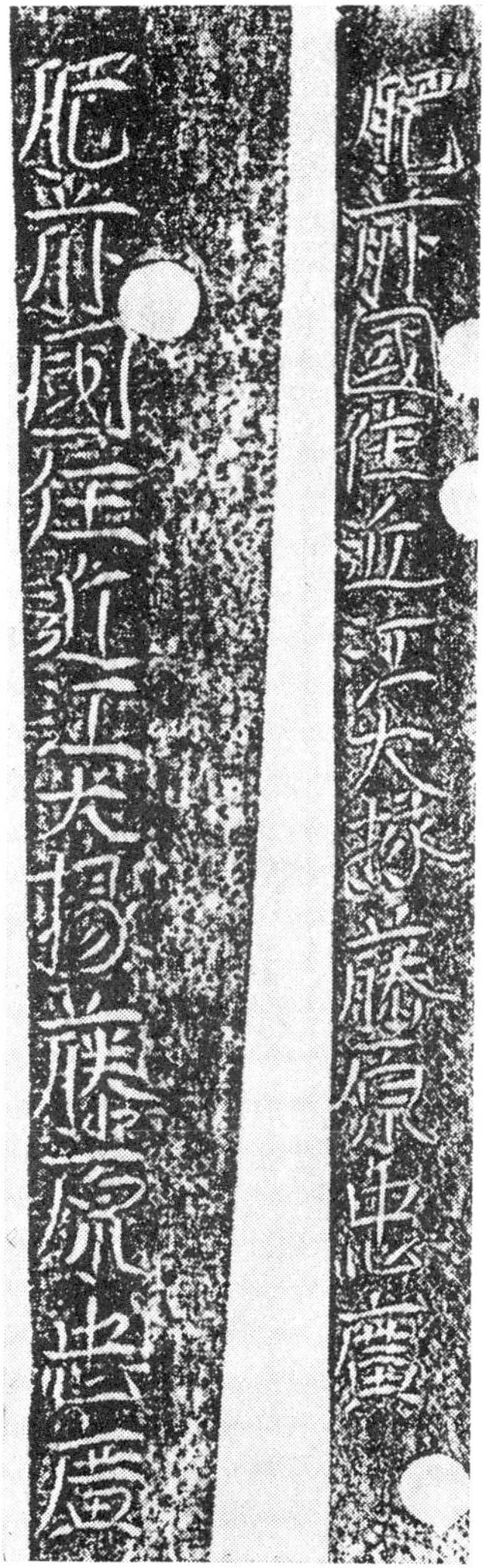

忠吉（三代）　西海・肥前 江戸・万治

三代忠吉は二代忠広の嫡子、はじめ陸奥大掾を受領し、寛文元年八月に陸奥守に転じました。二代忠広に先だつ貞享三年正月に没したため作品が少なく珍重の風があります。

〃肥前国忠吉〃と切る五字銘もあり、〃陸奥大掾藤原忠吉〃銘も稀にありますが、多くは〃陸奥守〃の受領銘を冠して〃肥前国陸奥守忠吉〃の八字銘か、本作にみるように、〃肥前国住陸奥守忠吉〃の九字銘をみます。

偽銘②は〃国〃字の内が①と相違しています。三代忠吉は抜きタガネに見どころがあり〃奥〃〃吉〃の横線のヌキ際がやや下方に向いて手ぎわよく切られています。②のそれはフクラミがあって不可といえましょう。〃陸〃の最終画横線は心もち上方へ反りをもちますが、②は誇張しすぎて反りすぎの感があります。

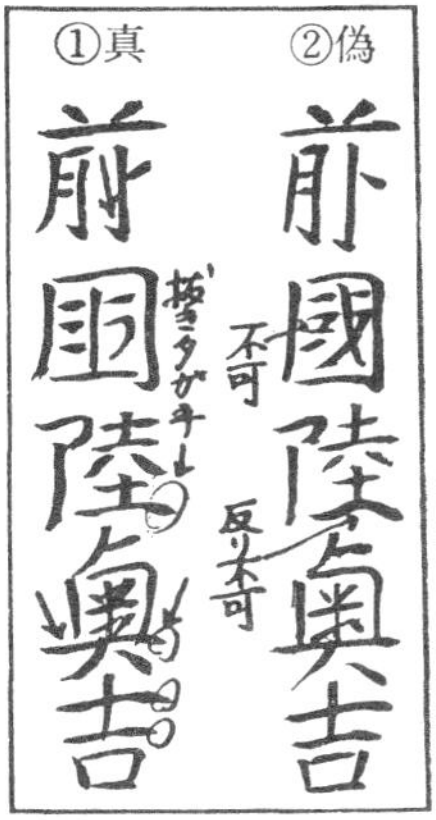

① ②

源清麿

東海・江戸
幕末・嘉永

新々刀期は文化を境にしてそれ以降慶応までとするのが普通です。文化はいまから約百六十年前、その頃に作られた偽作は年数の経過によって自然の時代を茎の錆にも加

②

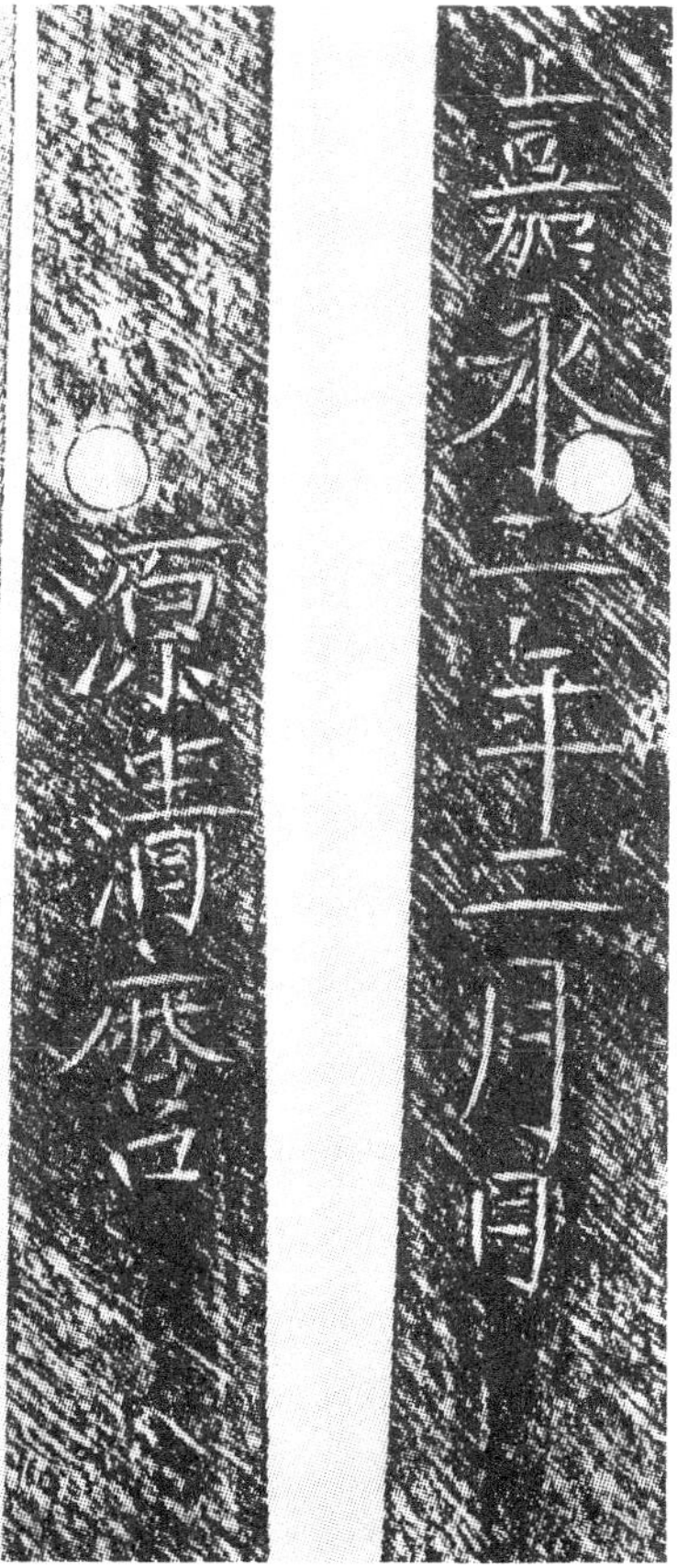

①

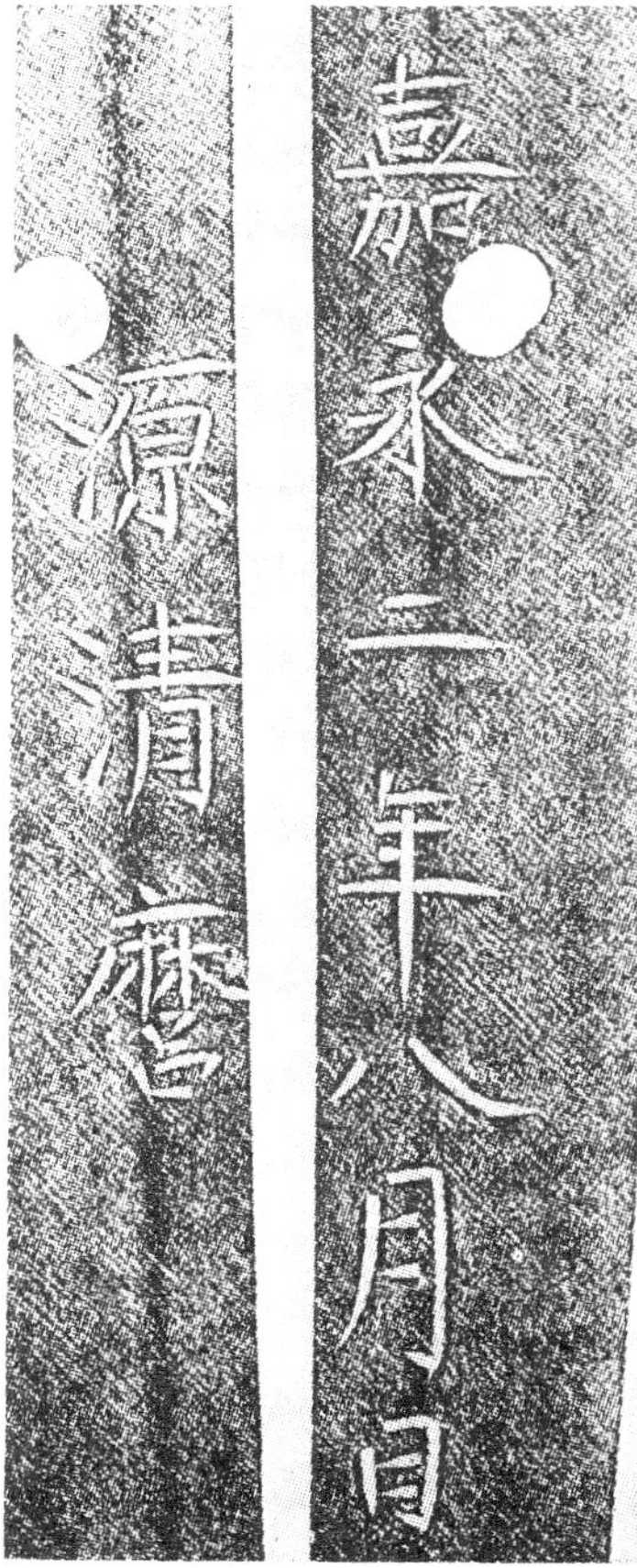

えています。これはすでに時代ニセです。

新々刀といっても清麿、水心子正秀、直胤といった著名工の偽作、偽銘は当時から作られていました。最近の傾向は二流以下、三流四流の刀工でこうしたものなら偽物はないだろう、という常識の裏をいったものがあるので注意を要します。著名工ほどねらわれやすいことはいつの時代にかかわらず共通するところです。

作刀界の天才児といわれる清麿は信州小諸の出身、初め正行、次いで秀寿と銘し、弘化三年に清麿と改銘しました。すでにこの頃は江戸四ツ谷に門戸をかまえ盛業していたのですが、酒に溺れて

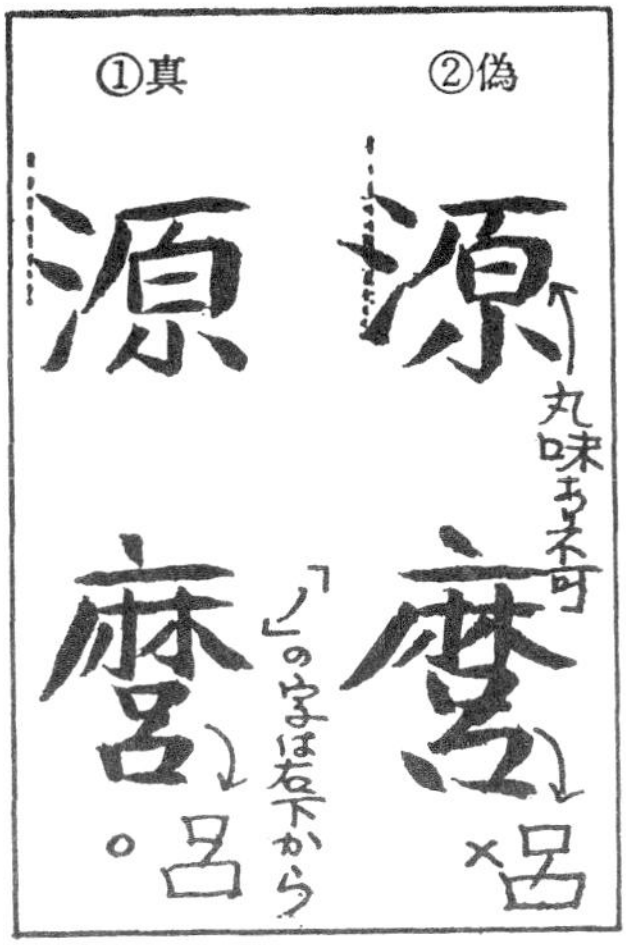

多くを作らなかったといいます。安政元年、享年四十二才で自刃し果てたのですが、その劇的な生涯とあいまって、清麿ファンを増加させています。
新々刀期第一の巨匠といわれる清麿はその茎仕立ても見事で、肉置きといい、鑢目のていねいさといい、偽作者の真似て真似しえないものです。
右に掲げた〃年〃の用語は、古銭の文字に用いられるものですが、わかり易いのでこれを応用してみることにしましょう。偽銘①の〃清〃は退いていますし〃年〃はやや伏して傾いています。〃清〃字の右〃主〃が右広がりとなっているのがもっとも悪いところです。正真①の銘はタガネのいきおい強く堂々としています。嘉永二年は清麿三十七才に当ります。

源正雄

東海・江戸
幕末・文久

清麿の高弟源正雄の銘は筆で書いたように流暢です。それを真似た②の偽銘はいまから十年以内に切られた最近のもので、押形からみても平肉乏しく、錆色が悪そうです。しかし銘字はなんと巧みなことでしょう。本科の押形なり写真なりをそばに置いて書き写したものに違いありません。本科そのものに紛れるほどで、銘の位置、間かく、字の大きさ、書風など、全く一致しています。しかし、よくよくみると〃正〃の第一画のハネが堅いこと、〃雄〃の第二画の縦線が真直ぐに立ちすぎていることなどに相違点があり、〃雄〃の左と右が離れすぎていることにバランスの欠けたウラミがあります。

②の裏銘には〃文久三年正月日〃の年紀まであって、これなど知能犯的偽銘の最たるものです。こうした手のものは現物を手にして刀身の出来が正雄として相応しいかどうかをはかり、茎の平肉のあるなしと、錆色をよく鑑査することが大切です。

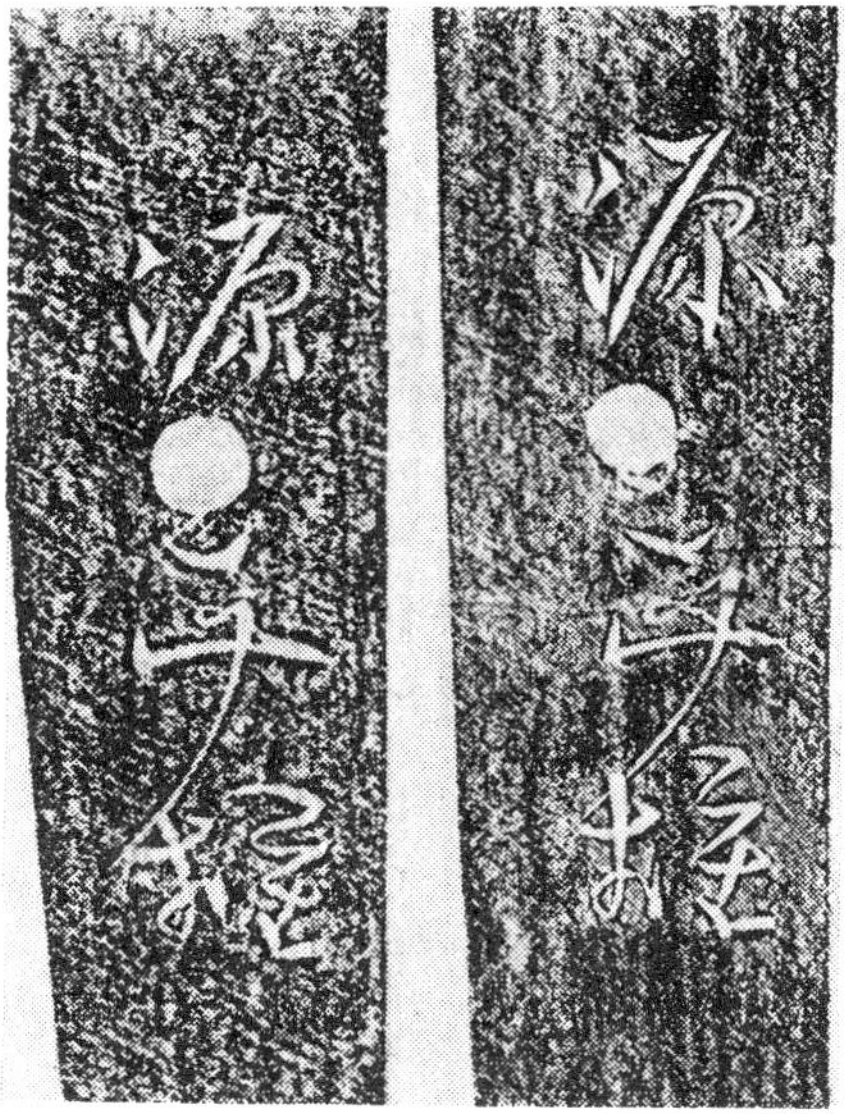

① ②

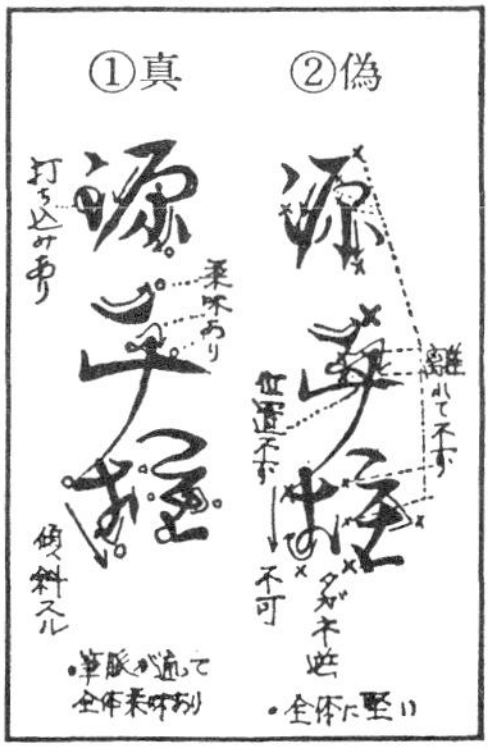

信秀 東海・江戸 幕末・元治

正真①には安政四年紀があり信秀の初期銘、偽銘②は年紀がありませんが筑前守を受領したのが慶応元年頃とされているところから晩年銘といえます。初期銘の安政頃は銘が総体に縦長となるのが特徴であり、晩年銘はアタリタガネと抜きタガネのないのが見どころです。そうしてみると①は銘字の縦長さにかない、②は〝栗〟の第二画、〝守〟の第四画などにアタリタガネがあって右の掟にはずれています。この点をもってしても①が正真であり②が偽銘であるといえます。

つぎに銘字の全体のバランスをみてみましょう。②はなんとなく間が抜けているようではないでしょうか、それは字と字の間があきすぎていることに起因しているからです。さらにタガネの動きをみると一息に切ったという感じがなく、似せよう似せようとしたためでしょうか鈍い動きぶりとなっています。しかし②はよく似せて切っています。近来の工作によるものでしょう。

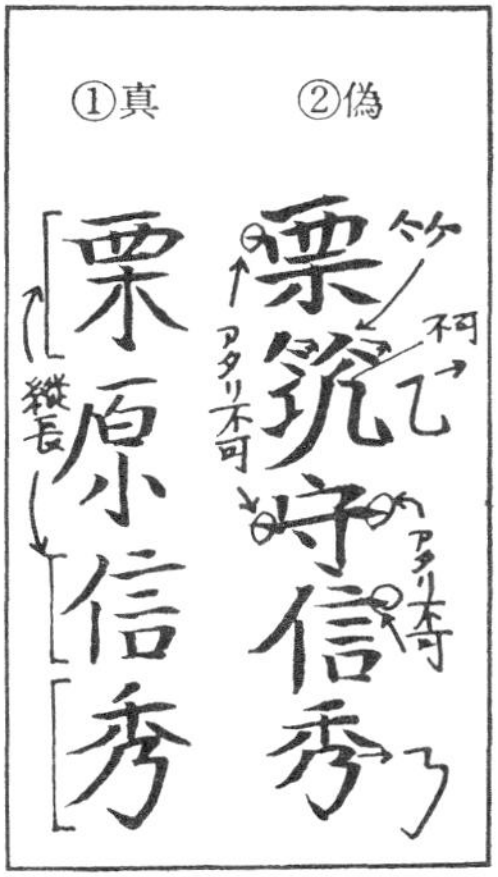

② ①

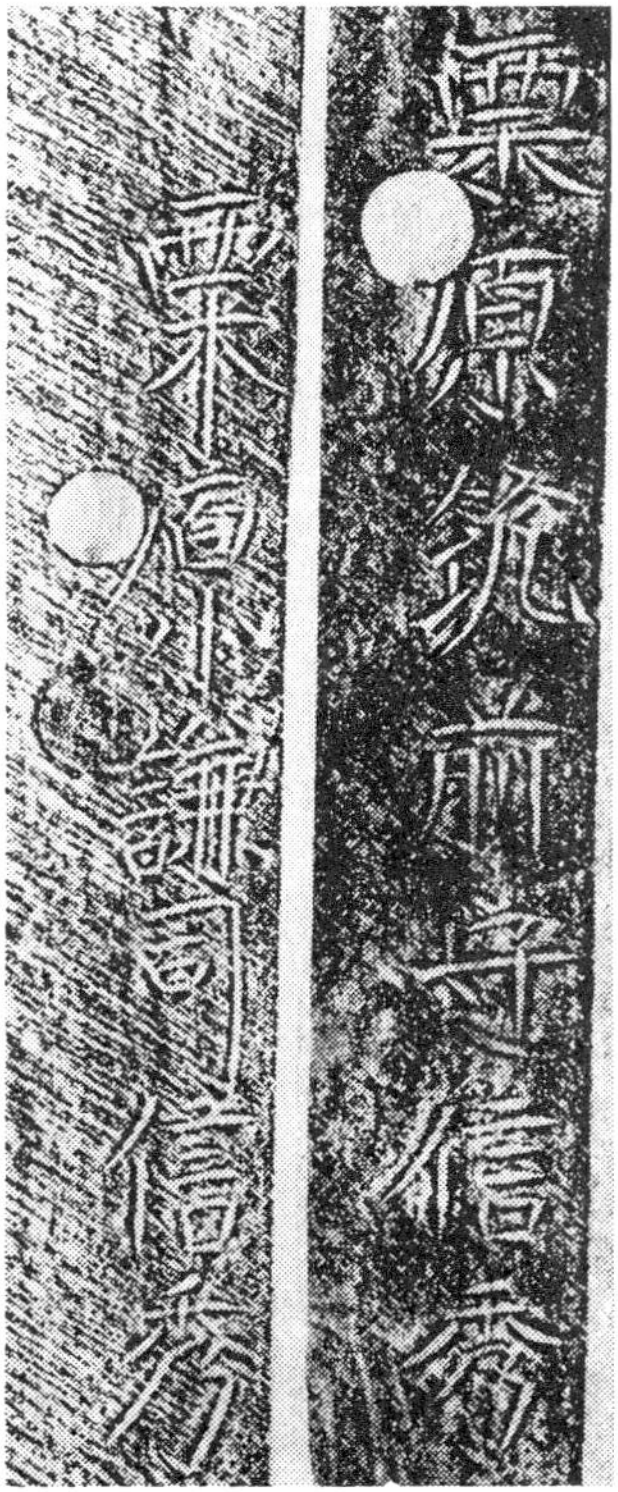

清人

東海・江戸
幕末・慶応

清人も源清麿門の逸足、出羽庄内の出身で、野鍛冶斎藤小一郎の養子となり小十郎と称しました。江戸神田に鍛刀場を持ち、慶応三年に豊前守を受領しています。作刀は長寸で身幅広く、切先延びた豪壮なものが多く、従って茎も長くしっかりしているのが常です。

①と②はともに慶応二年の年紀があり、①は二月、②は八月のわずかのずれはあっても、比較検討には好例の両者です。

師清麿の〝清〟の字と同じく、清人の〝清〟のサンズイも三点の頭がほぼ揃うものですが、②の〝氵〟は第二画が左へ進んで飛び出しています。もっとも字くばりでいけないのは〝原〟字で中の〝田〟が大きすぎる点です。また〝人〟の字の第二画が②は長すぎるなど、指摘される偽銘のワザです。

慶応二年は清人が丁度四十才の男ざかりに当ります。銘振りにも力がこもっているはずです。①はそれをよく示していますが、②は病弱のように弱々しく感じられます。真偽両者にはこれほどのへだたりがあるといえましょう。

清人は明治三十四年十月三日、七十五才で没しています。

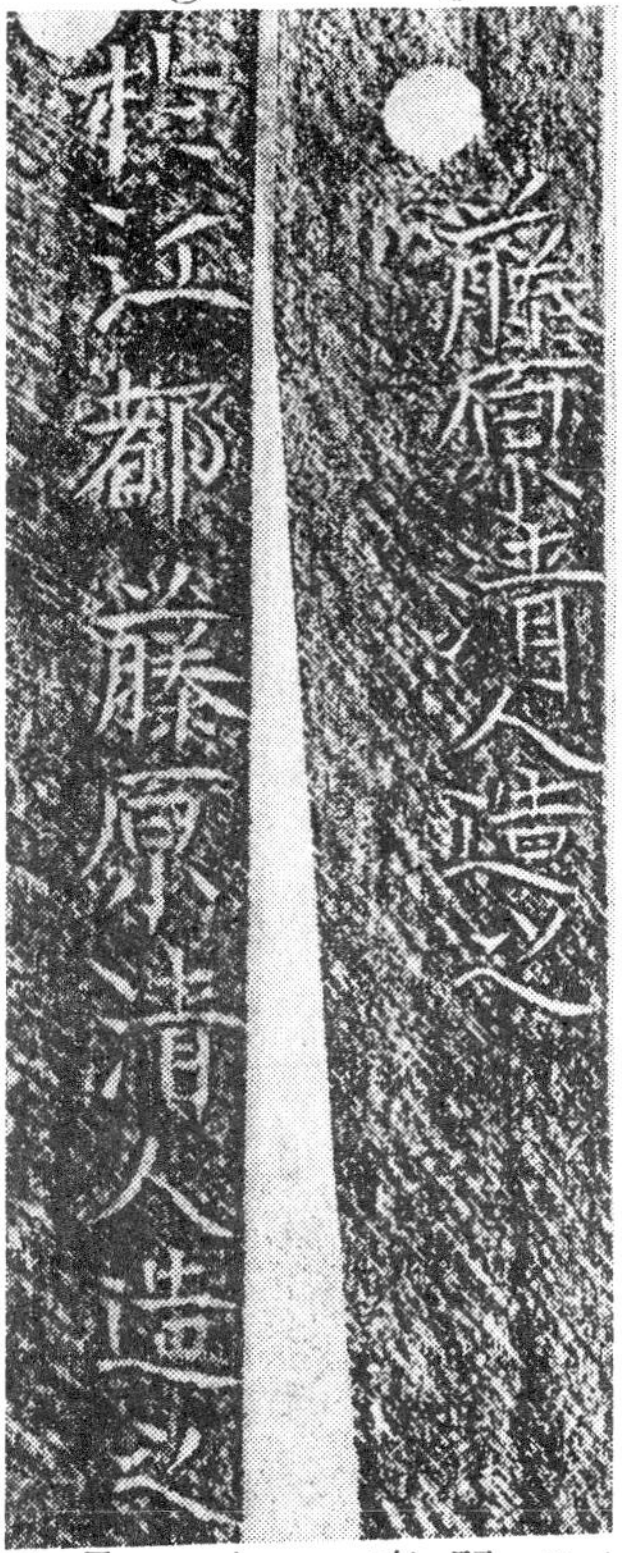

水心子正秀

東海・江戸
江戸・文化

沈滞した作刀界に復古論を唱えて脚光をあび、清麿と並び一方の雄となった水心子正秀は、また教育面にも意欲をもやし一門総勢百名にも及ぶといわれています。

〃あまねく古作にかえれ〃というのが正秀の復古論の骨子で、相伝、備前伝、大和伝とあらゆる伝法の再現につとめたのでした。その門からは直胤をはじめ、直勝、正義、正明といった名工が輩出し、師の意を受けて作刀界を賑わしました。

②の偽銘がもっとも看破し易いところは〃秀〃の字の最終画です。花押は切りなれないとむずかしいもので、偽作者がよく馬脚を現わすところです。

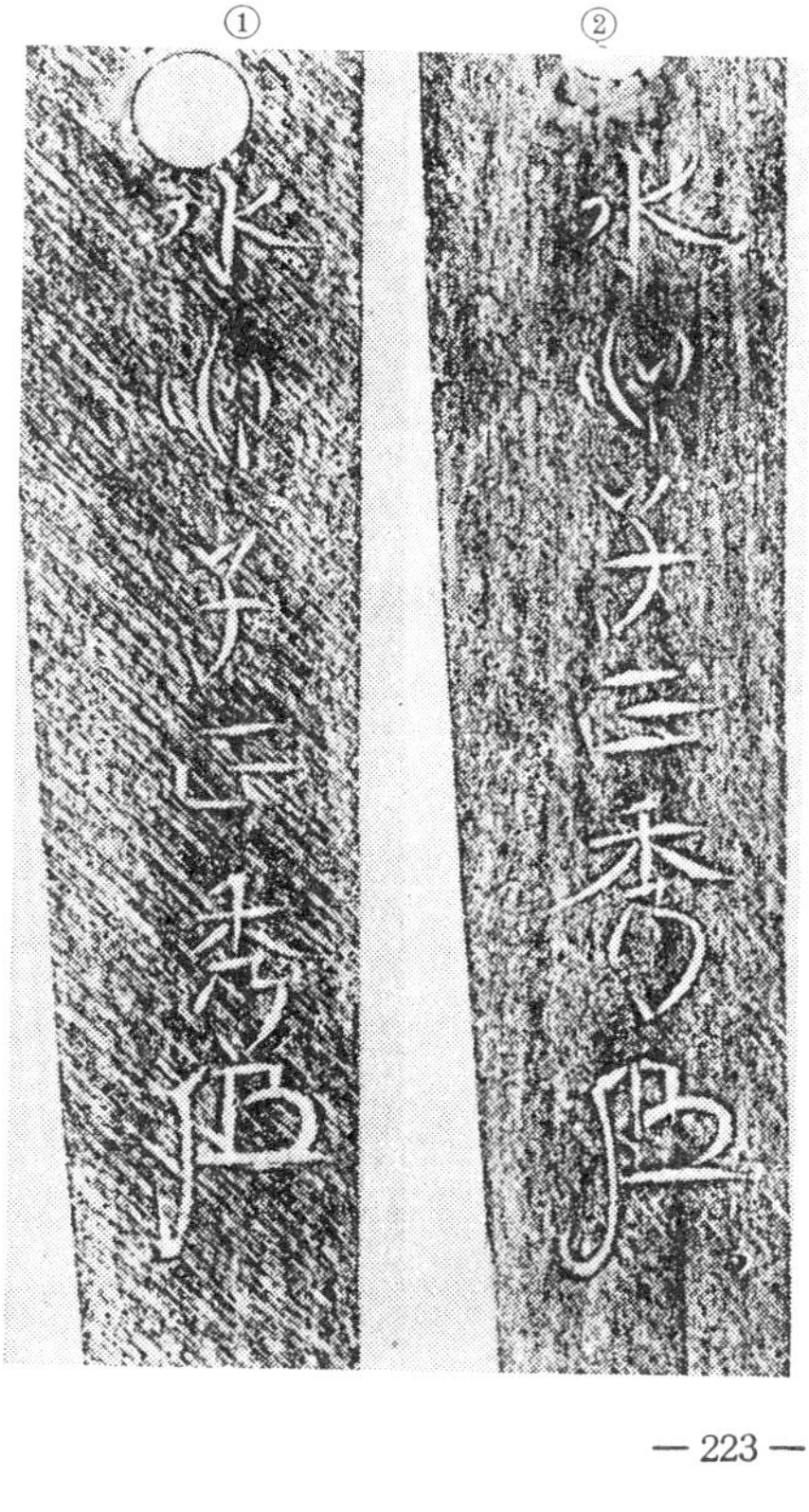

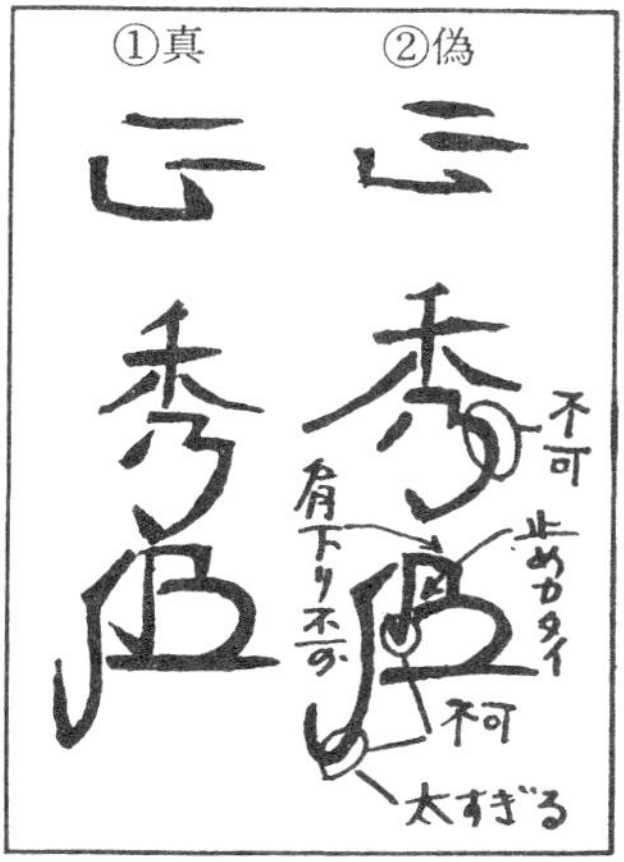

天秀

東海・江戸
江戸・文政

水心子正秀は晩年、文政元年から銘を天秀と改め〝水心老天秀〟〝水心老翁天秀〟ただ〝天秀〟などと切銘しています。

①には〝刻印〟があり、〝日天〟の文字を図案化して打っていますが、正秀には早くから（寛政十年頃）みられるものです。偽物にも刻印を打ち込んだものがあり、②は佩表にはみられませんが裏面の茎尻にあります。

②のような二字銘になると字数が少なく、タガネ数がいくらもありませんので真偽の看破が容易ではありません。これも、いわば材料不足をねらった偽作者の巧妙さかも知れません。タガネ一振りにも注意を集中するならば、〝秀〟字の最終画のハネはどうでしょうか、上向きのハネ方が足りなくはないでしょうか、そして花押や刻印のあるものはこれをよく観察することです。偽作者には花押や刻印へのナレがないからです。刻印の〝天〟は横二線が反り合っているのが正真物の見どころです。上線は下方へ反り、下線は上方へ反っています。

水心子正秀は文政八年、七十六才で大往生をとげました。その作品は五十余年にわたっています。

直胤　東海・江戸　幕末・天保

①は〝イセ〟と刻印があって、伊勢で打った作刀で天保三年頃の銘です。

②には天保二年の年紀がありますが、どの字をとっても正真銘には似つかわしくありません。〝慶〟の字の第三画は図に示しましたように反りがなく、〝直〟の字のタガネもカタイ感じで元気がなく、〝胤〟字にいたっては左へ進んでバランスを失っているなど偽銘点が指摘されます。花押はどうでしょうか、どうも小さくちぢかんでいるようです。

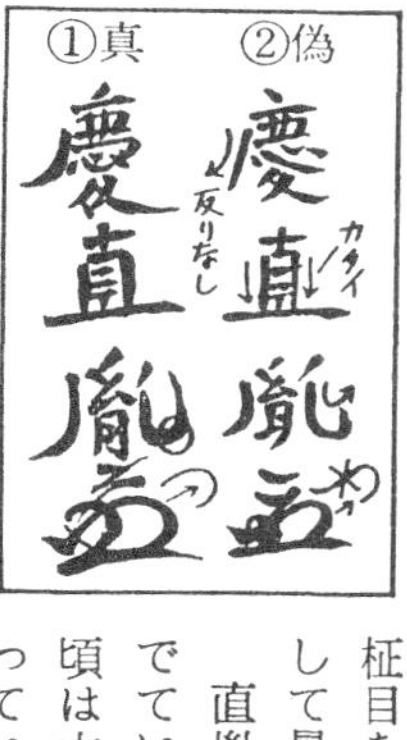

大慶直胤は荘司箕兵衛と称し、筑前大掾を受領、嘉永元年美濃守に転じました。師正秀とともに秋元侯に仕えています。安政四年七十九才で没するまで活動五十年におよび、この間、大乱を焼いた相州伝あり、映りを出した備前伝あり、柾目を鍛えた大和伝ありと縦横の作域を示して最上作位に列しています。

直胤の銘字は初め草書風に、次いで楷書でていねいに切り、本作銘にみる通り天保頃は太銘に切り、晩年は細タガネへと変わっています。「大慶直胤造」「荘司箕兵衛大慶直胤」「出羽国住人大慶庄司直胤」「荘司筑前大掾大慶直胤」「荘司美濃介藤直胤」などとさまざまに切ります。

①　②

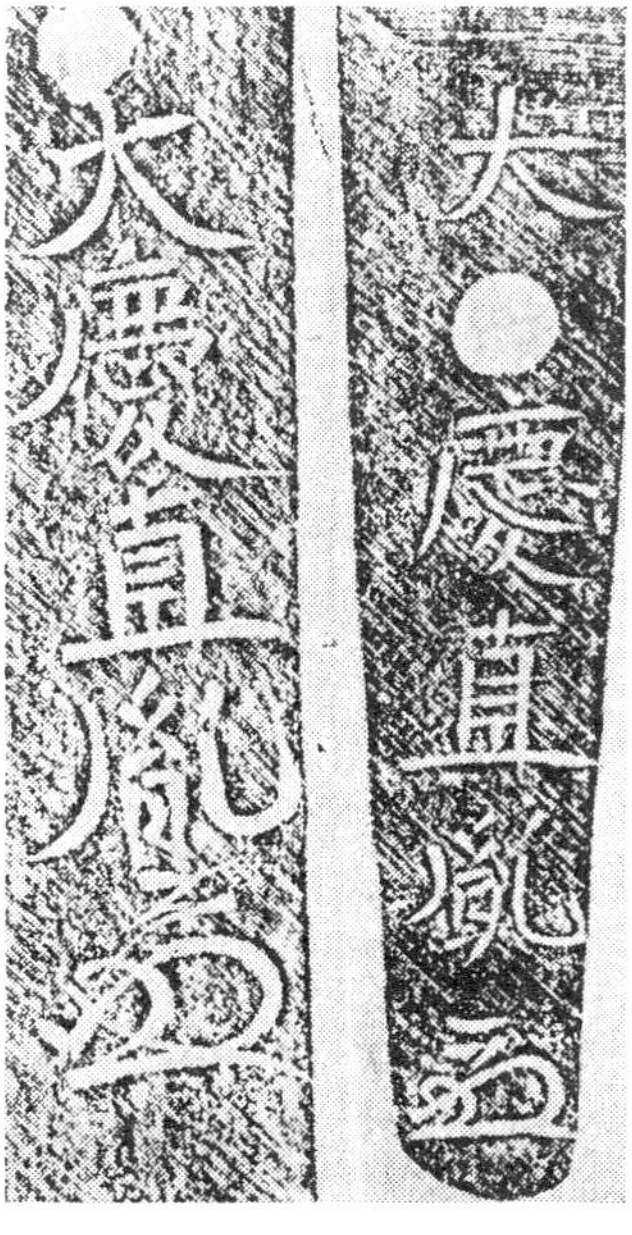

正義　東海・江戸　幕末・天保

細川正義の鏨目は太く鮮やかなのが特徴です。特殊の鏨を使って一本一本慎重に切ったのでしょう。いささかの乱れもみられません。

②は確かに太い鏨目ですが、はたして鮮やかでしょうか、また乱れがないでしょうか、残念ながらノウです。鏨目と鏨目の間が離れていたり、濃かったり薄かったり――このようにみえるのは、鏨が深かったり浅かったりして切られているためです。それに筋違い鏨の角度が上方が急なのに、下方へ行くにつれて緩やかになったりしています。乱れがでているというべきです。これですでに②が偽銘であることがわかりました。

これには〝作陽幕下士〟とあります。細川正義は作州津山藩の士でした。江戸へ上り水心子の門に入って高弟の一人になりました。そのタガネ振りは鏨を切るのと同じくまことにていねいです。

②　①

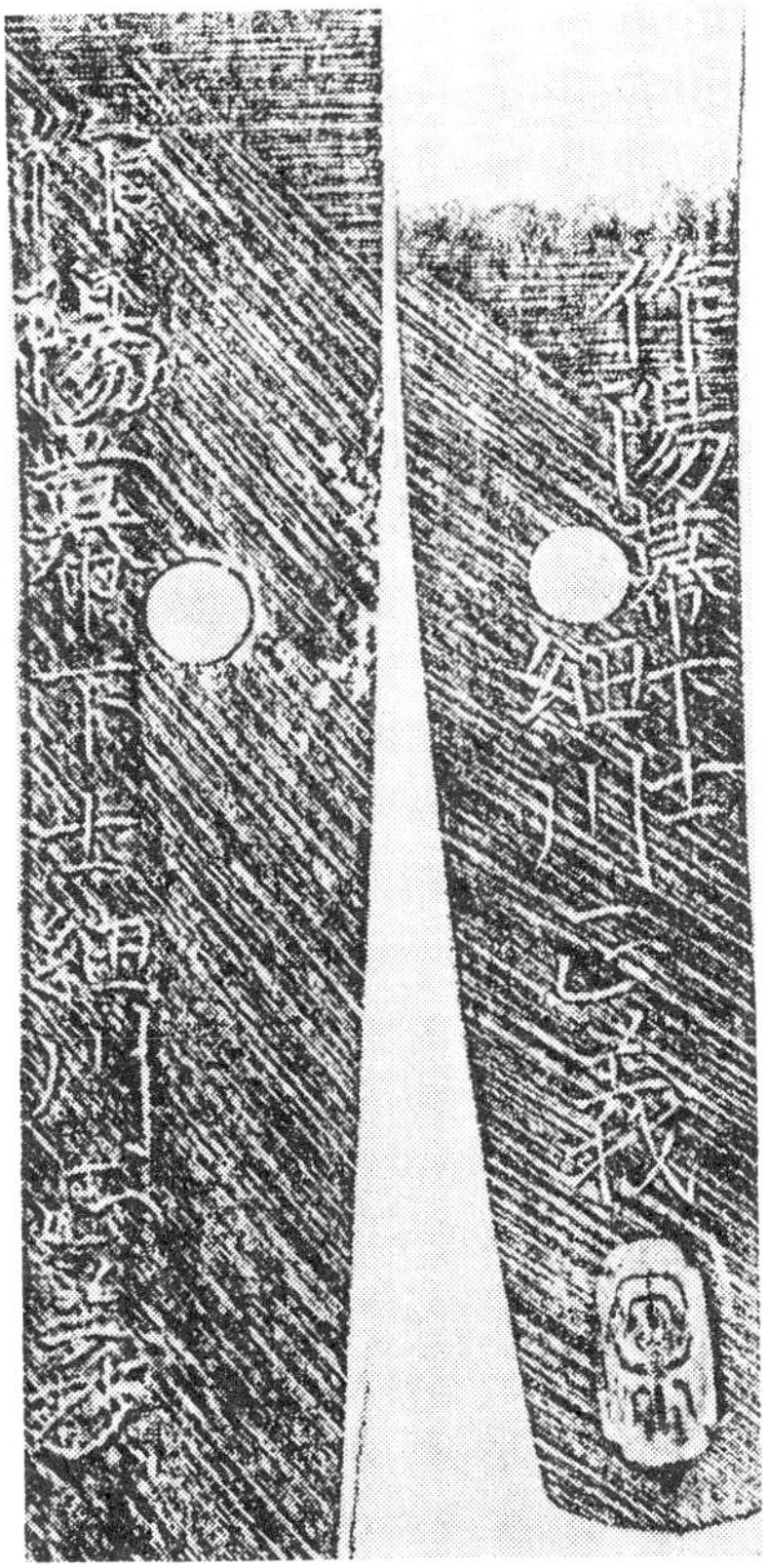

固山宗次

東海・江戸
幕末・安政

奥州白河出身、加藤綱英門下でのち江戸に出て桑名藩工となりました。初め一専斎、精良斎と号し、弘化二年備前介を受領してからは備前介宗次と銘して四ツ谷左門町に住しました。明治初年まで作品を残しています。

宗次の銘は抜きタガネに強いアタリのあるのが見どころです。細いタガネは細いなり、太めのタガネはそれなりに濃淡こもごもイキイキとしています。それを①の銘は証しています。②は図が示しているとおりタガネが逆であったりするだけでなく〝備〟から〝作〟まで同じ力のタガネ使いでボテツイタといった鈍重さです。

①　②

泰竜斎宗寛

東海・江戸
幕末・慶応

固山宗次の門泰竜斎宗寛は個性的な銘を切ります。この隷書銘は下書きをしてのち入念に切銘したとおもわれます。二字に〝宗寛〟と切ることもありますが、多くは〝泰竜斎宗寛造之〟と七字に銘します。稀に自作彫を刀身に施したものがあって、この旨を銘に切り添えて〝彫同作〟としていますが、添銘がなくても自身彫の作があります。

偽銘②は字間がつまりすぎていて〝竜斎宗〟の三字がくっついてしまっています。それにひきかえ銘字の間隔はあんばいよく、また字並びも整然としているのが①の正真銘です。なお宗寛にはほとんど裏年紀があります。

① ②

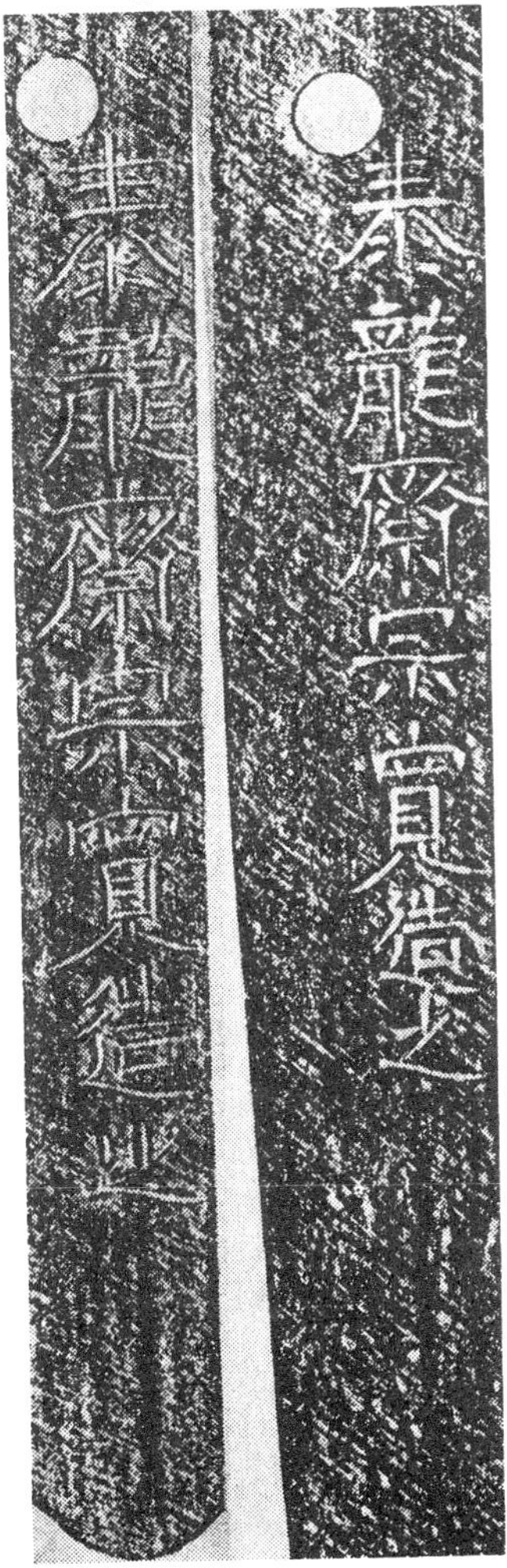

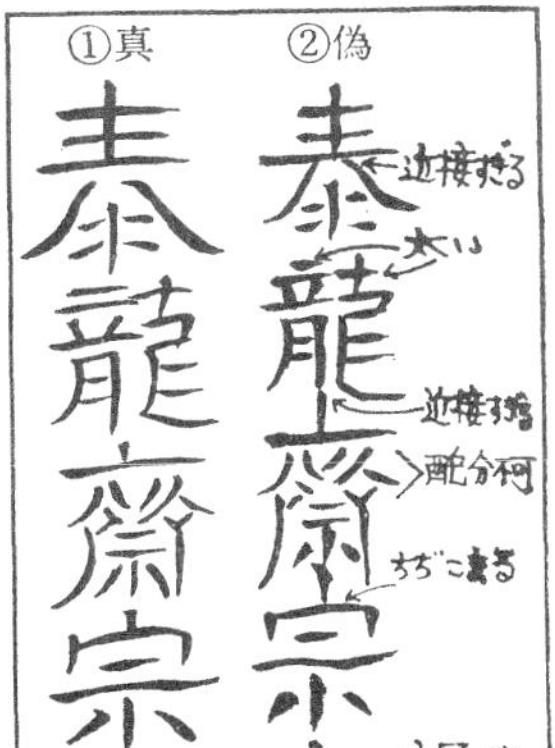

正良　西海・薩摩　江戸末・寛政

正良の鑢目は勝手上りになるのが通例ですが、偽銘②は浅い勝手下りになっていて、この点がまず疑問点となります。次に銘字の真中に垂直線を引いてみますと②の総体は下にいくにつれて左に寄りすぎて揃っていません。このような整いの有無によっても真偽は明らかとなります。

〃正〃の字をみると、②は第一画が長すぎる。同じく第三画横線の反り方が逆である。第四・五画の交点が角ばりすぎる。最終のハネが大きい。〃正〃字全体の縦幅が狭すぎるなどが指摘できます。他は図の説明をご参照下さい。

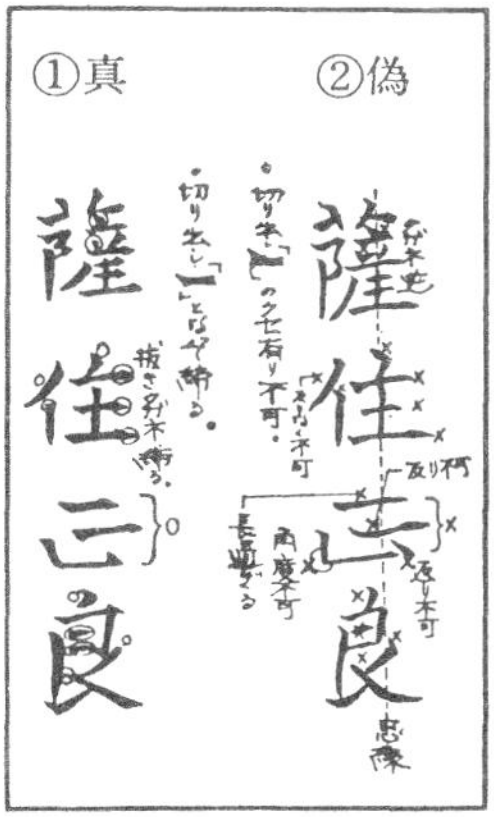

なお、正良の目釘孔の位置は、刀の場合、区下二寸一分、脇指は一寸九分の位置にあけ、それより一分以上の違いがあれば、まず偽物といいます。

この正良は伯耆守正幸同人です。初名正良で同名の三代目、寛政元年に伯耆守を受領して、正幸と改めています。

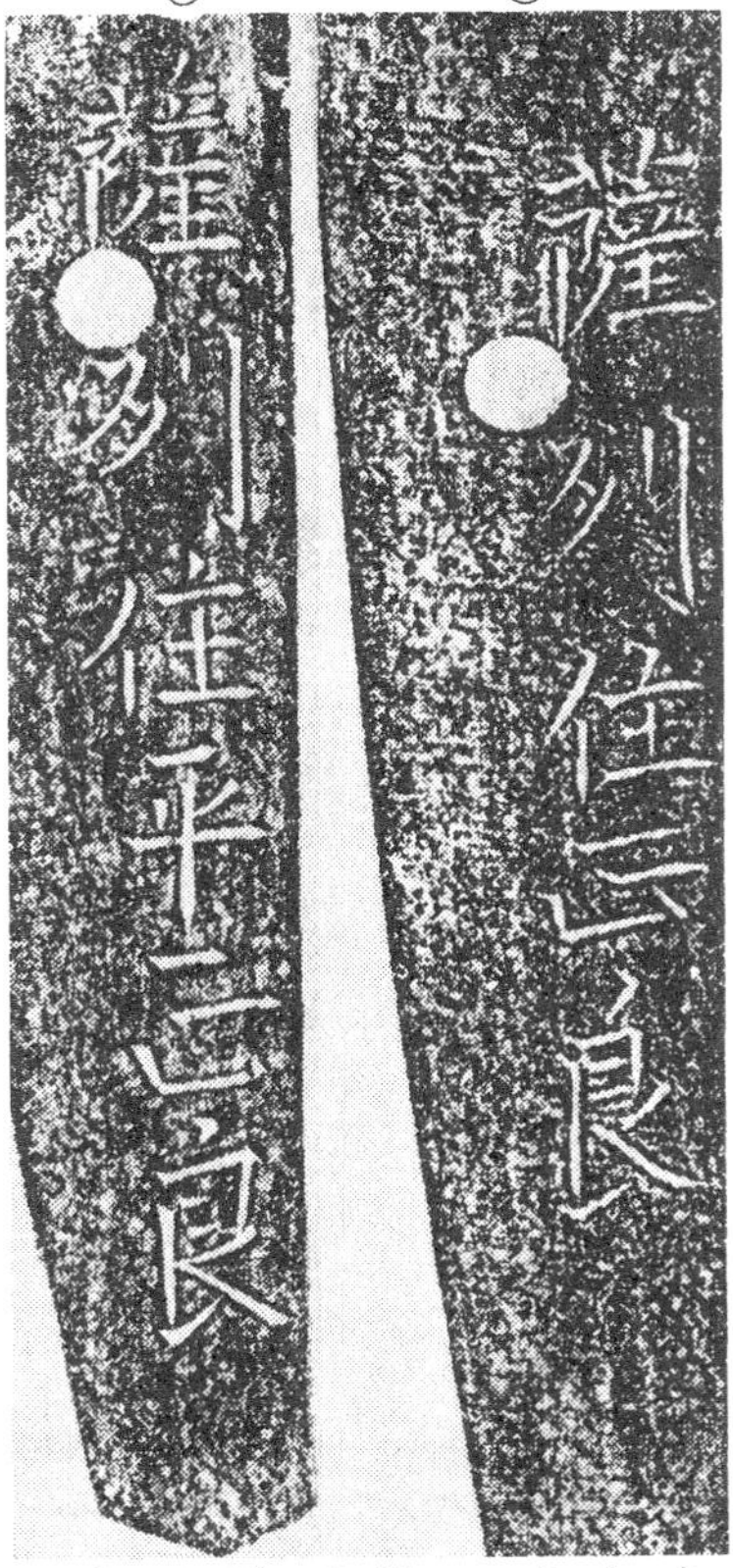

銘字鑑別図解

銘の鑑別

①**出題**＝来を出題いたします。上の書体にあったものを一つだけえらんでご解答下さい。〈235**頁に解答**〉

②**出題**＝四種の国光銘を鑑別して下さい。新藤五国光、来国光、但州国光、粟田口国光の四種を出題しましたので、新藤五国光の銘を①〜④までの記号から選んでお答え下さい。〈235**頁に解答**〉

A

B

C

D

①

②

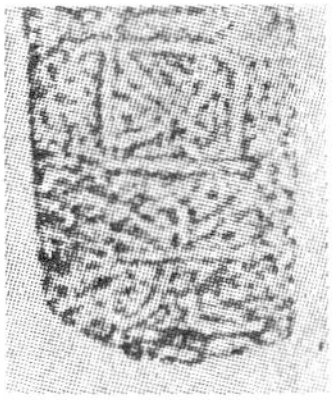

③

④

③出題＝祐定（与三左衛門・源左衛門・源兵衛・彦兵衛）の四通りの銘を出題しました。それぞれ天文、永禄、文禄、寛文の裏年紀のあるものですが、このうち新刀祐定で寛文年紀のあるものを(A)～(D)の記号でお答え下さい。なお各刀工の裏年号を調べるのも楽しいでしょう。〈236**頁に解答**〉

C　B　A

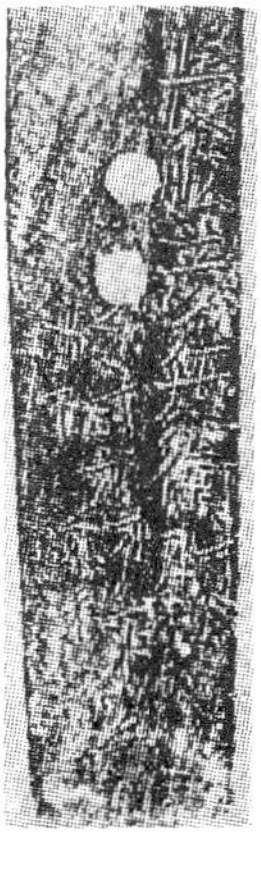

D

④出題＝肥前忠吉初代から八代までのうち四人を選んで掲げます。初代から後代への順に正しく配列した記号を(1)〜(4)の中から選んでお答え下さい。〈236**頁に解答**〉

(1) D—B—A—C
(2) D—C—B—A
(3) C—A—B—D
(4) C—B—A—D

D　C　B　A

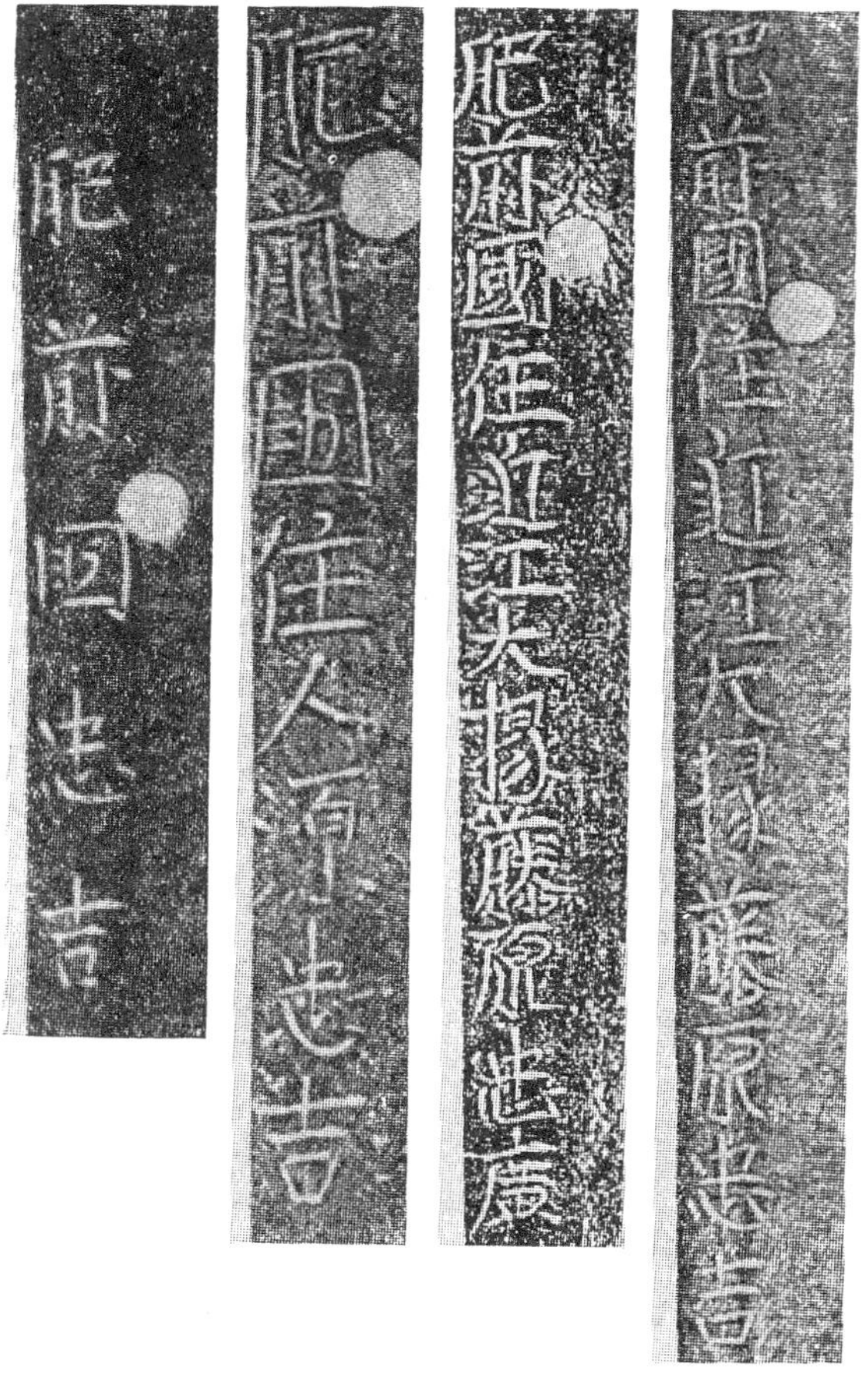

⑤**出題**＝虎徹興里の銘の変遷をみてみましょう。(1)（おく里銘）(2)（はね虎銘）(3)（角虎銘）の銘を年代の若い順に正しく配列した記号(A)(B)(C)のうちから選んでお答え下さい。〈237頁に解答〉

A　(1)—(3)—(2)
B　(2)—(3)—(1)
C　(1)—(2)—(3)

③　②　①

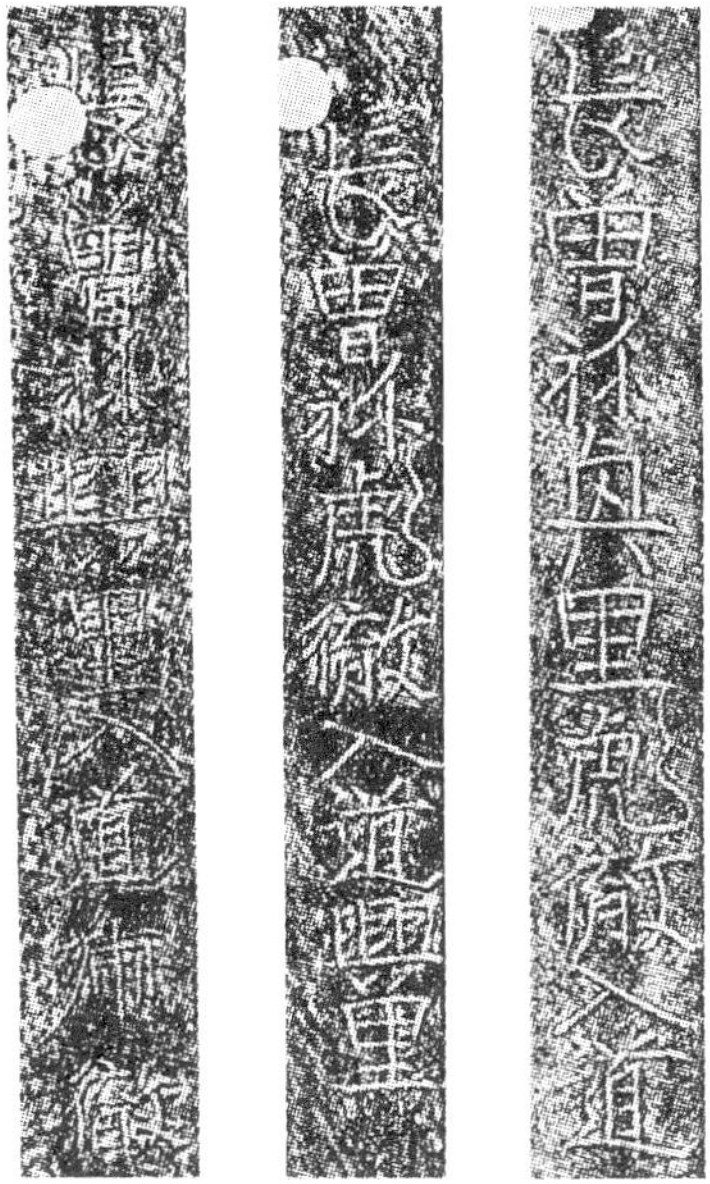

解　答

①出題の正解は（B）の来国次です。

②出題の正解は(3)が新藤五国光の銘です。(1)但州国光　(2)粟田口国光　(4)来国光がそれぞれの銘です。なお新藤五国光の銘は左字（国字の内の左側がローマ字Zのようになる）北冠（光字の冠が草書体の北の字のようになる）が特徴です。

⑥出題＝寛文年紀の裏銘押形を出題します。
これに該当する正しい銘（ａｂｃｄ）と代別（アイウエ）をご解答下さい。例えばａ－アのように関連記号を記入して下さい。

〈238頁に解答〉

ア　初代
イ　二代
ウ　江戸三代
エ　別人

出題銘

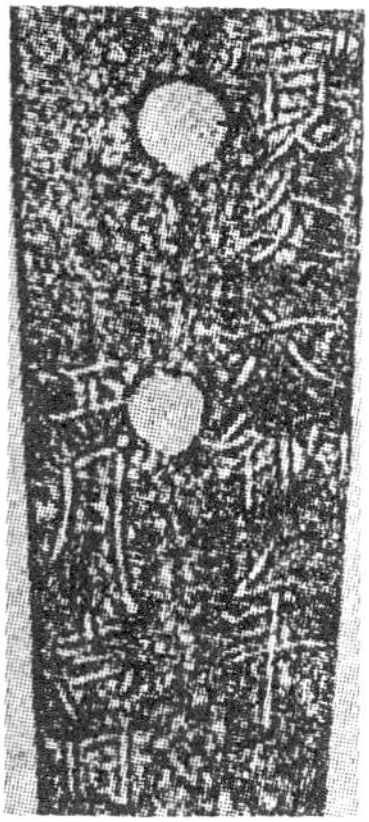

A

C

B

D

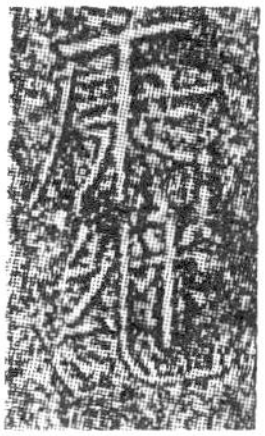

（233ページの解答）

③出題の正解は(B)です。(A)の与三左衛門尉祐定は天文二年紀、(B)の源左衛門尉祐定は寛文九年紀、(C)の源兵衛尉祐定は永禄三年紀、(D)の彦兵衛尉は文禄三年紀がそれぞれあります。従って、新刀祐定は(B)の寛文年紀がある源左衛門尉祐定一人ですので(B)が正解となります。

④出題の正解は(4)です。Ｃが初代、Ｂが二代、Ａが四代、Ｄが八代です。従って(4)のＣ－Ｂ－Ａ－Ｄが正しい配列になります。Ｃ初代は元和七、八

⑦**出題**＝大坂新刀の雄、越後守包貞の初二代銘を出題します。この(1)〜(3)までの銘を年代の古い順に正しく配列した記号(A)(B)(C)(D)のうちから選んでお答え下さい。

〈239**頁に解答**〉

A　(1)—(2)—(3)
B　(1)—(3)—(2)
C　(3)—(1)—(2)
D　(3)—(2)—(1)

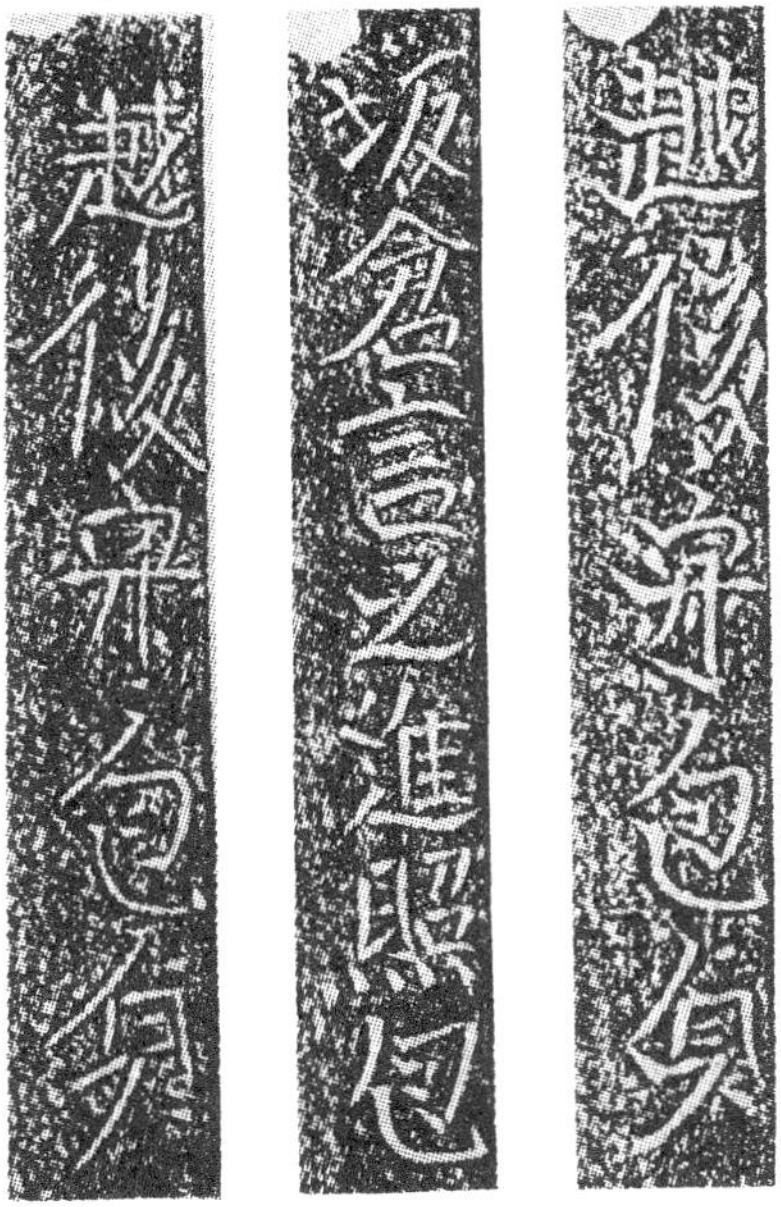

①　②　③

年頃の作銘といわれております。D八代は各銘字が小さく字間が離れるのが特徴で、六代の〝国〟字が縦長になるのと相違します。

（235ページの解答）

⑤出題の正解は(C)で(1)—(2)—(3)の順になります。(1)は、おくさとはねとら銘で寛文元年頃、(2)は〝いおきはねとら〟銘で寛文四年頃、(3)は〝いおきかくとら〟銘で寛文十二年頃のものです。

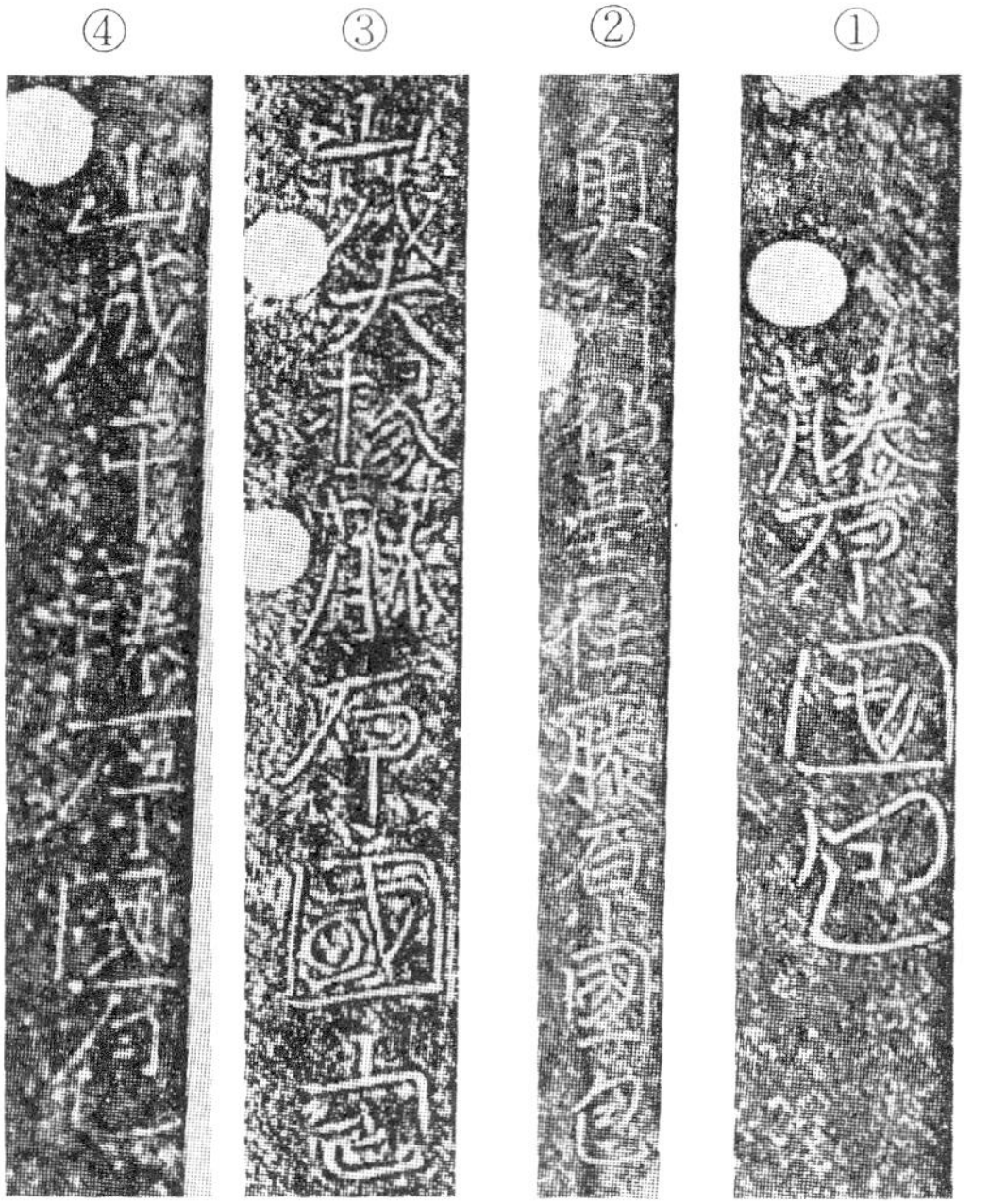

⑧**出題**＝仙台国包の代別を調べてみましょう。初台から後代への順に配列した正しい記号(A)〜(D)を選んで記号でお答え下さい。

〈240**頁に解答**〉

(A) ③—①—④—②
(B) ③—④—①—②
(C) ②—①—③—④
(D) ①—④—②—③

(236ページの解答)

⑥出題の正解は(C)—(**ウ**)**江戸三代**です。押形図にみる通りの長銘です。

〃継〃の〃糸〃偏の下方三点と〃㡭〃の最終画のまがりが角ばっているのが銘の見処とされています。江戸三代康継は二代の嫡子、没年は不明ですが、作品には寛文年紀のものがあります。

なお(A)—(イ)二代
(B)—(エ)別人で大和守

⑨**出題**＝和泉守国貞の銘を三種出題します。初代銘が二種、二代銘が一種交じっていますので、二代銘一つを選んで記号でお答え下さい。

〈240頁に解答〉

C　B　A

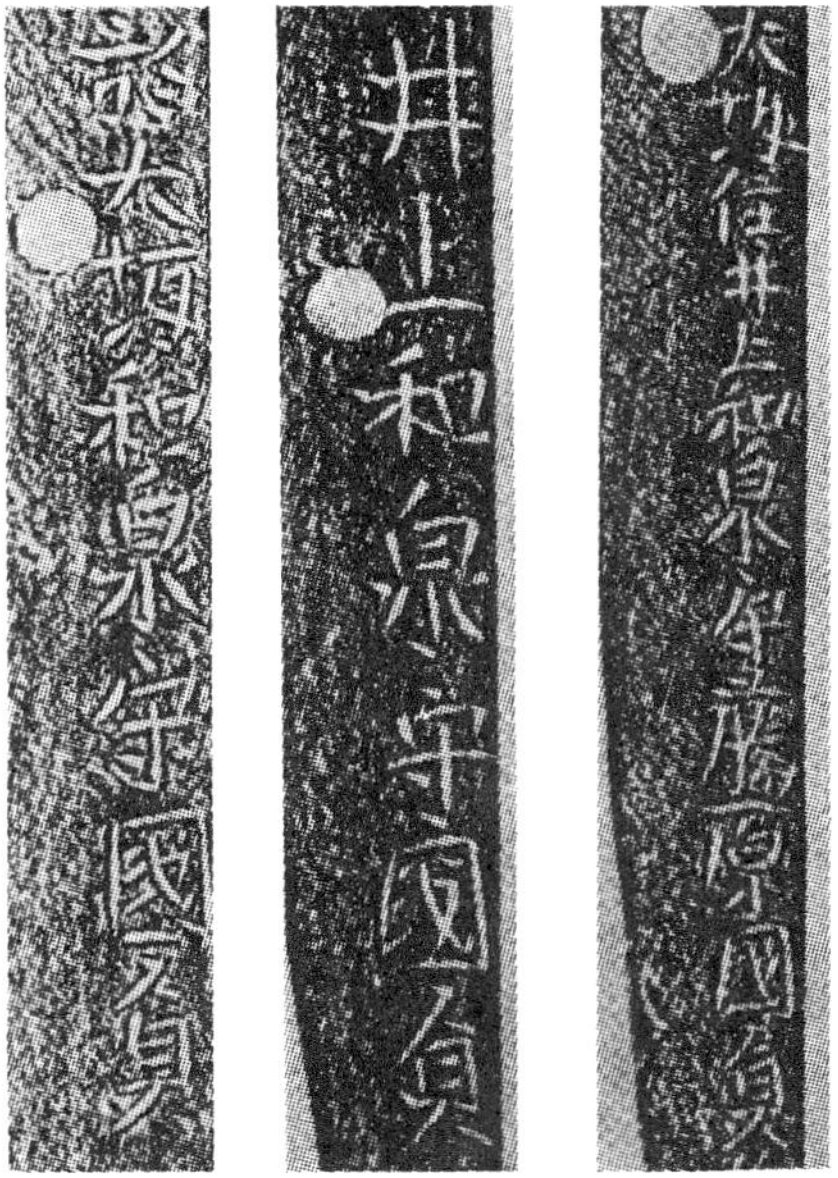

源康継（D）―（ア）初代で於駿府越前康継と在銘です。

（**237ページの解答**）

⑦出題の正解は(C)で、年代の古い順に(3)初代、(1)二代（寛文八年紀）、(2)二代（天和二年紀）となります。(3)初代銘は骨っぽいといわれるタガネ動きで、(1)二代のタガネの角に丸味のある銘振りと相違します。

⑩出題＝河内守国助の代別をみてみましょう。初代から四代への順に正しく配列した記号を(1)〜(4)の中から選んでお答え下さい。

〈**241頁に解答**〉

(1) C—D—A—B

(2) C—A—D—B

(3) B—D—C—A

(4) B—C—D—A

A　B　C　D

(238ページの解答)

⑧出題の正解は(B)です。③初代（山城大掾）④二代（山城守）①三代（源次郎）②十二代（源兵衛）の各代国包です。

(239ページの解答)

⑨出題の正解は(B)です。(B)は和泉守国貞二代目、井上真改同人で。(A)と(C)は初代銘です。

⑪**出題＝**大慶直胤銘の変遷を研究しましょう。
(1)〜(4)までの銘を年齢の若い順に正しく配列した記号(A)(B)(C)のうちから選んでお答え下さい。〈**241頁に解答**〉

A　(4)―(3)―(1)―(2)
B　(3)―(4)―(2)―(1)
C　(4)―(1)―(2)―(3)

①　②　③　④

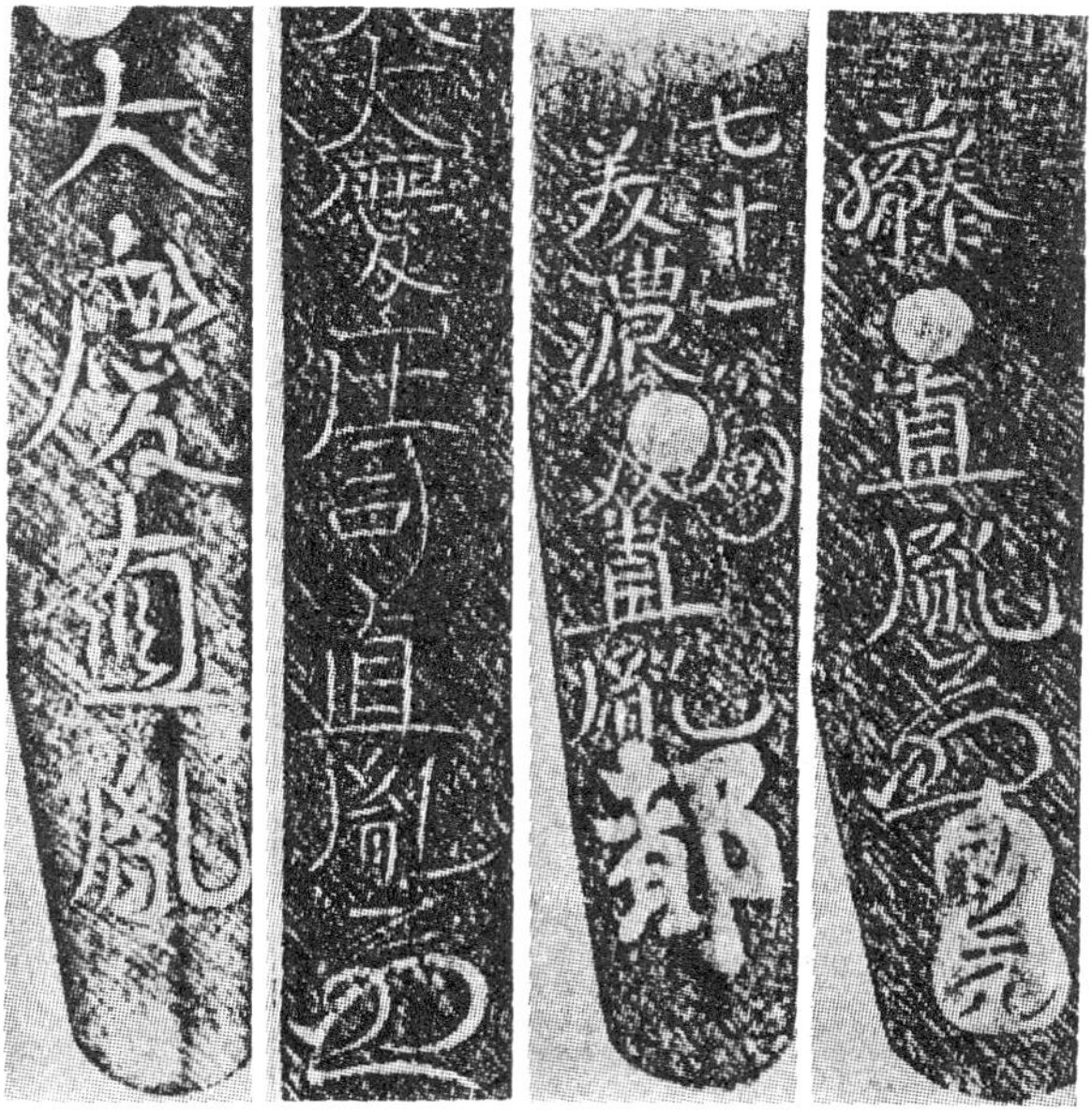

（240ページの解答）

⑩出題の正解は(1)です。Cが初代、Dが二代、Aが三代、Bが四代の順になります。(2)ではAを二代、Dを三代と見誤られたわけですが、Aが三代であることは、〝内〟字の第三画と〝助〟字の第七画の打タガネが初代、二代のものと逆になることで区別されます。

⑪出題の正解は(A)です。押形④文化元年二月③文化四年初冬①弘化三年八月と裏年紀があり、②は七十一翁の年齢から嘉永二年に当ります。従って④―③―①―②の順が正しい配列になります。

⑫**出題**＝左行秀の銘の変遷を研究しましょう。行秀の年代の若い銘から順に配列した正しい記号を(A)〜(D)から選んで記号でお答え下さい。〈**242頁に解答**〉

(A) ①—②—③
(B) ②—①—③
(C) ②—③—①
(D) ③—②—①

③ ② ①

⑫出題の正解は(C)です。左行秀は天保十一年秋頃二十八歳で江戸へ上り、弘化三年土佐へ修業を終え帰っています。同四年土佐城下へ入り、安政二年に土佐藩士となりました。さらに万延から文久にかけて再び江戸に来て深川の砂村藩邸にて鍛刀し、慶応三年夏に土佐へ帰り、以後豊永東虎銘を切ります。②は嘉永四年八月紀があり銘文にありますように於土佐の作。③は慶応二年二月紀があり於江府の作。①は明治三年二月紀があり、同年三月五日に七十五歳で没する直前の作銘です。

(天狗観刀の図)

古刀・新刀・新々刀

鑑定入札詳説

誌上鑑定入札の実際

入札鑑定にのぞんで

入札鑑定は刀剣の研究を進め、鑑識を高める上で、もっとも実践的な方法として広く行われている。鑑定入札会は真剣な研究の場であると同じに同好の士の親睦のサロンでもあるから、当らなかったら恥であるとして入札をさけたり、また点数にこだわったりすることなく、積極的に参加することがのぞましい。

入札鑑定にあたってはまず「五畿七道と国別一覧表」と「当同然表」を参照されたい。鑑定入札会には通常五振りの鑑定刀が出品される。いずれも作刀銘のある茎《なかご》の部分をかくし、刀身の姿、地鉄、刃文をみて作刀銘を当てる。所定の入札用紙に姓名を記入し、第何号刀が誰であると問いの空欄に鑑定銘を書いて判者に提出する。判者は答の欄に返答を記入して返すのである。一の札での〝当り〟は二十点、同じく〝同然〟は十五点、二の札では十五点と十点、三の札では十点と五点というように百点満点で採点して総合点の高順位から〝天〟〝地〟〝人〟の三賞が選ばれる。入札は一振りについて三の札まで、つまり三回まで入札できるシステムであるが、当らなかった場合は勉強のため得点外の四の札、五の札と入札してもよいであろう。所用の入札時間が締切られると、判者は茎をあけて個銘を明らかにし、鑑定刀の講評と三賞の発表をする。

入札鑑定の観刀は礼法をたがえず慎重に、刀の品位を粗見することなくすすめることが望ましい。観刀にのぞんでの要点を左記するが、入札鑑定の得失と心得については佐藤寒山先生著「刀剣鑑定手帳」に詳述されているので、これを熟読することをおすすめする。

一、真面目な観刀態度と慎重な取扱い。

二、観刀中の私語は慎しみ、入札前後の高声は他を牽制することにもなるのでひかえ、相談による鑑定、耳に入った聞き鑑定、判者席の一覧表をみてののぞき鑑定は禁物。

三、雑念をのぞき点数にのみこだわらず、素直に観刀し入札する。

四、一刀を長時間手離さないのは他の人への迷惑となる。入札鑑定の時間も参加数とみあって、みだりに時間をかけない。

五、作刀の品位を素見することなく、個々の特徴にのみとらわれず総合的な判断がのぞましい。合わせて茎の観察と銘字の研究もおろそかにしない。

六、姿恰好からまず時代をとらえ、次に地鉄、鍛で製作地方と流派をつかみ、次いで刃文から流派を細分して各刀工の個性を判別する。

当りはずれも趣味のうち、研究のうちであり、入札鑑定は実力養成の重要な一石である。当てることのみに腐心することは入札鑑定の弊におちいることとなるので、得点の高下にとらわれず、ひたすら真摯な鑑刀によって有益な入札鑑定を自己のものとすることが大切である。

入札鑑定用紙の例

第一号刀	氏名 甲野太郎		
	問	答	点
1	相州行光	時代違いイヤ	
2	堀川國廣	能候	
3	越中守正俊	当	10
備考	正解銘		

刀甲会 刀剣鑑定入札用紙

昭和46年1月10日

入札鑑定の用語

入札者が鑑定銘を入札して、これに判者が答える用語。入札者は〃当り〃あるいは〃同然〃以外の場合、返答に誘導されて次の入札にかかることができる。

当り《あた》　作刀の個銘が適中した場合の返答

同然《どうぜん》　〃当り同然〃のことで、個銘そのものは当っていないが、師弟、親子、兄弟の相互に入札した場合。また近接した間柄で、作風が近似すると認められた場合はとくにこの扱いをする。

能《よく》 〃能候《よくそうろう》〃とも答えるが、同じ国に入札した場合。時代を違えると〃時代違い能〃同時代であれば流派が別であることを示している。

通《とおり》 〃通能候《とおりよくそうろう》〃の意、国を違えたが同じ街道に入札した場合で、次に同一街道で他国の刀工を再考する。〃時代違い通り〃は時代を違えたが同じ街道の他国へ入っているの意。

イヤ 〃否〃とも書く。以上のいずれにも当てはまらない場合の返答。個銘はむろん国も街道も違えているという意味。〃時代違いイヤ〃は、なお古刀、新刀、新々刀の相互の時代を違えた場合。

イヤ縁あり 能でも通《とおり》でもないが、同系統で縁がある場合の返答。例えば兼氏の短刀に正宗同門の大左へ入札した場合に誘導する返答。

出先《でさき》にて 例えば虎徹の刀に石堂是一の入札をすると、虎徹の出先が江戸なので〃出先にて能〃と返答がくる。

本国にて これは逆に虎徹の本国が越前なので虎徹の刀に貞国と入札すると〃本国にて能〃と返答がくる。

刀剣鑑定入札会案内

刀剣の鑑定入札会は各地で開催されている。月に一回、場所と日時を定めて行われるのが通例である。（会名①開催日②時間③会場所在地④主唱者）

▽日本美術刀剣保存協会の定例鑑賞会

①毎月第二土曜日②午後一時から③渋谷区代々木四の二五の十・刀剣博物館④山中貞則

▽同会東京都支部（伊藤満支部長）の鑑賞会は毎月第三土曜日に開催。

▽日本刀剣保存会の鑑賞会

①毎月第三日曜日②午後一時から③東医健保会館④吉川賢太郎

▽合同刀剣研究会

①毎月夏一回③毎回会場移動④刀甲会（飯田一雄会主・島崎勝会長）、百刀会（前原昭会長）、初雁刀剣会（竹内元幸会長）、日刀保千葉県支部（高橋量一支部長）

日本美術刀剣保存協会の鑑賞会　　左端＝田野辺道弘先生

日本刀剣保存会の鑑賞会　　右端＝吉川賢太郎先生

合同刀剣研究会の鑑賞会　　右端＝広井雄一先生

▽刀甲会（刀剣鐔・甲冑武具研究会）
①毎月第一日曜日②午後一時から③新宿区西早稲田三の五の四三・水稲荷神社④飯田一雄・島崎勝

鑑定刀の解説と講評　　　左端＝飯田一雄講師（刀甲会で）

刀装具の解説　　　左端＝福士繁雄講師

誌上鑑定入札の実際

――出題と解答――

（解答は292頁から）

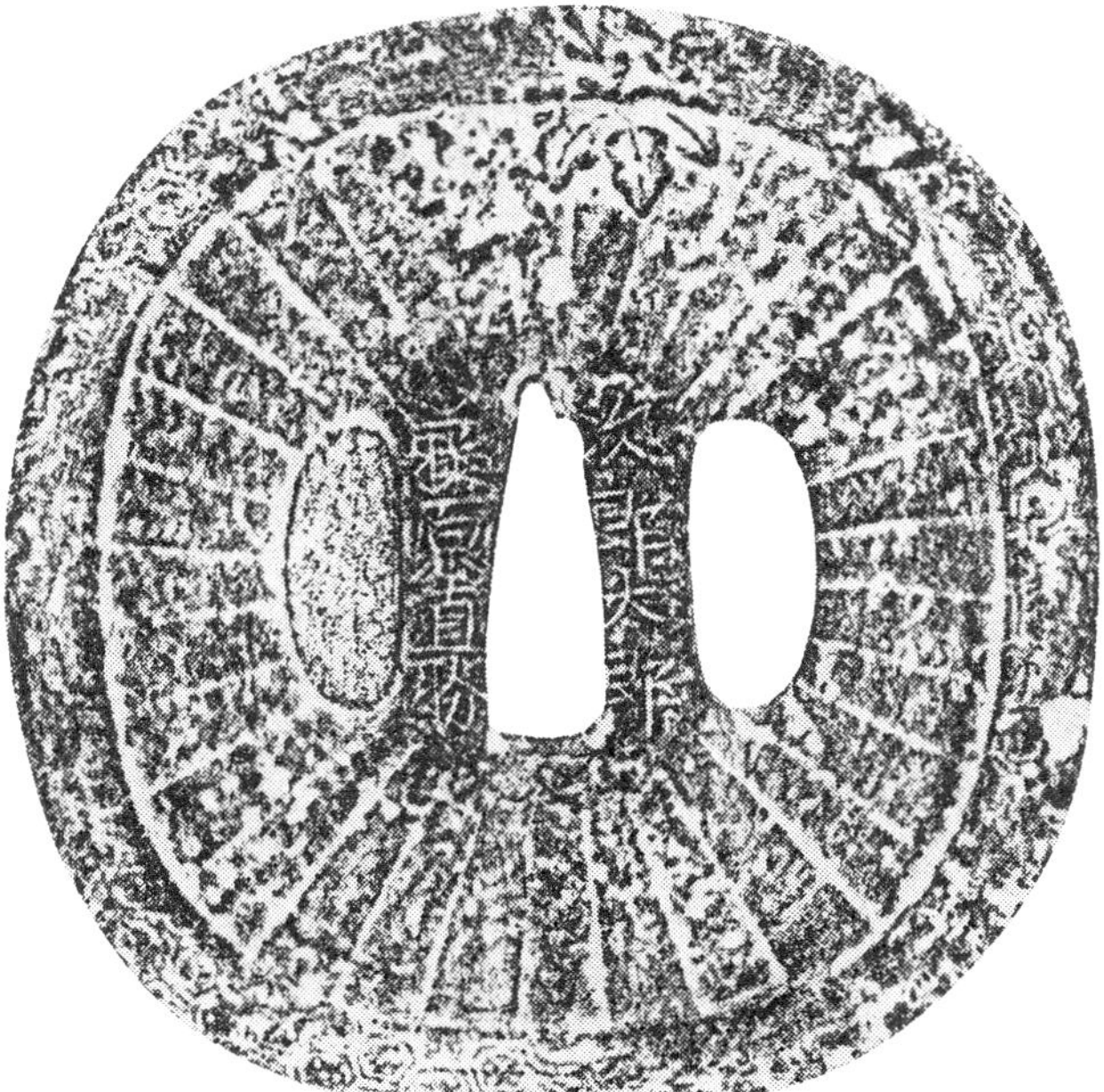

①**出題**＝太刀

▽刃長＝75・2センチ（二尺四寸八分）
反り＝1.7センチ弱（五分五厘）

▽造込み＝鎬造り庵棟、やや磨上げながら腰に踏張りがあり、中切先。

▽鍛え＝小板目肌よく詰み地沸つき、処々柾流れる。

▽刃文＝小丁子乱、匂深く小沸よくつき冴える。小足よく入り、砂流しかかり金筋交じる。帽子は図のとおり。

▽茎＝やや磨上げ、鑢目勝手下り、佩表中ほどから下、棟寄りに二字銘がある。

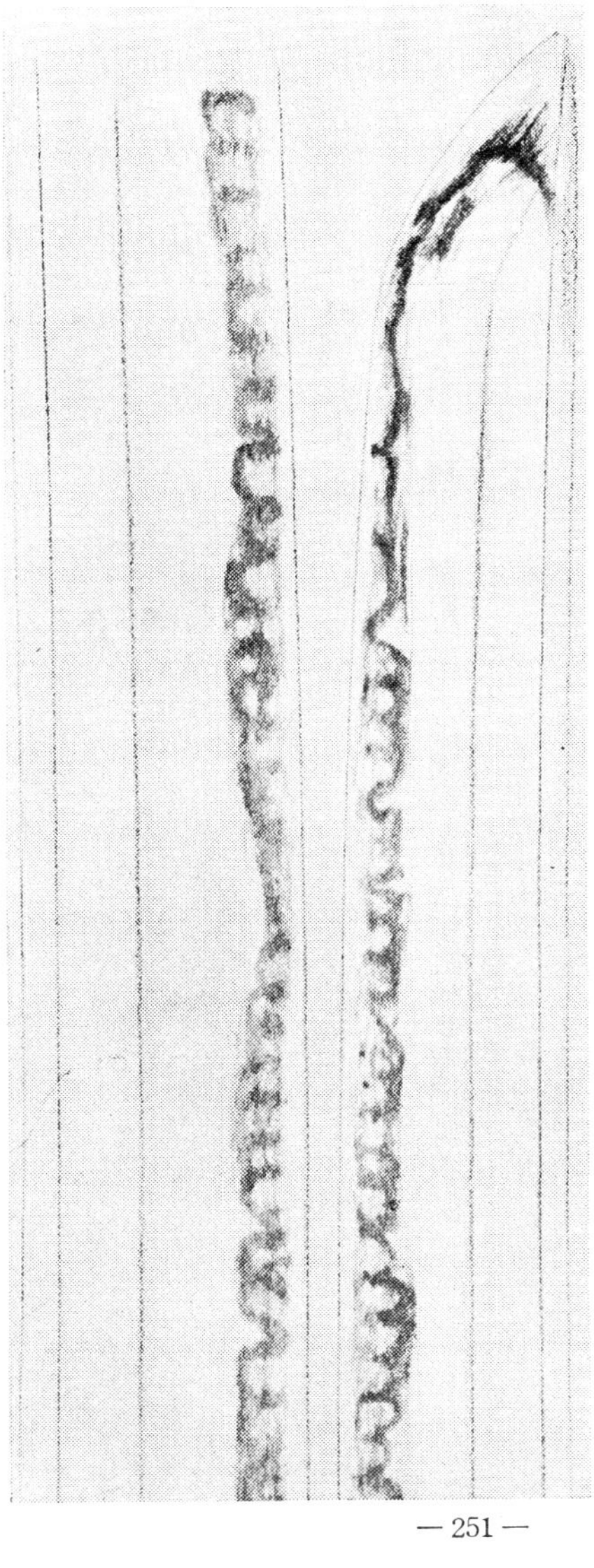

②出題＝短刀

▽刃長＝22センチ（七寸二分）

▽造込み＝平造り、三ツ棟、内反りで重ね薄い。

▽鍛え＝小板目肌よく詰む。

▽刃文＝小沸出来の細直刃、物打辺刃幅狭く、焼出しに小互の目を交える。帽子は小丸。

▽茎＝生ぶ、勝手下り鑢、先栗尻、目釘孔の下に大振りの二字銘がある。

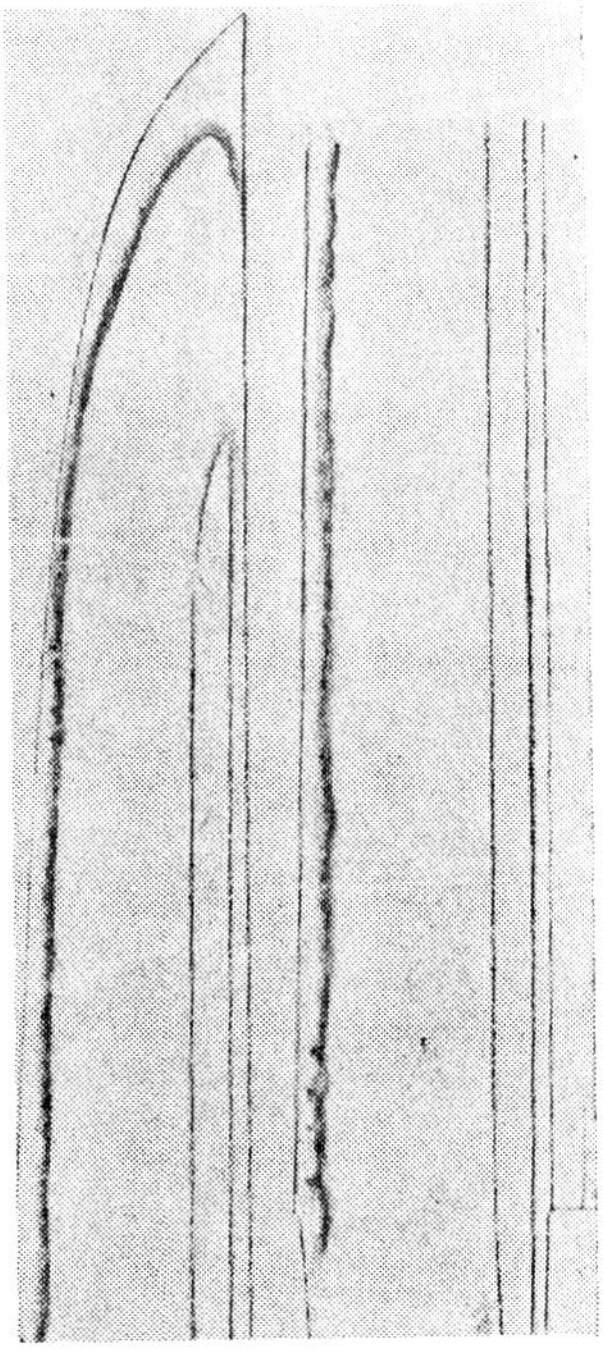

③出題＝太刀

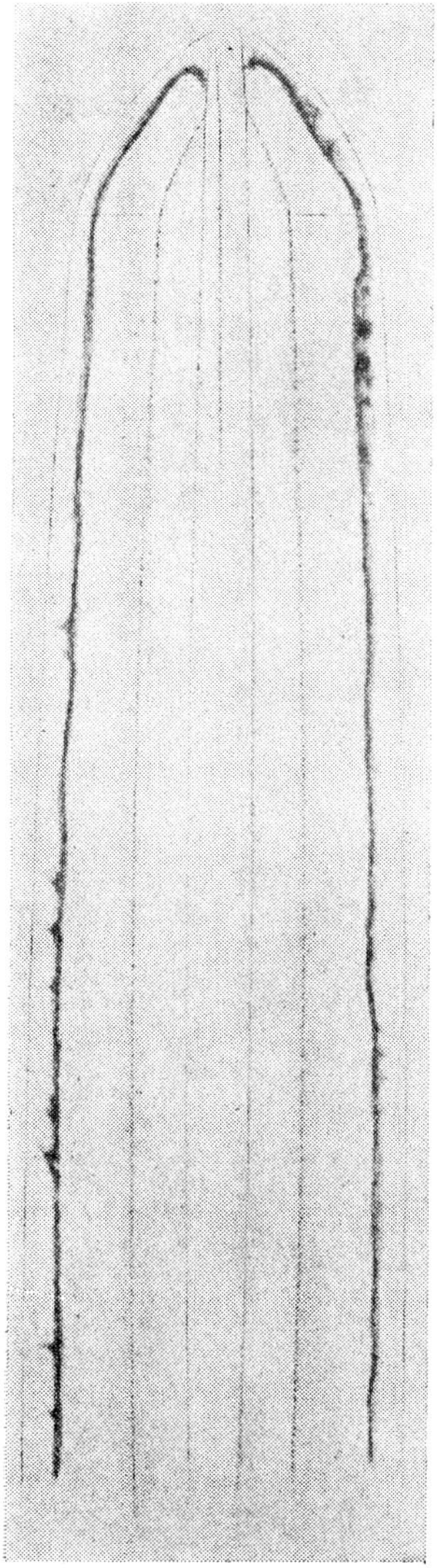

▽刃長＝71センチ（二尺三寸五分）反り＝5.3センチ（一寸七分）

▽造込み＝鎬造り、庵棟、腰反り高く踏張りがある。

▽鍛え＝小板目肌よく詰み、地沸つく。

▽刃文＝直刃、ところどころに小足入り、小沸出来で匂口冴える。

▽茎＝やや磨上げ、勝手下り鑢、佩表の棟寄りに三字銘がある。

④**出題**＝短刀

▽刃長＝27・3センチ（九寸）

▽造込み＝平造り、三ツ棟、身幅頃合いで内反り。

▽鍛え＝小板目肌詰み、処々に大肌がある。

▽刃文＝直刃、小沸よくつき小足を入れ、匂口明るく冴える。帽子図のとおり。

▽茎＝生ぶ、先は栗尻、勝手下り鑢、目釘孔の下中央に三字銘がある。

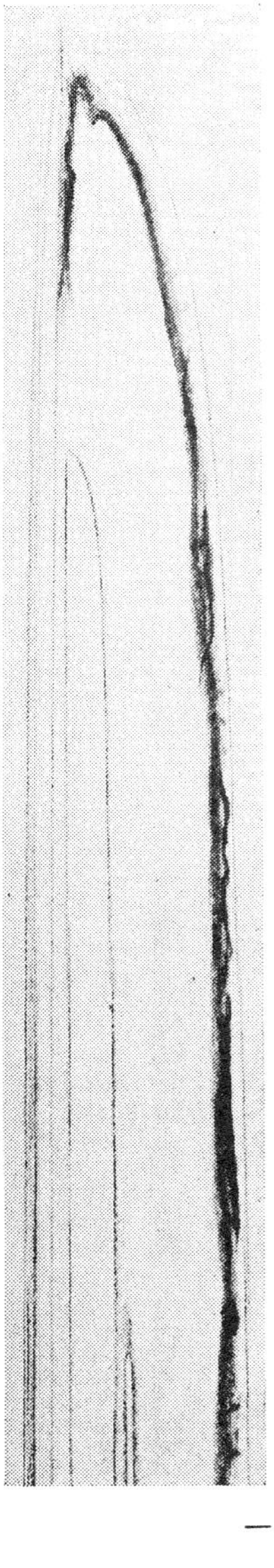

⑤**出題**＝短刀

▽刃長＝29センチ（九寸五分八厘）

▽造込み＝平造り、庵棟、重ね薄く無反り。

▽鍛え＝板目肌、流れ柾交じり、白け映り立つ。

▽刃文＝互の目に湾れ、刃縁締り総体に砂流しかかる。帽子小丸でやや長く返る。

▽茎＝生ぶ、勝手下り鑢、先栗尻、二字銘。

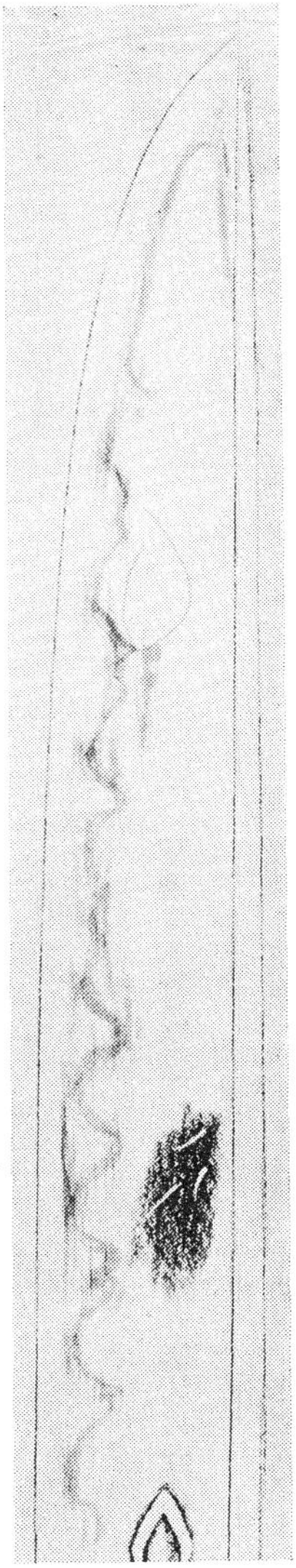

⑥**出題**＝脇指

▽刃長＝31センチ（一尺〇二分）

▽造込み＝平造りで寸延び、三ツ棟、重ねことに薄い。身幅広く中間で反る。

▽鍛え＝板目に柾交じり、刃寄りと棟寄りに柾が目立つ。

▽刃文＝皆焼、飛焼の中に柾がみられる。総体に沸づき砂流しかかり金筋が交じる。帽子は丸味をもって返り、焼下げる。

▽茎＝生ぶ、先栗尻、切鑢、指表に五字銘がある。

▽**ヒント**＝太刀で在銘作はなく、また年紀のあるものは見当らない。

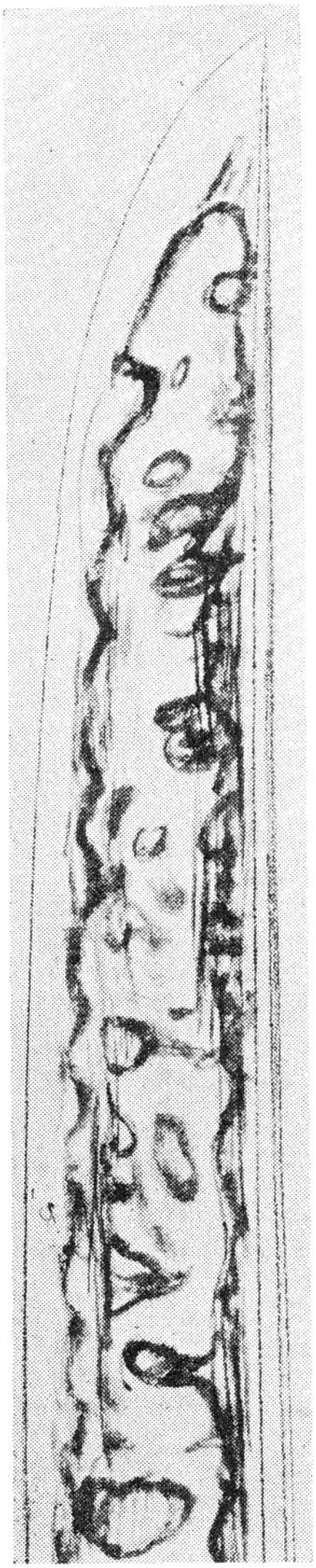

⑦出題＝太刀

▽刃長＝69・7センチ（二尺三寸）
反り＝1.5センチ（五分）

▽造込み＝鎬造り、庵棟、鎬幅広く鎬筋が高い、中切先詰まる。

▽鍛え＝板目肌流れて柾がかり、肌よく詰み、細かに地沸つく。

▽刃文＝中直刃、浅く湾れて互の目足が入りよく沸える。総体にほつれごころがあり、ところどころに金筋がかかる。

▽茎＝磨上げ、目釘孔四、切鑢、佩表の茎先棟寄りに二字銘がある。

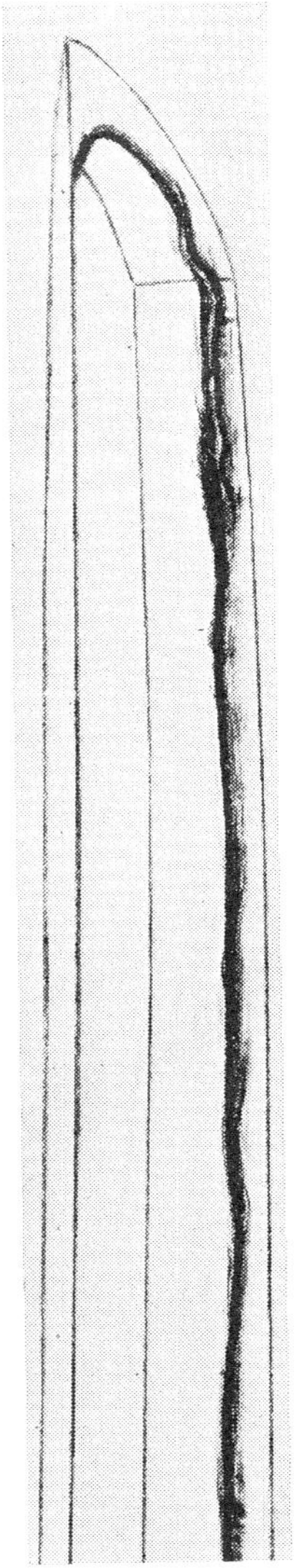

⑧出題＝短刀

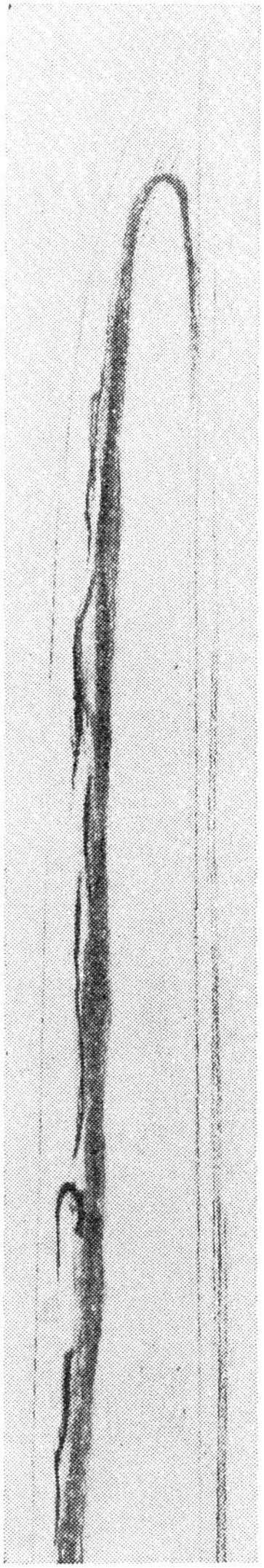

▽刃長＝25・2センチ（八寸三分）
▽造込み＝平造り、三ツ棟、内反り。
▽鍛え＝小板目肌よく詰み地沸つき、地景しきりに入る。
▽刃文＝広直刃、匂深く小沸よくつき足・葉入り、金筋働く。
▽茎＝生ぶ、切り鑢、先切りに近い栗尻、中央に二字銘がある。

---

⑨出題＝短刀
▽刃長＝28・8センチ（九寸五分）
▽造込み＝平造り、三ツ棟、総体にやや反りがある。
▽鍛え＝板目に処々大板目肌交じり、地沸つき、地景しきりに入る。
▽刃文＝小湾れに、小乱、小互の目交じり、小沸よくつき砂流しかかり金筋働く。
▽茎＝生ぶ無銘、先剣形、勝手下り鑢。
▽彫物＝表は刀樋の中に三鈷剣を浮彫り、裏は刀樋の中に梵字を三つ浮彫り、蓮台を彫る。

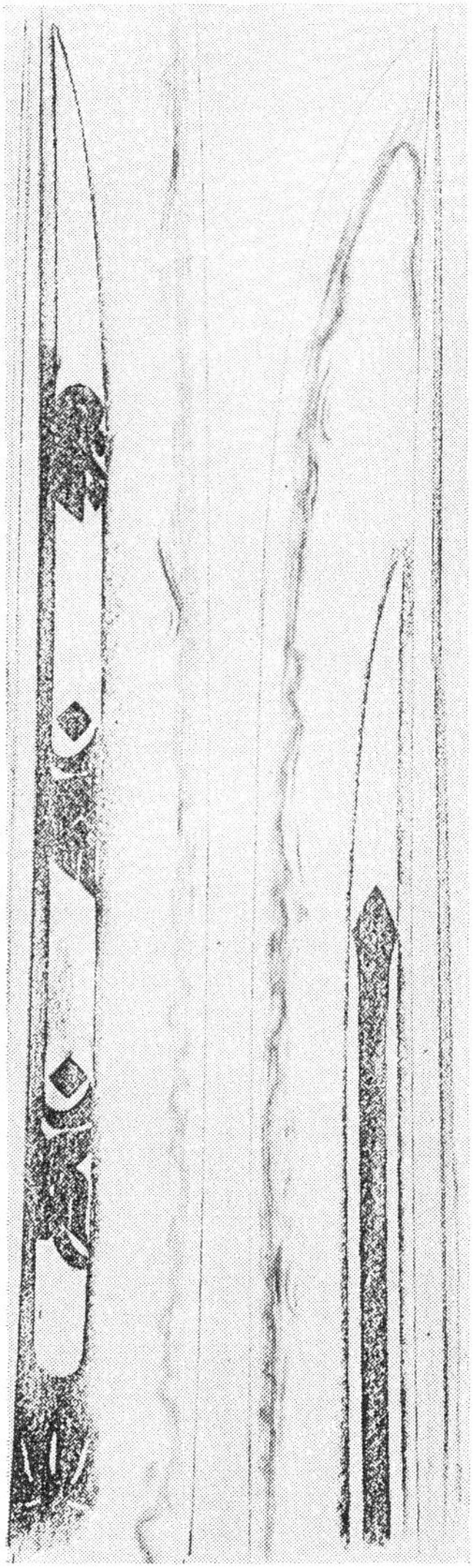

⑩**出題**＝脇指

▽刃長＝32・1センチ（一尺〇六分）
反り＝0.5センチ（一分六厘強）

▽造込み＝平造り、三ツ棟、身幅広く重ね普通、先反り。

▽鍛え＝板目に柾流れ、地沸つく。

▽刃文＝皆焼、匂がちで小沸つき、刃中砂流ししきりにかかる、帽子は先が尖って長く焼下げる。

▽茎＝生ぶ、切り鑢、先栗尻、目釘孔の下棟寄りに五字銘がある。

▽彫物＝表に行の倶利迦羅、裏に摩利支尊天の彫物がある。

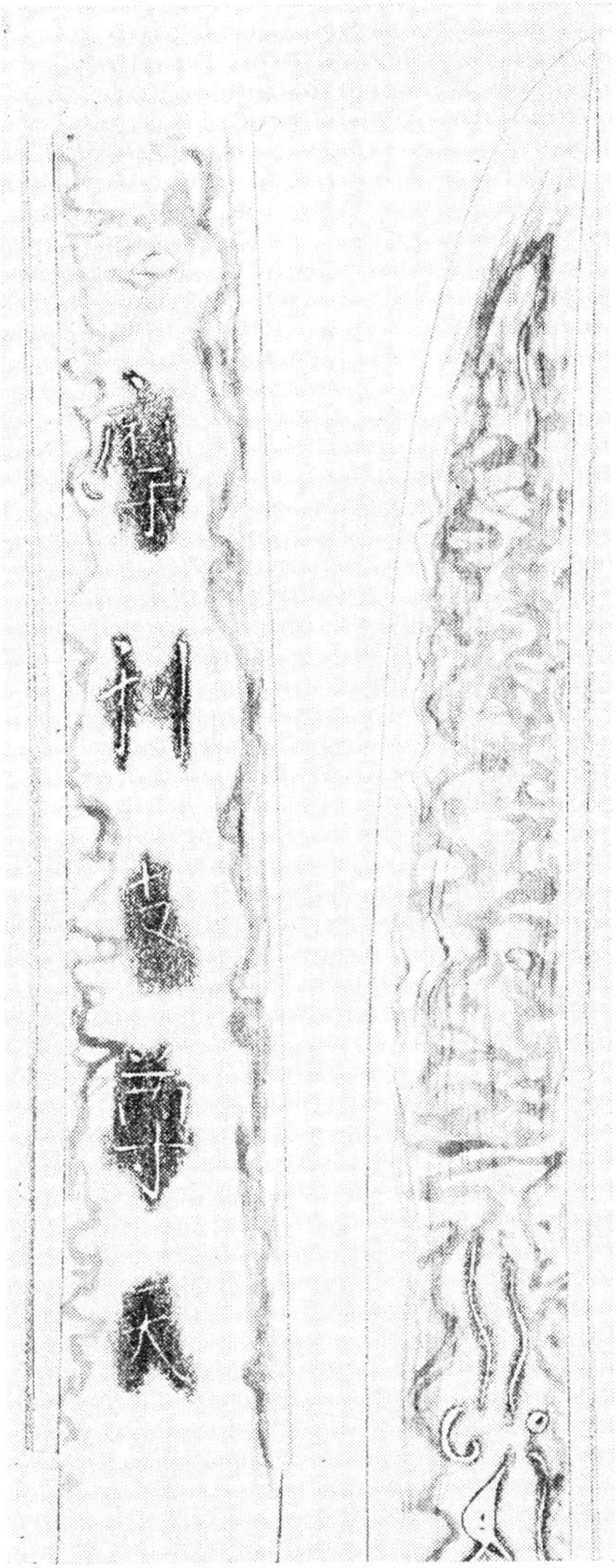

⑪出題＝太刀

▽刃長＝69・4センチ（二尺二寸九分）
反り＝2.5センチ強（八分四厘）

▽造込み＝鎬造り、庵棟、細身で反り高く小切先。

▽鍛え＝小板目肌よく詰み、地沸つき乱映りが立つ。

▽刃文＝直刃調に小乱、小丁子交じり、足・葉をよく入れ、小沸よくつく。

▽茎＝磨上げ、勝手下り鑢、先栗尻、佩表茎先近く棟寄りに二字銘がある。

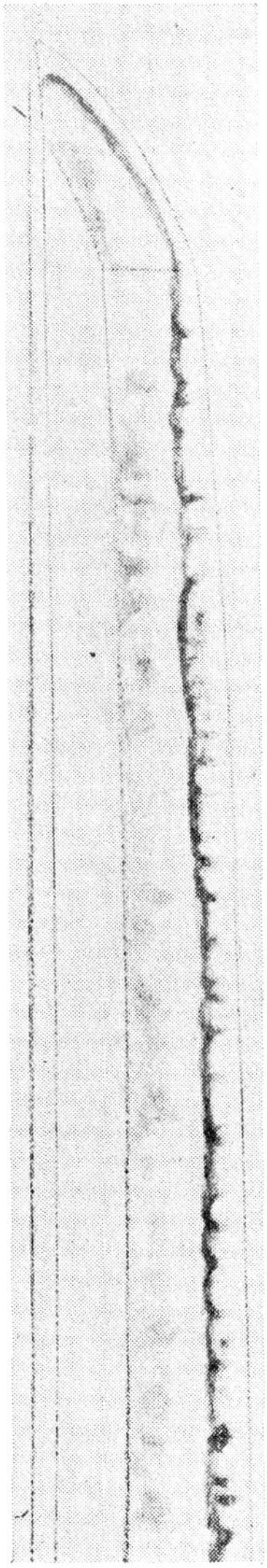

⑫出題＝太刀

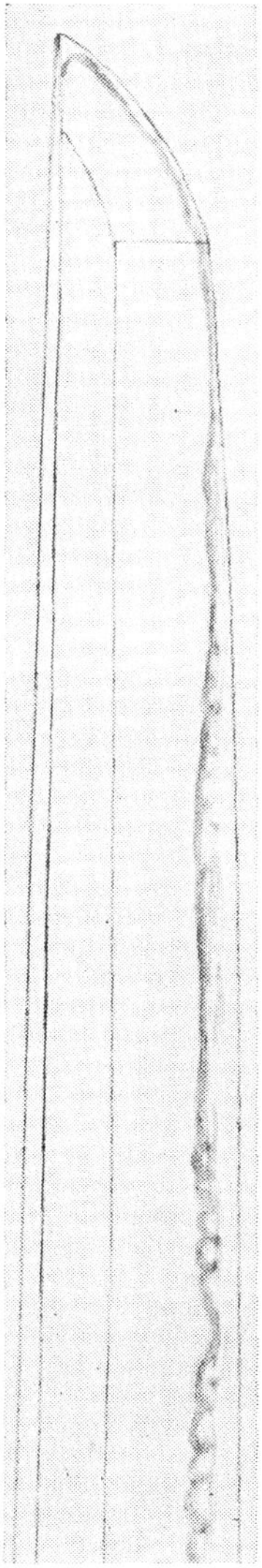

▽刃長＝70・3センチ（二尺三寸二分）
反り＝2.3センチ（七分五厘）
▽造込み＝鎬造り、庵棟、身幅重ね尋常、腰反り高く踏張り強い、小切先。
▽鍛え＝小板目肌よく詰み、乱映り立つ。
▽刃文＝小乱に小丁子交じり、小沸出来、刃中細かく砂流しかかり金筋働く。
▽茎＝生ぶ、僅かに区を送る、先栗尻、勝手下り鑢、棟よりに二字銘がある。

⑬出題＝太刀

▽刃長＝72・8センチ（二尺四寸）
反り＝2.7センチ強（九分）
▽造込み＝鎬造り、庵棟、腰反り深く中切先詰まる。
▽鍛え＝板目肌、やや肌立ちごころに丁子映りが立つ。
▽刃文＝匂出来の丁子に互の目が交じる。帽子は乱れ込んで先小丸にわずかに返る。
▽茎＝生ぶ、勝手下り鑢、先栗尻、佩表の棟寄りに二字銘がある。

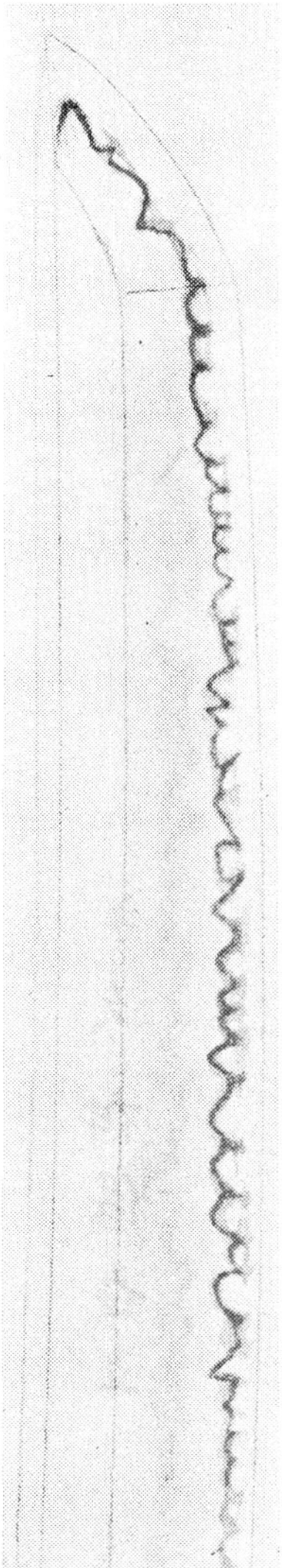

⑭出題＝太刀

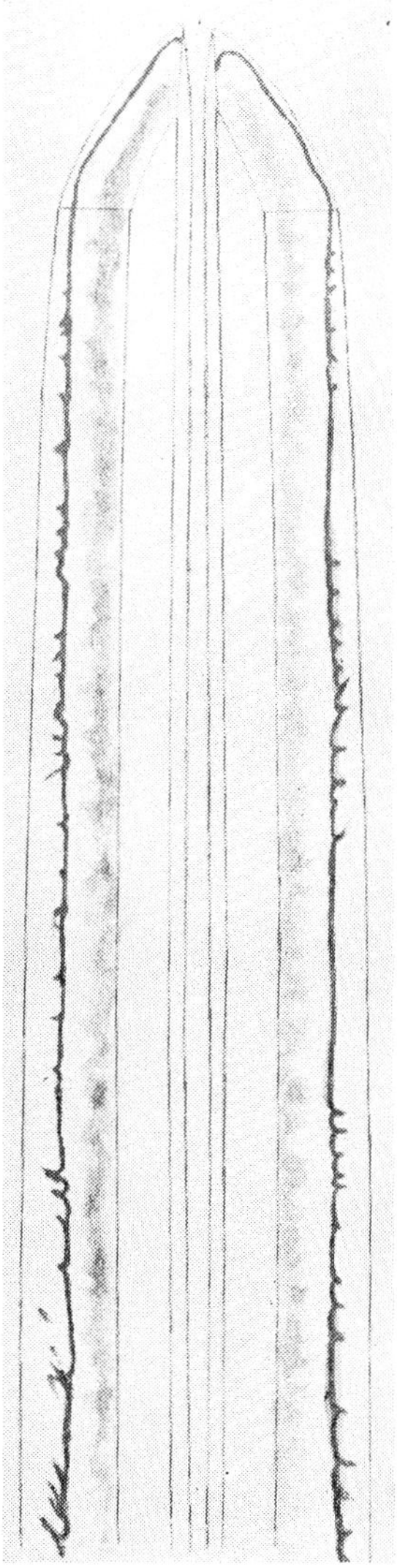

▽刃長＝71・5センチ（二尺三寸六分）
反り＝1.8センチ（六分弱）
▽造込み＝鎬造り、庵棟、身幅狭め、磨上げながら腰反りやや高く、中切先。
▽鍛え＝板目肌よくつみ、乱映りたつ。

▽刃文＝直刃調に小丁子、小互の目交じり、足よく入り、総体に逆がかり、匂口締りごころとなる。帽子は図のとおり。
▽茎＝磨上げ、勝手下り鑢、佩表棟寄りに長銘がある。

⑮**出題**＝短刀

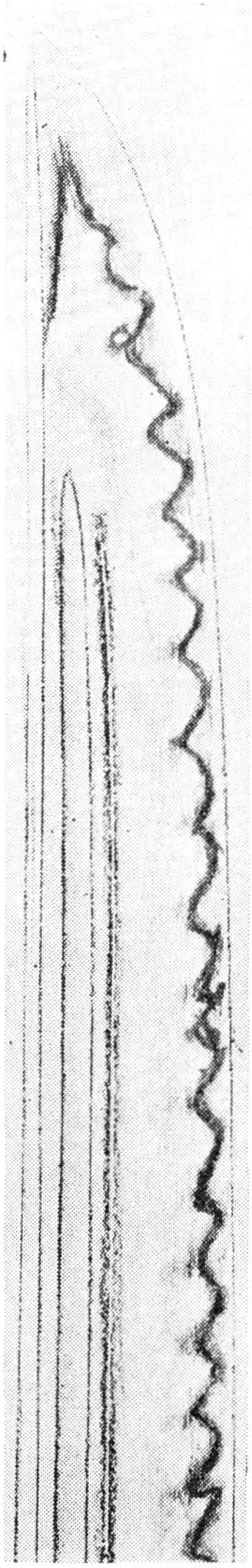

▽刃長＝28・4センチ（九寸四分）

▽造込み＝平造り、庵棟、身幅広く重ね薄く中

間反り。
▽鍛え＝板目よく錬れ、地景交じり、乱映りが立つ。
▽刃文＝互の目乱、逆がかり、匂出来で小沸つき金筋交じる、帽子は先が尖って長めに返る。
▽茎＝生ぶ、切り鑢、先栗尻、指表の中央に長銘、裏に年紀がある。

⑯**出題**＝太刀

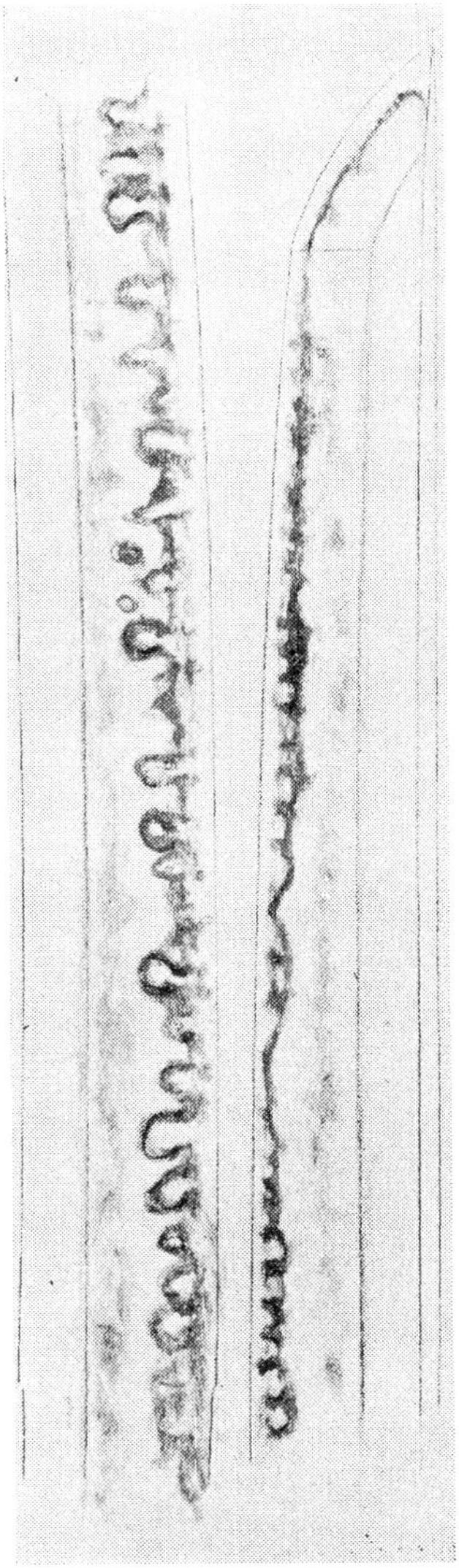

▽刃長＝68・2センチ（二尺二寸五分）
反り＝2.1センチ（七分）
▽造込み＝鎬造り、庵棟、身幅重ね尋常で中切先。
▽鍛え＝板目肌、大肌ごころに丁子映りが出る。
▽刃文＝丁子乱、蛙子丁子目立つ、匂出来。
▽茎＝磨上げて佩表棟寄りに大きく二字銘がある、勝手下り鑢。

⑰**出題**＝太刀

▽刃長＝69・1センチ（二尺二寸八分）
反り＝1.5センチ（五分）
▽造込み＝鎬造り、庵棟、身幅狭めで腰反り深く優美な姿。
▽鍛え＝板目肌、肌ごころで、映りがわずかに立つ。
▽刃文＝匂出来で小沸がつく小丁子乱、刃中に金筋働き、染みごころがある。
▽茎＝生ぶ、勝手下り鑢、先栗尻、佩表棟に二字銘がある。

⑱ **出題**＝太刀
▽刃長＝72・3センチ（二尺三寸八分五厘）
反り＝2.3センチ（七分五厘）
▽造込み＝鎬造り、庵棟、身幅重ね尋常、反り深く中切先。
▽鍛え＝小板目肌よく詰み、わずかに映りごころがある。

▽刃文＝小互の目を揃えて焼く、匂出来。
▽茎＝少々磨上げ、佩表に長銘、裏に年紀。

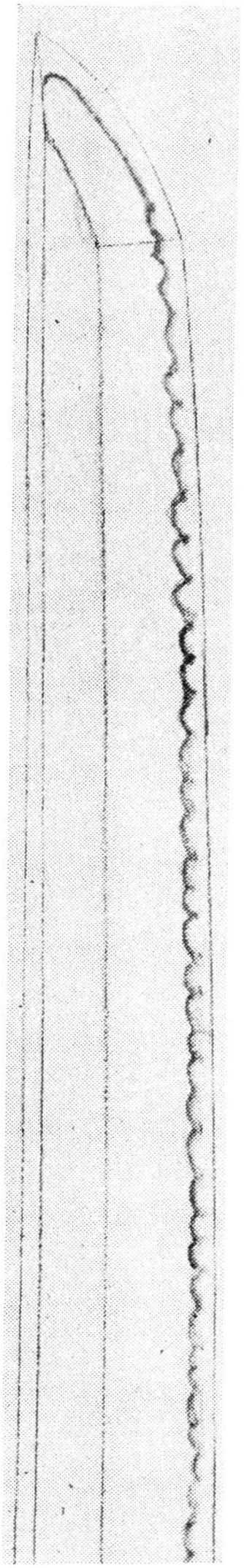

⑲**出題**＝脇指
▽刃長＝37・1センチ（一尺二寸二分五厘）
反り＝0.4センチ（一分三厘）
▽造込み＝平造り、庵棟、身幅普通で先反り。
▽鍛え＝板目肌やや流れごころに肌立ち、棒映りが立つ。
▽刃文＝匂出来の互の目、足・葉入る、帽子先は尖って返る。
▽茎＝生ぶ、浅い勝手下り鑢、先栗尻、表中央に長銘、裏同じく年紀がある。

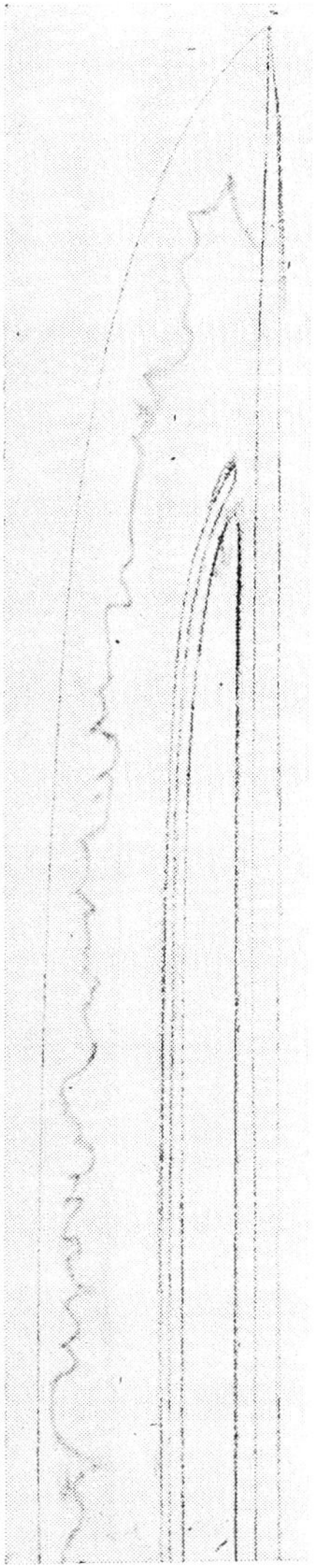

⑳出題＝短刀

▽刃長＝20・5センチ（六寸六分五厘）

▽造込み＝平造り、庵棟、重ね厚く内反り、寸が詰まる。

▽鍛え＝小板目肌細かく詰み、地沸つく。

▽刃文＝湾れに小互の目、小足を入れ金筋交じる、小沸がつく。

▽茎＝生ぶ、茎長く、勝手下り鑢、先栗尻、表に長銘、裏に年紀がある。

▽彫物＝表に倶利迦羅、裏に梵字と護摩箸を彫る。

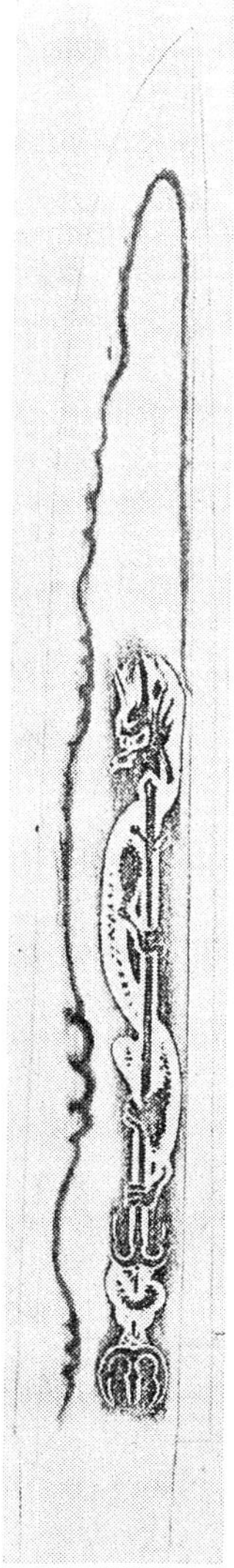

㉑出題＝刀

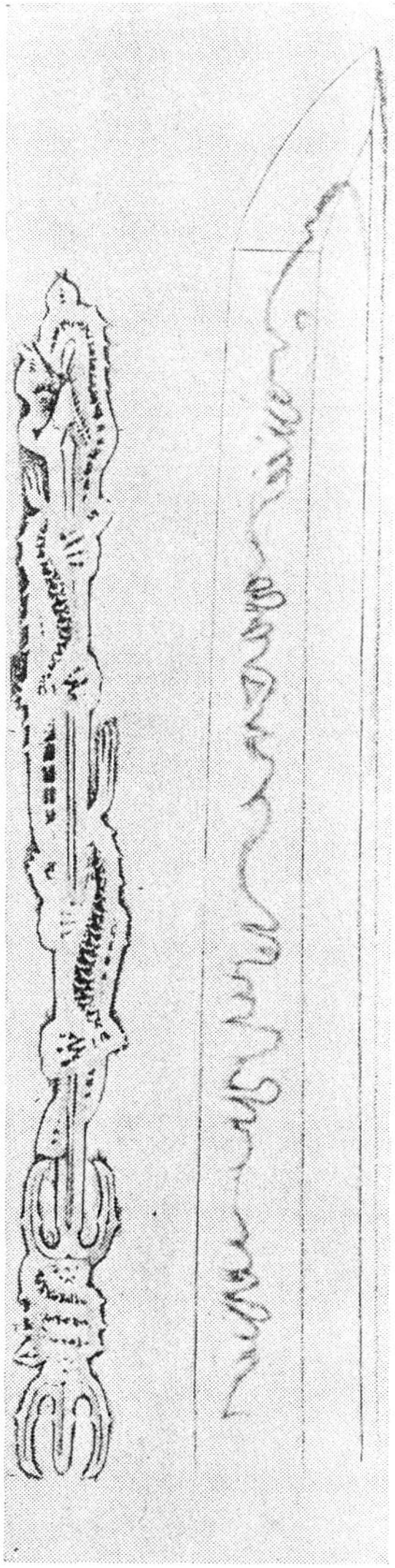

▽刃長＝65・8センチ（二尺一寸七分）
反り＝1.8センチ（六分）
▽造込み＝鎬造り、庵棟、身幅重ね尋常で、先反りつく。
▽鍛え＝板目肌、やや肌立ちごころ。
▽刃文＝互の目に丁子交じり、足・葉入り、沸出来。
▽茎＝生ぶ、佩表に長銘、裏に年紀がある。勝手下り鑢、先栗尻。
▽彫物＝表に倶利迦羅、裏に文字がある。

㉒ 出題＝太刀

▽刃長＝71・9センチ（二尺三寸七分）
反り＝2.2センチ（七分三厘）
▽造込み＝鎬造り、庵棟、腰反り高く小切先。
▽鍛え＝小板目肌よく詰み地沸つき、丁子映り立ち、黒い杢肌交じる。
▽刃文＝湾れ調の直刃に小乱、小丁子交じり、足・葉よく入り小沸よくつき、金筋交じる。
▽茎＝磨上げ、大筋違鑢、佩表に二字銘がある。

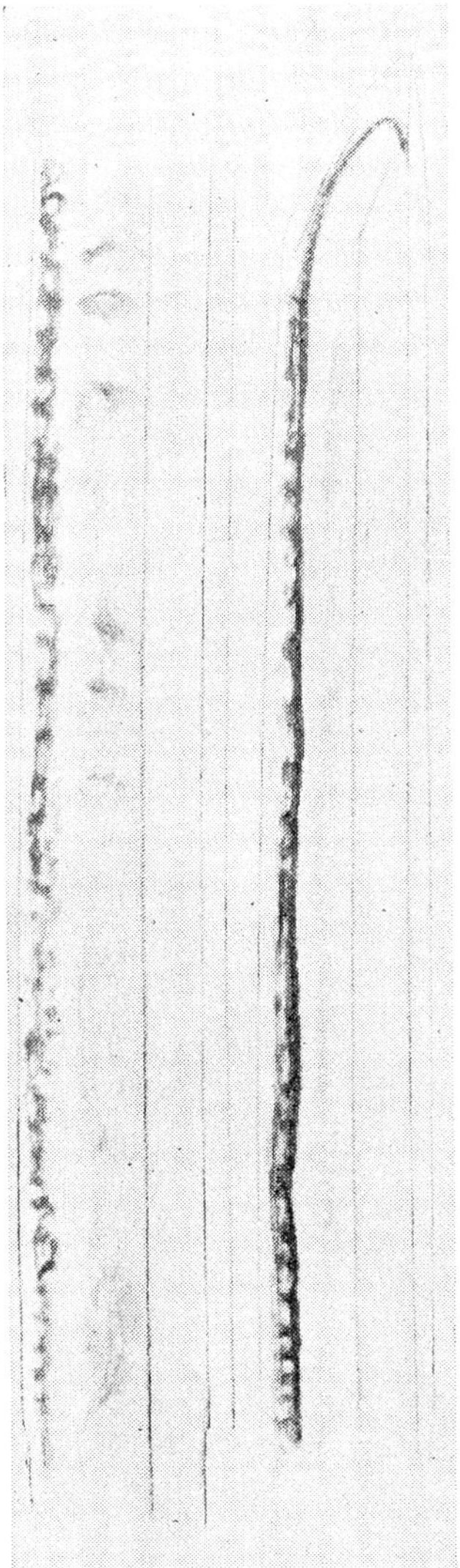

㉓**出題**＝刀

▽刃長＝69・4センチ（二尺二寸九分）
反り＝1.5センチ（五分弱）

▽造込み＝鎬造り、庵棟、身幅広く重ね厚い。反り浅く中切先延びる。

▽鍛え＝小板目肌細かく詰み、地沸つく。

▽刃文＝小丁子乱、匂口締り足よく入る。

▽茎＝生ぶ、先入山形、切り鑢、指表棟に長銘、裏に年紀がある。

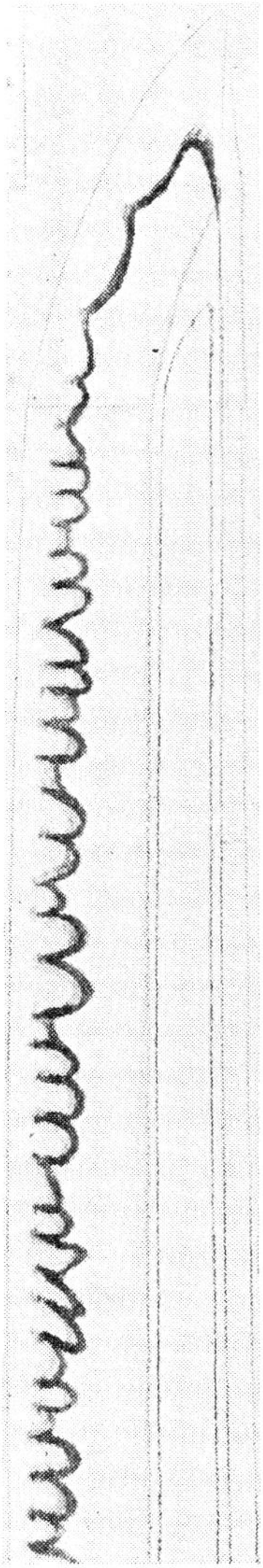

㉔**出題**＝刀

▽刃長＝45・8センチ（一尺五寸一分）

▽造込み＝鎬造り、庵棟、身幅狭目、反り浅い。

▽鍛え＝小板目よく詰み、一見して無地風となり、地沸つく。

▽刃文＝濤瀾乱、匂口明るく小沸よくつき、明るく冴える。

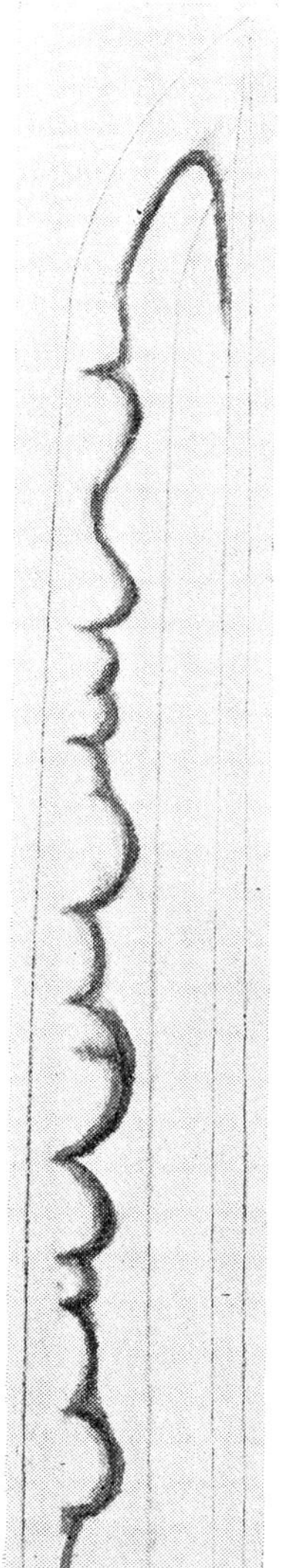

▽茎＝生ぶ、先入山形、勝手下り鑢に化粧鑢がつき、指表に長銘、指裏に年紀と注文銘がある。

㉕出題＝刀

▽刃長＝69・8センチ（二尺三寸余）
反り＝1.9センチ（六分強）

▽造込み＝鎬造り、庵棟、身幅広く重ね厚く、中切先、反りやや高め。

▽鍛え＝板目に柾目、独特の肌合いが美しく刃寄りに柾肌が目立つ。

▽刃文＝湾れに小互の目、刃縁に掃き掛け、ほつれ、肌にからんで銀筋がおどる。

▽茎＝生ぶ、先栗尻、切り鑢、佩表の上部に紋が一つある。

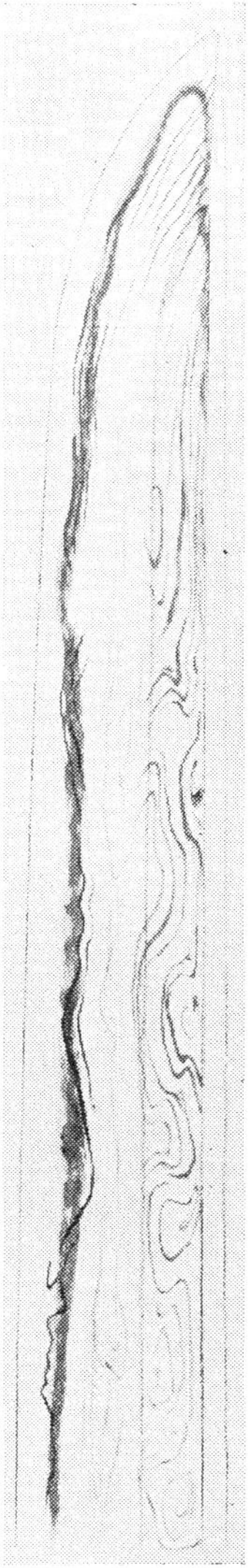

㉖出題＝刀

▽刃長＝75・6センチ（二尺五寸）
反り＝2センチ（七分）

▽造込み＝鎬造り、庵棟、身幅広く重ね普通、中切先で豪壮。

▽鍛え＝板目肌に大肌交じり地沸つく。

▽刃文＝湾れに互の目、荒沸がつき刃中に長い銀筋がしきりに入る。

▽茎＝生ぶ、先剣形、勝手下り鑢、指裏棟寄りに長銘、指表に年紀と年齢がある。

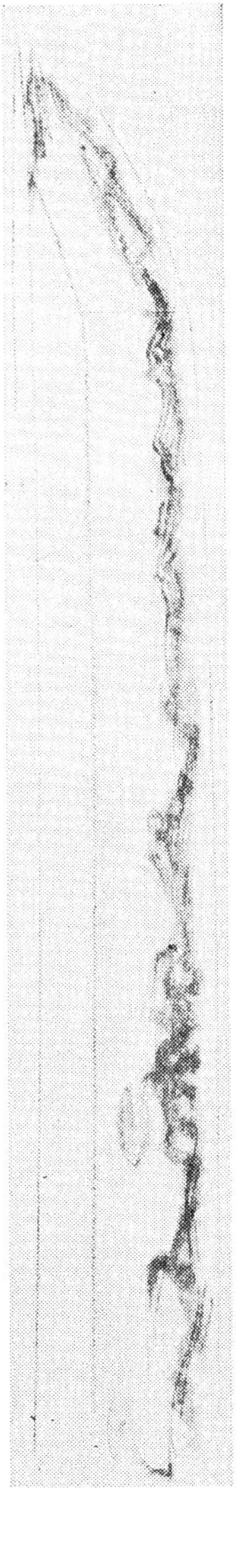

㉗出題＝刀

▽刃長＝69・4センチ（二尺二寸九分）
反り＝1.2センチ（四分）
▽造込み＝鎬造り、庵棟、身幅広め、重ね普通、反り浅く中切先延びて豪壮。

▽鍛え＝板目肌細かくよく錬れて地沸がつく。
▽刃文＝大湾れ、匂口深く小沸よくつき、明るい。刃中に長い砂流しかかる。
▽茎＝生ぶ、先栗尻、勝手下り鑢に化粧鑢がある。佩表に長銘、裏に年紀。

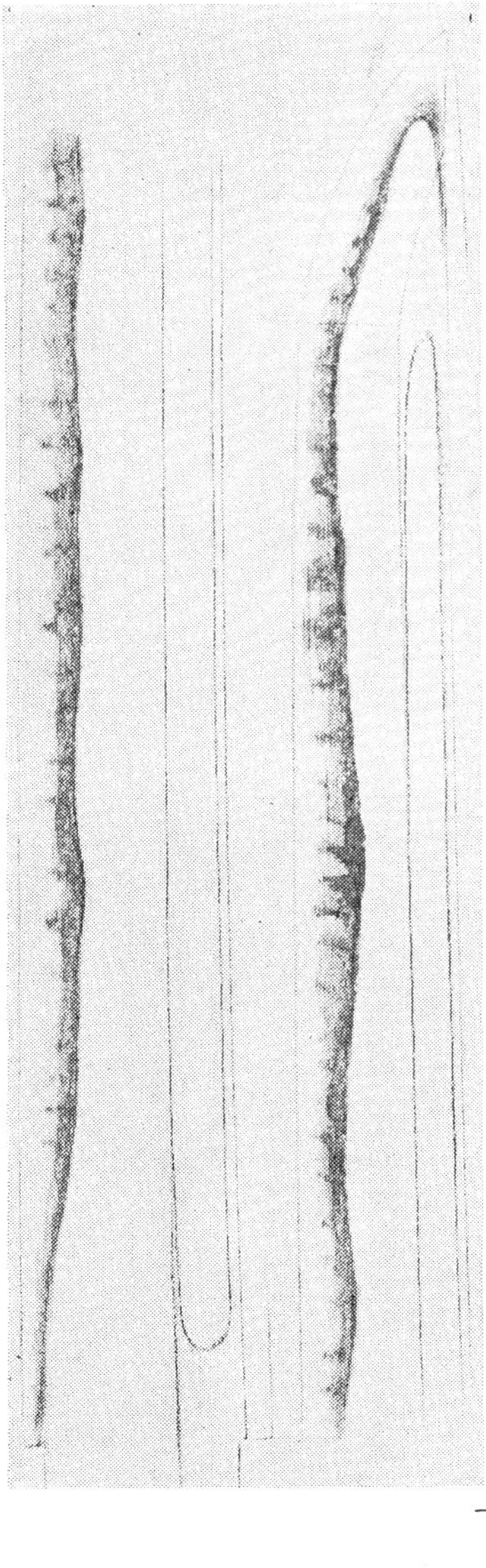

㉘出題＝刀

▽刃長＝75・7センチ（二尺五寸）
反り＝0.9センチ（三分）

▽造込み＝鎬造り、庵棟、身幅広く反り浅く、中切先延びて豪壮。

▽鍛え＝板目肌、よく錬れて地沸つく。

▽刃文＝小模様の互の目、よく沸えて刃中しきりに砂流しかかり金筋交じる。

▽茎＝磨上げ、そのため先は切り、勝手下り鑢、佩表中央に大振りの四字銘、佩裏に年紀がある。

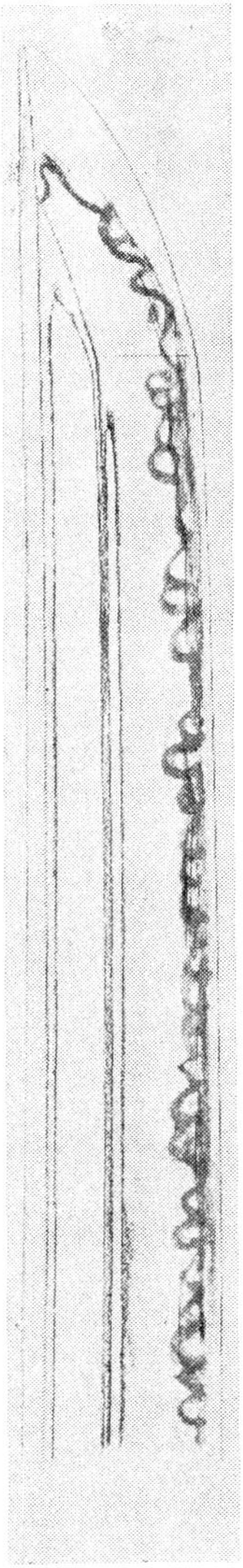

㉙出題＝短刀

▽刃長＝25・9センチ（九寸九分弱）

▽造込み＝平造り、庵棟、重ね厚く内反り。

▽鍛え＝板目に柾流れ、地沸つく。

▽刃文＝互の目、足入り、よく沸え、砂流ししきりにかかり、金筋交じる。帽子は突きあげて尖り、長く返る。

▽茎＝生ぶ、先栗尻、勝手下り鑢、指表中央に大振りの草書銘、同じく裏に年紀がある。

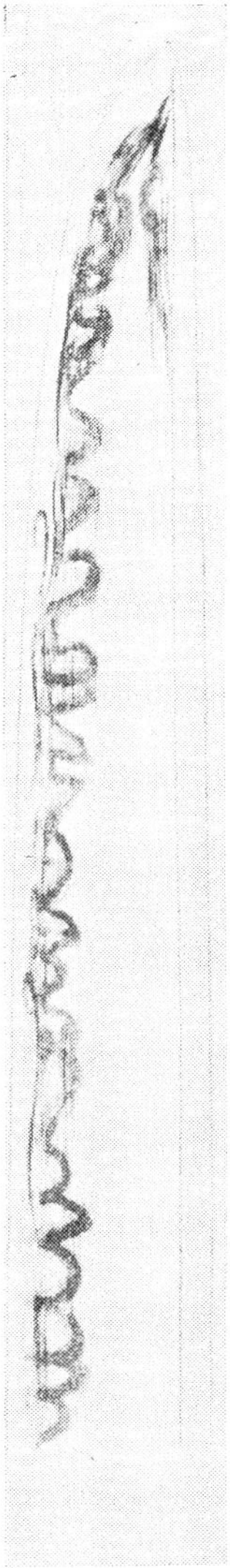

㉚出題＝脇指

▽刃長＝38・3センチ（一尺二寸六分）

▽造込み＝平造り、身幅広く、重ね薄く、反りがつく。

▽鍛え＝小板目肌よく詰み乱映り立つ。

▽刃文＝匂出来の逆丁子、匂口よく締り、足・葉が入る。

▽茎＝生ぶ、大筋違鑢、先刃上り栗尻、表に長銘、裏に年紀がある。

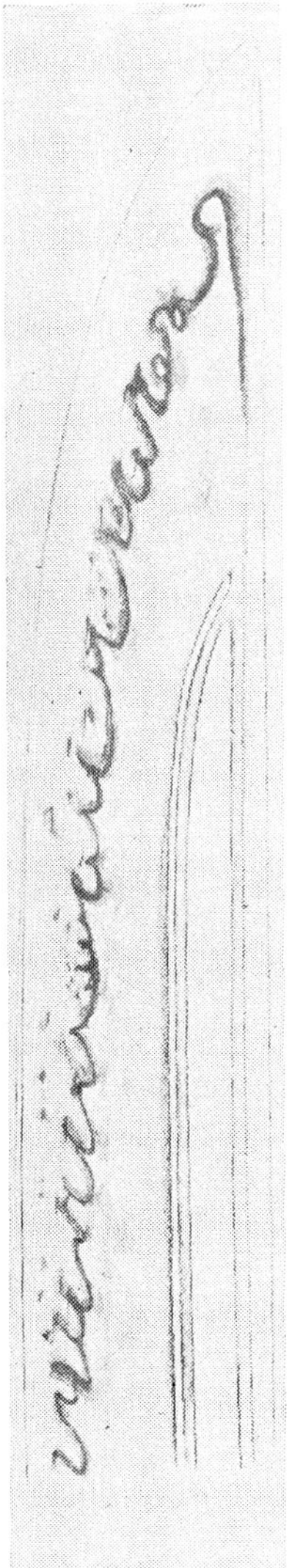

㉛出題＝刀

▽刃長＝67・9センチ（二尺二寸四分）

反り＝1.2センチ強（四分）

▽造込み＝鎬造り、庵棟、身幅広目で重ね薄く平肉つかず、中切先延びて先反り。

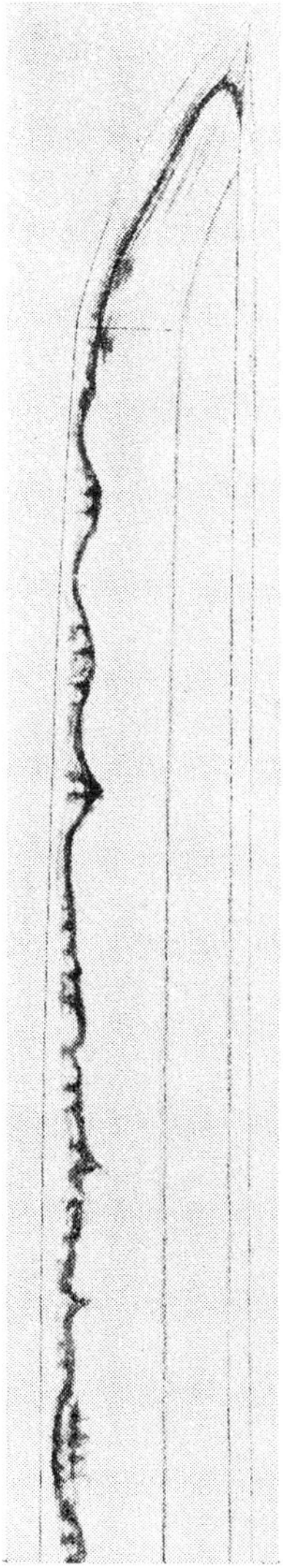

▽鍛え＝板目に柾交じり、白け映り立つ。
▽刃文＝互の目に湾れ、尖り刃が目立ち、足・葉入り、匂口沈み刃縁ほつれ、刃中細かい砂流しかかる、匂出来。
▽茎＝磨上げ、鷹の羽鑢、先切り、表に二字銘、裏に磨上げ銘がある。

㉜ **出題**＝短刀

▽刃長＝22・8センチ（七寸五分）
▽造込み＝平造り内反り、三ツ棟、小振り姿。
▽鍛え＝小板目詰み柾心を交える。総体に白け映り立つ。
▽刃文＝匂出来の直刃、小沸わずかにつく、帽子は小丸で返り寄る。
▽茎＝生ぶ、檜垣鑢、先栗尻、表棟寄りに二字銘がある。

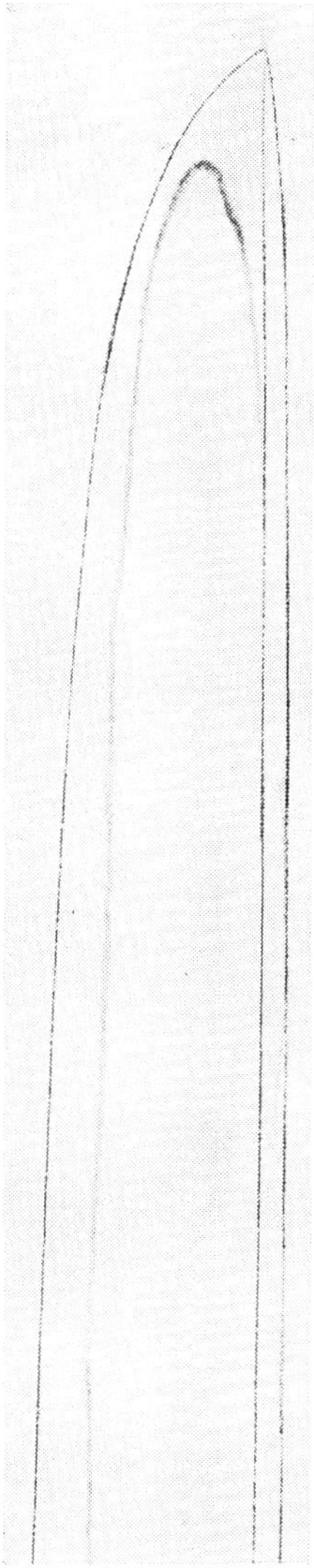

㉝ **出題**＝刀

▽刃長＝70センチ（二尺三寸一分）
反り＝2.2センチ（七分三厘）
▽造込み＝鎬造り、庵棟、身幅広目で重ね薄く、鎬筋高い、先反り。
▽鍛え＝板目に柾肌交じる。
▽刃文＝互の目丁子、匂口沈みごころに締り、

足・葉入り、匂出来。

▽茎＝生ぶ、鷹の羽鑢、先栗尻、棟寄りに六字銘がある。

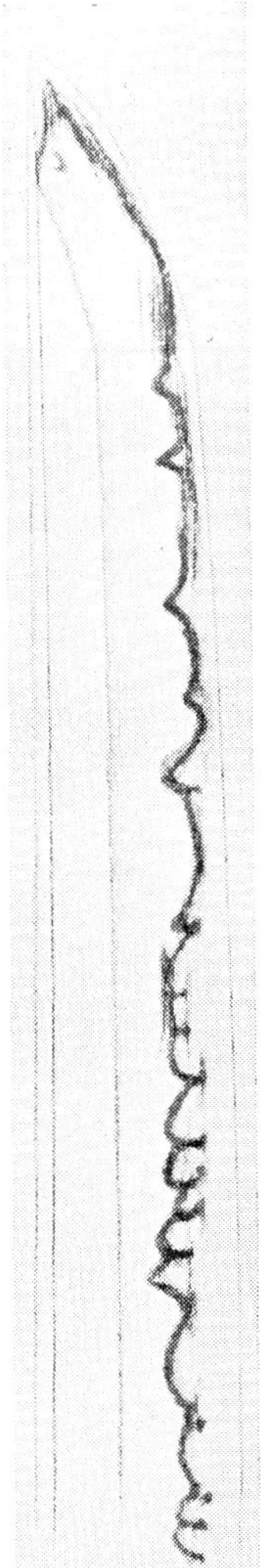

㉞**出題**＝脇指

▽刃長＝31・8センチ（一尺〇五分）

▽造込み＝平造り、庵棟、身幅重ね尋常で寸延び、先反り。

▽鍛え＝板目に柾流れる。

▽刃文＝互の目丁子、足・葉をよく入れ、刃中に細かい砂流しかかる。匂出来。

▽茎＝生ぶ、勝手下り鑢、先栗尻、表に長銘、裏に年紀がある。

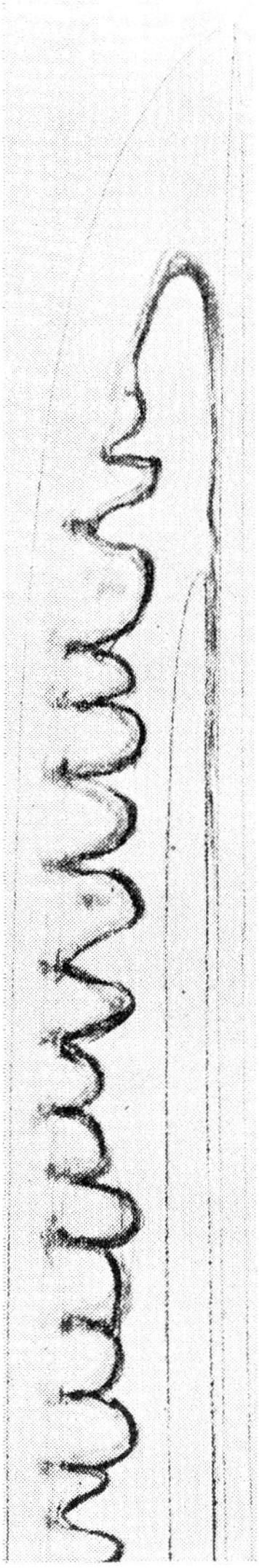

㉟出題＝短刀

▽刃長＝24・5センチ（八寸一分）

▽造込み＝平造り、三ツ棟、身幅普通で重ね薄く先反り。

▽鍛え＝板目に柾交じり。

▽刃文＝湾れに互の目、沸つき、角味のある互の目を交え表裏揃う。飛焼かかる。

▽茎＝生ぶ、舟形で先入山形、切り鑢、表棟寄りに二字銘がある。

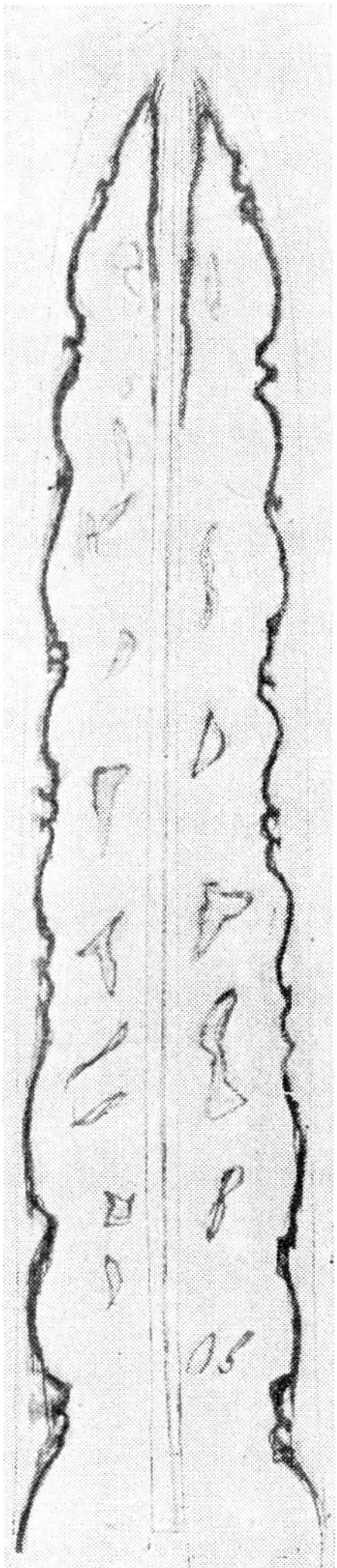

㊱出題＝刀

▽刃長＝74・8センチ強（二尺四寸七分）
反り＝1センチ（三分三厘）

▽造込み＝鎬造り、庵棟、身幅広く重ね普通、中切先延びて反り浅い。

▽鍛え＝小板目肌、地沸よくつき、大板目肌交じりザングリする。

▽刃文＝湾れ調の直刃、互の目交じり、匂口沈みごころに沸づき、刃中砂流しかかる。

▽茎＝生ぶ、大筋違鑢、先刃上り栗尻、目釘孔の下棟寄りに大振りの二字銘。

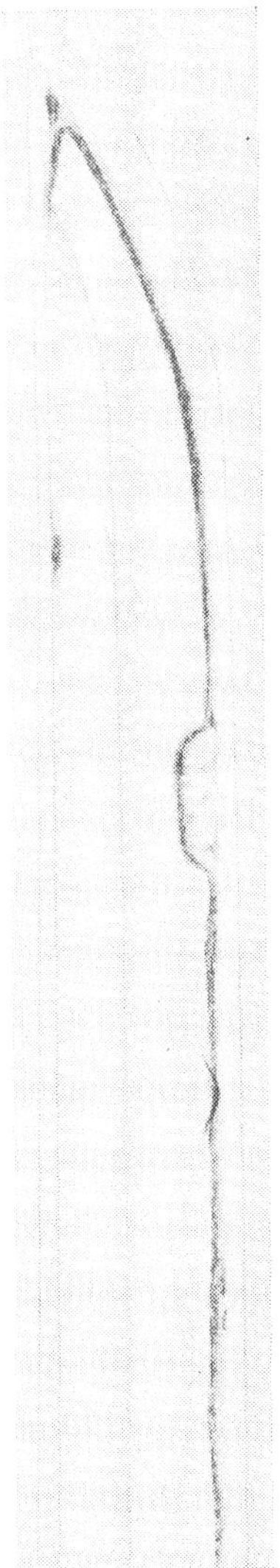

㊲**出題**＝脇指

▽刃長＝40・6センチ（一尺三寸〇七厘）

反り＝1.2センチ（三分六厘）

▽造込み＝薙刀直し造り脇指、三ツ棟、身幅広く重ね厚い。

▽鍛え＝板目肌、地沸よくつき、少しザングリとする。

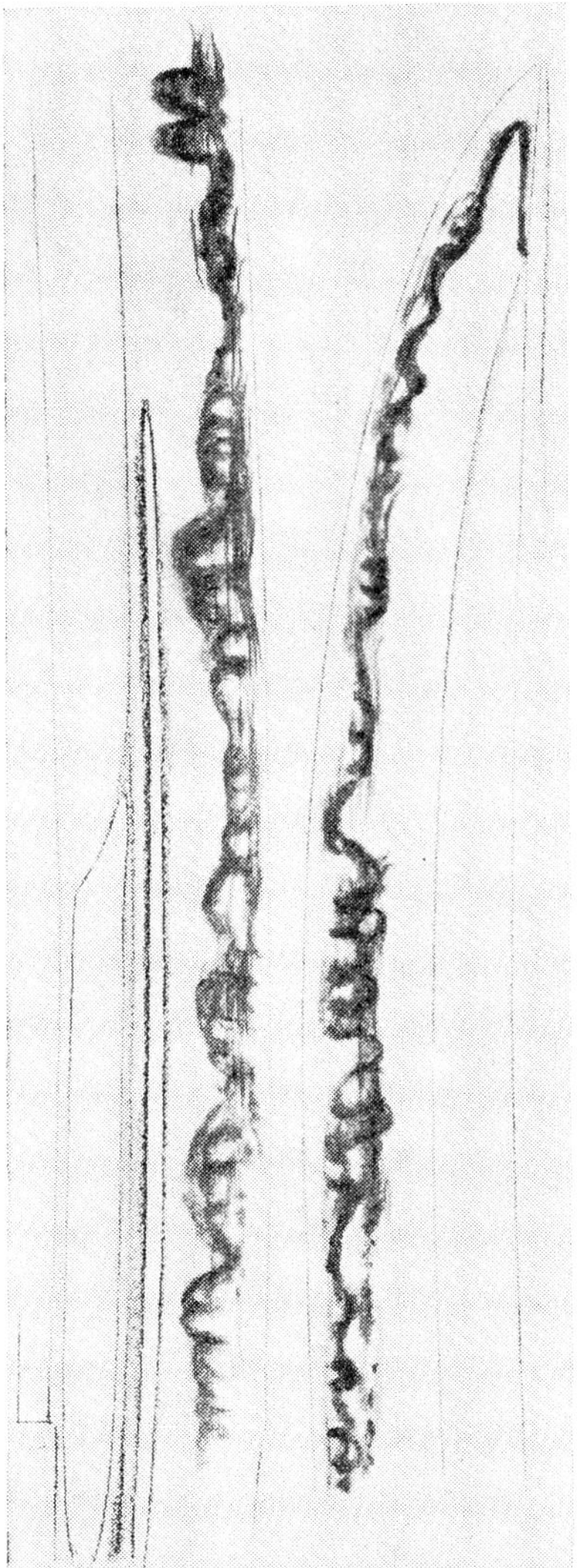

▽刃文＝互の目に小乱交じり、沸よくつき砂流し、掃掛けさかんに金筋かかる。

▽茎＝生ぶ、筋違い鑢、先栗尻、指表棟寄りに八字銘。

㊳**出題**＝脇指

▽刃長＝54・9センチ（一尺八寸一分）

反り＝1.8センチ（五分九厘）

▽造込み＝鎬造り、庵棟、身幅広く重ね普通、反り浅く、中切先延びる。

▽鍛え＝小板目よく詰み、地沸つき美麗。

▽刃文＝濤瀾風のゆったりした大湾れ、小足を入れ、匂深く小沸よくつき明るく冴える。焼出し短い。

▽茎＝生ぶ、筋違鑢、化粧鑢がある、先入山形、指表棟寄りに長銘、裏に年紀がある。

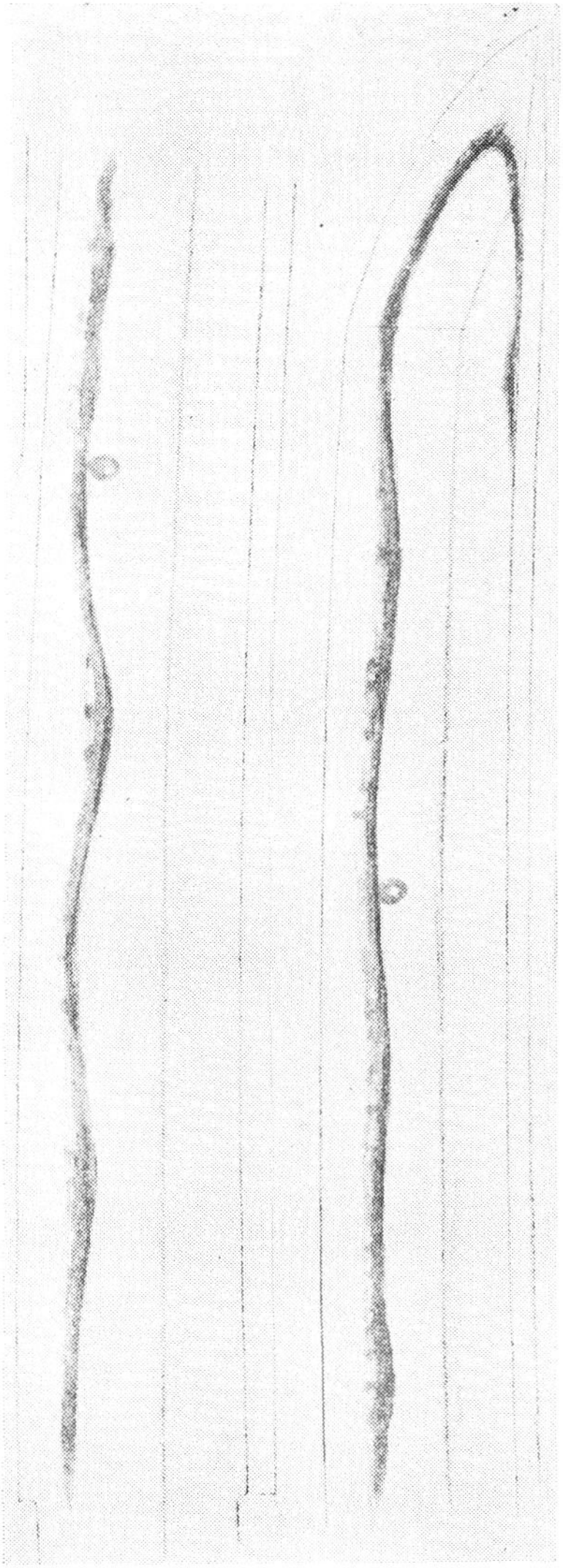

㊴**出題**＝短刀

▽刃長＝30・4センチ（一尺）

▽造込み＝平造り、庵棟、身幅狭く重ね厚く寸延び、わずかに反る。

▽鍛え＝小板目肌細かく詰み無地風。

▽刃文＝細直刃、匂出来で小沸つく。

▽彫物＝指表に真の倶利迦羅を緻密に彫り、指裏に素剣。

▽茎＝生ぶ、先栗尻、化粧鑢に筋違鑢、指表に年齢、二字銘に刻印、指裏に年紀がある。

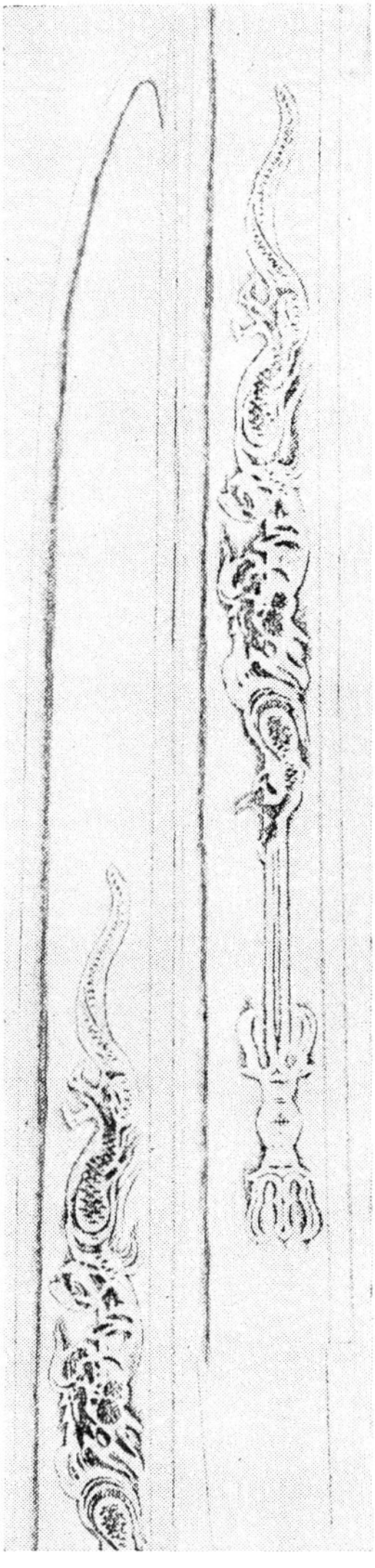

㊵**出題**＝刀

▽刃長＝69・2センチ（二尺二寸八分）
反り＝1.6センチ（五分三厘）

▽造込み＝鎬造り、庵棟、身幅広く、重ね厚く反り浅い、**中切先延びる**。

▽鍛え＝小板目肌よく詰む。

▽刃文＝丁子乱、足長く入り、匂口明るく小沸つき、刃中砂流しかかる。

▽茎＝生ぶ、先浅い栗尻、勝手下り鑢荒く切る。佩表棟に銘、佩裏に年紀がある。

㊶出題＝短刀

▽刃長＝24センチ（七寸九分）

▽造込み＝平造り、三ツ棟、内反り。

▽鍛え＝小板目肌細かく詰み、柾肌交じり、地沸つき地景交じる。

▽刃文＝小沸出来の直刃、飛焼かかる、元の方湾れる。刃中砂流しかかり金筋交じる。

▽彫物＝指表は樋の内に真の倶利迦羅、指裏に樋の内素剣を浮彫り。

▽茎＝生ぶ、先栗尻、化粧鑢に筋違鑢、表に銘と刻印、裏に年齢と年紀がある。

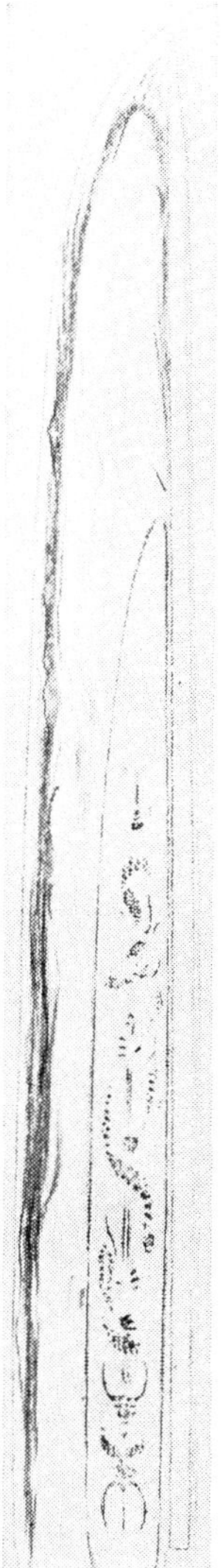

㊷ **出題**＝脇指

▽刃長＝52・3センチ（一尺七寸二分五厘）

▽造込み＝鎬造り、庵棟、身幅重ね尋常、中切先で反り浅い。

▽鍛え＝小板目肌細かく梨子地のようになり、明るく冴える。

▽刃文＝湾れに小互の目交じり、匂口深く小沸よくつき冴える、直ぐ焼出しがある。

▽茎＝生ぶ、勝手下り鑢に化粧鑢がある。先刃上り栗尻、指表棟寄りに長銘、指裏に菊紋と年紀がある。

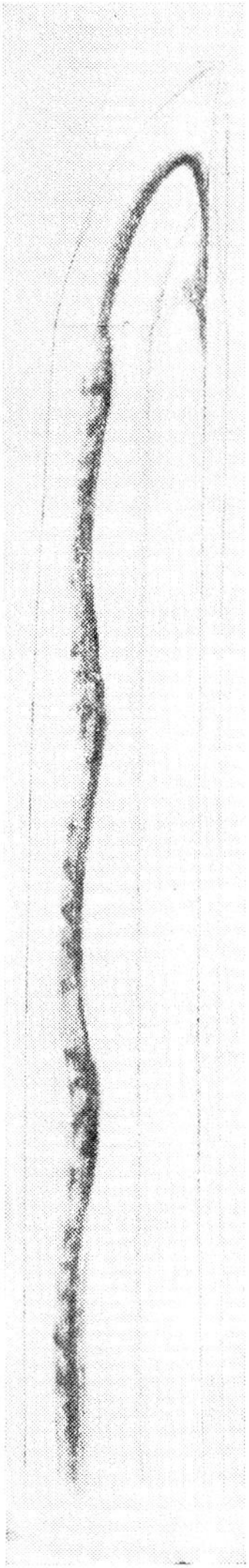

㊸ **出題**＝刀

▽刃長＝60・6センチ（二尺）

▽造込み＝鎬造り、庵棟、身幅広めで中切先、反りごく浅い。

▽鍛え＝板目肌細かく詰み、地沸よくつく。

▽刃文＝丁子乱、拳形をなし、小沸つき、短い直ぐ焼出しがある。

▽茎＝生ぶ、勝手下り鑢、先刃上り栗尻、目釘孔の下棟寄りに五字銘がある。

㊹出題＝刀

▽刃長＝71・8センチ（二尺三寸六分）

▽造込み＝鎬造り、三ツ棟、身幅広く、重ね普通、中切先で反り浅い。

▽鍛え＝板目肌。

▽刃文＝互の目乱れ、濤瀾風となり、足をよく入れ、刃中金筋働く、匂口柔らかく小沸よくつく。

▽茎＝生ぶ、勝手下り鑢、先刃上り栗尻、指表棟寄りに長銘、裏に年紀がある。

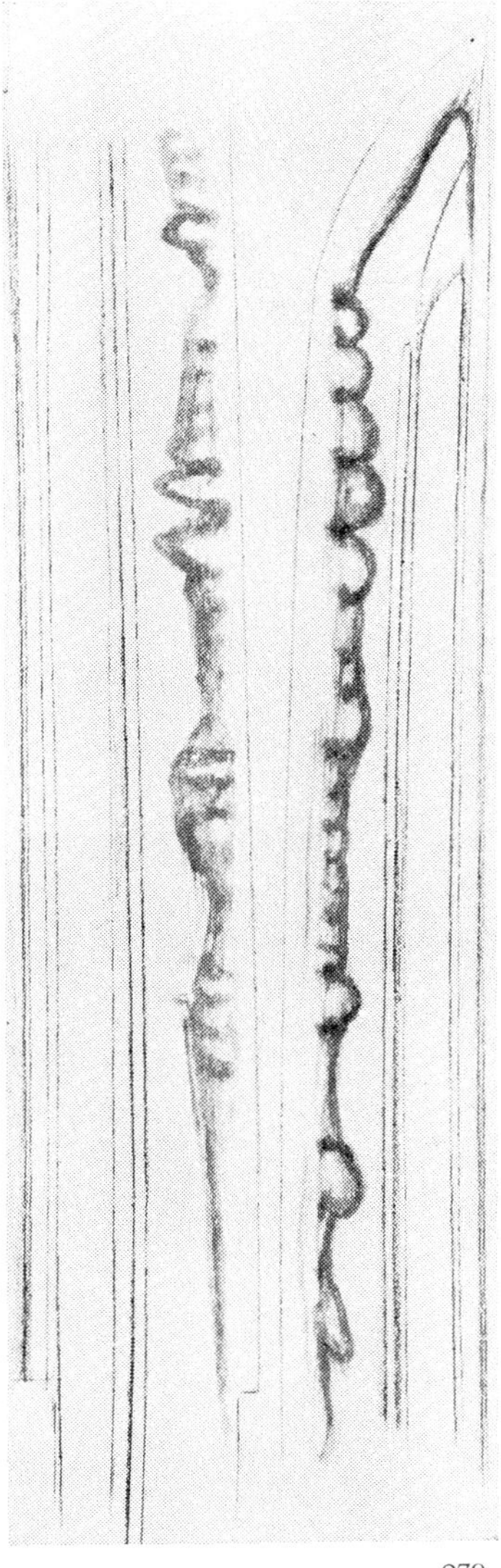

㊺出題＝脇指

▽刃長＝38・8センチ（一尺二寸八分）
▽造込み＝平造り、三ツ棟、身幅広めで反り浅い。
▽鍛え＝板目に柾交じり、地沸つく。
▽刃文＝湾れに小互の目交じり、砂流しかかり沸づく、匂口沈み、刃縁ほつれる。
▽茎＝生ぶ、勝手下り鑢、先栗尻、棟よりに○守○○○○と七字銘がある。

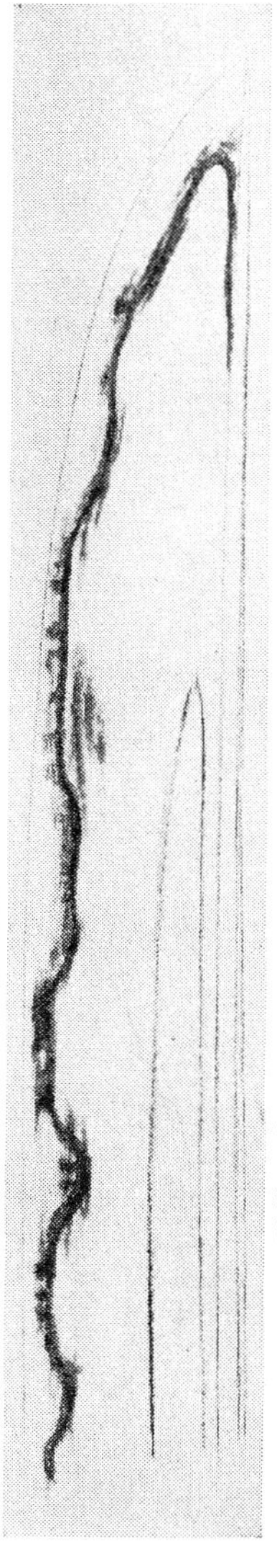

㊻ **出題＝刀**

▽刃長＝69・4センチ（二尺二寸九分）
反り＝1.4センチ（四分六厘）
▽造込み＝鎬造り、庵棟高く、反り浅く中切先延びる。
▽鍛え＝板目に杢を交えて柾がかり地沸つき、地景入る。
▽刃文＝湾れに互の目交じり、砂流しかかり金筋交じる。匂口深く沸よくつき地にこぼれる。
▽茎＝やや磨上げ、先刃上り栗尻、鑢は表勝手下り、裏勝手上り、指表に二字銘がある。

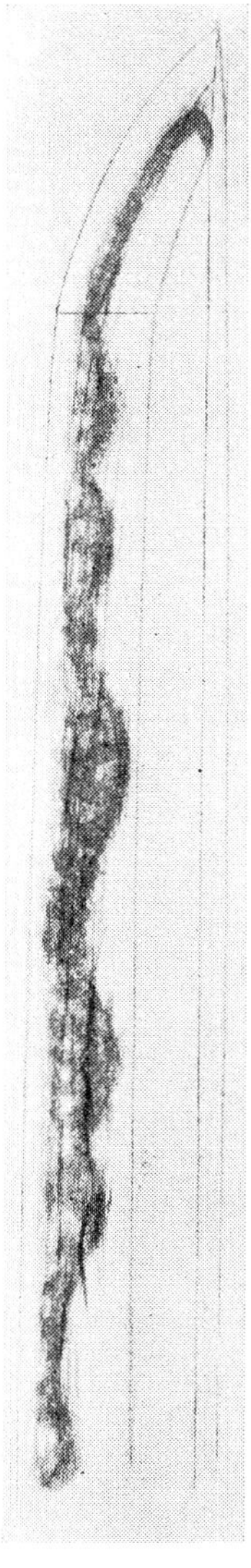

㊼**出題**＝脇指

▽刃長＝55・8センチ（一尺八寸四分）

反り＝0.6センチ（二分）

▽造込み＝鎬造り、庵棟、反り浅く中切先。

▽鍛え＝板目肌柾がかりよく詰む。

▽刃文＝互の目乱、匂口明るく冴え、総体に砂流しかかる。

▽茎＝生ぶ、先栗尻、ゆるやかな勝手下り鑢、孔一、指表に長銘がある。

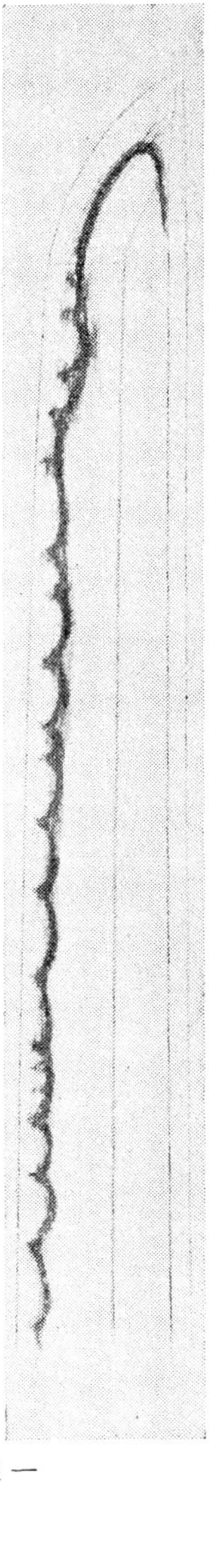

㊽**出題**＝刀

▽刃長＝71・5センチ（二尺三寸六分）

反り＝0.8センチ（二分八厘）

▽造込み＝鎬造り、庵棟、身幅、重ね普通。

▽鍛え＝板目、地沸よくつく。

▽刃文＝小沸出来の直刃、匂口深く小沸つき冴える、足入り、焼出しが長い。

▽茎＝生ぶ、先刃上り栗尻、勝手下り鑢、指表棟寄りに長銘。

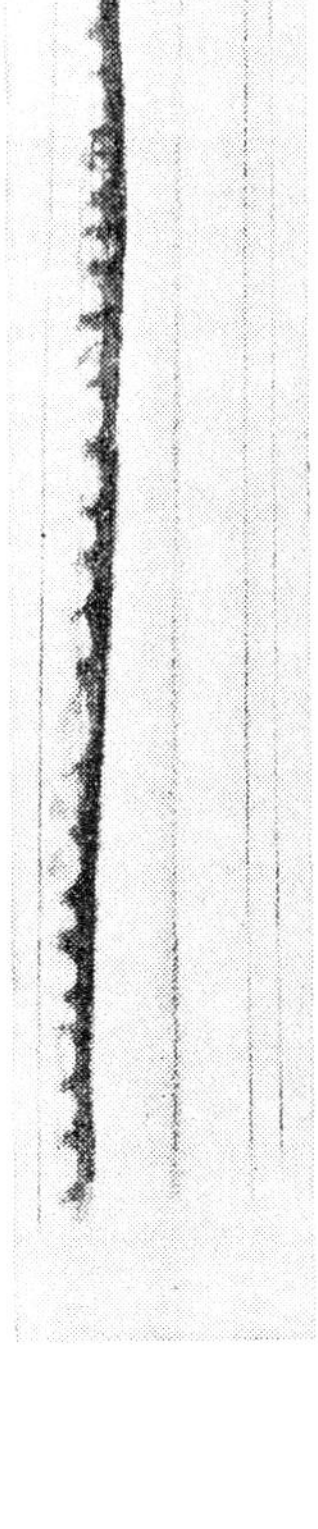

㊾出題＝脇指

▽刃長＝31・8センチ（一尺〇五分）

▽造込み＝平造り、三ツ棟、身幅広めでやや反りがある。

▽鍛え＝小板目肌、柾交じり、地沸つく。

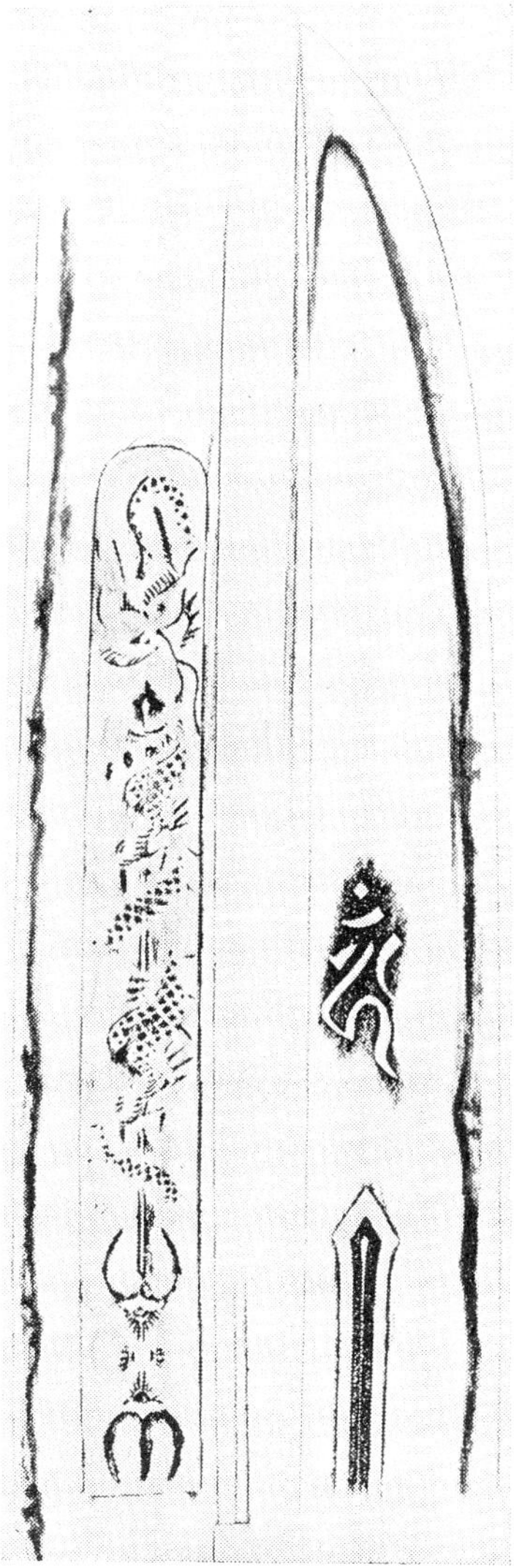

▽刃文＝浅く湾れて小互の目交じり、小沸よくつき、刃縁ほつれ、掃掛けかかる。

▽茎＝生ぶ、先剣形、勝手下り鑢、指表に五字、裏に彫刻師銘がある。

▽彫物＝表櫃の内に真の倶利迦羅、裏素剣に梵字をタガネ深く彫る。

㊿出題＝脇指

▽刃長＝52・4センチ（一尺七寸三分）

反り＝1.3センチ（四分）

▽造込み＝鎬造り、庵棟、反り浅く中切先。

▽鍛え＝板目肌よく錬れて柾交じり、地沸つく。

▽刃文＝湾れに互の目、箱がかった刃、尖り刃交じり、足・葉が入る、小沸よくつく。

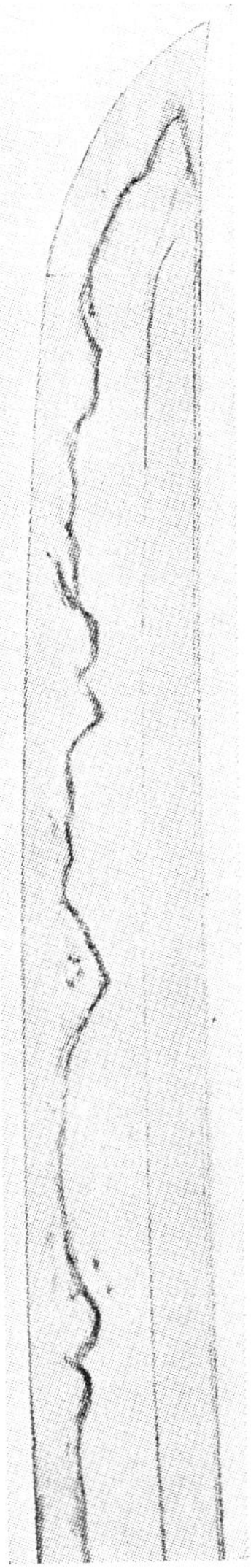

▽茎＝少々磨上げ、先切り、勝手下り鑢、指表に三字銘、指裏に年紀がある。

㉛ **出題**＝短刀

▽刃長＝26・1センチ（八寸六分一厘）

▽造込み＝菖蒲造り、庵棟、内反り。

▽鍛え＝柾肌細かくよく詰み、地沸つく。

▽刃文＝細直刃に小互の目交じり、小沸よくつき、掃掛け打のけかかり、二重刃となるところもある。帽子は小丸返り。

▽茎＝生ぶ、先栗尻、勝手下り鑢、表に八字銘がある。

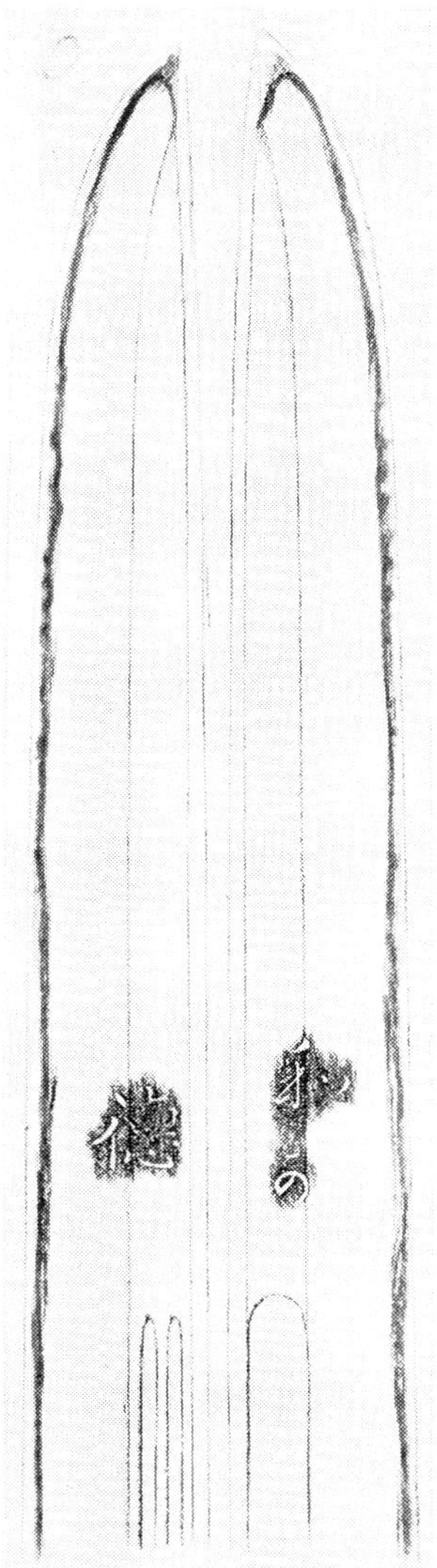

㊷出題＝刀

▽刃長＝71・1センチ（二尺三寸五分）
反り＝1.5センチ（五分）

▽造込み＝鎬造り、庵棟、反り浅く中切先、身幅広く重ね普通で鎬筋高い。

▽鍛え＝板目肌流れごころあり、刃方に柾肌、地沸つき総体に詰んで冴える。

▽刃文＝直刃に小足入り、ほつれ、掃掛けかかり、匂深く小沸よくつき冴える。

▽茎＝生ぶ、先浅い栗尻、勝手下り鑢、指表の棟寄りに長銘がある。

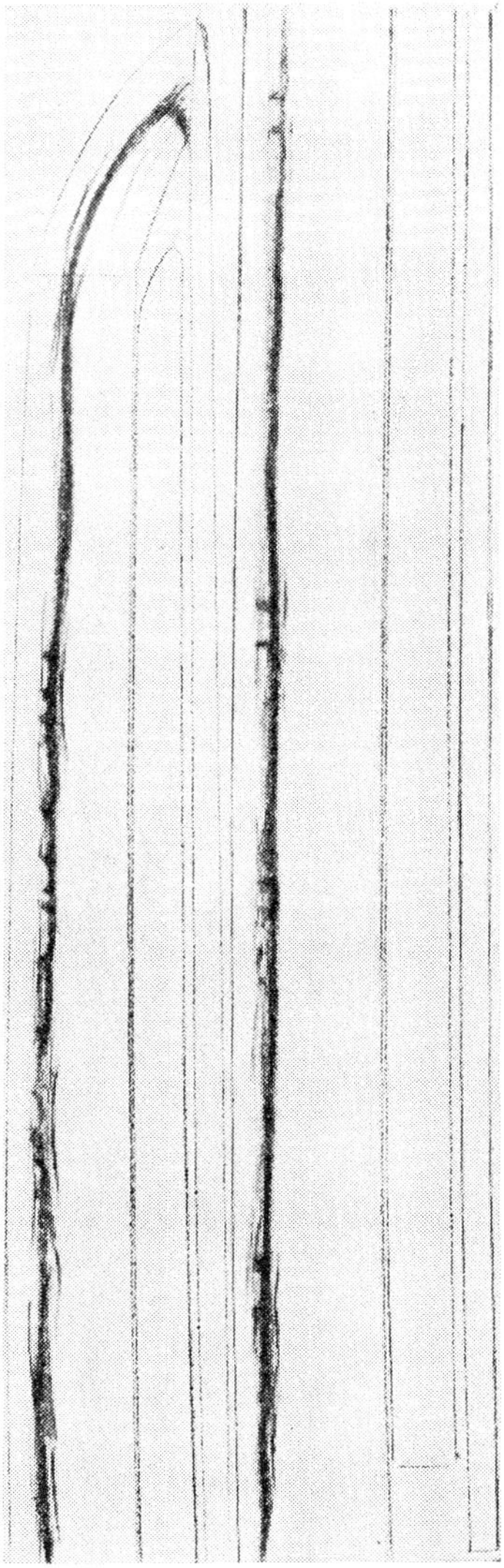

㊸出題＝刀

▽刃長＝69・8センチ（二尺三寸余）
反り＝1.8センチ（六分）

▽造込み＝鎬造り、庵棟、身幅尋常で反りやや高く中切先。

▽鍛え＝小板目肌よく詰み、小沸厚くつき冴える。

▽刃文＝互の目に丁子、足長く入り、匂深く小沸よくつき、金筋交じる。帽子は小丸。

▽茎＝生ぶ、先剣形、浅い勝手上り鑢、目釘孔一、佩表棟寄りに九字銘がある。

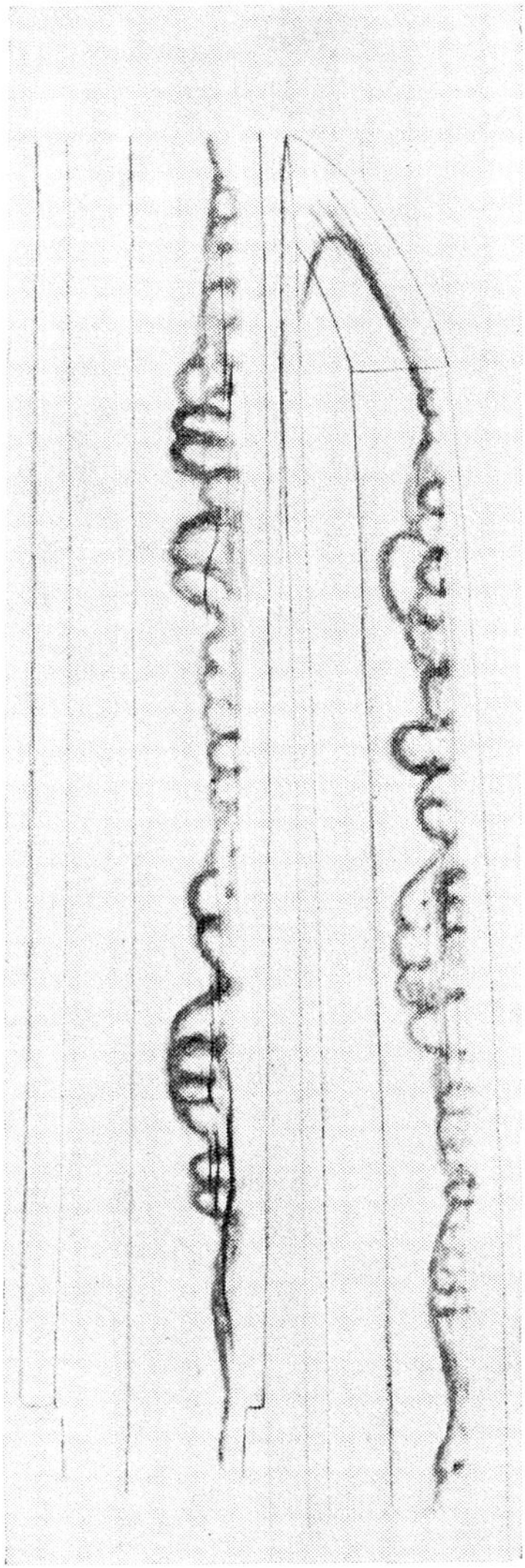

㊹出題＝刀

▽刃長＝69・5センチ（二尺二寸九分四厘）、反り1・4センチ（四分六厘）

▽造込み＝鎬造り、庵棟、反り浅く、中切先のびる。

▽鍛え＝板目やや流れ地沸つく。

▽刃文＝小のたれ、互の目を交え、沸よくつき砂流しかかる。

▽帽子＝直ぐに先掃かけ、尖りごころに返る。

▽茎＝生ぶ、先栗尻、鑢目勝手下り、目釘孔三（うち二埋）、僅かに区を送り、指表に五字銘がある。

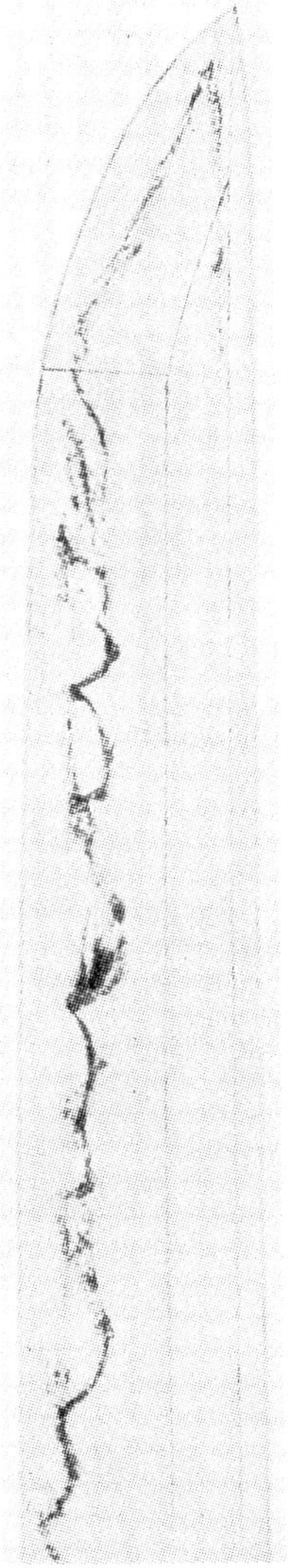

⑤⑤ 出題＝短刀

▽刃長＝25・5センチ（八寸四分強）

▽造込み＝平造、庵棟、身幅やや広め、僅かに反る。

▽鍛え＝板目、小杢目を交え、沸よくつき、地景が入る。

▽刃文＝浅い湾れに、小互の目交じり、沸よくつき、砂流し、金筋かかる。

▽帽子＝先尖りごころに長く返る。

▽茎＝生ぶ、先栗尻、鑢目筋違、目釘孔二、孔の下中央に銘、表裏に切り分ける。

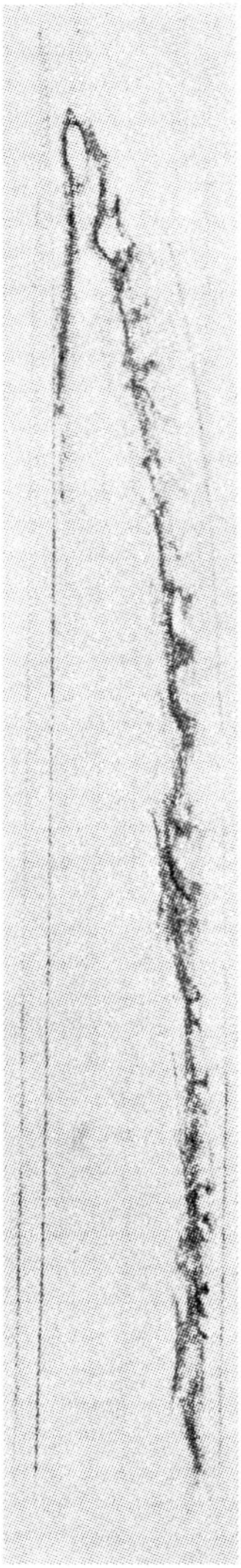

⑤⑥ 出題＝短刀

▽刃長＝24・4センチ（八寸五分）無反り。

▽造込み＝平造り、庵棟、身幅普通で重ね厚い。

▽鍛え＝板目に大板目肌交じり地沸つき、地斑交じる。

▽刃文＝互の目、匂い口明るく小沸よくつき冴える。刃中細かい砂流し金筋かかる。
▽帽子＝図のとおり。
▽茎＝生ぶ先栗尻。鑢目筋違い。表に二字銘、目釘孔一個。
○ヒント＝彫物を得意とし、彫同作を添えることが多い。

㊼出題＝脇指

▽刃長＝33・4センチ（一尺強）
▽造込み＝平造、庵棟、身幅広く、重ね厚く、先反りがつく。
▽鍛え＝小板目に柾交じり、地沸つく。
▽刃文＝中直刃、互の目足、小足が入る。小沸出来、匂口明るく、刃中砂流しかかる。
▽帽子＝小丸で長く返り先は掃掛ける。
▽茎＝生ぶ、鑢目筋違い、先栗尻丸く、表目釘孔の右下に三字銘がある。
○本作者には乱れと直刃の両作があり、鍛えには純然たる柾肌もある。

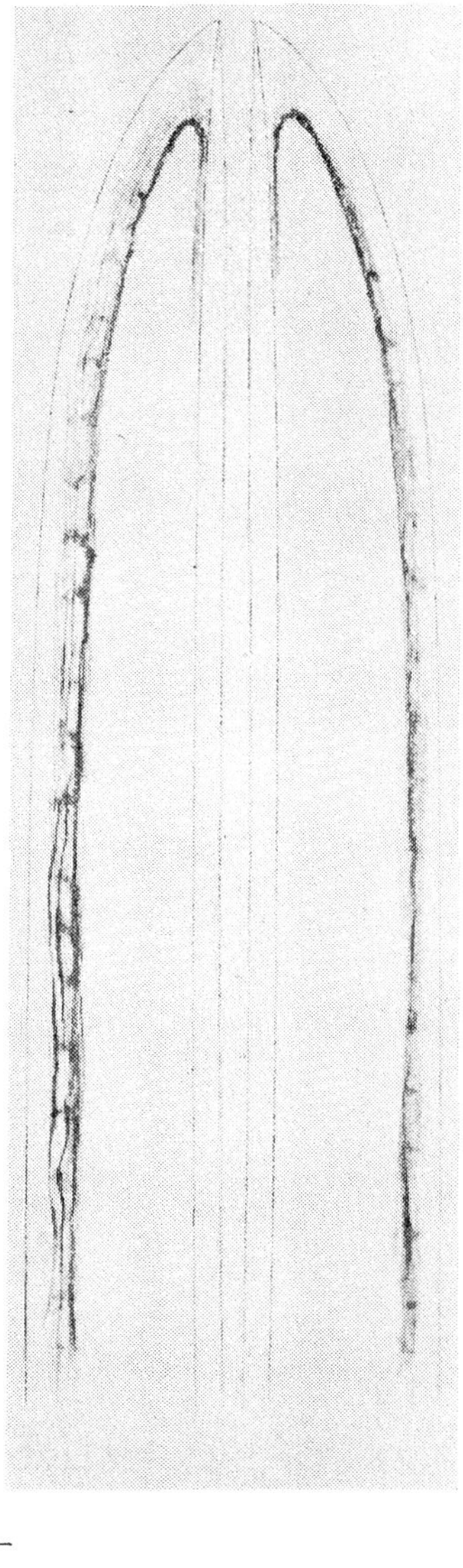

58 出題＝刀

▽刃長＝69・4センチ（二尺二寸九分）
　反り＝1・35センチ（四分五厘）
▽造込み＝鎬造、庵棟、元身幅広く、重ね普通
　反り浅く中切先。
▽鍛え＝板目に柾交じり、地沸つく。
▽刃文＝互の目に小湾れ、小沸出来で砂流し、
　掃掛けかかる。
▽帽子＝図の通り。

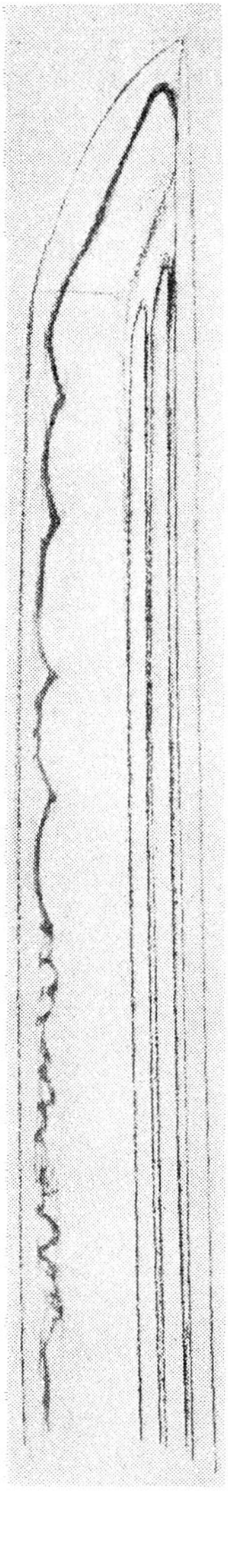

▽茎＝生ぶ、勝手下り鑢に先は栗尻が張る。指表鎬地に寄って五字銘がある。

⑲出題＝太刀

▽刃長＝70・0センチ（二尺三寸一分）
反り＝2・3センチ（七分六厘）

▽造込み＝鎬造り、庵棟、反り高く気品高い。

▽鍛え＝板目肌に流れごころ交じり、地沸よくつき、地景入る。

▽刃文＝細直刃調に浅くのたれ、ほつれて小互の目交じり、足入り、匂い深く、小沸よくつき砂流しかかる。

▽帽子＝直ぐに焼詰め。

▽茎＝大磨上げ、先切り鑢目勝手下り、目釘孔一、指表に折返して二字銘がある。

⑳出題＝刀

▽刃長＝71・0センチ（二尺三寸五分）
反り＝1・8センチ（六分）

▽造込み＝鎬造り、庵棟、身幅重ね尋常

▽鍛え＝小板目よく詰む。

▽刃文＝沸出来、湾れ調の直刃、刃縁厚く明るい、焼出しがある。帽子図の通り小丸下り。

▽茎＝生ぶ、孔一コ、勝手下り鑢、先栗尻、指表の棟よりに四字銘、指裏に年紀がある。

⑥出題＝刀

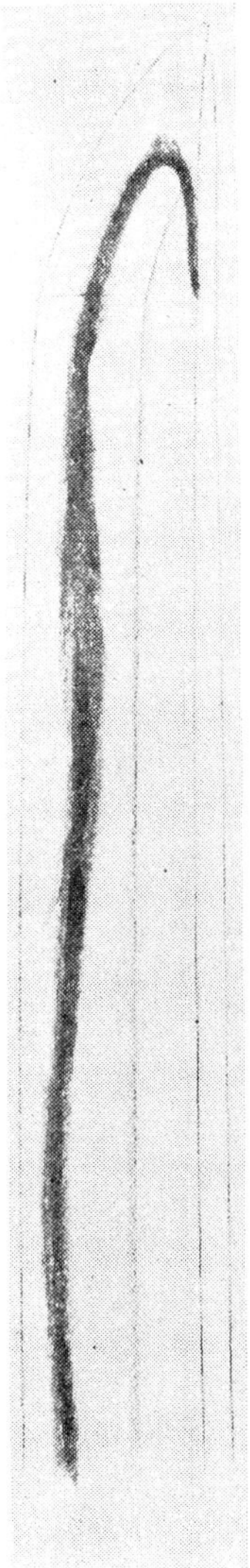

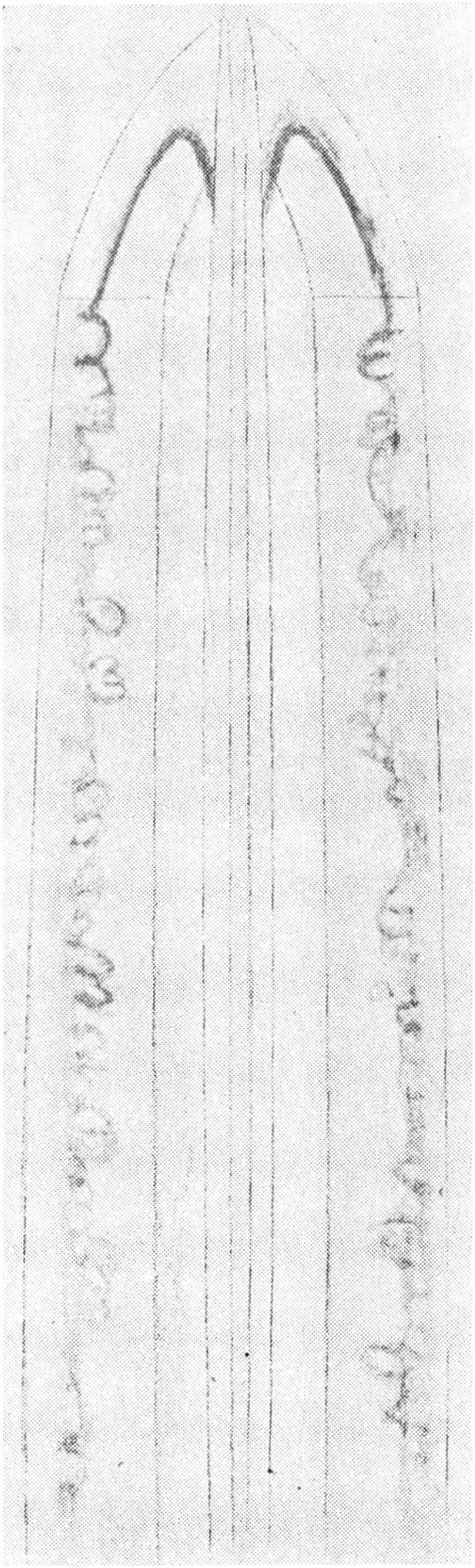

▽刃長＝70・8センチ（二尺三寸四分）
反り＝1・8センチ（五分九厘）
▽造込み＝鎬造、庵棟、身幅、重ねとも普通、
反り浅く中切先。

▽鍛え＝小板目よく詰む。
▽刃文＝丁子乱、小沸よくつき匂口明るい。焼
出しがある。
▽帽子＝小丸返り。

▽茎＝生ぶ、鑢目浅い勝手上り、先剣形、鎬地の表裏に長銘がある。

鑑定入札刀解答

①解答＝綾小路定利

磨上げ姿であるが腰に踏張りがあり、刃文を小丁子で焼いているところから、古作の姿が浮かんできます。小板目の鍛え肌で処々に柾が流れ地沸がついています。この説明には映り心がみられませんので備前物をはずして考えますと、まず山城物の線が出てきます。小丁子乱の古調な刃文は鎌倉中期を下るものではなく、来国行や来国俊よりなお古雅な趣がみられ、前者では姿の点で相違し、後者では直刃主調となりより淋しい感じとなりましょう。小丁子乱が二つあるいは三つずつ揃えて焼くのはまま綾小路定利にみられるものであり、来国行に似て更に古調な刃文のものを同作とみることができます。来国行では元幅と先幅の差が少なく、猪首切先の姿となります。定利は京綾小路に住し来国行とは近在で親交があったと伝えています。ままうるみごころの刃文が多いのですが、この作は匂口が明るく冴えています。近似する作風のものでは五条兼永がありますが、これは直刃主調の刃文が多く、三条吉家には腰刃がみられます。定利は二字銘ばかりで、来国俊のように三字には切りません。また大和物の観方では地鉄に柾肌が目立つはずであり、この点が相違します。

②解答＝粟田口吉光

やや小振りですが、内反りですから鎌倉中期の短刀姿です。小沸出来の直刃を焼いていますが、鎺元に小互の目をみせ、しかも物打辺の焼が細くなっています。同じ短刀作者の上手といわれる新藤五国光や来国俊にはこのようなことはなく、この特徴がそのまま藤四郎吉光であることを示しています。来国俊をはじめとする来一派ですと地鉄に弱い、いわゆる〝来肌〟と称する肌ができてきますし、また新藤五国光であれば、地鉄に地景が交じり刃中に細かい金筋がみられます。そうしてみると本作は粟田口吉光以外にはいけないものといえるわけです。短刀の名手として新藤五国光とともに吉光が並んで両横綱とたたえられています。現存する在銘の太刀はただ一振りしかなく、短刀を得意としていたようです。銘の〝吉〟字の〝口〟の大小によって〝大口〟と〝小口〟に分けられています。

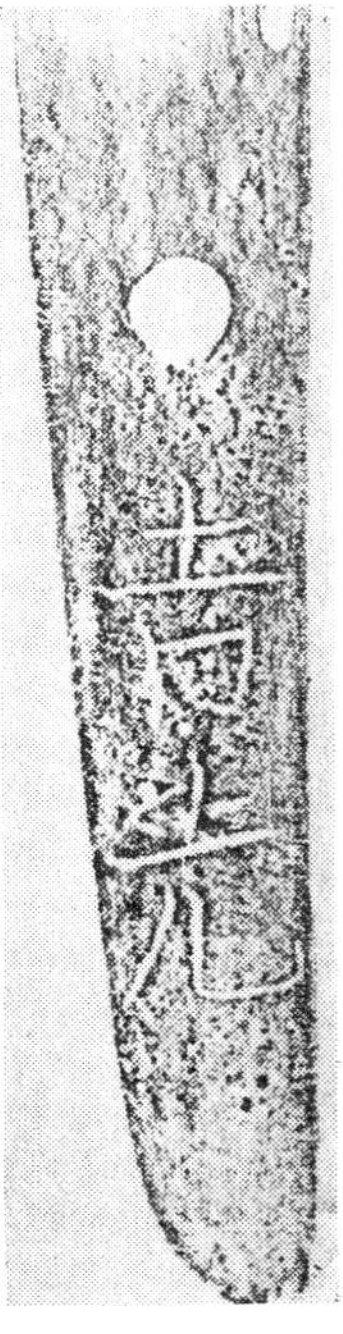

③解答＝来国俊

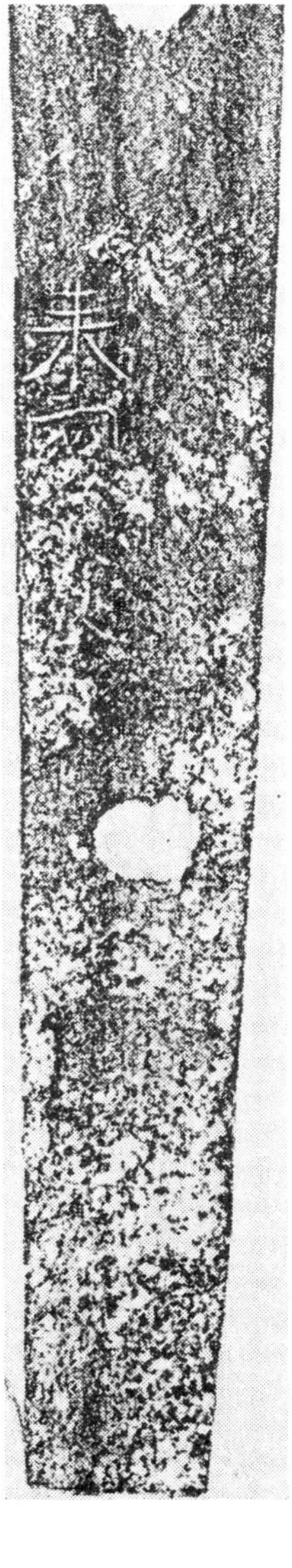

やや磨上げながら、腰反り高く踏張りがある優美な太刀姿です。これは鎌倉期を下ることはなくしかも切先が延びていませんので鎌倉も末期まで下らないことを語っています。鍛えをみますと小板目が詰んで地沸がつき、刃文も小沸出来です。地映りがありませんので備前物ははずされます。直刃を焼くこの時代の刀工は山城物のほか大和手掻包永、備中青江、肥後延寿、備後三原などにありますが、包永は地鉄に柾肌が交じること、青江は澄肌と称する独特の肌が出ること、延寿や三原では時代的に、また品位において及ばず、それぞれ相違してきます。直刃を焼いて巧みな山城来派として誰かということになります。なかでも優美な太刀姿の作品を作るのが来国俊ですが、その父の来国行にはこうした姿のものはなく、直刃主調のものでも丁子が目立ってきます。来国次と来国光は切先が詰まるものはなく、これは時代がやや下る姿となり、来国次にはかほどに刃中の淋しいものはありません。帽子が小丸で品よく返っていて、中央がたるむのも来国俊の見どころです。

④解答＝**来国光**

平造りで真の棟（三ツ棟）、内反りの整った姿は本場の国をはずされず、鎌倉期の時代であることがわかります。小板目が詰んだ地鉄に処々大肌が出ています。これがやや疲れごころにみえる〃来肌〃と称する特異な肌で、来物を見きわめる見どころとなっています。匂口の冴えた小沸出来の直刃は並の技倆の作ではなく、来一門のほか、新藤五国光、粟田口物なども考えられますが、やはり前述

の地鉄肌の説明から来の誰か、ということでなければならなくなります。

来国行には短刀の作がありません。来国次には互の目主調のものが多く、このような純然たる直刃の作がなく、これもはずされます。すると来国俊、来国光が残ります。両者ともに直刃の短刀を作って上手であり区別することは困難ですが、押形図の帽子をみると先が尖りごころで長く返っています。小丸で尋常に返った帽子なら来国俊ですが、やはりこの点から来国光とみるべきでしょう。これは概して言える区別で、かならずしもこうとばかりはかぎりません。このほか来国俊の子といわれる了戒、あるいは同じく門人とされる光包には三字銘のものはなく二字銘にばかり切りますので入札からははずされます。

⑤解答＝信国（源左衛門尉）

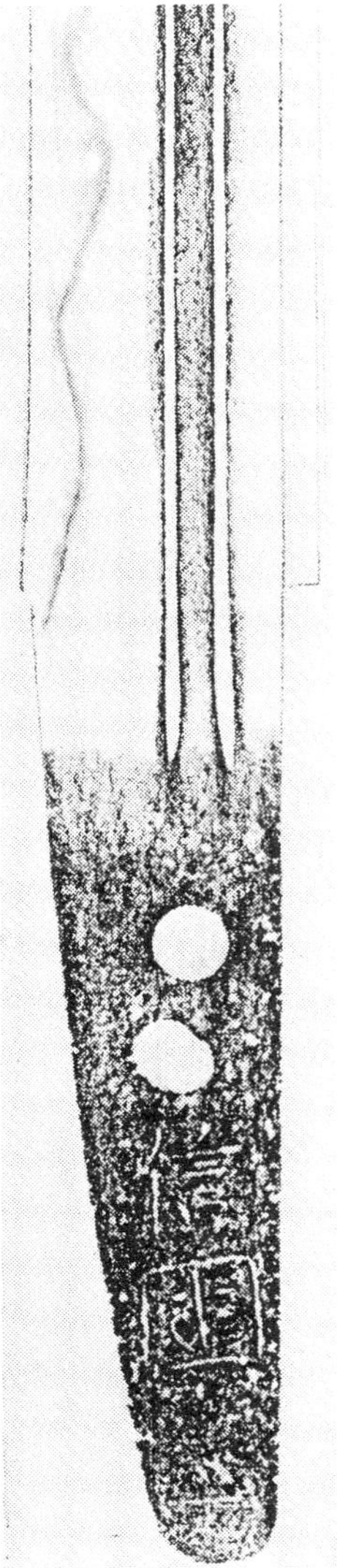

室町時代の初期、応永頃の源左衛門尉信国の作刀です。重ねの薄い無反りの短刀姿ですが、一尺に近いやや長寸の刃長と、白け映りの出ていることが、時代を南北朝以前に上げられず、これが応永頃ということを示しております。表に素剣、裏に護摩箸を彫る手法は来物に多く、その流れを汲

む信国にも当然伝えられていることです。互の目を焼いて湾れを交え、細かい砂流しかかるという一作風を示し、小丸に返る帽子もまた山城来派の伝統をよく伝えているといえましょう。初代信国は南北朝期の人で、来国俊の子了戒の孫と古来から伝え、その子または門人がこの信国といわれています。同銘の信国は南北朝期から室町初期にかけて少なくも五人は存在していたようです。いずれも彫物を得意として、作刀のほとんどに彫物があるのが特徴の一つです。

⑥解答＝長谷部国信

平造りで身幅が広く、中間で反った寸延び短刀は南北朝時代から始まった姿です。同様の形式のものは桃山時代と江戸末期にみられますが、これは南北朝時代の姿を手本として取りいれたものです。出題にあるとおり重ねが薄いことは桃山、江戸末期にはみられないことで、これは南北朝時代のものとなります。さてこの時代で皆焼刃を行なうのは相州広光、同秋広、山城長谷部国重、同国信があげられますが、〝刃縁と棟寄りに柾目肌が出る〟と説明されていることから、

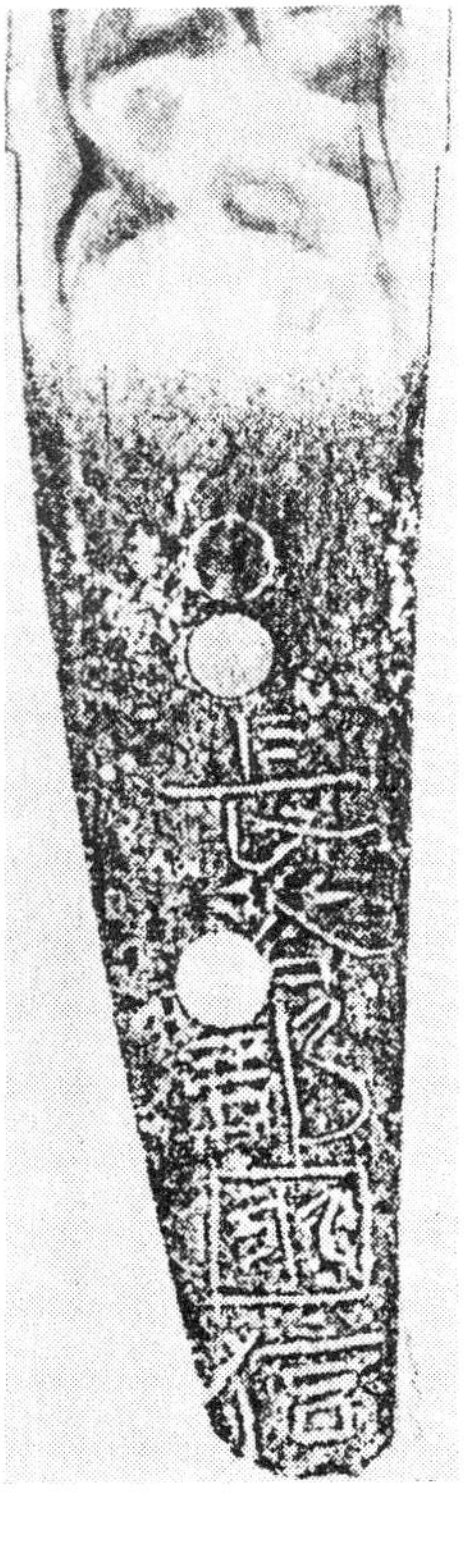

これは長谷部と考えるのがよく、加えるにヒントに年紀のあるものがないというと、国重には延文年紀のものがありますが、国信には年紀のあるのはみられません。なお帽子が丸いのも長谷部の特徴の一つであり、また地景の説明がないのは、広光、秋広には地景がよく現われることと相違して、長谷部には少ないことからも区別されます。

⑦解答＝当麻国行

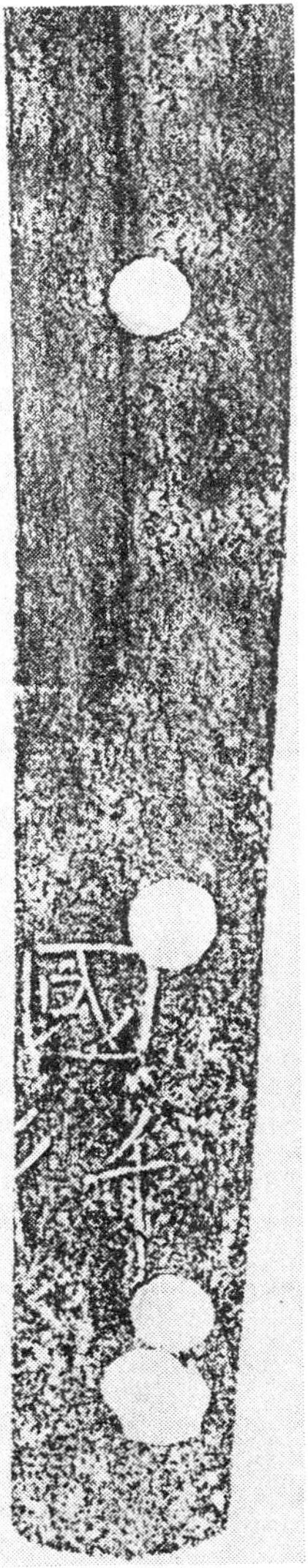

鎬幅が広く、鎬筋の高い造込みは大和物であり、刃縁がほつれ、二重刃かかる働きはまさしく他国へはいけないところです。大和の流れを汲む、三原、二王といったものでは堂々とした造込み、刃文の変化にみる品位において遠くおよびません。

大和物とみて、保昌は同国中でもっとも柾が目立って強く、尻懸では小互の目がしきりに交じります。従ってその風がない両者は除くことができます。

しかし、これを当麻国行と当てることは至難です。何故なら同作の現存する在銘品が本作を除いては他に数口しかないほど少ないからです。当麻国行は当麻派の祖とされ、鎌倉中期に活躍した名工ですが、当麻寺に隷属していた刀匠団であり、作刀の多くに銘を切らずに納めていたがため多くが無銘物として伝えられているといわれます。大和物とみて本作にもっとも近い同国の別派をさがせば手掻でしょう。その頭領が包永で、これにはかなり在銘作が現存しています。千手院一門は古調な作風を残し伝えています。大和物とみて、以上のようなみどころをとらえれば満点といえましょう。

⑧解答＝**新藤五国光**

平造り、内反りの尋常な姿は鎌倉時代の典型的な短刀です。匂口のふっくらした小沸出来の直刃を焼いて金筋が働き、地には地景がしきりと入っています。この絶妙な出来口はよほどの名手でなければかなわないものです。と同時に地景、金筋の働きから相伝上位の作者といえます。

鎌倉時代の直刃の短刀作者は粟田口吉光、来一門、備前では景光、近景などがいますが、地景の働きという点でいずれへもいき難いものです。焼出しをみますと茎棟へ向かって焼込んでいます。これが新藤五国光としてのきめ手になる大切な見どころであり、同じ相州物でも行光、正宗と区別されるポイントになります。

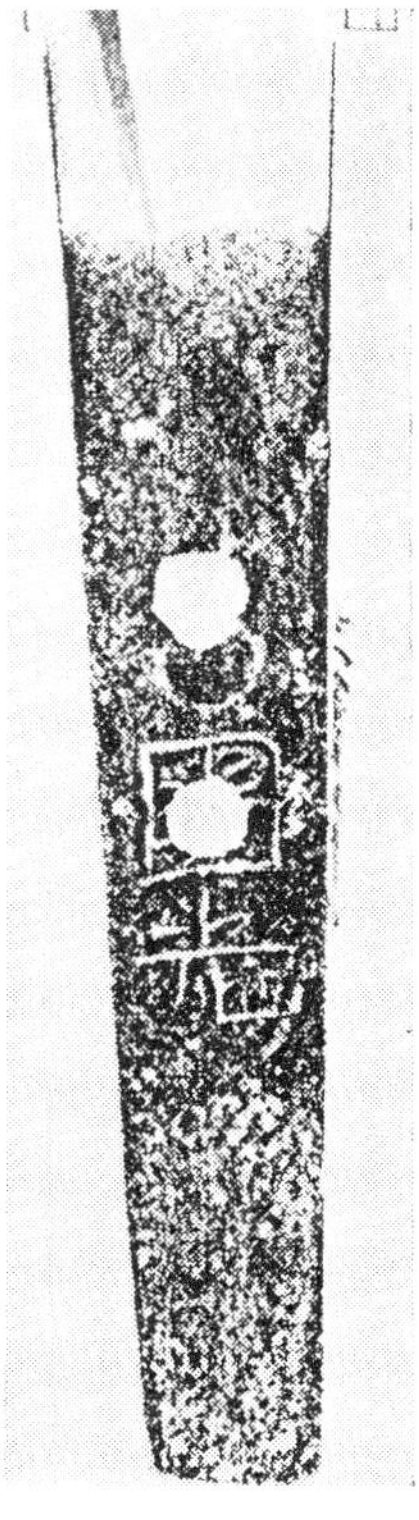

新藤五国光は短刀の製作を得意とし、しかも直刃を焼いては当代随一といわれています。太刀は数口現存し、乱刃は一口のみ伝えられているということです。この短刀は広直刃ですが、細直刃、中直刃もあり、細直刃よりなお細い糸直刃もあります。この場合、フクラの辺の刃が細くならないのが持ち前で、この点、粟田口吉光がフクラ辺が細くなるのと対照的です。

⑨解答＝**貞宗**

尋常な平造りの造込みですが一尺に近く寸が延びていること、反りがついていることが八寸前後の内反り短刀との姿の相違するところです。このわずかな反りが中間で反っているのが、鎌倉末期から南北朝期へかけての時代の短刀の一様式です。幅がより広く一尺以上の寸法になると南北朝

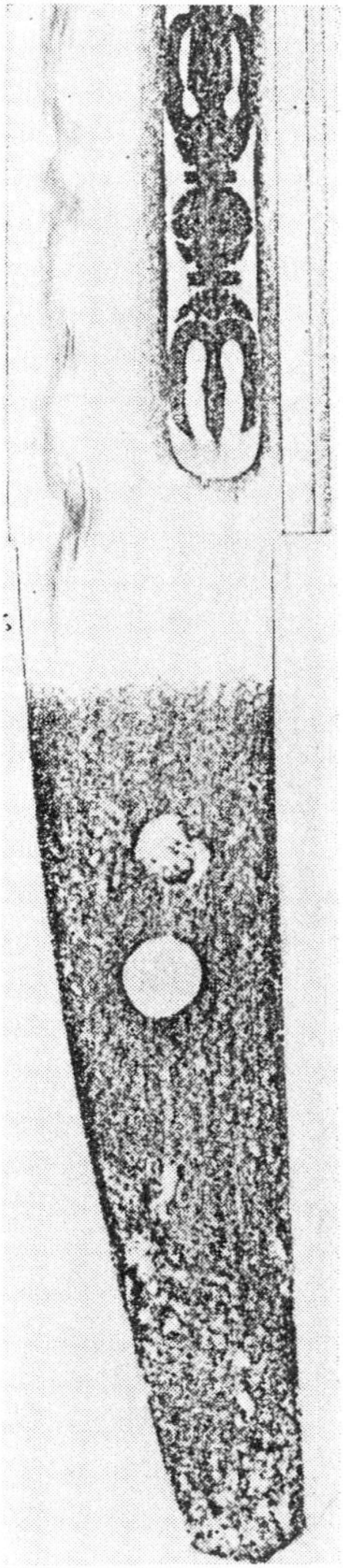

期へはいり切ってしまうのですが、これはそれ以前の短刀姿の一典型といえます。板目肌を鍛えて地景がしきりに入り、刃中には金筋が働いています。そして生ぶ茎の尻が剣形であることは相州正宗、貞宗をおいてはほかになさそうです。彫物からみると初代信国も考えられないことはありませんが、かほどに地景が働く力は同工では及びがたいといえます。

姿から内反り、または無反りであれば貞宗よりは正宗、あるいは行光があげられるはずですが、寸延びの中反り姿からやはり貞宗とみるのがよりよいわけです。また貞宗の短刀には、そのほとんどに彫物が施されていますので、このことからも貞宗としての古極めが現在そのままに生きているわけです。

⑩解答＝**相州綱広**（**初代**）

平造りで身幅の広い寸延び姿ですが、先反りとなっていますので、室町時代の造込みであることがわかります。皆焼の作者は、南北朝期ですと長谷部一類と、相州の広光、秋広に代表されますが、時代の姿から両者は除外されます。室町時代では備前長船、美濃関と相州物に多くみられ、いずれも末備前、末関、末相州と呼称するように室町末期の戦国時代に流行した作風の一つといえましょう。

皆焼の状況をみますと、下部から上部へいくにつれて焼幅が広く、盛んな皆焼状となっています。帽子が尖って長く焼下げているなど末相州としての典型的な出来をみせています。しかも一類の得意とする彫物を表裏に彫っています。飛焼の中に弦月形になったものがありますが、これは末備前、末関にはみられない、この一類の独特のものです。

末相州を代表するのが頭領綱広で、天文のころから活躍し、以下数代つづいています。本作はその初代作です。

⑪解答＝**古備前重久**

細身で反り高く小切先とありますので、平安朝から鎌倉初期の優雅な太刀姿が思い浮びます。刃文も小乱、小丁子が交じるところから古調さを示し、これに加えて乱映りの立つさまはまず、古備

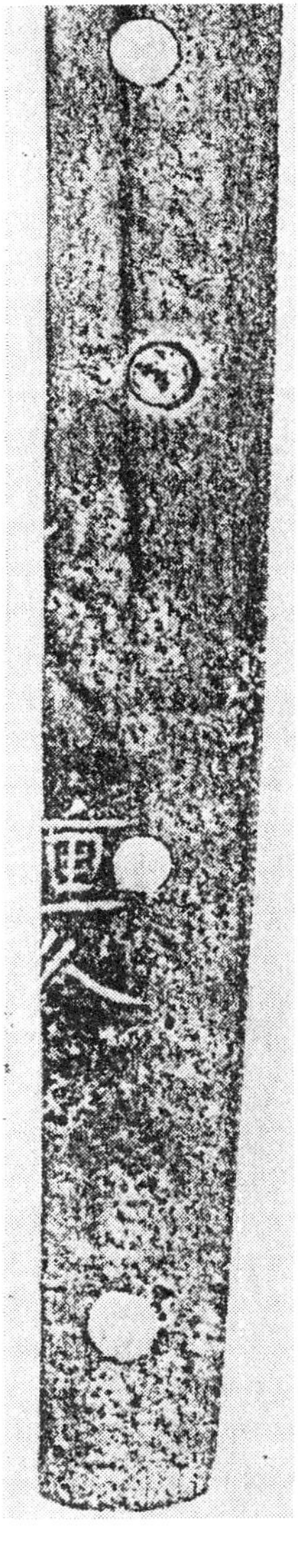

前、古一文字に指を折りたいものです。重久という個銘は当てられるものではありませんが、古雅な作風から古備前へはみられるものです。重久は古備前のほか初期一文字にも同名工がいますが、小沸出来であること、太タガネの小銘を切っていることから本作は古備前とされます。

〝足・葉がよく入り、これに小沸がよくつく〟という説明は、いわゆる刃の足に沸がこごると呼ぶ古備前物に共通する特徴です。粟田口物であればこの景色がなく、また小乱よりも互の目を主調とした刃を焼きます。また同じ直刃を表現しても長光は匂出来となって、かほどに沸づきませんし了戒では刃中の働きがこれほどありません。もっと淋しい刃文となります。

⑫解答＝福岡一文字成宗

成宗は福岡一文字派の祖、則宗の次男と伝える刀工です。腰反りが高く踏張りがあり小切先という姿は鎌倉初期以前のものです。刃文が小乱に丁子が交じり、小沸出来であるところから、古備前か古一文字が考えられます。それは沸出来であっても、わずかに乱映りがありますから、他国へはいけないと同時に、乱映りの様子から古備前よりは古一文字と考えた方がよいと思います。しかし古備前への見方も全く同然です。

　国宗への鑑定もあるとおもいます。同作には本作のように物打辺の刃の淋しいものがあります。しかし、一般には身幅広く、猪首切先となるなど姿の点で異なり、これは長光にも言えることですが、この場合は沸出来でなく、匂出来となり、ま

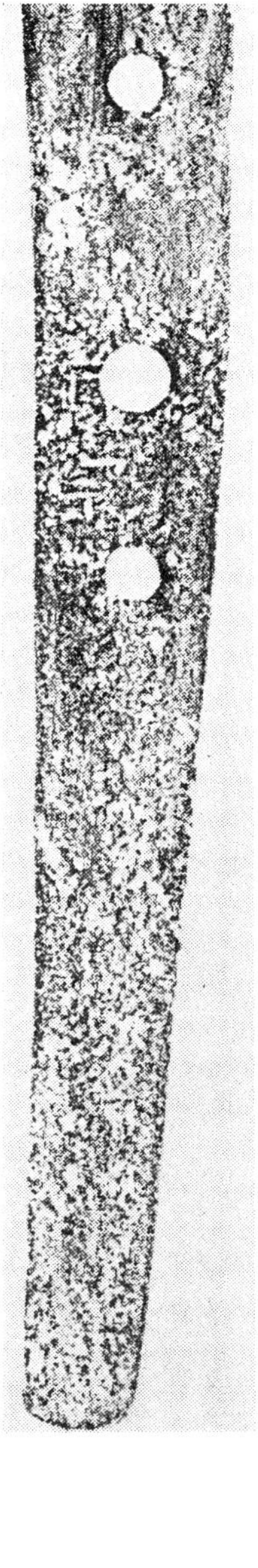

た刃文が丁子刃を焼いても互の目が交じり、小乱　刃は焼きません。

⑬解答＝長光

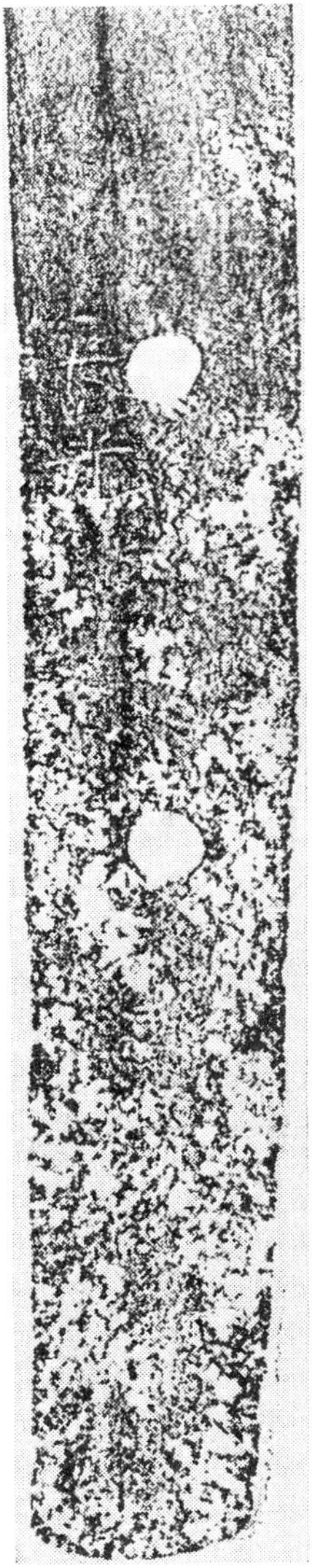

腰反りの深い中切先の太刀姿は鎌倉時代の姿とみられ、中切先が詰まった形は鎌倉中期のものと考えられます。板目肌に丁子映りが立った鍛えは備前をはずされません。刃文をみると、丁子に互の目を交え、匂出来で形成しています。この頃の備前鍛冶の主流は一文字と長船ですが、一文字では物打辺へいって刃が華やかになる傾向があるはずが、この太刀にはみられませんので長船物とみます。それは丁子に互の目が交じっていることからもいえます。長船物の祖は光忠でありますが、丁子がより華やかとなるものが多く、やや肌立ちごころの地肌からもまずはずしてよいでしょう。景光はこれほど華やかさのないものであり、やはり光忠の子といわれる長光が考えられます。丁子に交じる互の目の頭が尖りごころに鋭いことは、光忠に作風が近似して相違する見どころであり、まま長銘に切る景光と異なり二字銘に切るものが多い長光の線が強く出てきます。光忠と比べてやや肌立ちごころの点、乱れ込んで先が小丸に返る帽子も、どこからどこまで長光にみられる一作風といえましょう。

⑭解答＝長船景光

身幅狭めで磨上げですが腰反りの太刀姿は鎌倉時代、そして乱映りがあざやかに立っていることから備前物は動かず、そして帽子をみますと、湾れ込んで先が小丸に返った、いわゆる三作帽子となっております。この帽子は長光、景光、真長の三作にみられる特徴のある形ですのでこの三人の誰かということになります。長光ですと丁子がより目立つ刃文となりますし、真長では刃縁が締って刃中がもっと淋しくなってきます。この三人中では景光ということになります。この帽子を焼く他の刀工には、同じ備前国に近景がいます。しかし帽子先がやや尖る傾向があるのですが、この図にはそれがうかがえません。また兼光ではどうでしょうか、時代が南北朝期にかかる人ですから姿が幅広の太刀となり、さらに帽子が尖ると同時に、丁子よりも互の目が目立ってくるはずです。こうしてみてきますと、やはり景光でなければならなくなります。

⑮解答＝長船兼光

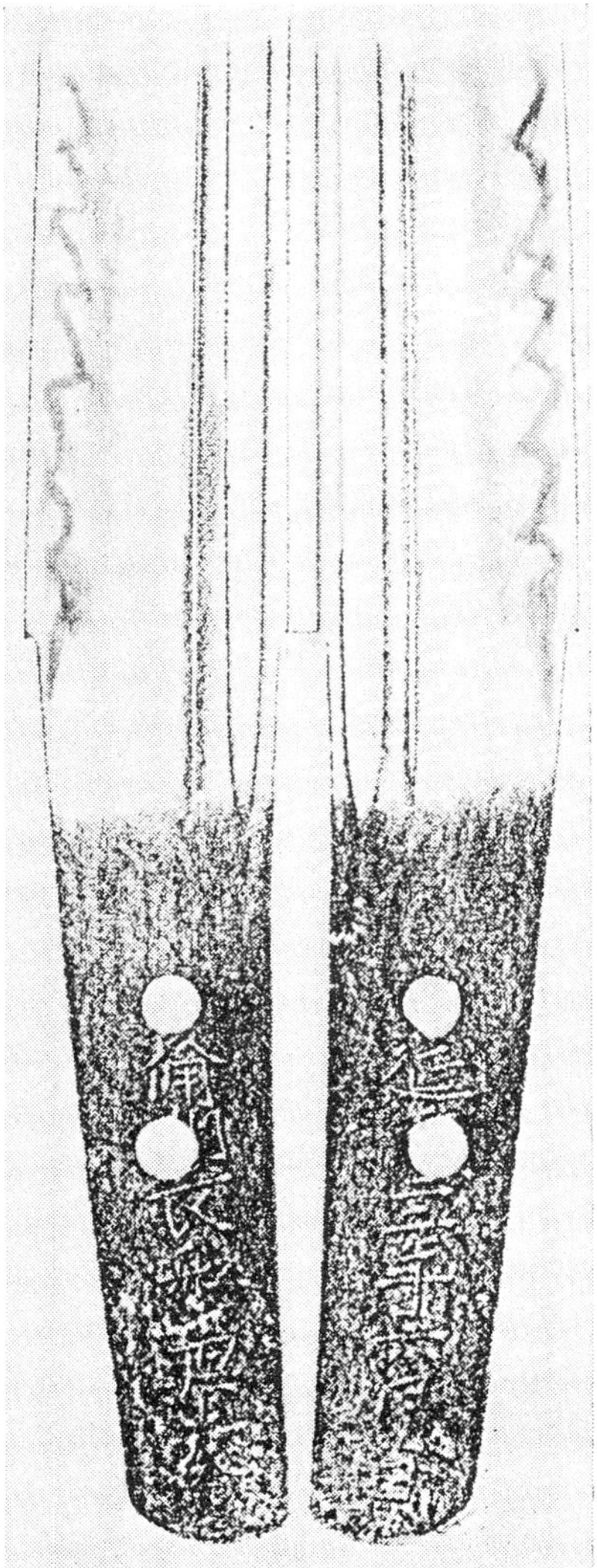

延文四年六月日と年紀のある兼光です。身幅が広く重ねの薄い中間反りの平造り短刀は南北朝期、しかも延文・貞治の頃に流行した造込みであるところから延文・貞治の姿といっています。この頃は、こうした短刀に限らず太刀でも身幅が広く切先の延びた豪壮な姿のものが作られていることは時代の要求、戦法の変遷による結果、生まれてきたものということができます。この中間反りの短刀姿は前時代の鎌倉期ですと〃内反り〃か〃無反り〃となっていましたので、これは新しい様式のものだったわけです。また次の室町期にはいりますと〃先反り〃の姿となりますので、前述の中間反り姿は南北朝期独特の時代相を示すものといえます。これは全国に共通してみられるものですが、乱映りが立っていることから、この場合やはり備前物ということができます。匂出来の互の目が逆がかっていますので兼光とその一門とみられます。地と刃の品位は兼光をおいてはなく、

一門の倫光、政光は一応の見方といえますが、前者では刃文が湾れ主調となり、後者では小づむこころとならなければなりません。刃文そのものからみますと景光や元重も近似しますが、前述のとおり姿が相違します。この兼光は延文兼光と呼称され、二代目とされている人です。

⑯解答＝畠田守家

姿は尋常な太刀姿で、刃文が匂出来の丁子乱に蛙子丁子が目立つとあります。姿と刃文から鎌倉時代の備前物とみることは容易です。盛んな丁子乱ですから、鎌倉時代でも中期から下ることはなく、従って長船系統の光忠、長光、また一文字、あるいは備前三郎国宗、それに畠田守家などが考えられます。しかし、これらの中にあって〝蛙子丁子が目立つ〟ことは畠田守家以外には考えられないということになります。切先をみますと中切先がやや延びごころの形ですから、猪首切先が多い光忠はこの点からもはずされますし、大肌ごころの肌合いからは、小板目のよく詰む光忠、長光なども該当しません。国宗はもともと匂出来ですがかなり沸づく傾向がありますので、本作が匂出来とばかりあることから、これもはずされます。

これらの中にあって守家をのぞきますと、蛙子丁子が目立つのは光忠で、この限りではもっとも近似しているとはいえます。守家には猪首切先はほとんどなく、尋常な切先でやや延び加減のものが多くあります。

⑰解答＝備前三郎国宗

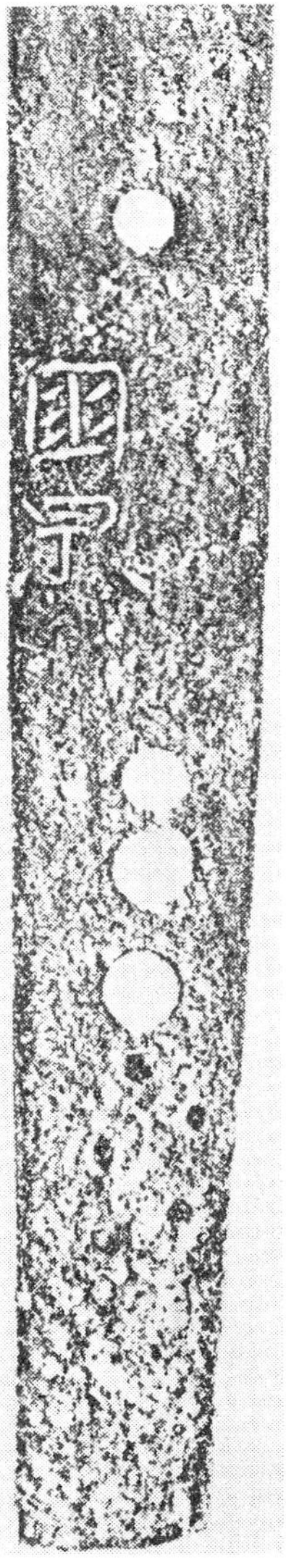

優美な太刀姿と小丁子乱の古雅な刃文から鎌倉初期に見紛うところがあるかも知れません。しかし、小沸がついてはいますが匂出来の刃文であることが、この出題のポイントになっているとおもいます。古備前物であれば友成、正恒に限らずかなり沸が目立つはずでありますから、そこまでは時代が上げられないということになります。鎌倉期でも雲類、国宗派、そして一部の一文字派には匂出来であってもかなり小沸のつくものがありますが、この中で〝刃中に染みごころがある〟ということが国宗であることを語っています。これが国宗の手癖ともされているからです。

同作にはもっと盛んな丁子乱の作もありますが、同じ丁子乱を焼いても一文字のように焼の出入りが盛んな凸凹のあることが少なく、概して焼頭が揃う傾向があります。本作は同作にあっても古風な地味な一作風を示したものです。

⑱解答＝吉井真則

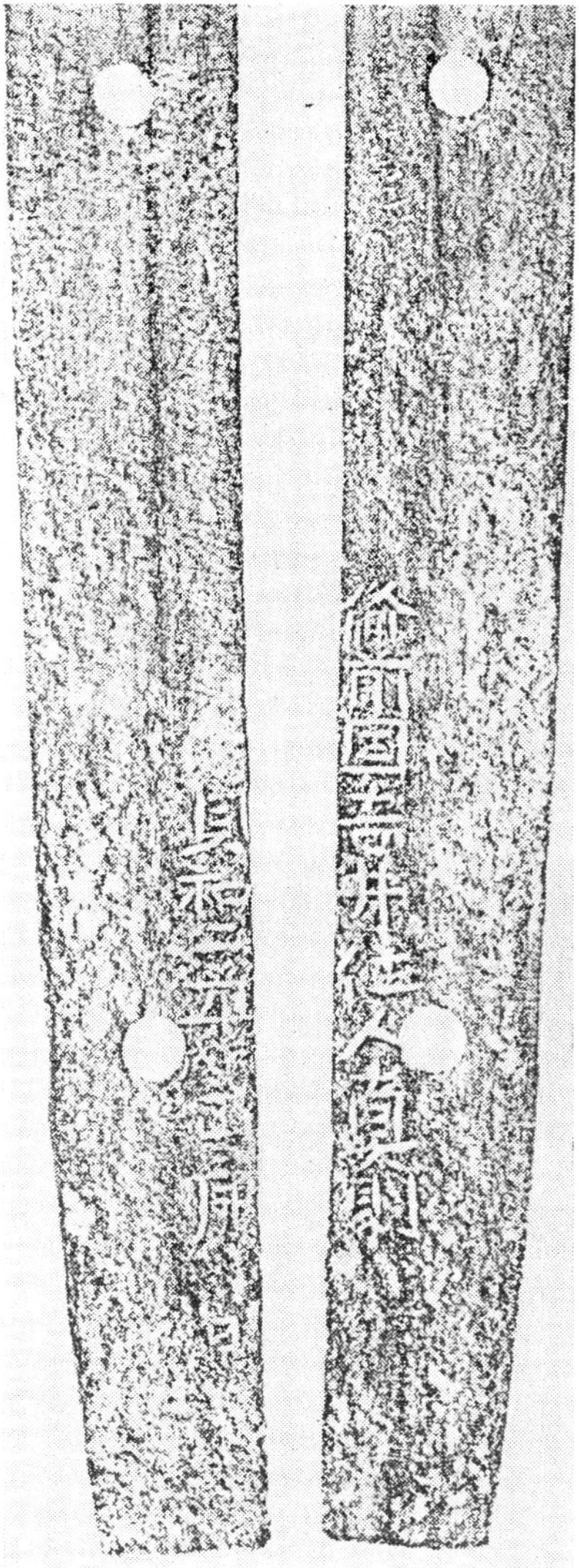

貞和二年の年紀がある備前吉井派の真則です。吉井派は備前長船の近くにある地名から名づけたもので、ここに鎌倉末期から室町時代へかけて多くの刀工が生まれています。そして鎌倉末期から南北朝期へかけてのものを、古吉井と呼んでいます。

　吉井派の作品は総じて身幅が尋常か、狭目で反りが深く、最も特徴とするところは刃文が小互の目を揃えて焼くところにあります。

　この小互の目が揃うというのは同派のいつの時代にも共通してみられるもので、古いものにはわずかですが映りごころのあるものです。同じ互の目を焼いても、景光、兼光の場合は片落互の目を得意としていて、吉井派の頭に丸味を持った形とは相違します。また末関の兼定、兼常の互の目は頭が尖り気味となり、帽子も小丸で返りが深く、返り寄るものが多くなりますし、なお先反り姿となる室町時代の刀姿とは相違してまいります。

⑲解答＝長船康光

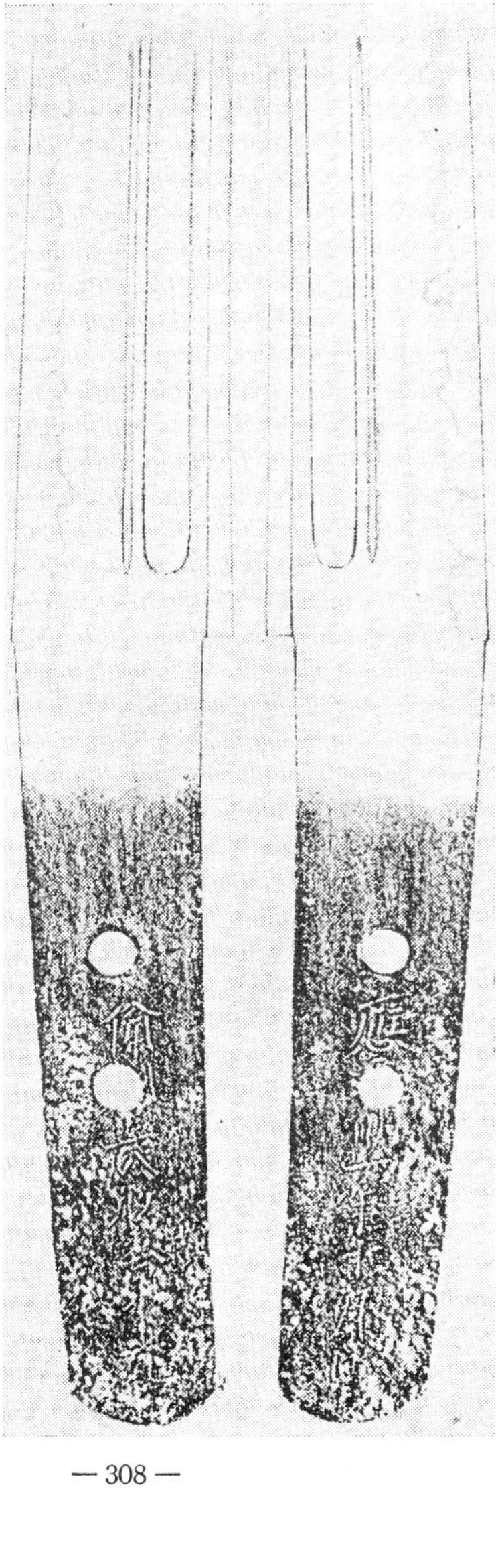

平造り寸延びの姿で、身幅の割合いに一尺二寸二分半と寸法の長いのに気付きます。この姿が南北朝以前には遡らない室町時代の、しかも応永頃のものであることを示しています。寸法からだけでは南北朝期にもありますが、身幅が広くなること、中間反りではなく先反り姿になること、などが異なるところです。〃棒映りが立つ〃とありますから、これは備前物だということが考えられます。帽子先をみますと尖って返っています。いわゆる〃ロウソクのシン〃と称する応永備前の特徴ある帽子であり、さらに棒樋に添樋をかいて止めを丸留めにしている、という点もどこからどこまで応永備前でないところがありません。

応永備前を代表するのは盛光と康光です。盛光が技倆の点ではより優るという評がありますが、康光もいささかも見劣りすることのない名工です。作風もまた相似たものを残し、その区別はなかなか容易でありませんが、本作にみるように康光の方が刃が心持ち小模様で、尖りごころの互の目が盛光よりは目立つ傾向があります。

⑳解答＝長船勝光

平造り寸詰りで重ねの厚い造込みは室町末期の独特のものです。茎は寸詰りの刃長とは逆に目立って長くなっているのも末古刀であることを示しており、なかでも末備前物の顕著な特徴とされています。

重ねが厚いので、新々刀の月山貞一や栗原信秀に見紛いがちですが、貞一には茎に化粧鑢がかかり、信秀の茎はことに長くなるということはありません。

この彫物の点からみてみますと、末備前刀工中

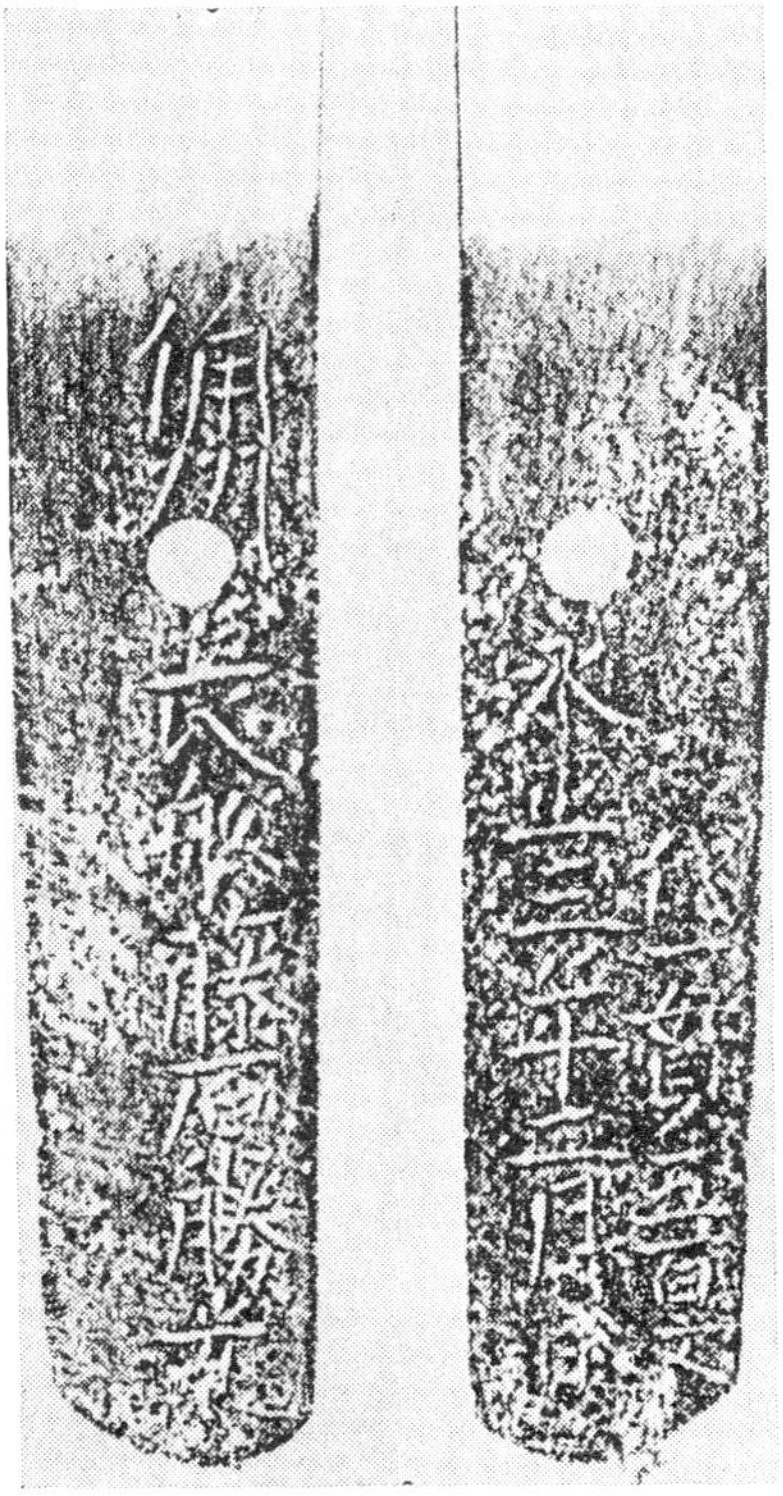

まず勝光に指が屈せます。銘振りから次郎左衛門尉勝光の作とみられます。永正三年二月年紀の右横に〃代一貫五百文〃とあって、この短刀の製作代金が知られて参考になります。

㉑解答＝祐定

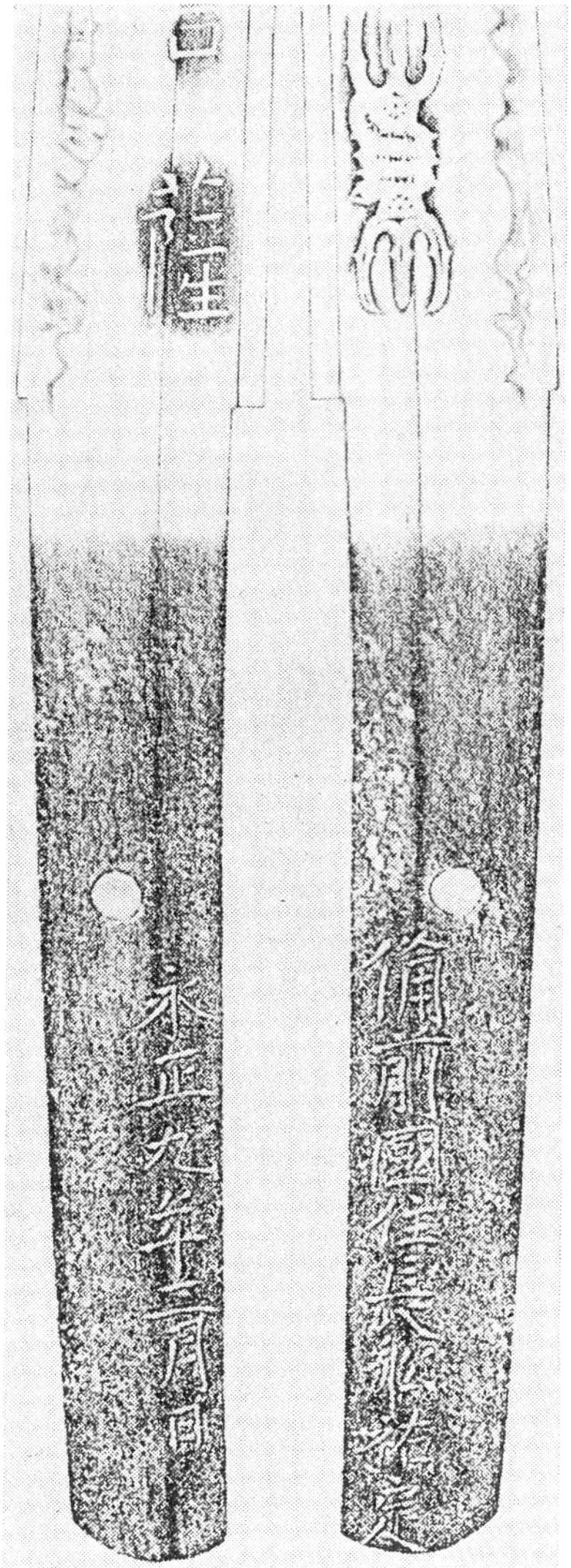

長さが二尺一寸七分の寸法と、先反りがある姿から室町時代も末期とみることができます。刃文は沸出来の互の目で丁子が交じり、足・葉が入っています。そして腰に倶利迦羅および摩利支天菩薩の文字が彫刻されていますので、末備前物と考えることはさほど困難ではないとおもいます。さらに室町末期の時代をとらえれば長銘で年紀のあるものとして末備前物が第一に考えられてきます。備前物の伝統である映りがこの頃になるとあまりみられなくなるのも、時代のとらえどころであります。室町初期のいわゆる応永備前では寸法がもっと長くなりますし、往々に映りが出てくるということになります。ただ太刀銘であること、やや肌立ちごころとあるために、時代をつい上げたくなるかも知れません。この頃には少ないのですが、太刀銘もあっていいわけです。同じ末備前

でも忠光、清光の両工は直刃を得意としていますので、まずはずしてみます。やはりこの時代の備前を代表するのは祐定です。本作には俗銘はありませんが永正の年紀がありますので、与三左衛門尉、彦兵衛尉、源左衛門尉などの誰かでしょう。

㉒解答＝古青江正恒

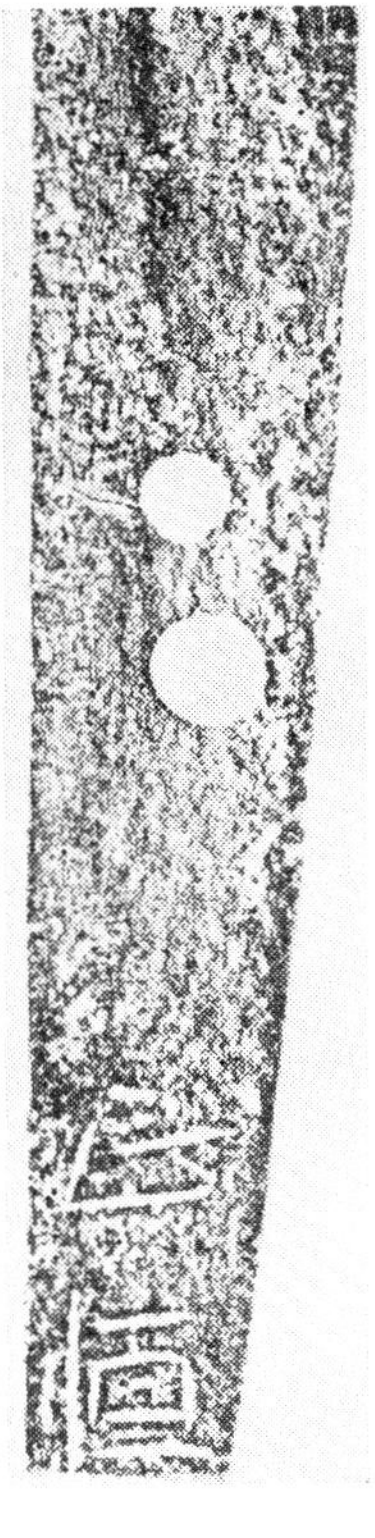

磨上げながら腰反り高く小切先の優美な太刀姿は、鎌倉初期を下らない時代であることを示しています。地鉄をみると丁子映りが立っていますので備前物かとおもえます。が、地沸がついて〝黒い杢肌〟が交じっているとあります。これが実は〝墨肌〟を指しているとすれば備前物ではなく、備中青江の独特の肌合いを表現している、ということになります。そして茎の鑢目が大筋違いであることが青江であることを裏付けています。

姿恰好からうかがえる古雅さは、刃文にもよく出ていて、小乱、小丁子を交えた直刃は、やはり古青江の時代を語っています。足と葉がよく入り金筋を交えた技倆は高名作者でなければなりません。個銘を指摘するのはなかなか困難でしょうが先ず正恒が挙げられるということになります。古青江正恒は隣国備前にも同名工がいて著名ですが、古青江派にも同名を名のる数工がいます。その作のほとんどが直刃を主調として小乱、小丁子を交えており、鑢目がつねに大筋違いであることが見どころになっています。銘は太刀銘（佩表）にも刀銘（佩裏）にも切っています。

㉓解答＝固山宗次

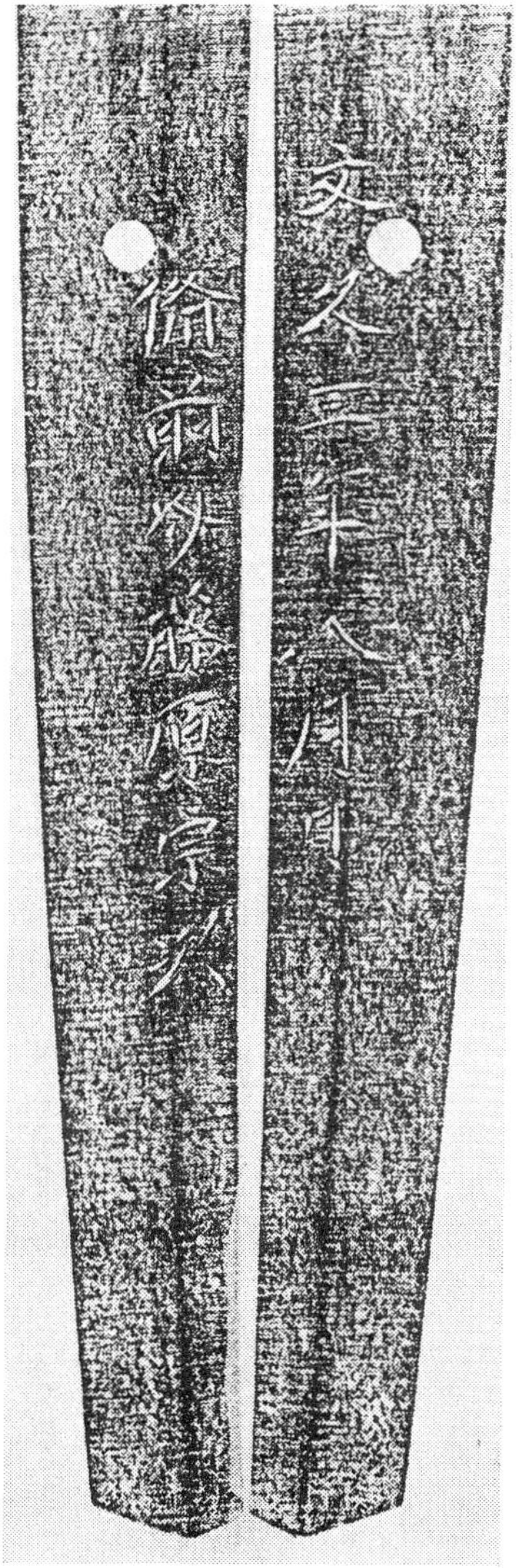

鎬造りで身幅が広く、重ねが厚く、中切先が延びて反りの浅い姿から、古刀期は一応はずされます。小丁子の刃文から備前伝であることが考えられます。地に映りがないことからも古くへはいけず、新刀あるいは新々刀の時代観がでてきます。

そこで帽子をみますと乱れ込んで先が小丸に返っています。この乱れ込んでいることが、古作をねらった新々刀の帽子であることを示しています。この点から肥前の近江大掾忠広とみられた方があれば、肥前刀全般が小丸返りという共通性を見落したことになります。これは肥前刀に限らず、総じて新刀期の刀匠の持ち前であるといえます。虎徹や法城寺一門は丁子というより互の目の刃文となって匂口が冴えてきますし、やはり乱れ込んだ帽子といったものはなく、小丸返りとなります。

丁子の形をよくみますと、丁子の頭が二つあって揃い気味となっています。これが宗次の一つの見どころであり、普段の出来よりやや小模様な点は泰竜斎宗寛に近似しますが、宗寛は丁子の焼頭が揃って足を長く入れているところが相違します。この丁子の刃文と、前述の帽子の湾れ込んださま、そしてさらに先入山形の茎尻が宗次であることを裏付けています。宗次は切り鑢を万延二年（文久元年）から用い、それ以前は勝手下り鑢を切っています。文久三年は六十一才時に当ります。

㉔解答＝手柄山正繁

濤瀾乱は大坂の津田助広が創案した華美な刃文で、同じ時代の大坂刀工がこれを好んで焼き、幕末に至っては江戸の水心子正秀を始めとして幾多の人たちが助広の再現をこころみ、これを写して

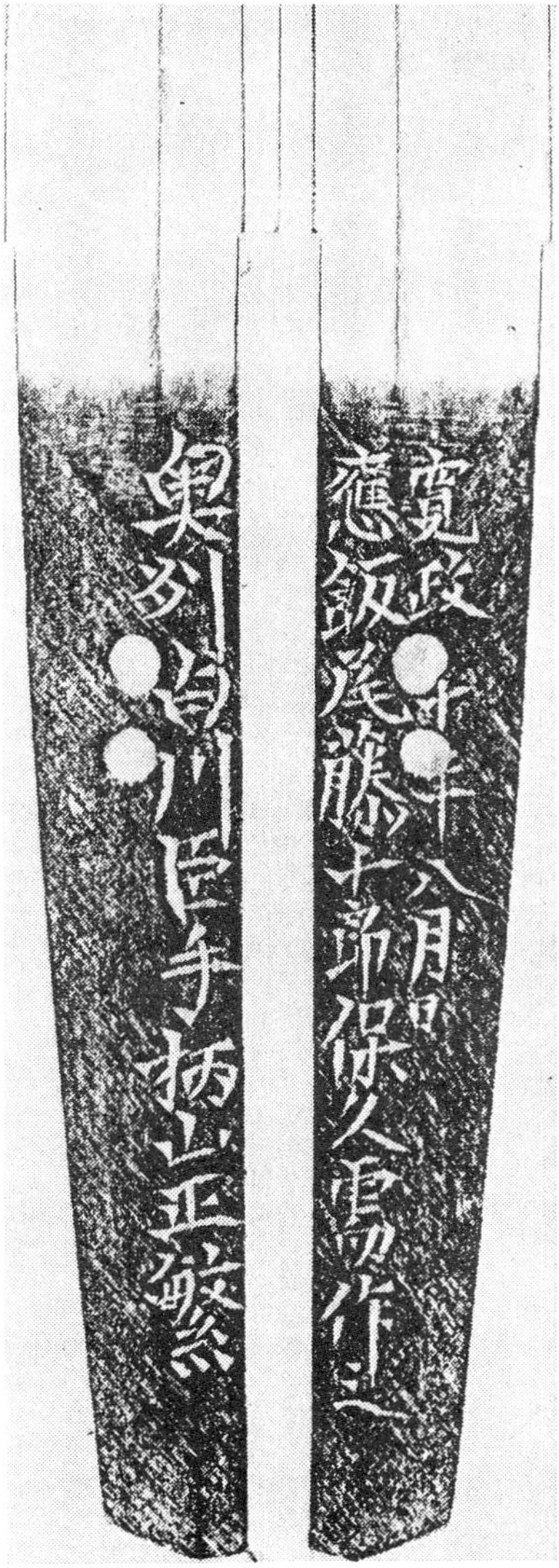

います。ですから濤瀾乱の作品をみたら、これは助広以前にはない刃文ですから、助広に始まるそれ以降の時代の人たちの手になるものだな、と判断できるわけです。同じ濤瀾乱でも、これは新刀かそれとも新々刀かの区別をまず必要とします。その見どころの一つは地鉄鍛えで、小板目がよく詰んだ美しい地肌であれば新刀、そして無地風にガラスの地肌のようであれば新々刀といえます。いま一つは刃縁に黒光りのする沸、これを〃はだか沸〃といいますが、これと地に叢沸がついたものは新々刀とみてさしつかえないでしょう。しかし新々刀にもなかなかよく出来た作品があって、水心子正秀、尾崎助隆、市毛徳隣、加藤綱英、それに本作刀の手柄山正繁などが好んで濤瀾乱を表現しています。総じて匂口に〃みずみずしさ〃といったものがあるのですが、正繁の濤瀾乱は匂足が鋭く刃先に向かっているところが他工と相違する見どころです。匂口の冴える点では新々刀中の随一といえましょう。

㉕解答＝水戸烈公

異例の出題作品ですが、押形の図からみてもわかるように地鉄鍛えに特異な表現をしています。〃独特の肌合が美しく刃寄りに柾肌が目立つ〃とありますように板目の木肌そのままの地肌です。刃文は湾れに小互の目を入れていますが、やはり柾の作業が刃縁に掃き掛けたり、ほつれたり、それが肌にからんでおどるように銀線となって走っています。

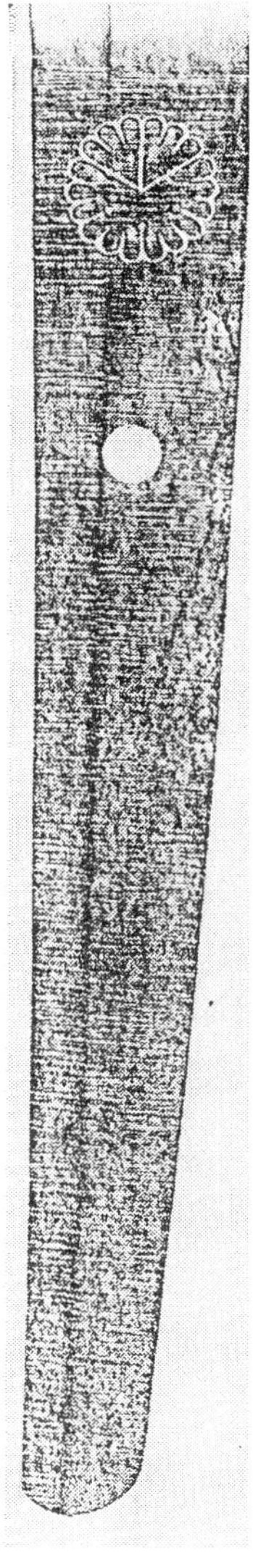

これは紛れもなく水戸烈公の作品で、この鍛え肌を称して〝八雲鍛〟—八雲のたなびくさまを称して名づけたものでしょうか、他工に見られないものです。茎の紋は〝菊花くずし紋〟また〝時計紋〟とも呼称しています。水戸烈公の作にはこの紋がみられます。

水戸烈公（斉昭）は藩工直江助政、同助俊、市毛徳隣を相鍛冶として慰作しています。本作は天保十三年に将軍家慶に献上した自作の一刀で、大徳川家に伝来していたものです。

㉖解答＝薩州元平

身幅が広く切先が延びて長寸、いかにも豪壮な体配の刀です。こうした豪壮な姿の刀が作られたのは南北朝期、桃山期と幕末の三つの時代ですが、長銘で年紀があり、しかも年齢を切っていますので南北朝期とは考えられません。刃文をみますと湾れに互の目を交えています。桃山時代では堀川一門、三品一門、康継一門などがいますが、荒沸がついているとありますので、いずれも該当しません。荒めの沸がつくものとしては水田国重がおもいおこされますが、刃中にかほどの銀筋が

かかるものはなく、また茎尻が剣形であることからこれもはずされます。

作風からして相州伝をねらった新々刀であるとしぼられてくるわけですが、これには清麿、直胤、そして薩摩刀があります。いずれも上手ですが、清麿とその一門、また直胤には茎先が栗尻となって剣形のものはありません。あとに残るのは薩州刀となりますが、長い銀筋の入るのは元平に多く、また年齢を切るのも同作であるといえます。なお同じ薩州刀でも伯耆守正幸は鑢目が勝手上りとなります点が相違します。

㉗解答＝左行秀

鎬造りで反り浅く、中切先が延びて豪壮な体配は、いかにも幕末の気風をそのままに表現しています。大きくゆったりと濟れた刃文に太い足を入れ、沸匂が深々と明るいのは左行秀の持ち前をいかんなく発揮した典型的な作です。刃中に長い砂流し、これを銀線ともいいましょうか、ことに物打辺から横手の線へかけて出ているのがままあり、行秀の見どころの一つとされます。

新々刀期にあって相州伝をものする刀工は大慶直胤、細川正義などの、大板目肌を鍛え、沸匂の深い作風が一つであり、薩摩刀の元平や正幸にみる地刃の激しさも志津風の相州伝といえます。左行秀がねらったものは郷の作域であったのでしょう。よく自己のものに消化して相伝の一作風を伝えています。作風にみあって茎の銘のタガネも力強く、実用を旨とした行秀の豪放な性がしのべるようです。

左行秀は豊永久兵衛といい、東虎と号し、江戸へ出て清水久義に入門、弘化三年土佐へ移り藩工となっています。

㉘解答＝源清麿（正行銘）

刃長が二尺五寸、身幅が広く反り浅く中切先が延びた豪壮な体配です。これは南北朝期の大太刀をおもわせるもので、時代が下るとすれば、これを写した幕末頃のものです。新刀の初期である桃山時代にもこうしたスタイルのものがりますが、いかにも豪壮にすぎるのと、帽子をみると乱れ込んで先が尖ってわずかに返るという形からしてちょっと無理なようです。慶長新刀であればやはり帽子は小丸返りになるのが多いからです。では南北朝期か幕末のどちらかということになります。太刀銘に切ってはいますが、大振りの四字銘と年紀がありますから、この点からも時代を上げにくいといえます。

次に幕末の刀工でよく錬れた板目を鍛え、金筋を交えた互の目の品位は上工でなければなりません。刃中の砂流しがしきりと入っています。これは清磨かその一門のよくするところですが、地刃の働きからして清磨であることが指摘できます。

山浦正行銘で清磨が三十二才時の作刀であることが年紀からわかります。天保十五年から二年後の弘化三年に正行から改銘して清磨と銘しています。

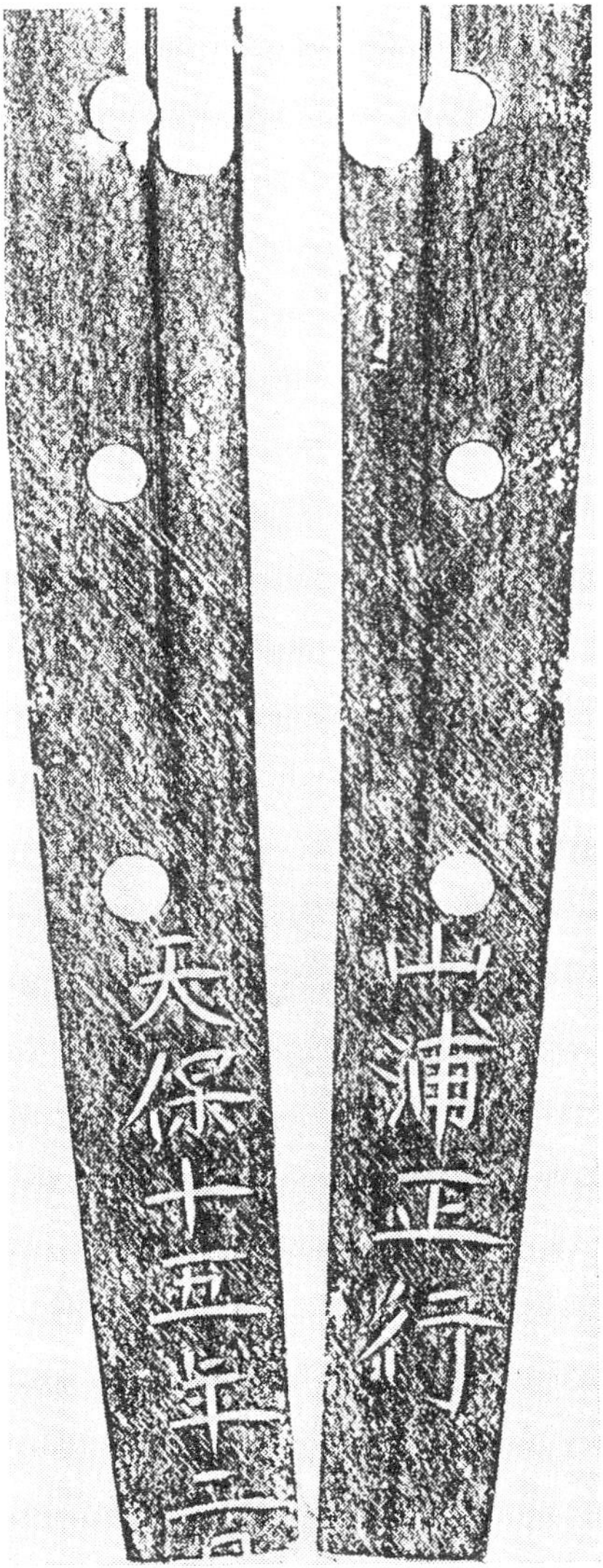

㉙解答＝源正雄

平造りで内反り、やや大振りの短刀ですが、重ねの厚い点から古刀にはみられません。刃文はよく沸えた互の目で足入り、刃中にしきりと砂流しがかかり、帽子は突きあげて尖って返っています。志津写しの作であり、刃中のしきりな砂流しから清磨一門がまずあげられます。同じ新々刀で

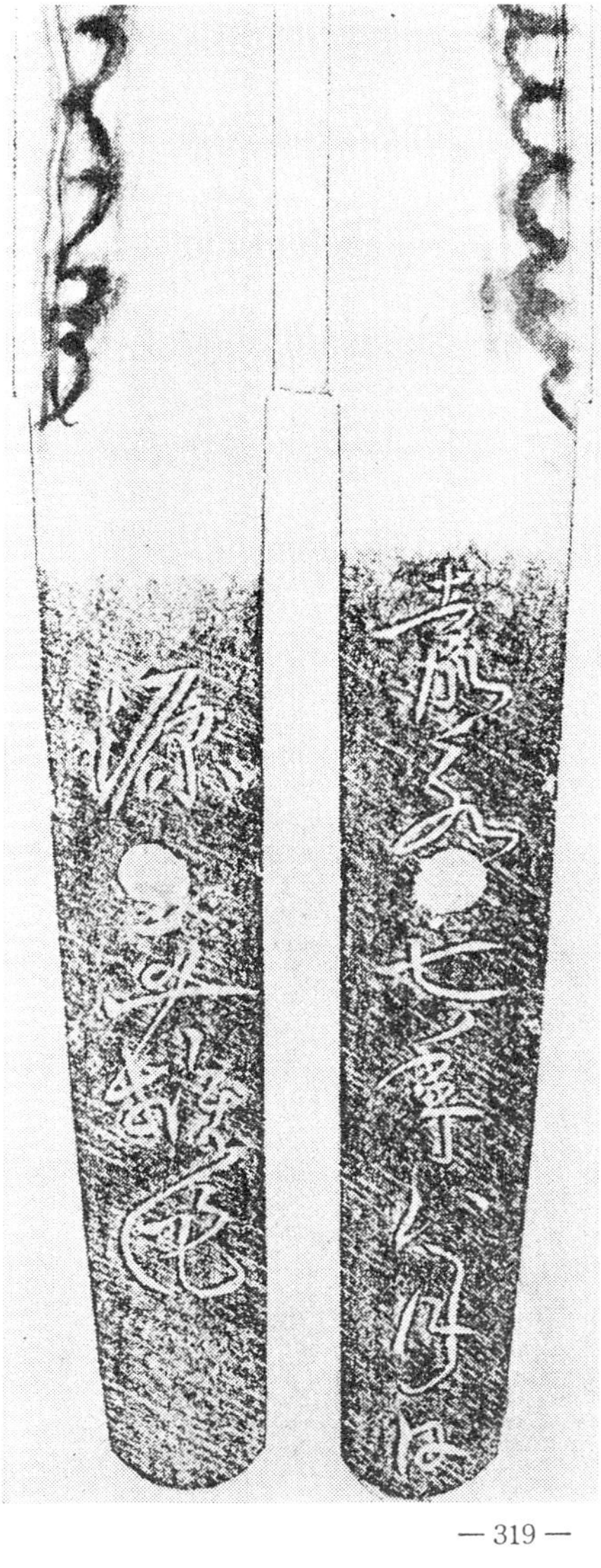

も水心子正秀とその一門にはかほどに刃中が賑やかなものはなく、また薩摩刀では沸が荒くなって相違します。新刀期では越中守正俊や越前康継を考える方もあるとおもいます。正俊には帽子先が尖るものもありますが、いわゆる三品帽子となるのが普通であり、康継では互の目主調の刃文より湾れに互の目の交じるといった湾れ主調の刃文になってきます。また両者ともに、刃中の砂流しがかほどに目立つことはありません。

清麿一門とみて草書銘を切るのは真雄も一時は切っていますが、鈴木正雄が大振りに、しかも茎の中央に切ることで、多くが草書体であることをおもえば他工へはいけません。

源正雄は鈴木次郎といい、江戸下谷御徒町住、源清麿の高弟で嘉永五年に独立したと伝えています。

㉚解答＝青江直次

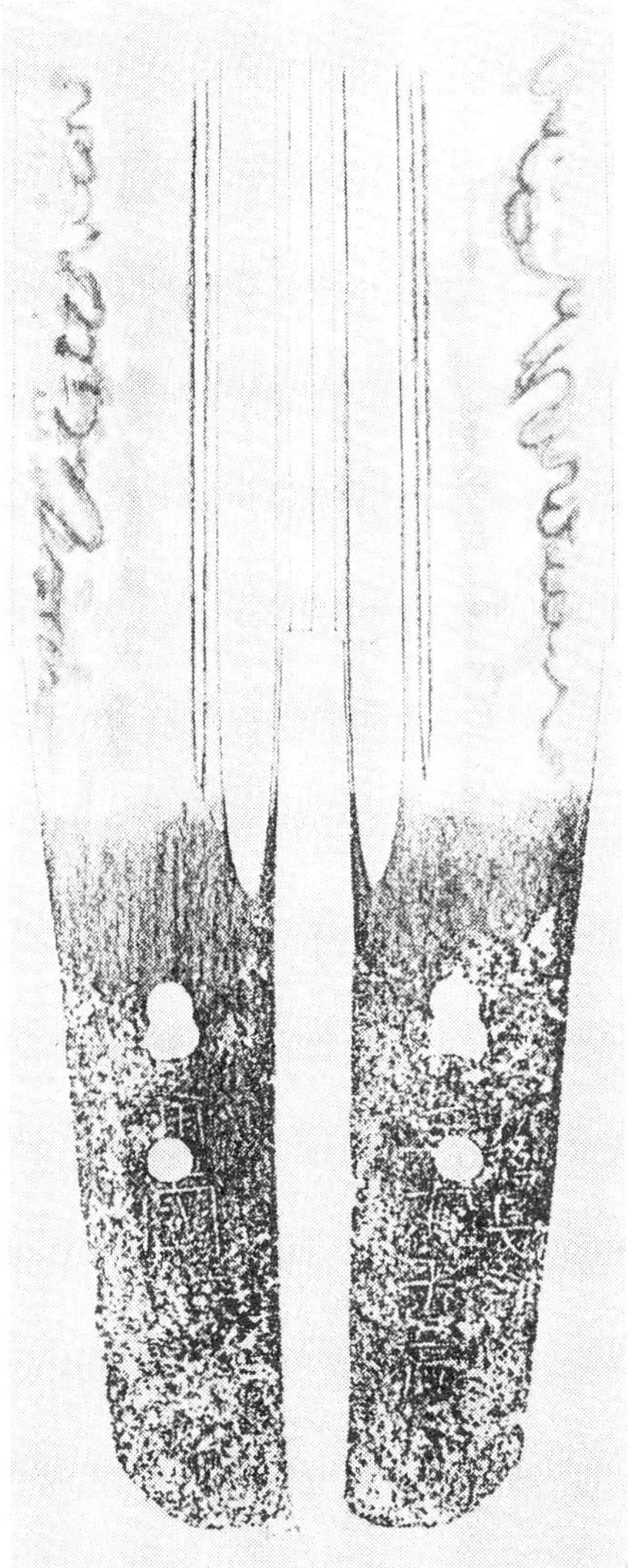

豪放な趣を作刀上に表現した鎌倉時代につぐ吉野朝時代は、これをなお強調する〃いかつさ〃を持つようになりました。それは太刀では長寸で身幅が広く、重ねが薄く、大切先となり反りの浅い姿のものとなって現われています。短刀の造込みも同様で、一尺一、二寸から四、五寸と寸延び平造り姿で、長さに応じて身幅も広く、中間反りがつき、すべて重ねを薄くしたものとなります。この姿のものが多く作られたのが南北朝の中期、延文から貞治へかけてなので、これを延文・貞治頃の姿といっています。本出題刀がその姿をよく示しています。この頃、匂出来のはげしい逆丁子を

焼く刀工で、乱映りを表現するとなりますと、備中青江一類をおいてはほかにありません。次直、次吉、直次など個銘を当てるのはむずかしいとおもいますが、延文・貞治頃の青江派の作とみれば結構であるとおもいます。本作は銘の部分の判読が不明瞭ですが、「備中国住○○」とあって直次とされています。裏銘は「為村橋長五□正平十八年三月日」とあります。

㉛解答＝孫六兼元

先反りのついた姿恰好は室町時代の打刀とみられます。板目に柾交じり、白け映りの地鉄鍛えと、匂出来で匂口が沈み、尖り刃が目立つ互の目の刃文から美濃といくことは容易でありましょう。平肉が落ちて匂口の沈んだ姿と刃文はいかにも鋭利な感覚がみなぎっています。末関物を代表するのは孫六兼元と和泉守兼㝎（の定）の両者です。兼㝎は互の目丁子を得意とし、孫六兼元は尖った互の目を焼いて上手であり、二代以降は三本杉刃と称する特異な刃文を表現しています。

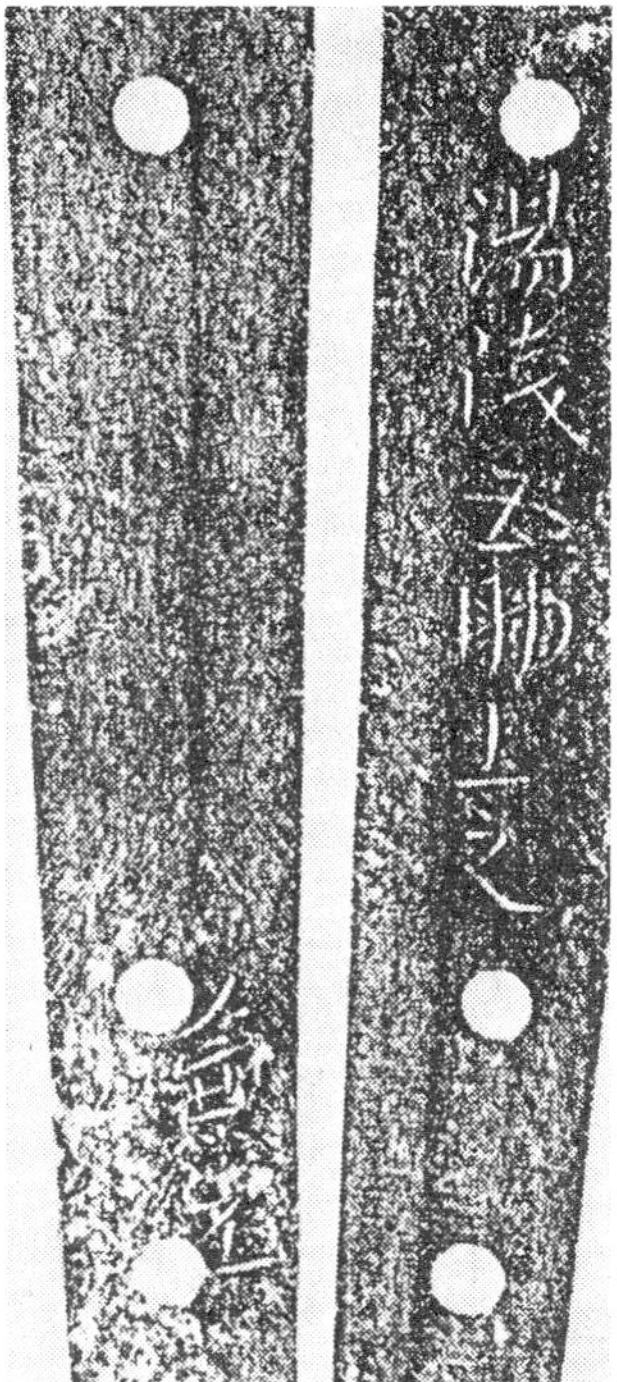

三本杉刃は初代孫六兼元の創案によるものですが、さほど鮮明な三本杉刃にならないのが普通で、尖り互の目といった感じのものが多くあります。本作にみるのがその好例です。鷹の羽鑢は美濃物特有のものであることも参考にできます。

㉜解答＝関兼定

　平造り、内反りの小振り短刀で、刃文は直刃を焼いています。一見すると鎌倉期のものかとおもわれますが、匂出来の刃文であること、柾心を交えた板目肌で白け映りがでていることから、これは鎌倉期をねらって写した室町期のものと考え進めることができます。鎌倉期のものであれば沸出来となりましょうし、白け映りがでるということはありません。恐らく山城来の作を写したのでしょう。

　匂出来の直刃を焼いて白け映りが立つ、という出来は、それが室町期であると同時に、末関物であるという見方ができます。帽子をみますと〝小丸で返り寄る〟という点がそれを裏付けています。来物を写した末関物では兼定の作が多くあります。他に兼元、兼常、兼貞、兼吉などにもありますが、総じて帽子の返りが前述のとおりとなる共通性がありますし、また返りの止めが堅かったりする古作との相違点がでてきます。

㉝解答＝和泉守兼定

　刃長が二尺三寸一分ありますが、先反りの打刀姿ですので室町期の作刀です。鎬筋が高く、地鉄は柾肌が交じるなど、大和の流れを受けた作者であることになります。そうした目で刃文をみますと、互の目丁子を焼いて、しかも匂出来であれば、末関物が浮んできます。鑢目が鷹の羽であることで、それを証することができます。兼元では多く二字銘ですし、刃文の状態が違います。六字銘ですからやはり〝の定〟の線が出てくるわけです。寸法が常よりやや延びかげんであることをの

ぞいては、造込みから、地鉄鍛え、刃文、そして茎に至るまで〃の定〃としての典型的な出来振りといえるものです。なお〃の定〃とは〃定〃字のウ冠の内を〃之〃と切るところからの呼称です。

㉞解答＝若狭守氏房

元亀□年八月八日と裏年紀のある若狭守氏房の寸延び短刀です。室町末期の末関刀工群のなかにあって活躍した一人ですが、どういうわけか現存する作品の少ない人です。この工の父が兼房で世に〃兼房乱〃と称

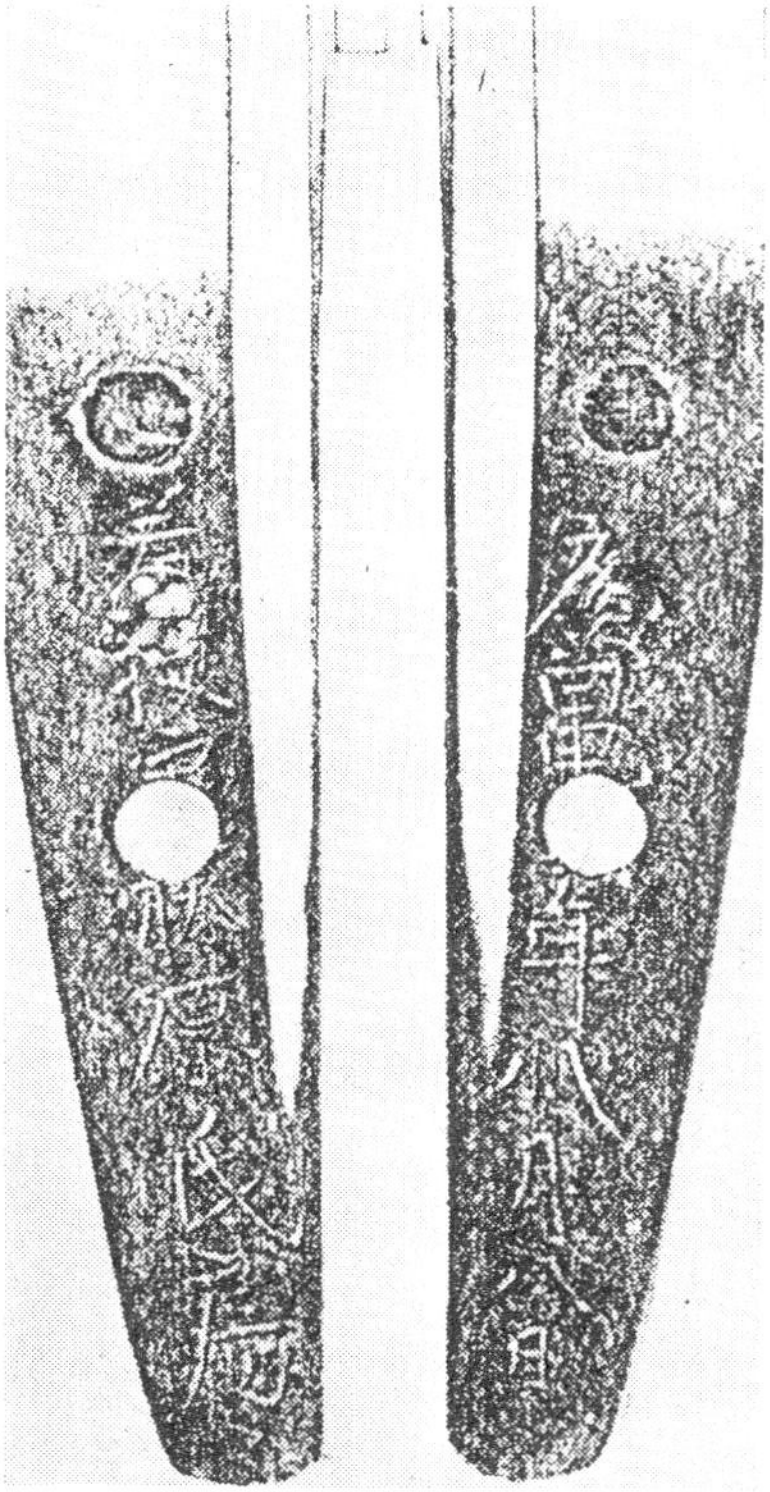

する互の目丁子を焼いて著名であり、これをそのまま伝え表現したのが本作にみる刃文です。恐らく出題をみて、これは兼房だ、と鑑定された方が多いとおもいます。父子は必然、互いに似た作風を残すものであり、それは師弟の間にもいえることですが、ただ、兼房は銘を〃兼房〃とばかり二字に切ることの多いのが、本作が長銘(七字銘)に切るのと相違するところです。従ってこれが若狭守氏房であるとはいえず、他の末関刀工もこの刃文を焼いていることから、氏房、兼房などに入札されれば充分であり、末関への入札も同然といえます。先反り姿から時代をつかみ、柾交じりの地鉄肌と、匂出来の刃文から末関物とおさえ、さらに独特の互の目丁子(兼房乱)で個銘へとすすみます。

㉟解答＝村正

平造り先反りの室町期の短刀です。刃文が表裏揃っていますのが一つの見どころになります。室町期で表裏の刃を揃えて焼くのは、兼定などの末関物、義助などの島田物、それに村正一類と、平安城長吉などに指を折ることができます。

小湾れに互の目を焼いた刃文ですが、匂出来ではありませんので末関物ははずせます。飛焼が盛んにみられますので平安城長吉も除外したいとおもいます。茎が舟形で先が入山形となりますと村正が浮かんでくることになります。造込みの重ねが非常に薄い点も村正にままみられるものです。また〃角味のある互の目〃は〃箱がかった刃〃を表現したものであり、これも村正の作にみられる刃文です。飛焼の盛んにあるのは末関物にも、島田物にもみうけますが、村正の作はこの飛焼をのぞいては平安城長吉にもっとも近く、末関の兼

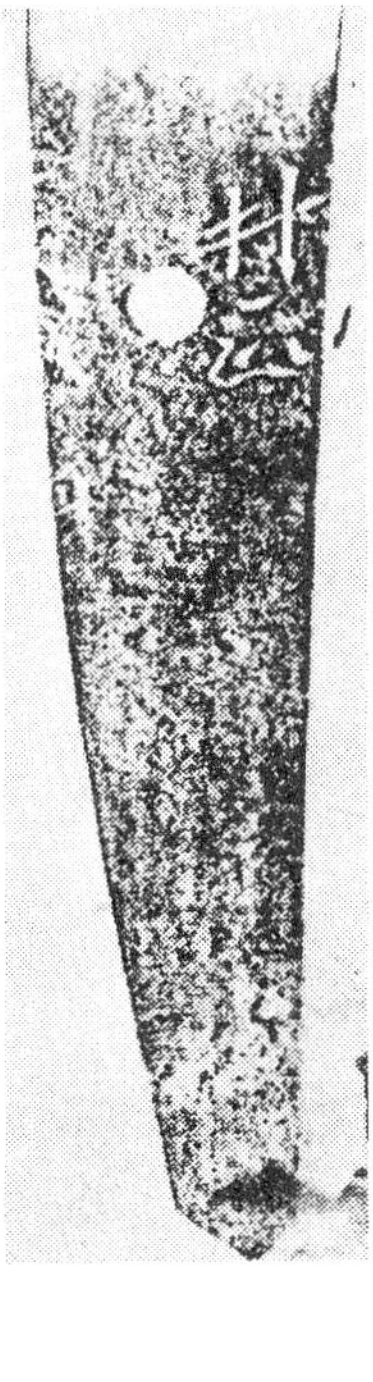

定、また島田物にも通じるものがあります。島田物の刃文は互の目と互の目の谷が角ばり、村正は湾れとなる点が相違するといわれています。

㊱解答＝堀川国広

身幅が広く中切先が延び、反りの浅い姿から慶長新刀とみるのは容易です。刃文は湾れがかった直刃に互の目が交じり、地鉄が小板目ですが、ザングリした感じの肌合いですから、同じ姿でもやはり南北朝期へはいけないと同時に、これは堀川物であると考えられます。帽子も中央がややたるみごころの三品風の形が堀川物にあることと、物打辺の互の目が目立っていることもそれとうなずけます。

堀川物とみて、国広、和泉守国貞、出羽大掾国路などのだれかということになります。和泉守国貞（初代）の作には丁子刃の交じるものが多く、出羽大掾国路は互の目が目立ち飛焼がかかり、刃中に砂流しがはげしくかかるなど烈しい出来が多くあります。すると両者は本作の出来と類似しません。ゆったりとした穏やかな刃文を得意とする本作が国広でなければなりません。焼出しに水影が出ていますが、これは国広の作刀中ほとんどにみられる一つの見どころになっています。大筋違鑢も国広をはじめとする堀川一門の掟でもあります。本刀は国広の慶長十五年頃の作です。

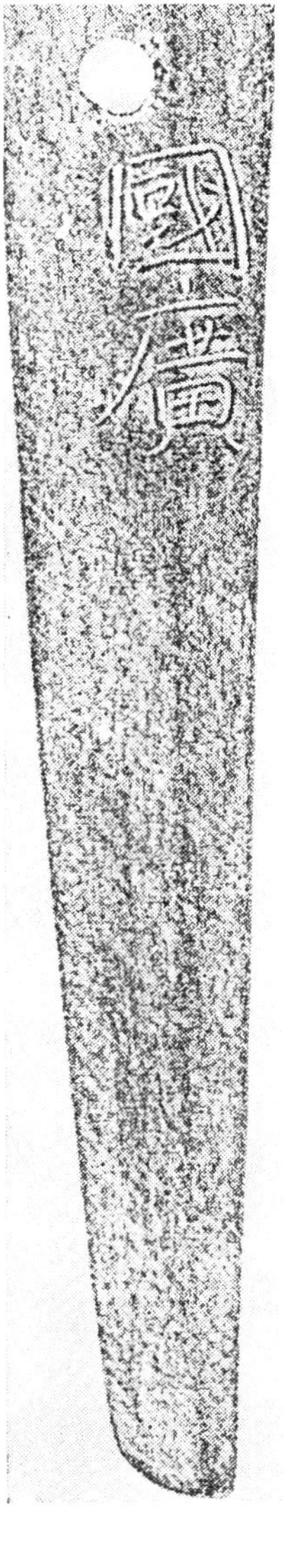

㊲解答＝**出羽大掾国路**

薙刀直しの造込みは桃山時代以降にみられるもので、これは新刀か新々刀といえます。板目鍛えにザングリした肌ですので堀川一門とみられます。帽子が三品風に湾れて先が突き上げごころに返っています。これがきめ手になる点といえますが、ザングリした肌でなければ三品物へいくかも知れません。堀川一門で三品風の帽子を焼くのは出羽大掾をおいて他にありません。互の目に砂流しがさかんにかかっていますのも国路の持ち前です。この砂流しのかかる見方から清磨とその一門へ入札も考えられますが、肌合いが相違しますのと、清磨一門では光の強い荒目の沸がついてきます。刃文とまた三品風の帽子を焼く康継にもみえるかも知れません。相違するところは康継では柾肌が目立ってくることでしょう。もし造込みが薙刀直しでなく磨上げたものと見違いますと、南北朝時代の長義、兼光、但州国光などへいくかも知れません。生ぶであり薙刀直し造りであることをおもえば桃山時代以前へはいけないということになります。

㊳解答＝**津田助広**

身幅が広く中切先で反りが浅い姿から寛文新刀であることがわかります。匂深く小沸がよくつき**匂口の明るく冴えた刃文と、**小板目のよく詰んだ美しい地鉄肌は名工の手腕によるものでなければ出来得ないものです。その刃状は大波のよせては返す濤瀾乱ですから、その創案者、津田助広が浮かんできます。焼出しの短いのは大坂新刀の焼出しであることを示し、これをのちに写した新々刀

期の水心子正秀、尾崎助隆、手柄山正繁などでは焼出しが長くなることだけでなく、匂口の明るさや地鉄の美しさにおいて及ばないはずです。大坂新刀の刀匠で濤瀾乱を焼くのは助広をはじめとして、その高弟であり二代を継いだ近江守助直、坂倉言之進照包、高井越前守信吉などがいますが、助広の技倆には一歩をゆずります。

㊴解答＝水心子正秀

地鉄が小板目肌が詰んで無地風であることから新々刀とみることは容易です。造込みも身幅が狭く古作をねらって品よく作られていますが、重ねの厚いことから時代が上げられないことを語っています。また茎の鑢に化粧鑢がかけられていることも新々刀の時代を示しています。

同じ新々刀でも月山貞一は地鉄と刃文はいいのですが、二字銘のないことが相違します。

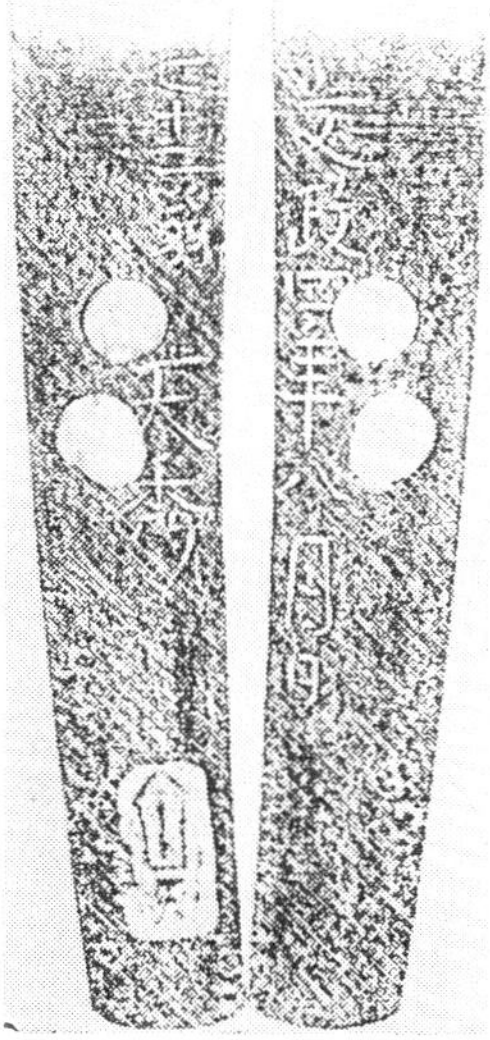

水心子一門の直胤と正義も一つの見方ですが、両者には丁子刃の多いこと、また直胤には無地鉄の作もありますが、板目肌を鍛えて地鉄の優る点

などから両者は一応はずして他を考えますと、水心子一門の頭領である水心子正秀に指を折ることができます。古作をねらってはいますが、地鉄が無地風であること、直刃を焼いて刃中が淋しく変化のないこと、茎に刻印（〃日天〃とあります）を打つことなど、それとうなずけます。緻密な彫物は一門の義胤の手になるものでしょう。巧みな配置と手ぎわに見ごたえがあります。文政四年の裏年紀から水心子正秀が七十二才の作と知られます。

㊵解答＝城慶子正明

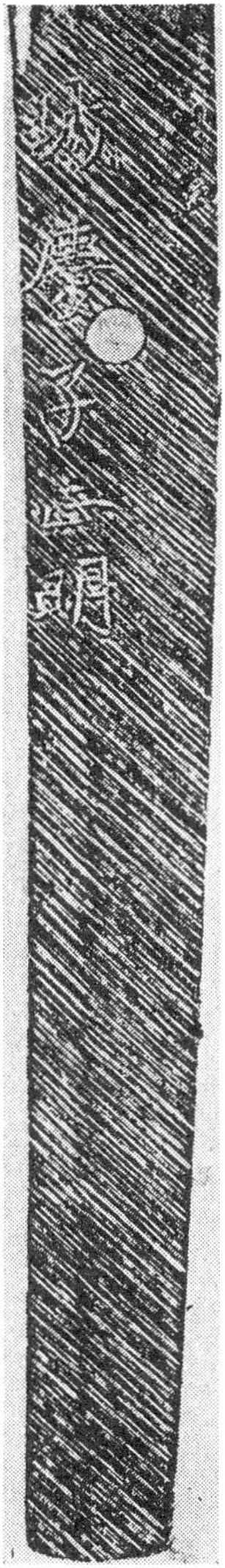

鎬造り、身幅と重ねがたっぷりとあり、反りが浅く中切先が延びた体配は幕末の典型的なものです。丁子乱が華やかで重花丁子となって足を長く入れています。鎌倉時代の一文字の刃文を再現することに専念した刀工は幕末に数々いますが、これもその一作として匂口が明るく備前伝をよく伝えています。幕末の刀工で丁子乱をよくするのは大慶直胤、細川正義など水心子一門に多く、本作の城慶子正明もその一人ですが、他に石堂運寿是一、固山宗次、泰竜斎宗寛、加藤綱俊、高橋長信、月山貞一などがいます。このうち概して規則的に同じ丁子をくり返して焼くのが宗次、宗寛であり、丁子の中に互の目が目立ってかかるのが加藤綱俊、高橋長信で綱俊には焼出しがあります。

城慶子正明は細川正義の弟子であり、互いに丁子乱が似ていますが、正明の方がより刃文の出入りが多く、これは石堂是一や月山貞一よりなお目立つ点です。是一の丁子は沸出来で、地鉄も本作のように無地風にはならないことが異なります。城慶子の丁子は出入りが多いこと、それが重花丁子となって変化し、匂足が刃先で開いています。

㊶解答＝**大慶直胤**

平造り三ツ棟、尋常な造込みで内反りとありますので鎌倉時代の短刀とみえます。地刃の働きも見どころが多くやはり時代を古く上げたいのですが、よく見ると地鉄に柾肌が交じっていること、濃厚な彫物があること、茎の鑢に化粧鑢がかけられていること、などから古刀ではないことになります。そして化粧鑢のあることは新々刀であることを証しています。この短刀は古作をねらった新々刀であり、地鉄と刃文から相伝写しとみられ、出来口からしてかなりの上工といえます。

写し物の上手で源清麿、水心子正秀、栗原信秀、大慶直胤、細川正義、月山貞一などのうち、このような彫物のないのが清麿、直刃より互の目あるいは丁子を得意とするのが信秀、正義、貞一であり、これらを除くと水心子正秀と大慶直胤が残ります。両者ともに茎に刻印を打つことで共通しますが、地鉄により一段の見どころを持つ直胤であることはすでにおわかりとおもいます。水心子正秀は文政八年にすでに没しており、本作の裏年紀嘉永二年のときは生存していません。

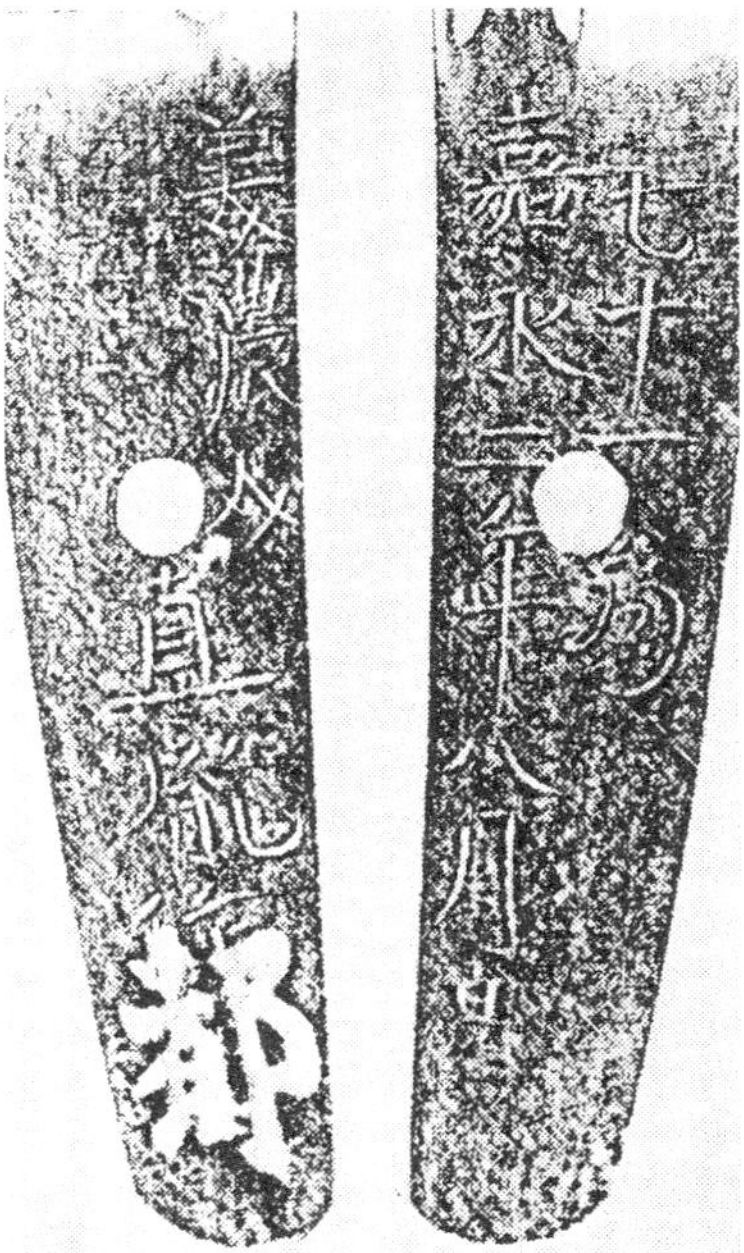

㊷解答＝井上和泉守国貞（真改）

身幅と重ねが尋常で反りの浅い造込みは、脇指に限らず刀を作っても、江戸時代中期のいわゆる〝寛文新刀〟の姿として知られるものです。これは全国的な風潮として時代の姿をよく示した造り込みといえます。

地鉄鍛えと湾れの小沸がよくついた冴えた技倆は上工でなければ出来ません。直ぐ焼出しがあるところと、小丸帽子が焼き下げているところから、これは大坂新刀です。寛文頃の同国の上工は津田助広、井上真改をはじめ坂倉言之進照包、津田助直、一竿子忠綱、河内守国助など多士済々ですが、国助は拳形丁子の独得な刃文を焼くのでまず除外できます。この頃は津田助広の創造によって世に称えられた濤瀾乱が流行していて、助広をはじめ弟子の助直、そして照包、忠綱も焼いています。これらを除くと自然と井上真改の線が出てきます。助広にも本作のような湾れ刃がありますが、やはり真改がもっとも得意とする作風として指を

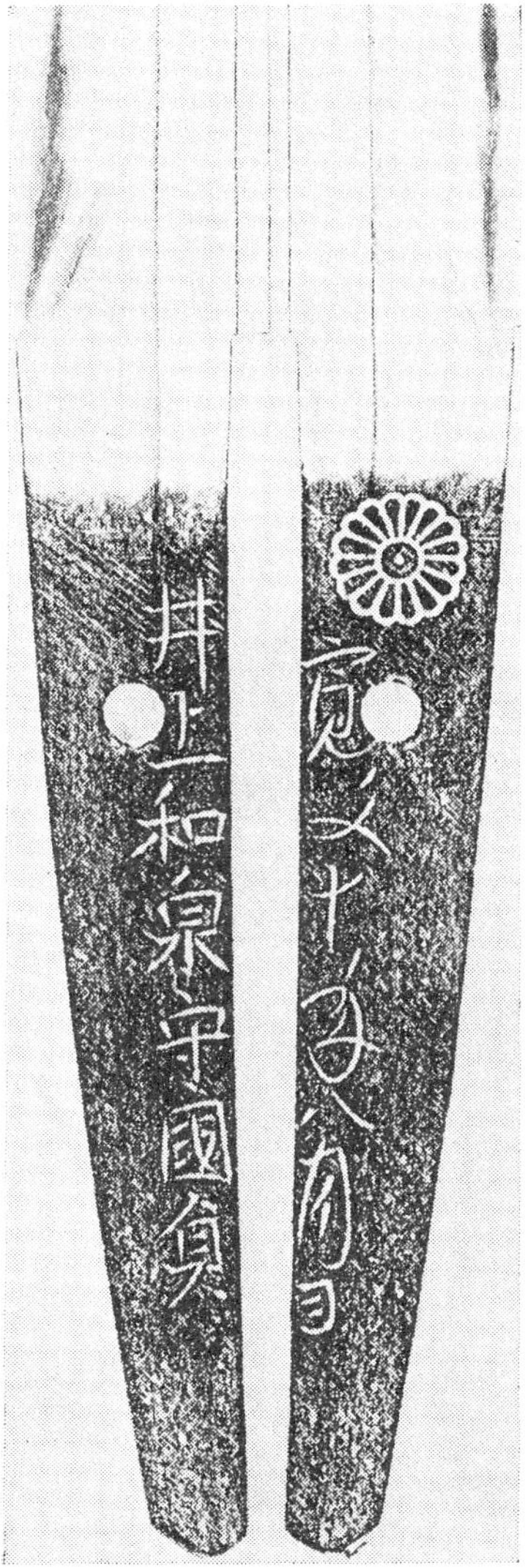

屈したいものです。茎裏に〝菊紋〟があるとあり、これも真改の作であることを裏付けています。真改は始め国貞と銘し、本作より二年のちの寛文十二年八月に改銘しています。

㊸解答＝河内守国助（二代）

反りの浅い造り込みは江戸中期、寛文頃のものとわかります。華やかな丁子乱れを焼いても焼出しのあること、帽子が小丸に返っていることなどは新刀期の持ち前を示しているものであり、焼出しが〝直ぐ〟で短いことは大坂新刀に共通する見どころです。拳形丁子とは、にぎりしめた拳の形に名ぞらえたもので河内守国助の得意とする刃文です。代々これを焼いて著名です。銘も〝河内守国助〟と五字に切ることが多く、初代は〝河内守藤原国助〟と七字に切ることもありますが、代々五字に切るのを通例としています。本作は二代国助で、初代と三代の間にあることから〝中河内〟と通称されています。現存する作品の多くはこの二代作です。なお、拳形丁子を焼く類似工は、大和守吉道、肥後守国康など大坂刀工の作にもみられます。

㊹解答＝粟田口忠綱（一竿子）

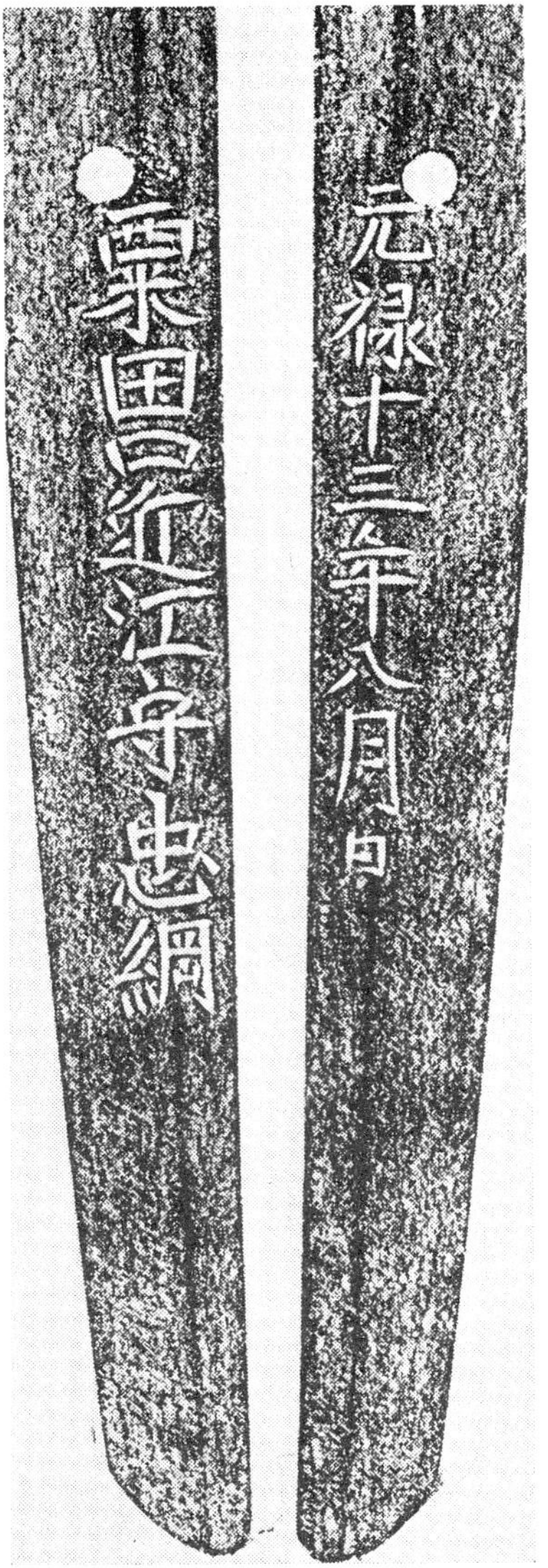

本造り（鎬造り）で身幅が広く、中切先が延びて反りが浅い姿から新刀期のものとみることができます。三ツ棟であることは本場物であることを語り、焼出しが直ぐで短いことから大坂新刀とつかむことは容易です。濤瀾乱を焼いても以上のことから新々刀期の写し物ということはさけられます。濤瀾乱を焼く大坂新刀では、その創案者の助広をはじめ門人の助直、そして坂倉照包、さらに一竿子忠綱がいます。助直と坂倉照包は濤瀾乱の波の傾斜が急になる手癖がありますが、本作にはそれがみられないので除きます。もっとも上手なのは助広であり、同じ濤瀾乱でも波の動きがよりゆったりした感じになることがわずかに相違します。実は一竿子忠綱の前銘〝粟田口近江守忠綱〟なのですが、倶利迦羅などの真の彫りがあれば容易に指摘できるところでしょう。しかし本作には棒樋に添樋といった簡単な彫りしかないため、濤瀾乱の刃文だけから助広や助直、または照包などと区別することは容易とはいえません。刃中に金筋の働いた出来口から古作に見紛う見方もあるか

も知れませんが、やはり姿で見分ける必要がありましょう。彫物を得意とする一竿子がこれを別にして、作技にのみ自信をもって自己を表現した作刀です。

㊺解答＝肥後守輝広

　平造り寸延び、身幅広めで反りが浅い姿とありますので、南北朝期か慶長新刀とみることができます。銘をみますと○○守という任官銘があって、これは新刀以降の刀匠にみられるもので、この点からも南北朝期へは時代を上げられません。刃文は湾れに小互の目を交えていますが、刃縁が掃掛け、あるいは刃中の砂流しが目立ち、また地鉄には柾が流れていますので、美濃系の刀匠であることがわかります。

　美濃系の慶長新刀でこうした作を残す人は堀川一門、越前康継、三品一門、加賀兼若、それに芸州輝広がいます。このうち越前康継には任官銘がなく、堀川一門では鑢目が大筋違になるので除外できます。帽子が三品帽子風になっていますので三品一門の、ことに越中守正俊が考えられますが、匂口の沈む感じより、むしろ冴える気味があってこれもはずされます。残るのは加州兼若と芸州輝広です。平造り寸延びの作刀は加州物には少なく、また任官銘があれば初代兼若では晩年の〃越中守藤原高平〃でなければなりませんが、現存する作品はごく稀で、やはり、寸延び短刀を得意とする芸州輝広ということになります。初代の肥後守輝広にはもともと作品が少ないのですが、刀はあまりみられません。二代の播磨守輝広は五字銘に切ることが多い。

㊻解答＝繁慶

造込みから慶長新刀の姿であることは明らかです。身幅が広く、反り浅く、中切先のスタイルは時代をよく示しています。刃区と棟区が深いことは図によっても知られるとおもいます。庵棟が高くなるという説明とあわせて、いかにも特異な繁慶の存在が浮かびます。匂口が深く沸がよくついて地にこぼれ、肌にからんで沸のおどるがごとき様子は、なんとも覇気の充満した名工の技といえましょう。これは桃山時代に活躍した野田繁慶の作域で、他の刀工に求められないものです。茎の鑢は表が勝手下り、裏が逆に勝手上りとなっています。説明にはありませんが棟の鑢は檜垣になっていて、どこまでも異風さのある作者です。造込みから刃文、そして茎まで、どこまでも繁慶でなければならなくなります。その作風はあくまで相州伝であり、古作則重をしのばせるものです。地鉄肌中に地景が入るなど則重への鑑定もあるかも知れません。それほど近似するのですが、その相違はすでにお気づきとおもいます。硬軟の鋼をまぜて鍛えた地肌を〝松皮肌〟または〝ひじき肌〟と呼称して、古刀では則重、新刀では繁慶にみられます。

㊼解答＝**虎徹興里**

〃い興角虎銘〃の虎徹です。〃興〃字の下方が〃い〃にみえ、〃虎〃字が角ばった楷書体であるところからの呼称です。

板目肌に柾がかった地鉄鍛え、互の目の刃文が明るく冴えて焼出しがあることと、その姿や造込みから江戸時代の新刀観ははずされず、これらはそのままが虎徹の作風といえます。〃匂口が冴える〃のは虎徹の持ち前であり、帽子が横手からやや刃によって先が小丸に返るのが虎徹の独特の形で、これがきめ手にもなるといえます。

地肌に柾ごころがあることから出羽大掾国路、また焼出しの刃区の上部に焼き込む気味のあるところで堀川国広への見方は、前者の帽子が三品帽子風にならないこと、後者がざんぐりした地肌にならないことで否定されます。堀川一門は鑢目が大筋違いになることからも賛成できません。大和守安定、肥後大掾貞国などの見方も匂口の相違を見落したものといえましょう。作風の類似するものとしては法城寺正弘、上総介兼重などがあげられます。

㊽解答＝**法城寺正弘**

身幅と重ねが普通で、切先も尋常、反りが二分八厘と浅い姿は、江戸時代中期、寛文頃の作刀です。

匂口が深く、よく沸えて冴えた刃文は上工であることが知られ、虎徹興里と見る方もありましょう。これは当然なことで、また興正、上総介兼重

も同然といえます。ただ虎徹一門では横手の線から上方へ向かう帽子が一度刃方に寄る傾向があるのですが、本作にはみられません。それは小丸返りの帽子が長く焼き下げていることとも合わせて虎徹に近似しますが、ちょっとはずしたい点になります。この帽子の返りが長いことは大坂新刀である助広、真改への鑑定へと通じます。しかし、地鉄が小板目がよく詰んで冴えるほどに上手となるのが両工ですし、また両者ともに直刃もありますが少なく、より沸づくことが相違します。助広の直刃はごく稀であり、真改には沸が地にこぼれるほどに強く、刃は湾れかかるのが普通です。そしてさらに焼出しが短くなるのが大坂物の見どころであり、本作のように長い焼出しという説明によりますと、大坂物をはずしてみる必要があります。そこで考え方を初めにもどしますと虎徹に似て上手な上総介兼重の他に法城寺一門が浮かんできます。一門中でももっとも上手なのが正弘です。

㊾解答＝**越前康継**（二代）

刃文と帽子と彫物から、この寸延び短刀（脇指）の鑑定ができます。刃文は浅く湾れて小互の目を交え小沸出来であり、刃縁がほつれ、掃掛けかかること。帽子は突き上げごころに小丸で長く返ること。彫物が精巧であり深く彫り下げていること。いずれも越前康継の掟をそなえて他へいけません。彫物は同国の木内（記内）作であることは裏の銘によっても知られます。さらに地鉄は板

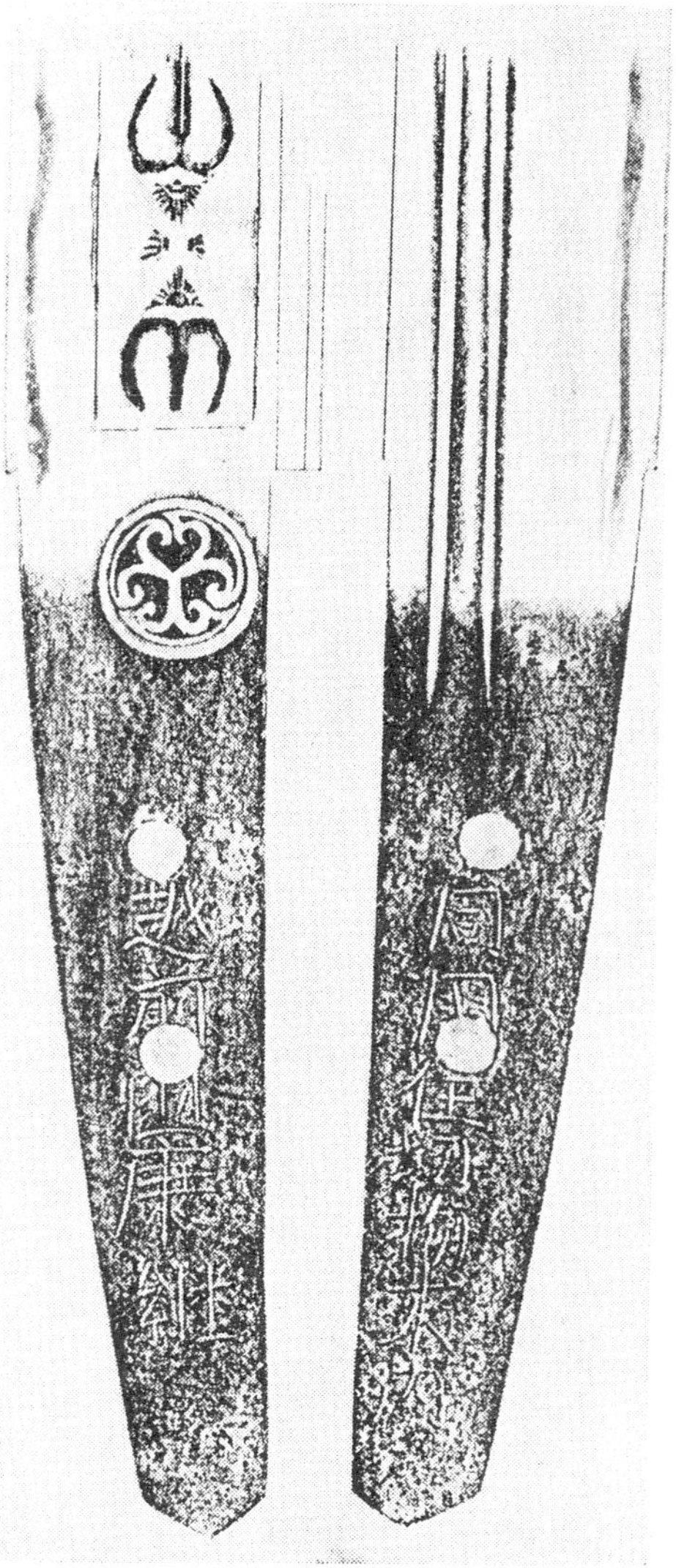

目に柾を交えていて、これも康継の掟にかなっています。五字に銘を切っていますので肥前国忠吉を連想するむきがあるかも知れませんが、地鉄に柾の交じる鍛法と、刃縁の柾の作業からみても作風に共通するところはありますが、該当しません。堀川国広にもこうした精緻な彫物の作がありますが、タガネが深いといった感じは少なく、また地鉄がザングリとすることで相違します。本刀は越前康継の二代作で「同国住切物木内」と切銘のあるのも好参考になります。

㊿解答＝加州兼若（初代）

鎬造りの脇指で、図によると元身幅と先身幅にあまり差がなく、浅い反りで中切先となっています。この姿から桃山時代の作とみることができます。板目に柾交じりの地鉄鍛え、湾れに互の目の刃文が箱がかり、また尖り状であることは美濃伝の作風であると知られます。箱がかった刃の交じるのは古刀期では村正、平安城長吉、それに兼定など末関物にみられますが、新刀期へ入ってからはあまりいません。まずあげられるのが加州兼若とその一門であり、他には志津を写した越中守正俊、越前康継などにもありますが、数からいけば稀であり、やはり兼若の線が強く出てきます。

初代兼若は美濃国から、また一説には尾州犬山から前田藩の城下金沢へ移り住んだと伝え、それが天正の頃とも、また慶長の頃ともいわれています。その作風も本国美濃の持ち味をそのまま伝え、ことに初期の作品は純然たる美濃伝を表現しています。本作の出来がそのままを証明するものであり、のちには互の目の目立つもの、大乱の華やかなものなど変化の多い作品も作っています。

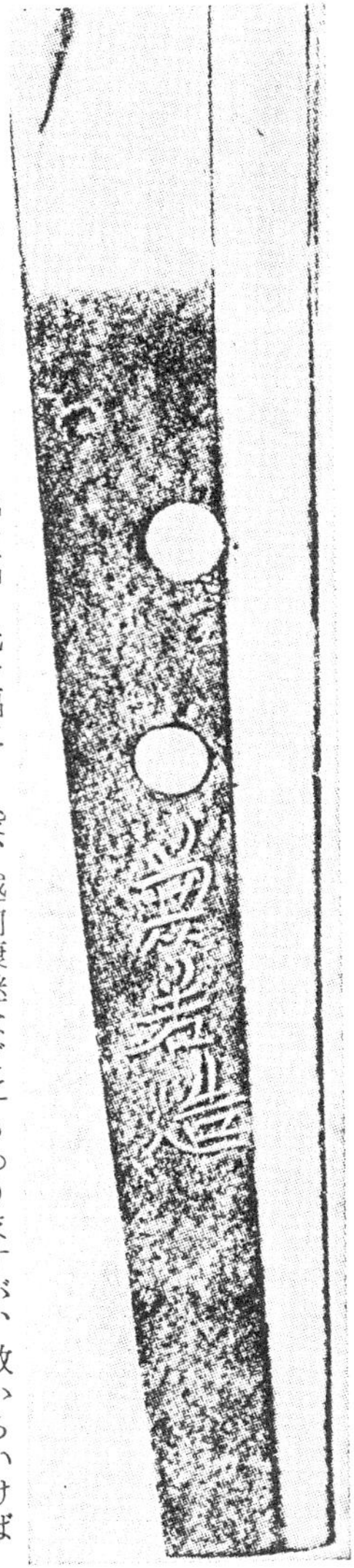

㊿解答＝**山城大掾国包**（初代）

柾鍛えの地肌、細直刃を焼いて掃掛け打のけ、また二重刃を交える作風は、大和物、あるいはその流れを継ぐ人たちをおいては他にありません。その人たちとは、古くは大和本国の保昌派、当麻

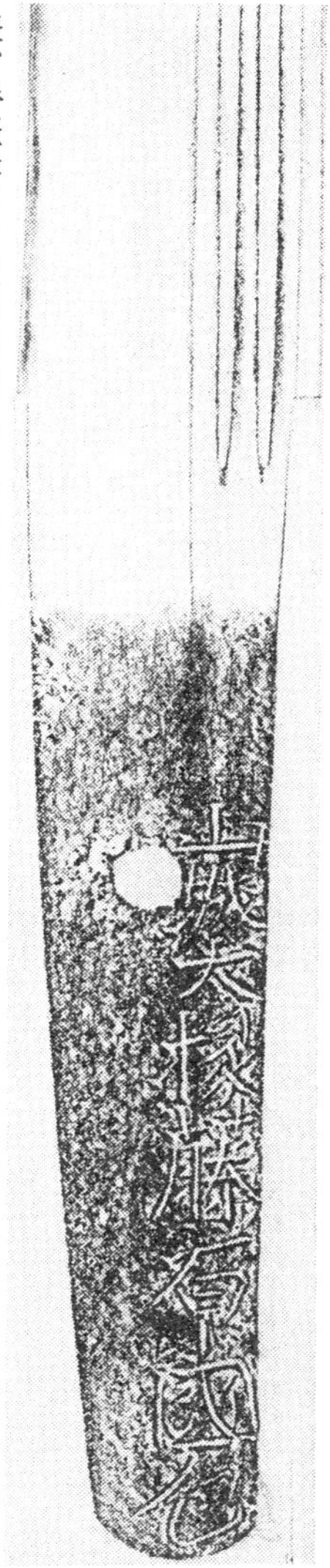

派、手掻派などの刀匠団であり、新刀期以降では仙台国包をはじめとして、水戸の市毛徳隣、同じく勝村徳勝、それに大和伝を表現した越中守正俊、あるいは大慶直胤などが考えられます。しかし、これらの人たちの作品には柾の鍛えが目立つものがあっても、純然たる柾肌ということになると数がごく限られてきます。古作大和物では保昌派であり、新刀期では仙台国包、新々刀期では水戸の勝村徳勝などに代表されます。

本出題刀は品位において徳勝は及ばず、問題は保昌か国包かということになります。そのきめ手は小丸帽子であること、〝徳和可〟の彫物があることで、これが新刀であり、国包であるといえます。逆に言えば保昌では帽子が焼詰めとなり、彫物はあってもかような文字の彫刻はないといえます。いま一つ見落してならない点は、刃文が物打辺へ進むにつれ焼幅が広がり変化の出てくるのが古刀であって保昌であるということです。古作に紛う内反り短刀であって、地鉄と刃文の巧みさは初代国包の技倆を高く評価できますが、やはりこうした点で古作には及ばない、いわば時代の差といったものが感じられます。

(52)解答＝南紀重国

鎬筋が高い――と出題の説明にありますとおり、これが造込みの見どころとなり、現物を手にしたとき、まま見落しがちな点でもあります。刃文をみますと直刃に小足を入れ、ほつれ、掃き掛けて

いますので鎬筋の高いことと合わせて大和伝の作ということがわかります。そして茎が生ぶで指表に長銘がありますので、古刀の大和物は避けて新刀期の大和伝の作者ということになります。そして地鉄と刃文が冴えていますので、よほどの上工であるといえます。南紀重国ですが、仙台国包であれば同じ大和伝でも保昌写しを得意としていますので、完全な柾肌となってくるはずです。茎尻が浅い栗尻であることも南紀重国として動かないところです。刀身の出来だけからみますと大和の尻懸則長、あるいは備後の三原物などの見方もあるとおもいます。それらは刀銘であり長銘であることのほか、身幅が広い中切先の姿であることが相違しますし、後者の場合は肌が白けることが見どころであり、これが見られませんので入札はできません。

南紀重国は大和国の出身で、初め徳川家康に召し抱えられ、のち徳川頼宣の召しに応じて紀州和歌山へ移住しています。桃山時代に活躍した名工の一人です。

53解答＝陸奥守忠吉

太刀銘ですが生ぶの姿で刃長が二尺三寸。焼出しがあって、帽子が小丸で尋常に返っていますので新刀であることがわかります。さらに地鉄が小板目肌がよく詰んで小沸が厚くついていること、刃文は丁子の足が長く入っていることなどから判断して肥前刀が第一に考えられます。そして地刃

が明るく冴えていることから忠吉一門のうち上三代の誰かであるはずです。そこで帽子をみますと、返りが中程に寄っているところから初代ではなく、また丁子の頭が揃いませんので二代ではないとみられます。さらに地刃が冴えているほどに上手であることは初代をのぞけば三代をおいて他にないといえましょう。銘が九字に切ってあります。これも三代であることを裏付けています。初代では五字銘か、住人銘であれば八字、晩年の武蔵大掾銘では八字か十二字になります。二代近江大掾はやはり八字か十二字であって初二代ともに九字銘に該当する切り方がありません。三代忠吉は直刃のほか、本作のような丁子の華やかな刃文を焼いて巧みです。肥前刀が丁子、あるいは互の目を焼きますと、その乱れの谷に沸が〃こごる〃ほどによくつくのが見どころの一つとされています。

⑭解答＝**伊賀守金道**

茎銘をご覧の通り初代金道です。鎬造りで身幅が広く、中切先が延び、反りの浅い造込みですから慶長新刀姿であることは容易に判別できます。三品一門では伊賀守金道、来金道、越中守正俊、丹波守吉道など、いずれも初代作の年代であることが知られるわけです。

濟れに互の目の刃文を交え、沸がよくつき砂流しがかかっています。帽子は独特の三品帽子を表しています。中央がたるみ、先が尖って長く返った形状から他へははずせません。同じ慶長新刀とみても肥後守輝広や南紀重国とは相違する帽子です。この形からだけみると国広も近似しますが、刃文がもっと濟れ主調となること、地鉄の表現にざんぐりとした様がないこと、などからはずせます。刃文からみてもっとも酷似するのが出羽大掾国路ですが、「五字銘がある」ことから該当しません。国路には五字銘に切ったものがないからです。丹波守吉道は同然ですが、簾刃を持ち前としていながら、これが本題にはみられませんから、見方からみてあまり感心できません。一竿子忠綱、月山貞一や栗原信秀の入札は、忠綱は姿を見あやまっています。貞一、信秀はやはり帽子がもっとも異なるところです。時代をつり上げた入札の越中則重、藤島友重、相州綱広は、姿を無視している点再考を要します。越中守正俊は金道よりはわずかに刃文が小模様で、器用さがある点が相違しますが、その判別は容易ではありません。

㊽解答＝筑前左文字

鍛えが板目で小杢目を交え、地沸がよくつき地景が入った働きのある肌合いであり、刃文をみても小沸がよくつき、金筋がかかった力強さ、冴えた様子がわかり、上位の刀工の作以外にははずせない品格がうかがわれる短刀です。帽子は図にみる通り、突きあげて強く長く返ったところが見逃せない点で、恐らくこれだけで当てられた方が多いとおもいます。

大左の短刀には稀に直刃調のものもありますが、多くはのたれに小乱、小互の目を交えるのを常とし、本作がその典型的なものです。刃縁にそってほつれや砂流しがかかり沸の働きがみられますが、焼幅が先へいくにつれ広くなっている点も同工によく見る特徴で、ことに物打辺の焼幅が広く互の目の形状など、鑑定のポイントになるところです。

平造りの恰好が先でやや反っていますが、これは鎌倉末期から吉野朝期初めへかけての年代の人であることを示しているわけですが、僅かに反る恰好が大左の同年代の他の上工には類例の少ない点で、この姿も大左の作であることを語っているといえましょう。室町時代の義助、助宗のご入札は姿が似て非なる点、それに品格において地刃の及ばないところを再検討したいところです。左安吉のご入札は同然ですが、同作ではやや大振りとなり、匂勝ちな刃文で、物打辺の互の目が逆がかる傾向のある点が相違します。大左の短刀は七寸台のものが多く、本作の八寸台では同工としてはやや大振りですが、その子と伝えている安吉は八寸前後から一尺を越すものがあって、大左以上に大振り姿の短刀を作っています。

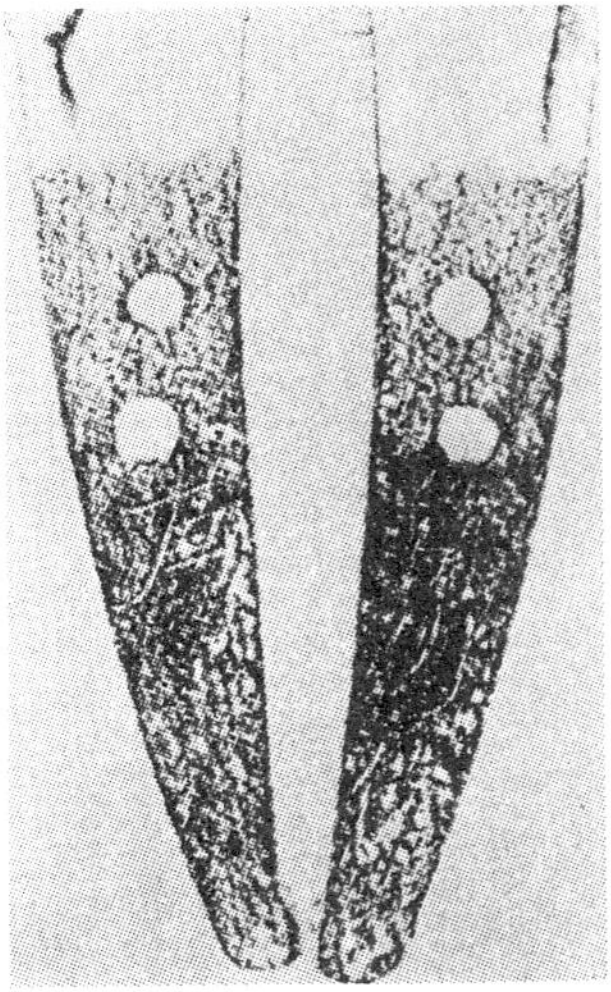

㊻解答＝栗原信秀

図の通り二字銘がありますが、これは信秀の切銘としては少なく、慶応年間のものです。八寸五分という定寸短刀の刃長で無反りとありますので、これだけでは鎌倉期とも考えられないことはありません。しかし〝重ね厚い〟と、ことわりがありますことでこれは新刀期以降のものと時代を狭められます。板目に大板目の交じった鍛え肌、互の目の刃文を焼いて匂口が明るく、小沸がよくついた地刃の働きからみて、かなりの上工の作であると考えられます。匂口が明るく冴えていますが帽子の形と、小板目鍛えではありませんので虎徹へははいりません。他に彫物を得意とする刀工一竿子忠綱は短刀の作がごく稀でもあり、濤瀾乱れや足の長く入った丁子乱れになっていませんのでこれもはずされます。国広とその一門への鑑定は地鉄鍛えが近似してはいますが、この派が湾れを主調とする刃文を焼くことで、本題の互の目刃と相違します。

では時代をさらに下げて考えますと、無反り短刀の多くみられる幕末の新々刀中で、互の目の刃中に砂流し・金筋がかかる一門で清麿一派が浮んできます。しかし清麿は彫物を好みませんので該当せず、一門中の信秀がここに指摘出来ます。茎の先が栗尻で筋違い鑢であることも裏付けとなります。別派の直胤は渦巻肌の交じる鍛え肌で相違します。

(57)解答＝清人

平造、身幅広く重ねの厚い、一尺を越すしっかりした体配ですので、古刀にはみられません。来国俊や来国光、あるいは吉光という鑑定は、まず姿恰好をよくとらえなかったということになります。これは新々刀の時代を示している姿であり、あるいは慶長新刀にもみられますが、地刃の作風から該当する人が見当らず、やはり幕末の新々刀と知られます。

中直刃仕立ての刃文で小沸出来、互の目足、小足が入って、匂口が明るく、刃中に砂流しがしきりにかかっています。砂流しが交じって金筋も働いていて、清磨とその一門の特徴を表しています。それは押形図にみますように筋違い鑢で化粧鑢をつかわない独特の鑢目によっても裏付けられます。

清磨とその一門中で直刃を得意とするのが清人であり、直刃のときは鍛肌に柾目が目立ち、よく詰んだ肌合いになります。清磨には直刃仕立てのものはまずなく、正雄、信秀も乱刃を得意としています。左行秀のご入札は、行秀には短刀あるいは小脇指は稀であり、銘字が太く大きく、押形図のように棟に寄らず、むしろ中央に近く寄る位置に切ります。小笠原長旨の直刃は匂口が締って、刃中にこれほどは働きのないものです。また南紀重国は初代には三字銘はまず見られませんし、茎尻が切りに近いように張ってきます。

58 解答＝越中守正俊

元と先の身幅がさほど差がなく、反りが浅く、切先が延びた造込みですから、慶長新刀であることがわかります。造込みからみた時代観をはずされることはなく、他国でも兼若、播磨守輝広など、いずれも同時代の人とみなされましょう。鍛えが板目に柾交じりであることはこの両工にも通じますが、兼若は箱がかった刃文がみられず、また輝広は湾れを主調とする人ですから、地鉄鍛えは近似していても、刃文が相違しています。

この出題の鑑定のポイントは帽子にあります。横手筋から湾れ込んで中央がたるみ、先が尖って返った形がいわゆる三品帽子と呼称する三品一門に共通した手癖の帽子だからです。三品帽子はもっと先が尖って返りが長くなるものの方が多いのですが、中央のたるんだ形によく特徴が出たものだけに、これだけとらえて正解された方があると思います。伊賀守金道のご入札も全く同然ですが、やはり湾れの交じった直刃調の刃文だけに正俊の作調を示しているといえましょう。銘振りも力強く典型的な初代正俊の作銘です。

㊾解答＝手掻包永

大きく磨上げ折返して二字銘があります。大和国手掻派の初代包永の代表的な銘振りです。

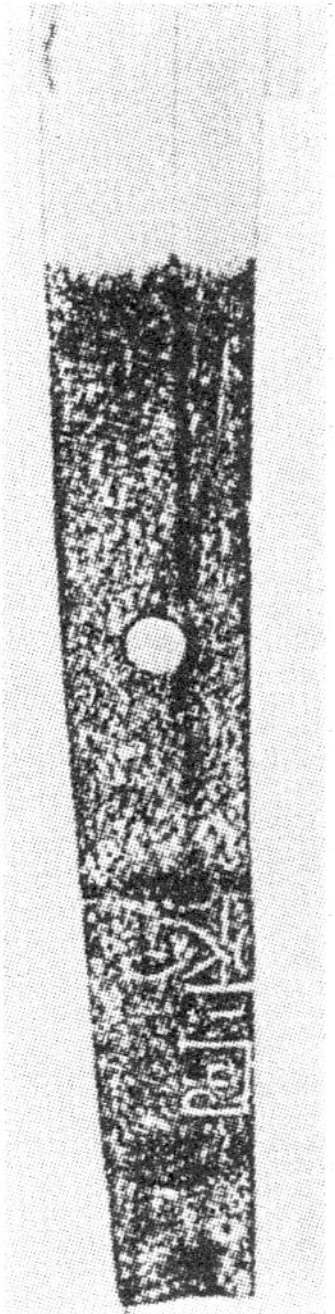

大磨上げですが反りが七分六厘あって、整った造込みであることが察せられます。本造り(鎬造り)で、中切先となり、刃文と地鉄に古風さと働きの強さがあって古作であり、しかも上工の手になるであろうことが知られます。すなわち、地沸のよくついた鍛肌に地景が入っていること。刃文は細直刃調に浅くのたれ、ほつれ小互の目が交じり足が入り、さらに匂い深く、小沸がよくついているさまから、それとうなずけるはずです。鍛肌に流れ柾が交じっていることに合わせて、刃中に砂流し、刃縁にほつれがみられます。これは大和伝であることを示し、なお帽子が焼詰めであることから、これは大和物であること、しかも鎌倉期の上工であるとおさえられます。

大和物とみて、なかでも柾肌があまり目立つほどではありませんので、保昌派ではありません。当麻帽子と呼称するように帽子先にかけて、あまり掃掛けの状況がありませんので当麻派がはずせます。千手院にはかほどに身幅の広いものはまずなく、また尻懸では、もっと小互の目が交じって目立つはずです。

やはり直刃主調の刃文を得意とする手掻派の包永であることがうなずけることになります。なお竜門延吉は乱刃になります。粟田口は柾肌が目立って交じることが相違します。来国行は帽子が焼詰めではなく、小丸返りになります。

㊿解答＝井上真改

表に〝井上真改〟裏に〝（菊紋）延宝二年八月日〟とあります。

造込みからみて新刀期の刀であることがおわかりとおもいます。新刀期とみて焼出しがあり、小丸下りであるところからまず大坂物とみたく、〝沸深い湾れ調の直刃が明るい〟となると、かなりの名工でなければなりません。一見して真改を頭に浮かべた方が多かったとおもいます。

こうした明るい刃を焼く人では南紀重国、虎徹がおりますが、南紀では地鉄に柾気がみられ、虎徹では帽子が小丸上りになるなど相違があります。真改門の真了にはこれほど明るく冴えた刃文はなく、また東山美平にも同じことがいえましょう。地鉄も堀川地鉄のザングリしたものになります。なお助広、助直には四字銘はありません。

㉛解答＝近江大掾忠広・陸奥守忠吉合作

佩表に近江大掾忠広、佩裏に陸奥守忠吉とそれぞれ切り分けた合作銘です。

長さ、反りともに頃合いで、身幅と重ね尋常、中切先の整った姿恰好であることが出題文と押形からうかがわれます。小板目のよく詰んだ鍛肌。小沸のよくついた匂口の明るい丁子乱の地刃をしています。焼出しがあり、小丸帽子であることから新刀より時代が遡ることはなく、また新々刀まで下ることはその作風から考えられません。大坂新刀、ことに河内守国助の入札は、この丁子は拳形丁子ではありません。押形図からよくみますと丁子の谷に沸が目立って多くついています。これが肥前刀の持ち前であり、これほど沸のついた丁子は国助にはみられません。多々良長幸は大丁子を焼き、一竿子忠綱は丁子でも足長丁子を揃えた刃文の作もありますが、両者ともに本作の刃文の形と比べて相違しています。新々刀の備前祐永もまた刃文の形を見違えたものでしょうし、やはり作位にへだたりがあります。

本作はかなり変化のある刃文です。この刃どりは二代忠広であるより三代忠吉とみられるものです。初代忠吉の晩年作である武蔵大掾忠広鍛の作刀は丁子乱がより大模様になってきます。

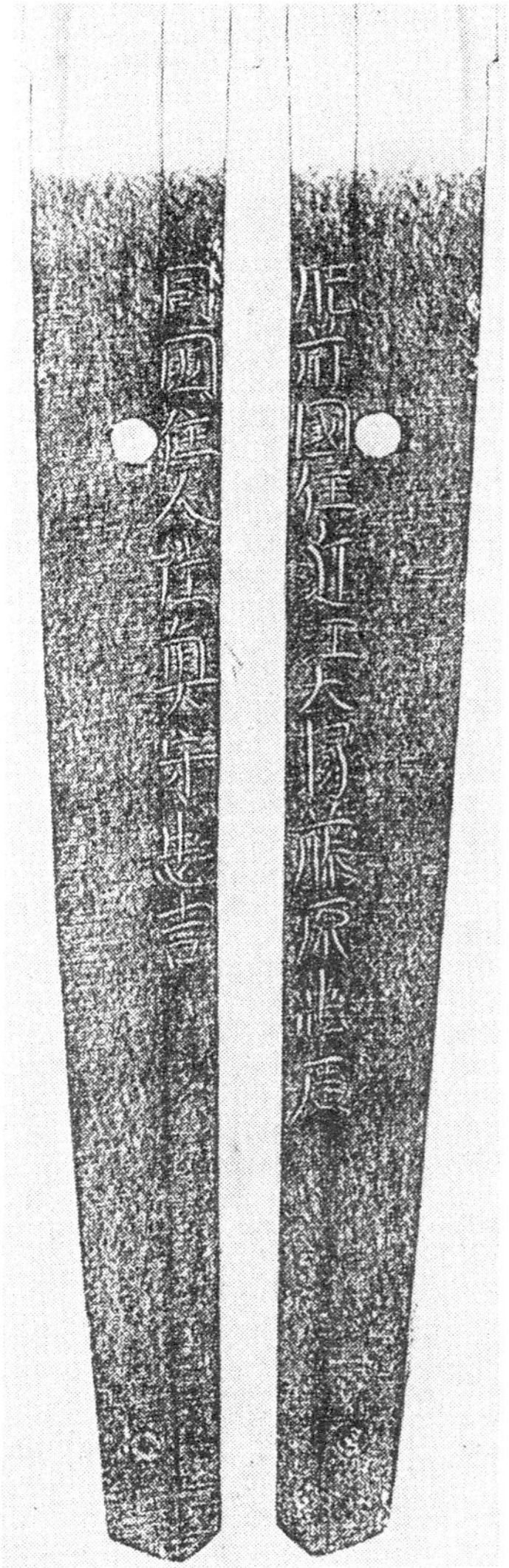

図版索引

付録

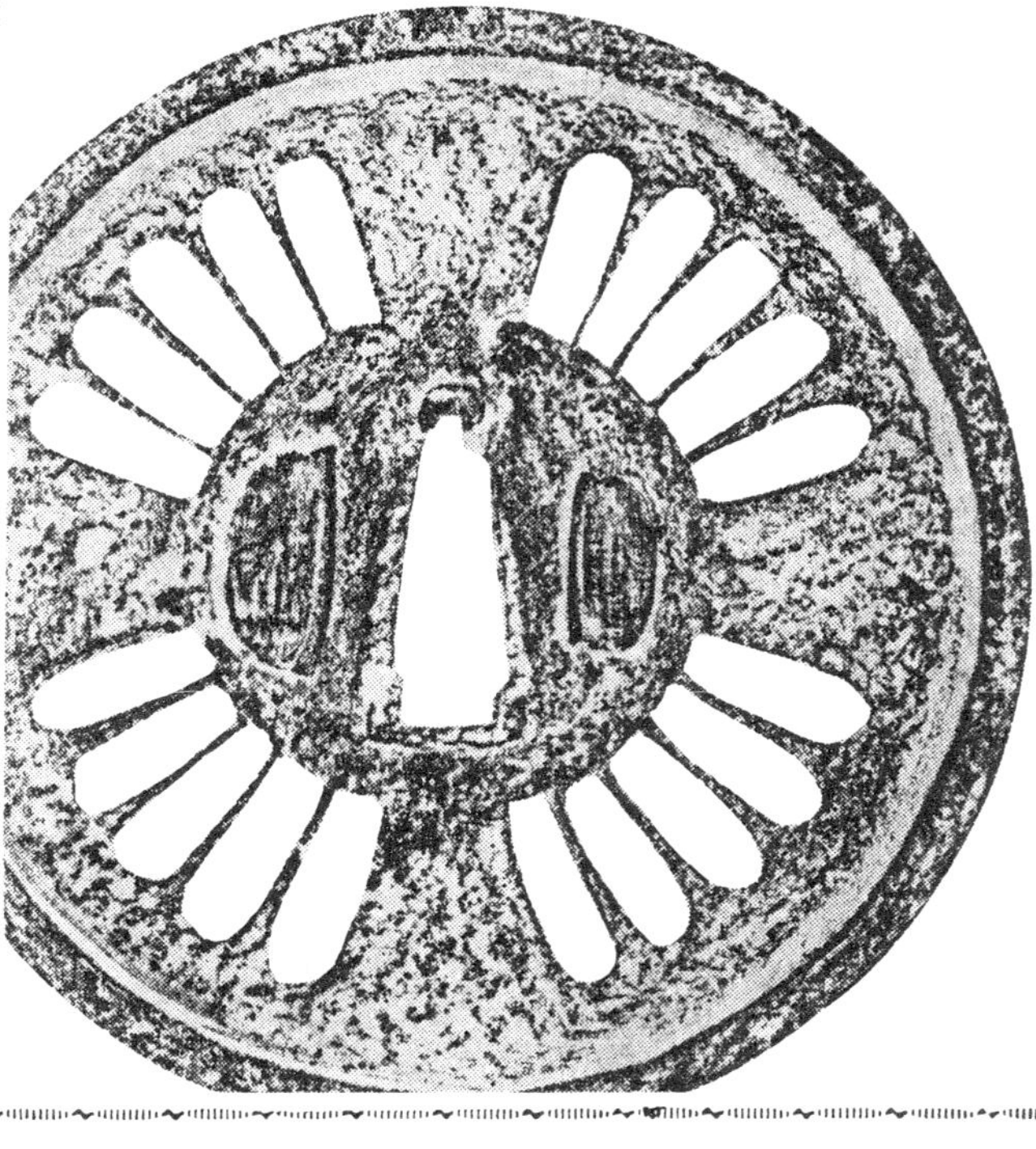

刀工鐔・康継作

刀剣の部所と用語／年代早見表／五畿七道と国別一覧表／当同然表／日本刀史の時代区分／時代別主要刀工一覧

〈刀身各部の名称〉

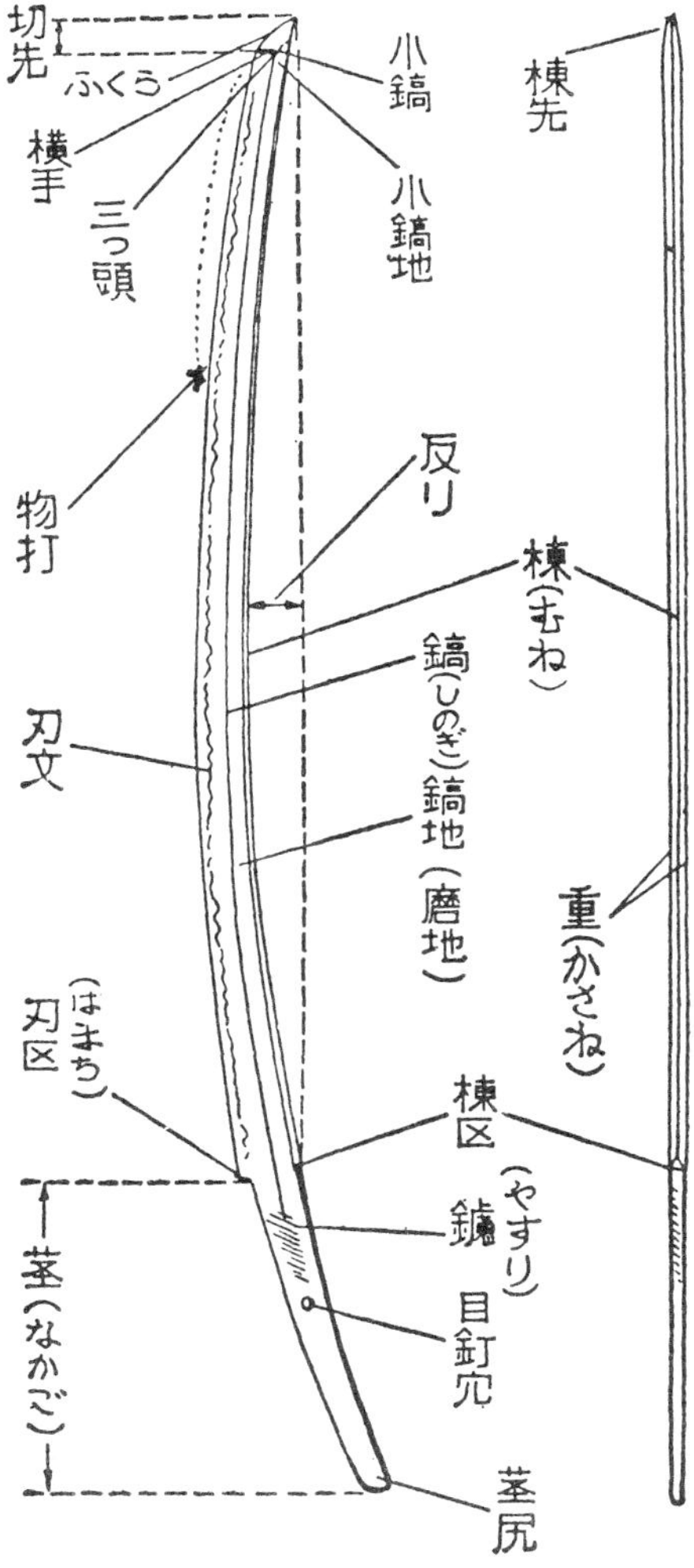

〈刀剣の種類〉

太刀（たち）
刀（かたな）
脇指（わきざし）
短刀（たんとう）
剣（けん）
槍（やり）
薙刀（なぎなた）
長巻（ながまき）

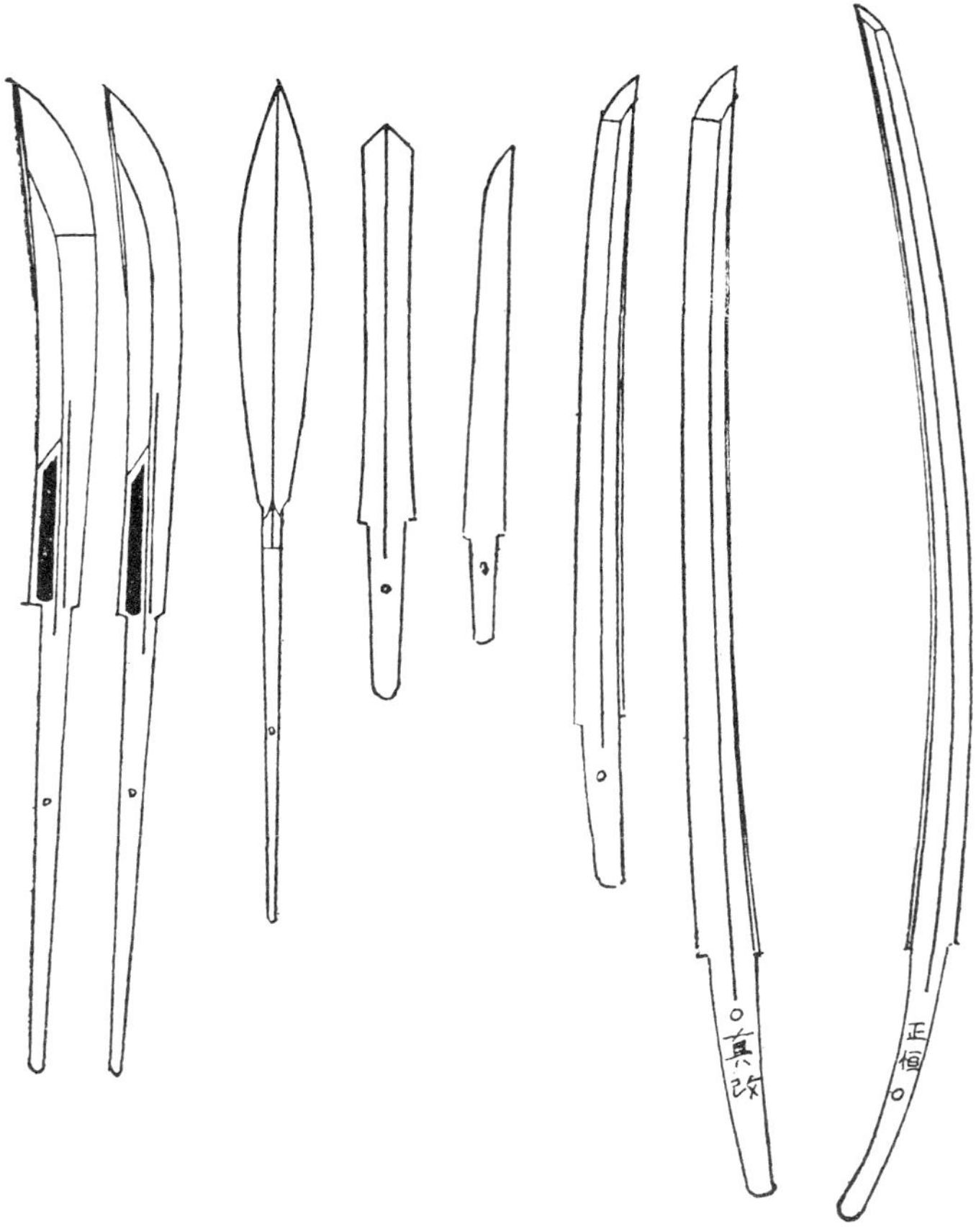

〈反りの種類〉

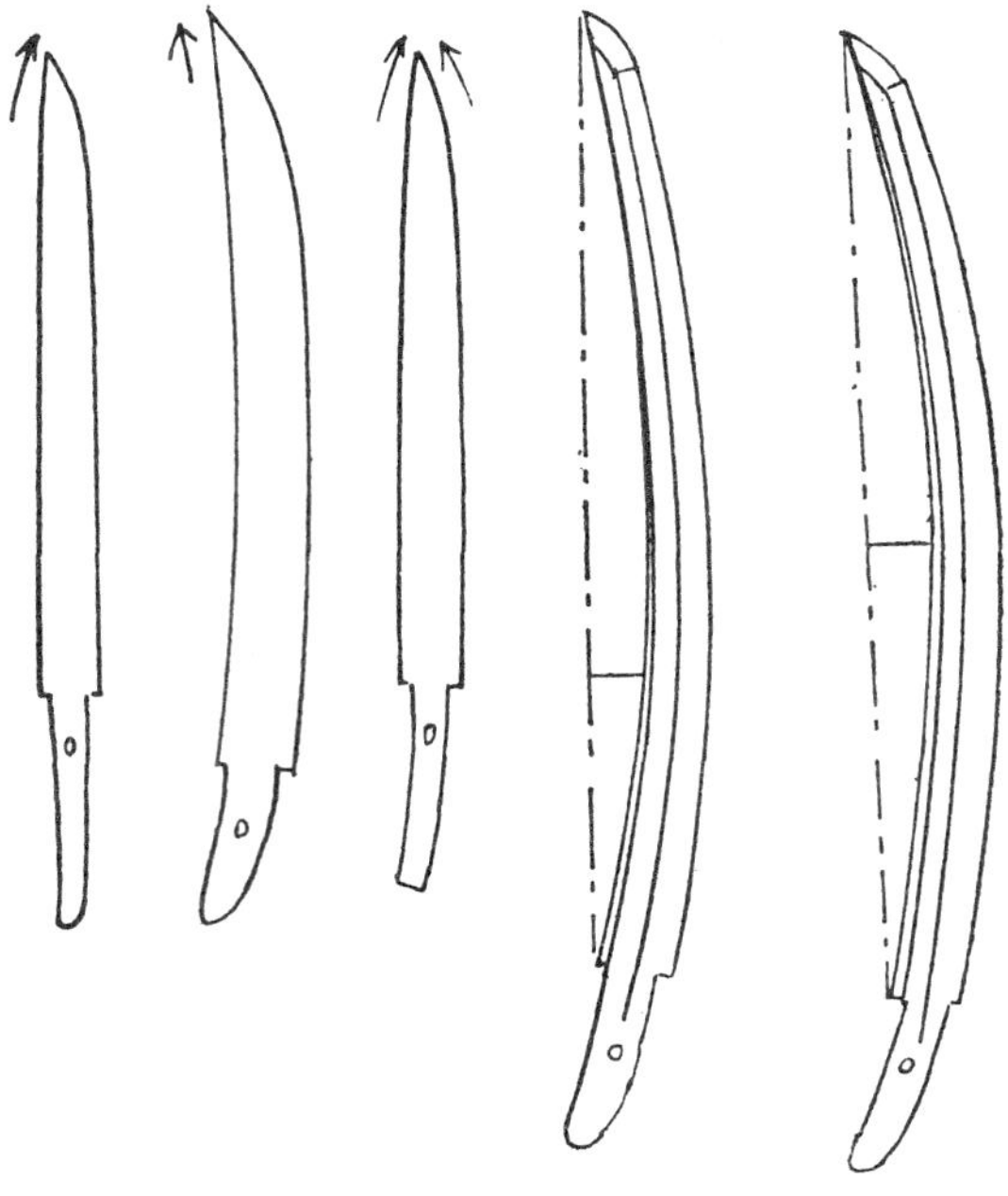

華表《とりい》反り
京反り、笠木反り、鳥居反りともいう。反りの中心が刀身の中央にある。

腰《こし》反り
反りの中心が棟区に寄った腰にある。

筍《たけのこ》反り
短刀に限り、先が内側に伏して、フクラも枯れている。

先《さき》反り
先が外側に反る。

内《うち》反り
刃の方の内側に伏して反る。

〈切先の種類〉

大切先（大鋒）

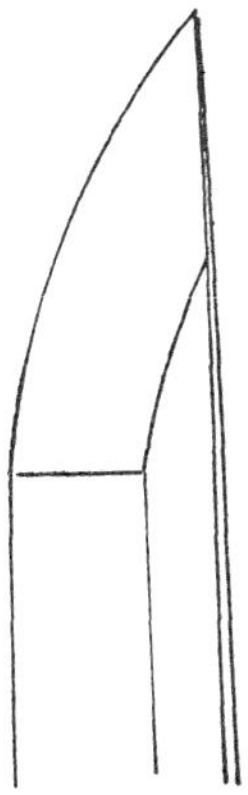

中切先（中鋒）

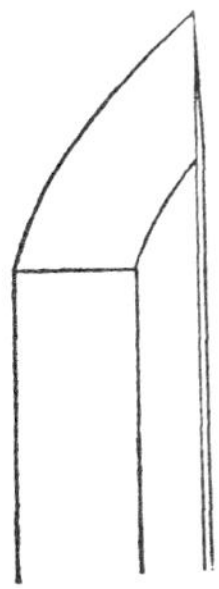

小切先（小鋒）

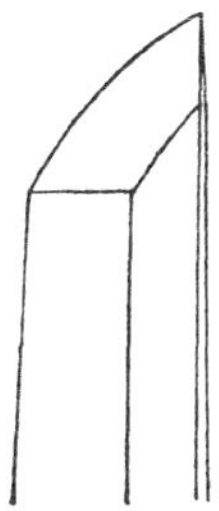

猪首《いくび》切先

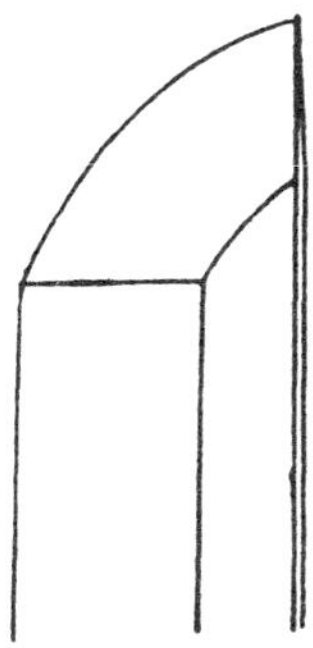

ふくらつく切先

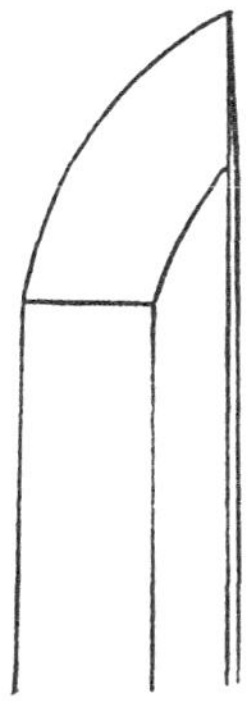

カマス切先（ふくら枯れる切先）

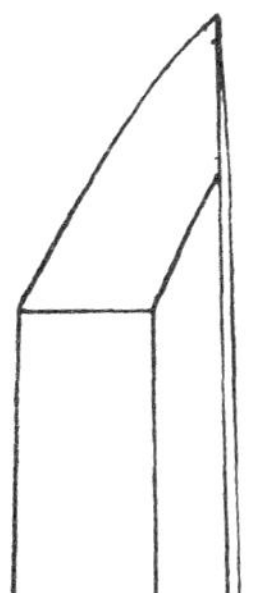

〈造込の種類〉

鎬《しのぎ》造り

平《ひら》造り

片切刃《かたきりは》造り

菖蒲《しょうぶ》造り

冠 落《かんむりおと》し造り

諸刃《もろは》造り（両刃造り）

おそらく造り

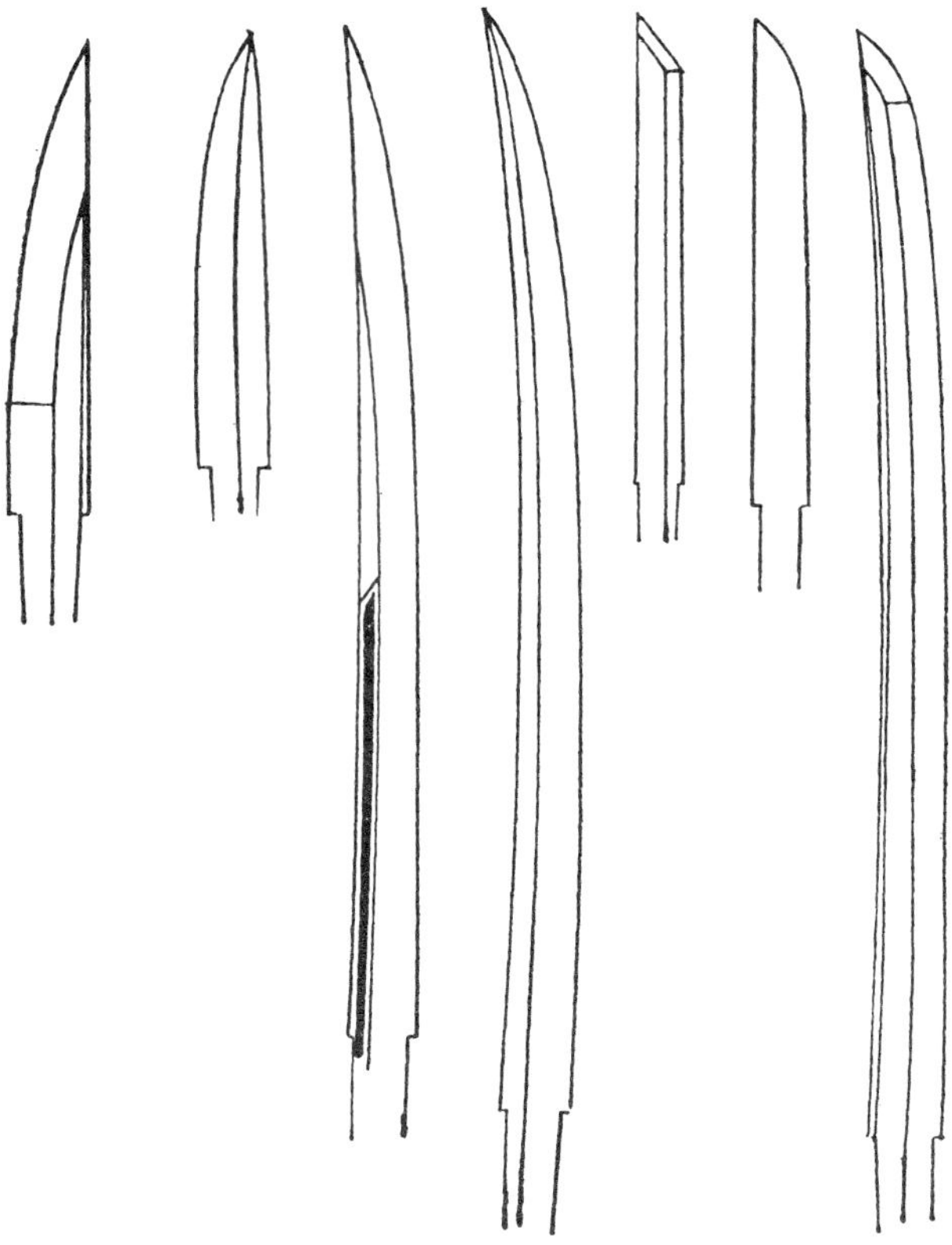

〈棟の種類〉

鎬《しのぎ》造り

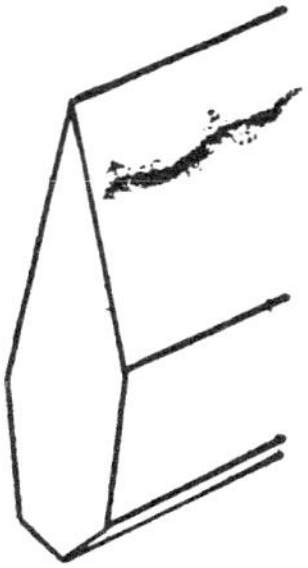

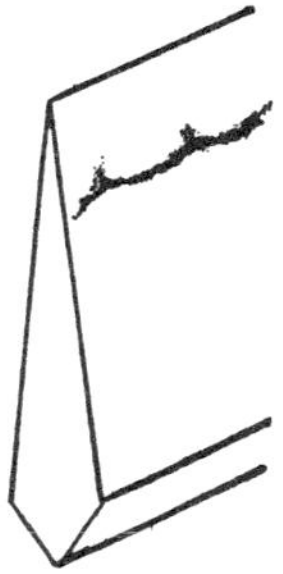

平《ひら》造り

三《み》ツ棟《むね》（真の棟）

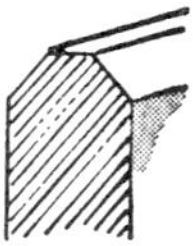

庵棟《いおりむね》（行の棟）

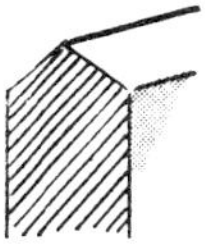

丸棟《まるむね》（草の棟）

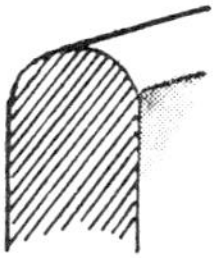

角棟《かくむね》

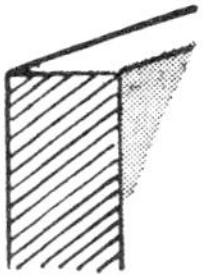

庵棟高い

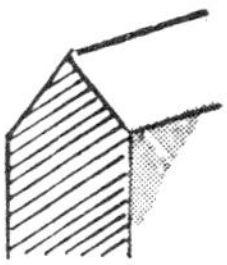

庵棟低い

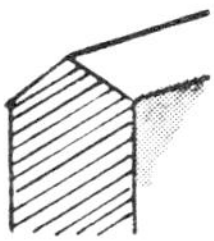

〈鎬の高低と広狭〉

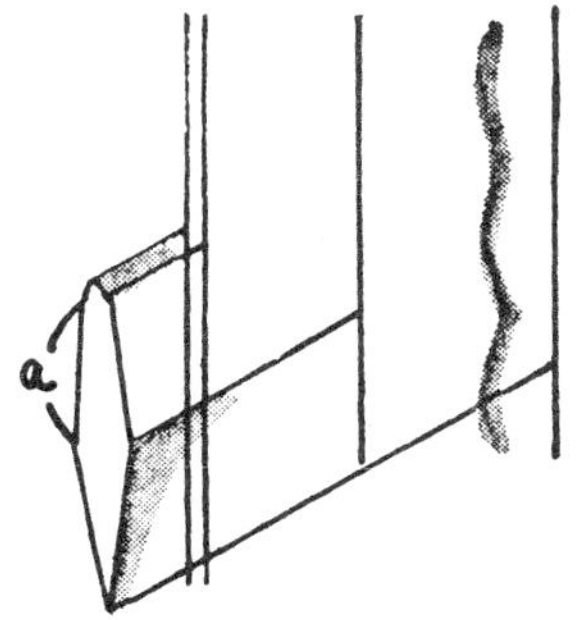

鎬幅《しのぎはば》広い

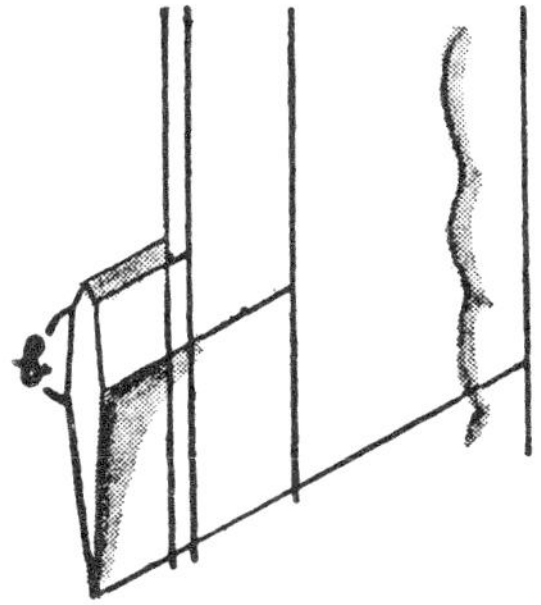

鎬幅狭い

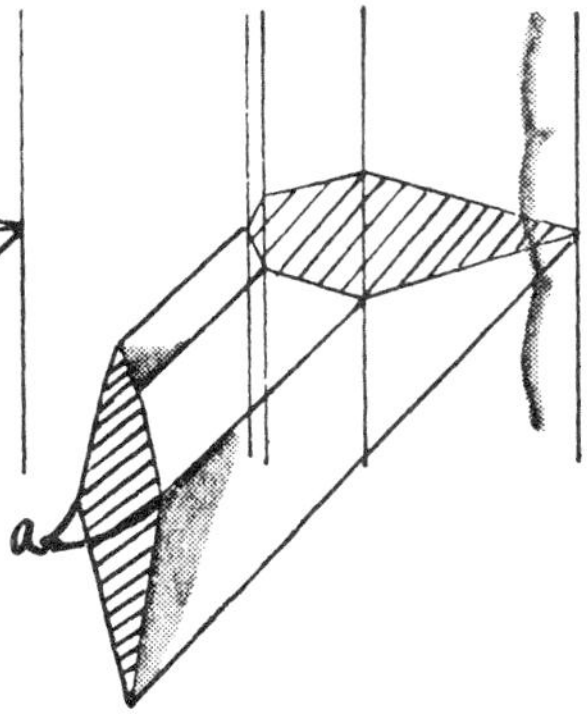

鎬《しのぎ》高い

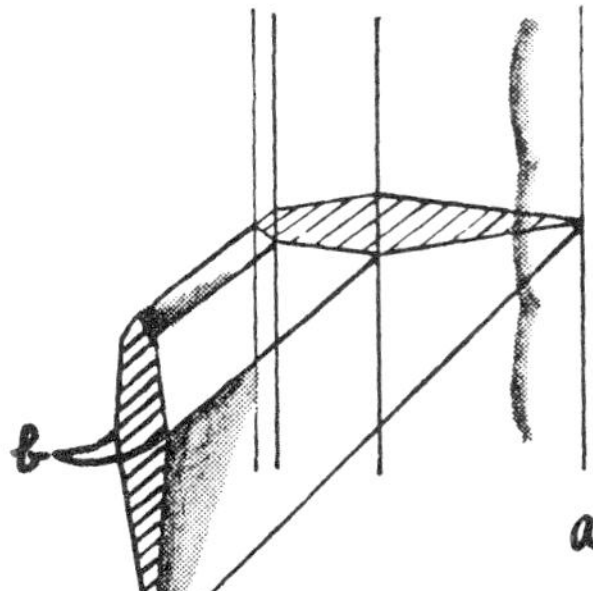

鎬低い

〈刃文の変化と働き〉

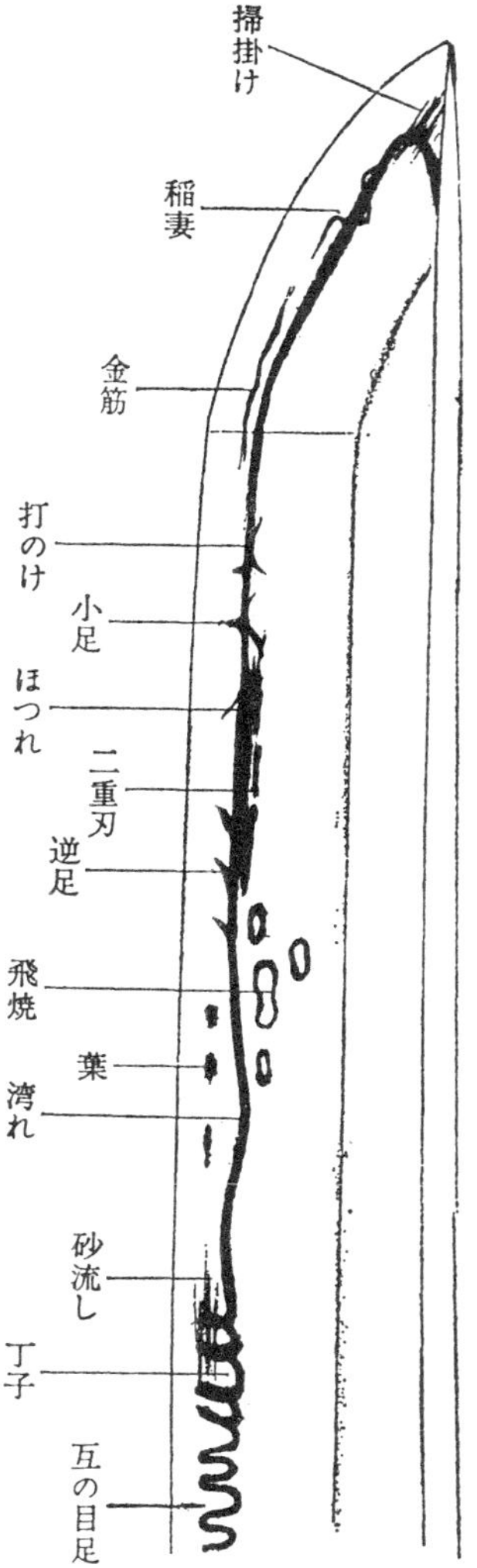

刃文と刃文に付属する動き―直刃、湾れ、丁子、互の目、小足、逆足、二重刃、飛焼

刃文と刃文に付属する変化―掃掛け、砂流し、打のけ、ほつれ、葉

刃文に付属する働き―金筋、稲妻

〈樋の種類〉

棒樋《ぼうひ》（短刀、平造脇指の場合、刀樋という）

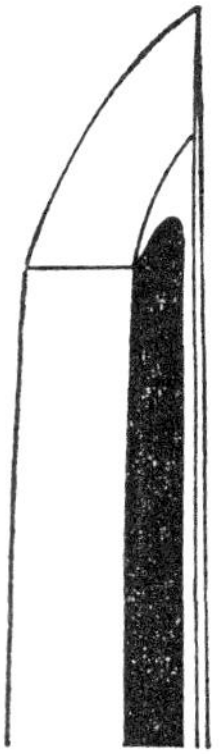

棒樋に連《つれ》樋

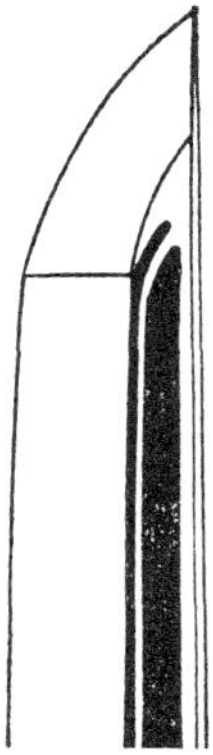

棒樋に添《そえ》樋

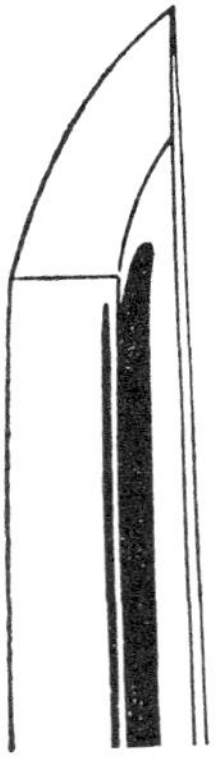

二筋《ふたすじ》樋

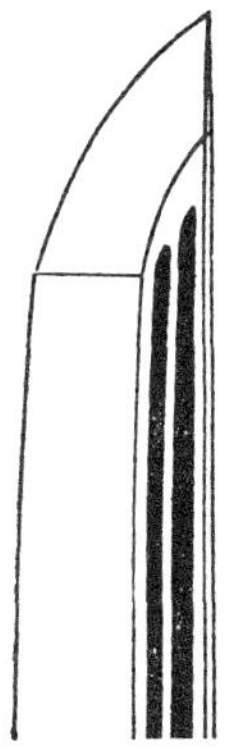

腰《こし》樋

腰樋

薙刀《なぎなた》樋

樋《ひ》先下る

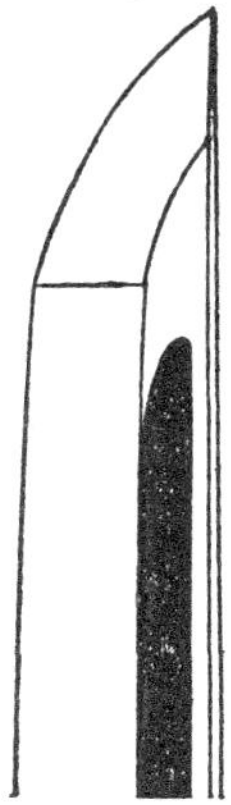

樋先上る

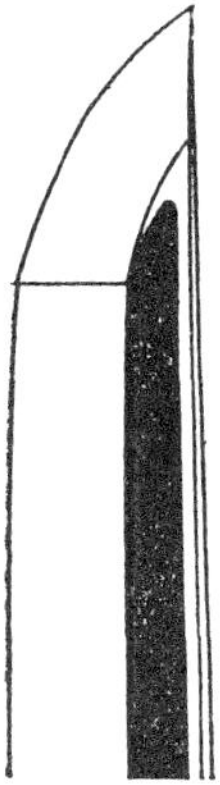

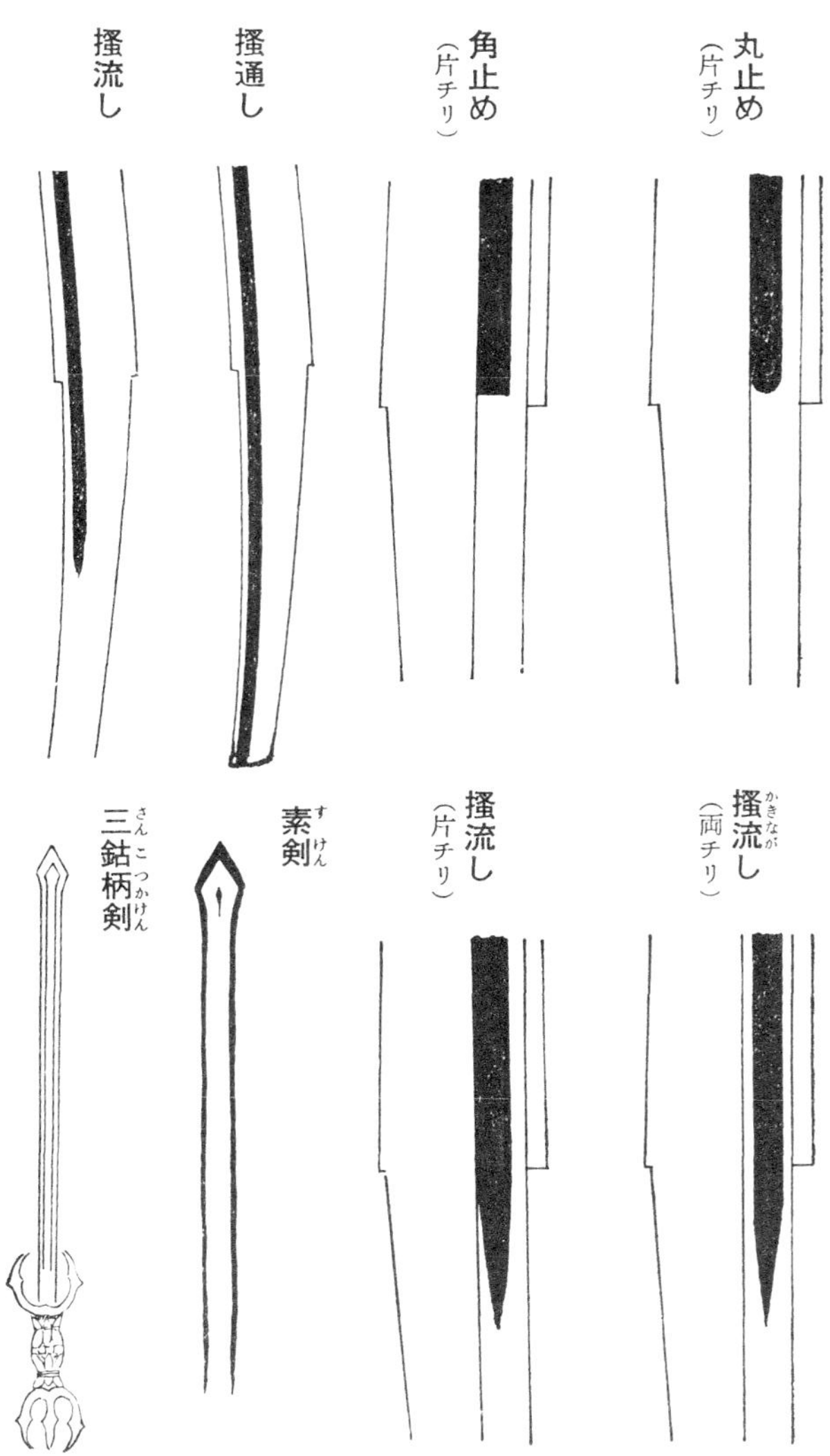

〈茎《なかご》の形状〉

162頁参照

雉子《きじ》股《もも》型

振袖《ふりそで》型

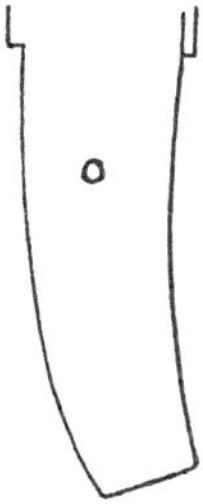

たなご腹型

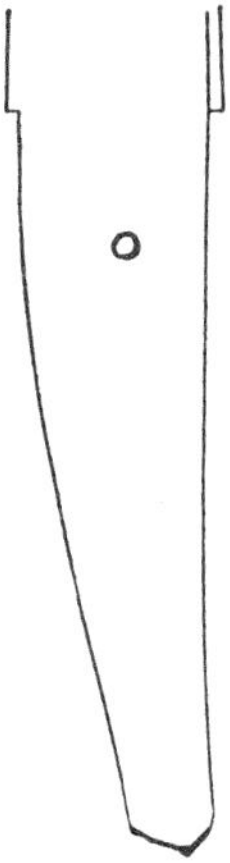

舟《ふな》型

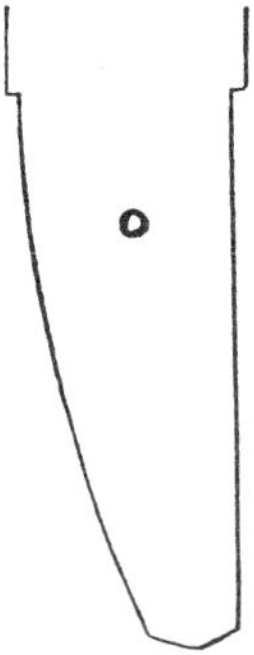

御幣《ごへい》型

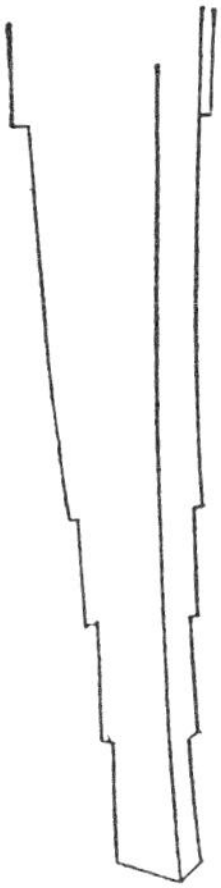

切《きり》（一文字）

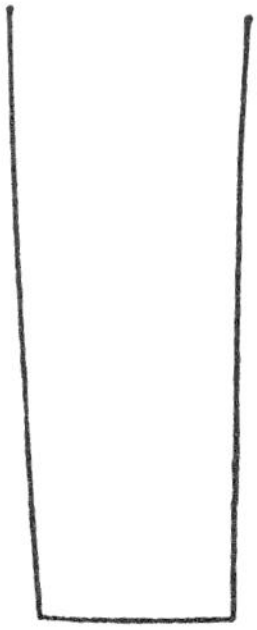

入山《いりやま》形

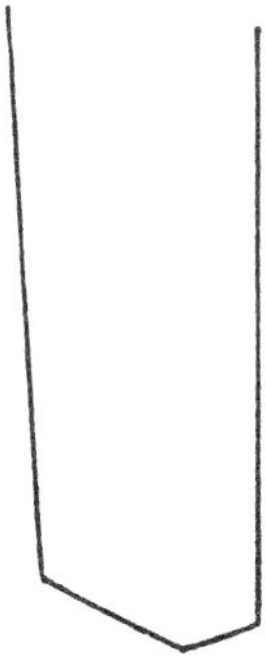

卒塔婆《そとば》頭《がしら》

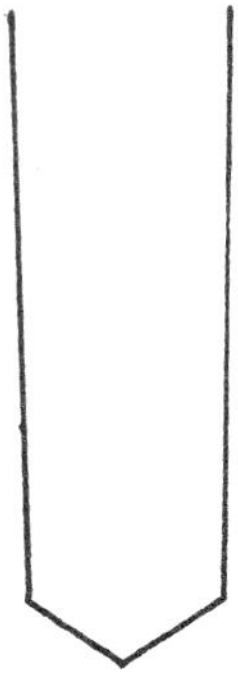

剣《けん》形

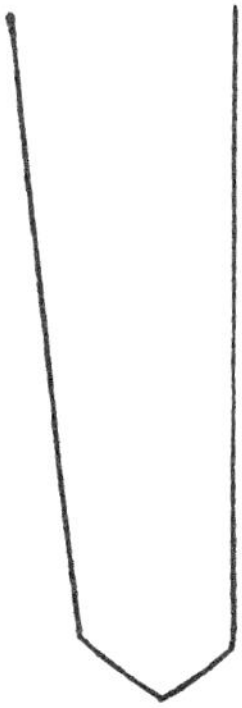

栗尻《くりじり》

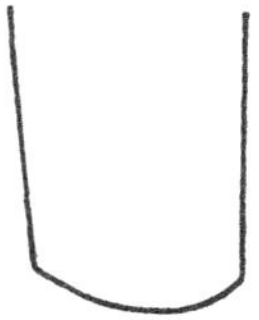

栗尻張《くりじりは》る（高山形）

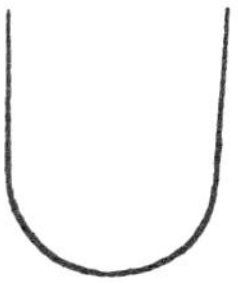

刃上り栗尻（片山形）

生ぶ茎

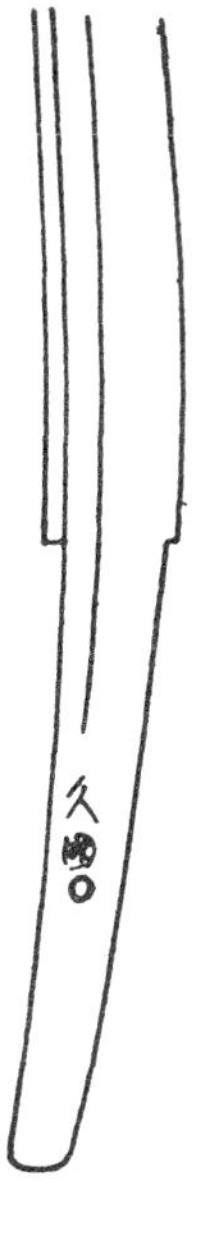

磨上《すりあ》げ茎（摺上）

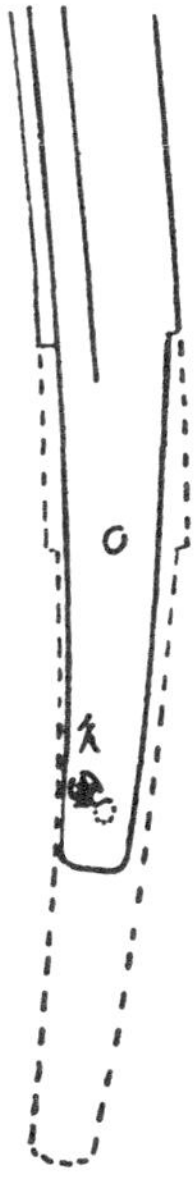

大磨上げ茎（大摺上）

〈銘の種類〉

161頁参照

太刀《たち》銘

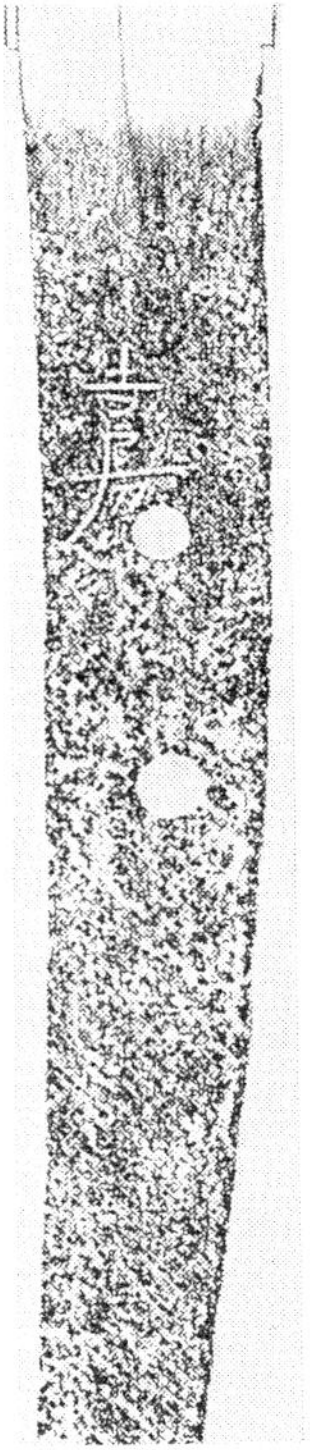

刀《かたな》銘

折返《おりかえ》し銘

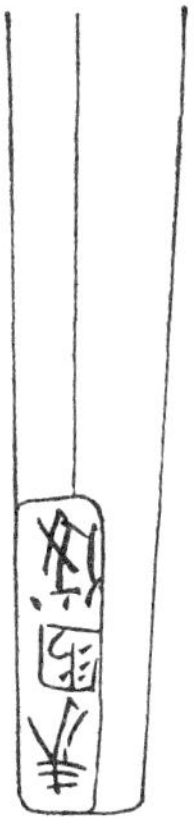

金象嵌銘《きんぞうがんめい》

額《がく》銘

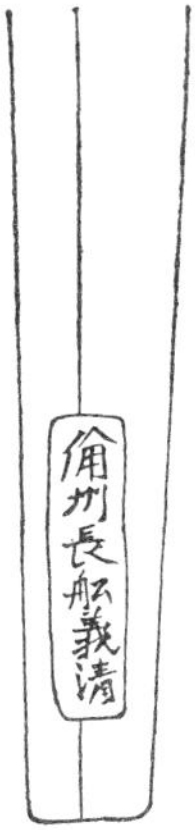

朱銘《しゅめい》

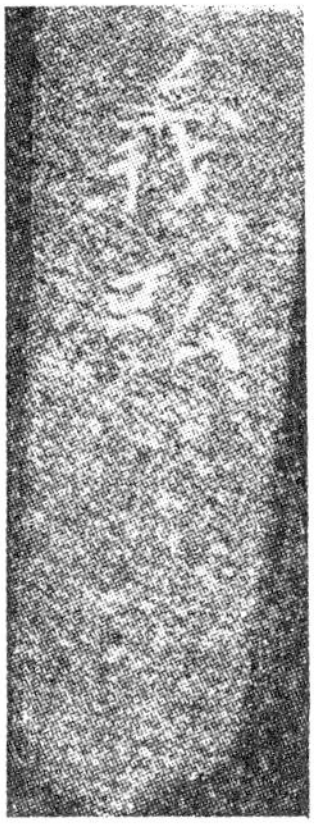

〈鑢目の種類〉163頁参照

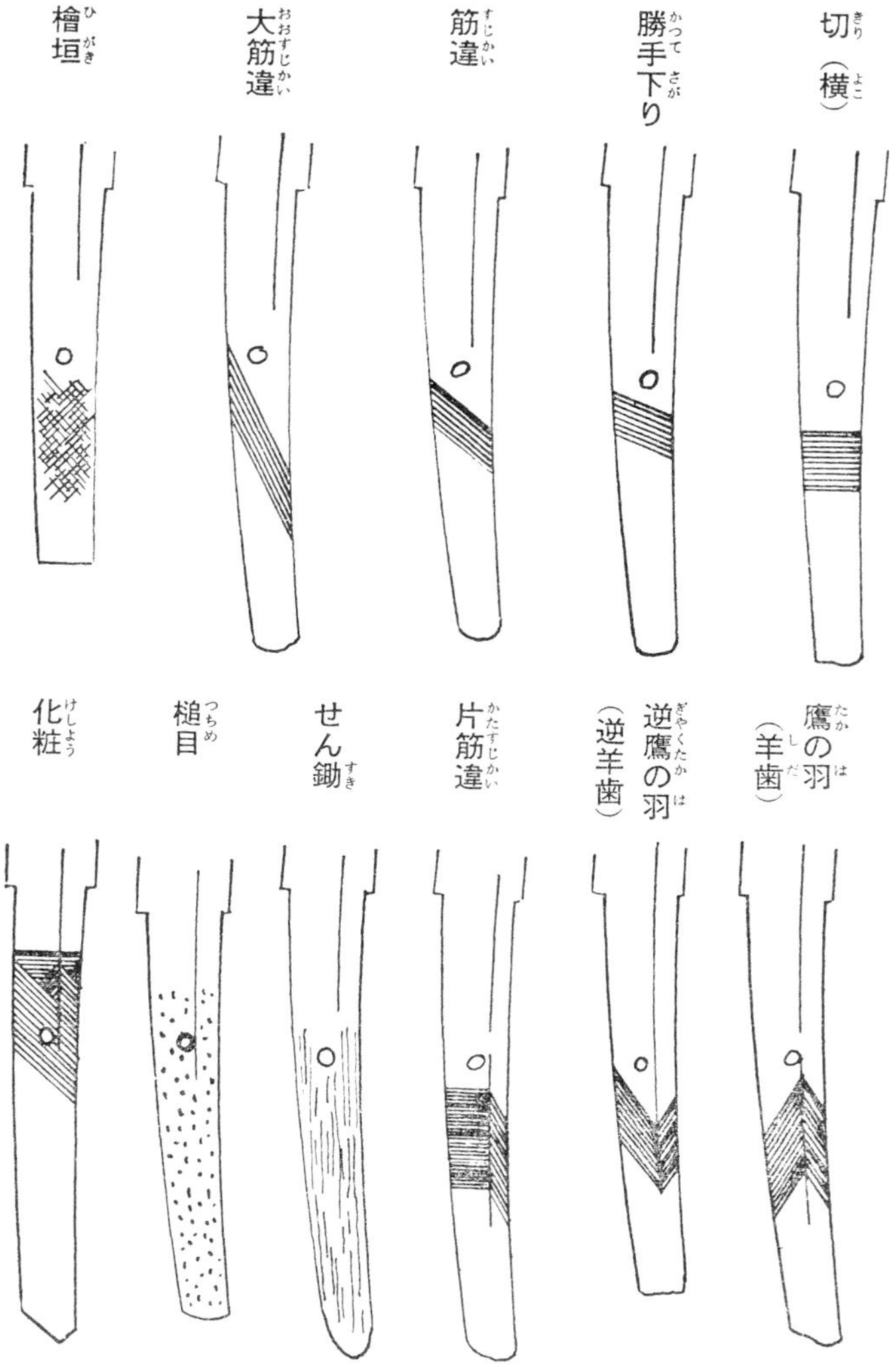

年代早見表

（年号の下の洋数字は継続年数、和数字は平成九年からその年号元年までの逆算）

○太罫は時代区分　○吉野朝時代は右が南朝左が北朝

元暦 1 八一三	文治 5 八一二	建久 9 八〇七	正治 2 七九八	建仁 3 七九六	元久 2 七九二	建永 1 七九一	承元 4 七九〇	建暦 2 七八六
建保 6 七八四	**承久** 3 七七八	貞応 2 七七五	元仁 1 七七三	嘉禄 2 七七二	安貞 2 七七〇	寛喜 3 七六八	貞永 1 七六五	天福 1 七六四
文暦 1 七六三	嘉禎 3 七六二	暦仁 1 七五九	延応 1 七五八	仁治 3 七五七	寛元 4 七五四	宝治 2 七五〇	**建長** 7 七四八	康元 1 七四一
正嘉 2 七四〇	正元 1 七三八	文応 1 七三七	弘長 3 七三六	**文永** 11 七三三	建治 3 七二二	弘安 10 七一九	正応 5 七〇九	永仁 6 七〇四
正安 3 六九八	乾元 1 六九五	**嘉元** 3 六九四	徳治 2 六九一	延慶 3 六八九	応長 1 六八六	正和 5 六八五	文保 2 六八〇	元応 2 六七八
元亨 3 六七六	正中 2 六七三	嘉暦 3 六七一	元徳 2 六六八	元弘 3 六六六 / 正慶 2 六六五	**建武** 2 / 4 六六三	延元 4 六六一 / 暦応 4 六五九	興国 6 六五七 / 康永 3 六五五	正平 24 六五一 / 貞和 5 六五二
観応 2 六四七	文和 4 六四五	**延文** 5 六四一	康安 1 六三六	建徳 2 六三七 / **貞治** 6 六三五	文中 3 六二五 / 応安 7 六二九	天授 6 / 永和 4 六二二	康暦 2 六一八	弘和 / 永徳 3 六一六

元中 9 / 至徳 3 六一三	嘉慶 2 六一〇	康応 1 六〇八	明徳 4 六〇七	**応永** 34 六〇三	正長 1 五六九	**永享** 12 五六八	嘉吉 3 五五六	文安 5 五五三	宝徳 3 五四八
享徳 3 五四五	康正 2 五四二	長禄 3 五四〇	寛正 6 五三七	文正 1 五三二	**応仁** 2 五三〇	文明 18 五二八	長享 2 五一〇	延徳 3 五〇八	明応 9 五〇五
文亀 3 四九六	**永正** 17 四九三	大永 7 四七六	享禄 4 四六九	天文 23 四六五	弘治 3 四四二	永禄 12 四三九	元亀 3 四二七	**天正** 19 四二四	文禄 4 四〇五
慶長 19 四〇一	元和 9 三八二	寛永 20 三七二	正保 4 三五二	慶安 4 三四九	承応 3 三四五	明暦 3 三四二	万治 3 三三九	**寛文** 12 三三六	延宝 8 三二三
天和 3 三一六	貞享 4 三一三	元禄 16 三〇九	宝永 7 二九三	正徳 5 二八六	享保 20 二八一	元文 5 二六一	寛保 3 二五六	延享 4 二五三	寛延 3 二四九
宝暦 13 二四六	明和 8 二三三	安永 9 二二五	天明 8 二一六	寛政 12 二〇八	享和 3 一九六	**文化** 14 一九三	文政 12 一七九	天保 14 一六七	弘化 4 一五三
嘉永 6 一四九	安政 6 一四三	万延 1 一三七	文久 3 一三六	元治 1 一三三	慶応 3 一三二	明治 44 一一九	大正 □ 八五	昭和 63 七一	平成 9 八

五畿七道と国別一覧表

(1)**畿内**〈五カ国〉
山城　(京都)
大和　(奈良)
摂津
河内
和泉　(大阪)

(2)**北陸道**〈七カ国〉
越後
佐渡　(新潟)
越中　(富山)
加賀　(石川)
能登　(石川)
越前
若狭　(福井)

(3)**東山道**〈十三カ国〉
出羽
羽後　(秋田)
羽前　(山形)

陸奥
陸奥　(青森)
陸中　(岩手)
陸前　(宮城)
磐城
岩代　(福島)
下野　(栃木)
上野　(群馬)
信濃　(長野)
飛驒
美濃　(岐阜)
近江　(滋賀)

(4)**東海道**〈十五カ国〉
(安房、志摩は刀工未見)
常陸　(茨城)
上総
下総　(千葉)
武蔵　(東京)
　　　(埼玉)
相模　(神奈川)
伊豆
駿河
遠江　(静岡)

三河
尾張　(愛知)
伊勢
伊賀　(三重)
甲斐　(山梨)

(5)**山陽道**〈八カ国〉
播磨　(兵庫)
備前
美作
備中　(岡山)
備後
安芸　(広島)
周防
長門　(山口)

(6)**山陰道**（八カ国）
(隠岐、丹後刀工未見)
丹波　(京都)
但馬＝　(兵庫)
因幡
伯耆　(鳥取)
出雲
石見　(島根)

(7)**南海道**〈六カ国〉
紀伊　(三重)
　　　(和歌山)
淡路　(兵庫)
讃岐　(香川)
伊予　(愛媛)
土佐　(高知)
阿波　(徳島)

(8)**西海道**〈九カ国〉
筑前
筑後　(福岡)
豊前　(福岡)
豊後　(大分)
肥前　(佐賀)
　　　(長崎)
肥後　(熊本)
日向　(宮崎)
大隅
薩摩　(鹿児島)

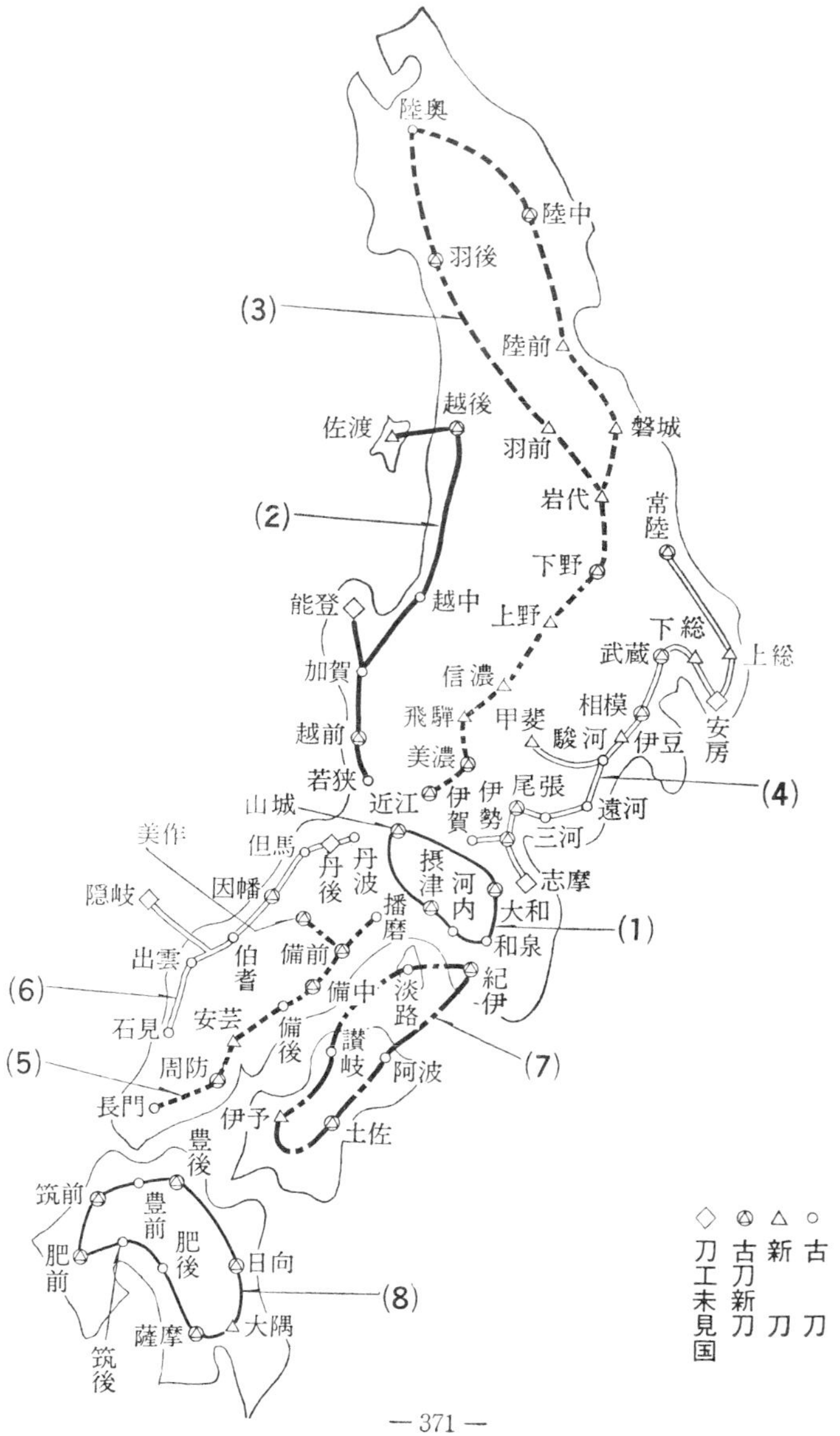
陸奥
陸中
羽後
(3)
陸前
越後
佐渡
羽前
磐城
岩代
常陸
(2)
下野
能登
越中
上野
下総
武蔵
上総
加賀
信濃
相模
飛騨
甲斐
安房
越前
駿河
伊豆
美濃
若狭
(4)
伊賀
尾張
山城
近江
伊勢
遠河
三河
美作
但馬
丹後
丹波
摂津
河内
志摩
隠岐
因幡
大和
播磨
(1)
伯耆
備前
和泉
出雲
紀伊
備中
淡路
(6)
安芸
石見
備後
讃岐
阿波
(7)
(5)
周防
長門
伊予
土佐
豊後
筑前
豊前
肥後
肥前
日向
(8)
大隅
薩摩
筑後
◇ 刀工未見国
古刀新刀
△ 新刀
○ 古刀

〔当　同　然　表〕

古　刀　編

畿内	山城	三条宗近，三条吉家，五条兼永，五条国永 綾小路定利 粟田口則国，同国友，同国綱，同吉光，同国吉 来国行，国俊，来国俊，来国光，来国次，来光包，了戒 来国真，来国長，信国 長谷部国重，同国信，同国平，来国真 了戒，了久信，信国 平安城長吉（村正と同然），三条吉則，鞍馬物
	大和	当麻，尻懸（則長），竜門（延吉） 手掻（包永，包清，包氏） 千手院 保昌（貞宗，貞吉，貞興） 金房
東海道	武蔵	下原（康重，周重，照重）
	相模	新藤五国光，行光，正宗 行光，正宗，貞宗 貞宗，信国 秋広，広光，高木貞宗 （広正，広次，正広，助広，吉広 綱広，総宗，康春（末相州物）
	駿河	島田（義助，助宗）
	伊勢	村正（平安城長吉と同然），正重，正真
東山道	陸奥	月山，宝寿
	美濃	志津兼氏，直江志津（兼次，兼友，兼信） 兼元，兼定（の定，ひき定） 兼常，兼吉，兼国（末関物） 金重，金行 大道，氏房，氏貞，氏信
	近江	高木貞宗，甘呂俊長

北陸道	越後	桃川長吉，秦長義，山村正信
	越中	義弘，則重 則重，為継，真景（加賀） 宇多（国房，国光，国宗）
	加賀	藤島（友重，行光，信長） 勝家，家次，景光，清光
	越前	千代鶴（国安，守弘）
	若狭	冬広
山陰道	但馬	国光
	因幡	景長，行景
	伯耆	安綱，真守，有綱 広賀
	出雲	忠貞，吉井吉則，同清則
	石見	直綱，貞綱 貞行，貞末，祥末
山陽道	備前	古備前物——正恒，友成 古一文字——則宗，助宗，成宗，福岡一文字 一文字｛福岡，吉岡，片山，正中各派 　　　　吉房，助真，則房，吉平，助吉，助光 国宗系——三郎国宗，二郎国貞 畠田系——守家（景光と同然），真守 雲類——雲生，雲次，雲重 （長船三作——長光，景光，真長 （光忠系——光忠，景秀，長光 景光，景政，初代兼光 元重（和気物と同然），近景（景光と同然） 長義系——長義，兼長，長重，長守 兼光系——兼光，倫光，義光，基光，政光 吉井系——景則，清則，吉則，永則

山陽道	備前	大宮系——盛重，盛景，師景 小反物——秀光 応永備前——盛光，康光，利光，師光 永享備前——経家，家助，則光，祐光 末備前——宗光，勝光，治光，祐定
	備中	古青江(鎌倉初期まで)，正恒，貞次，康次，守次 中青江(鎌倉末期まで) 末青江(南　北　朝　期)　} 直次，次直，次吉，吉次
	備後	古三原正家，正広 末三原，貝三原，法華一乗
	周防	二王清綱，清永
	長門	安吉(長州左)，顕国
南海道	紀伊	入鹿，簀戸国次
	阿波	海部氏泰，氏吉
	土佐	吉光
西海道	筑前	入西，実阿，西蓮 左，安吉，行弘，弘安，吉貞 金剛兵衛盛高
	筑後	三池光世，典太 大石左，家永，貞永
	豊前	長円 筑紫信国
	豊後	定秀，行平 高田友行，時行 筑紫了戒，能定
	肥前	平戸左（筑後大石左と同然）
	肥後	延寿国村，国資，国時，国吉 同田貫正国，上野介
	日向	古屋実忠，国広（堀川同人）
	薩摩	波平行安，安家

〔当　同　然　表〕

新　刀　編

畿内	京	埋忠明寿，肥前忠吉，肥後守輝広，東山美平 埋忠一門 堀川系——国広，国安，国儔，国路，正弘，弘幸 三品系——丹波守吉道，伊賀守金道，越中守正俊 近江守久道，丹後守兼道 南海太郎朝尊，千種有功，駒井慶任
	大坂	国貞系——和泉守国貞，井上真改，北窓治国 助広系——越前守助広，近江守助直 大和系——越後守包貞，坂倉照包(二代包貞同人)，陸奥守包保 国助系——河内守国助，伊勢守国輝，肥後守国康 忠綱系——近江守忠綱，一竿子忠綱，聾長綱 石堂系——多々良長幸，大坂石堂 月山系——月山貞吉，貞一 尾崎助隆，正隆，黒田鷹諶
	大和	筒井紀充
東海道	江戸	下坂系——康継，継平 虎徹系——虎徹興里，興正，興久，興直 法城寺系—正弘，貞国，国光 康継，上総介兼重，大和守安定 石堂系——是一，光平，常光 繁慶，繁昌，正慶 水心子系—正秀，貞秀，直胤，直勝，正義，正次 清麿系——清麿，清人，真雄，信秀，正雄 長運斎綱俊，固山宗次，泰竜斎宗寛 左行秀
	常陸	坂東太郎卜伝，市毛徳隣，勝村徳勝
	尾張	政常系——相模守政常，美濃守政常 信高系——伯耆守信高
	相模	綱広

東山道	陸前	国包系——山城大掾国包，山城守国包 安倫系——安倫
	岩代	三善系——会津長国，三善長道
	美濃	飛騨守氏房，信濃守大道 御勝山永貞
	近江	佐々木一峰
北陸道	加賀	兼若系——兼若，高平，景平，清平 清光系——清光，行光 陀羅尼勝国
	越前	下坂系——康継，肥後大掾貞国，兼法，重高，正則 堀川系——山城守国清
山陽道	播磨	手柄山正繁，氏繁
	備前	横山祐定，七兵衛祐定，祐永，祐包
	備中	水田国重
	安芸	肥後守輝広，播磨守輝広
南海道	紀伊	南紀重国，文珠重国
	土佐	左行秀（江戸にても） 南海太郎朝尊（京にても）
西海道	筑前	信国系——吉包，吉政，重包，吉包 石堂系——守次，是次
	筑後	鬼塚吉国
	豊後	高田系——藤原行長，統行，貞行
	肥前	忠吉系——初代忠吉，二代忠広，三代忠吉， 四代忠吉，初代正広，二代正広 初代忠国，二代忠国，伊予掾宗次， 初代行広，二代行広
	薩摩	伊豆守正房，備後守氏房 主水正正清，正盛，正近 一平安代，安在 大和守元平，元武 伯耆守正幸，正良

日本刀史の時代区分

時代	年数	期	区分	年号	刀の区分
上古時代 平安時代	（約三八〇年）	第 1 期	古墳時代・平安中期		（直刀時代）
		第 2 期	平安中期・鎌倉初期	永延 元暦	
鎌倉時代	（約一五〇年）	第 3 期	鎌倉中期	貞永	古刀
		第 4 期	鎌倉末期	嘉元	
吉野時代	（約六〇年）	第 5 期	吉野〈前期・後期	建武 延文・貞治	
室町時代	（約二〇〇年）	第 6 期	室町〈初期・中期	応永 永享	
		第 7 期	室町末期（戦国時代）	応仁	
桃山時代	（約五〇年）	第 8 期	江戸初期（桃山時代）	慶長	新刀
江戸時代	（約二三〇年）	第 9 期	江戸中期	正保	
		第 10 期	江戸末期（幕末時代）	文化・文政	新々刀
明治	（四五年）		明治		
大正	（一五年）	第 11 期	大正		現代刀
昭和			昭和〈前期（終戦前）・後期（戦後）		

時代別主要刀工一覧

第一期　古墳時代～平安中期以前

〈大和〉天国、天座

第二期　平安中期以後～鎌倉初期

〈山城〉菊御作
三条派—宗近、吉家、近村
五条派—兼永、国永
粟田口派—国友、久国、国安、国清、有国
〈備前〉古備前派—友成、正恒、真恒、恒光、恒次、利恒、正次、助平、包平、信房、助包、吉包、国包、高包、成高、高綱、行秀、国継、基近、近包、助村、助守、景安、景依、安清、行光、秀近、光忠、真利、則重、広光
福岡一文字(古一文字)派—一、則宗、助宗、安則、成宗、尚宗、助則、助成、助茂、重久、宗吉、宗忠、貞真、延房、信房、信正、吉宗
〈備中〉古青江派—正恒、恒次、貞次、守次、康次、延次、助次、次家、俊次
〈伯耆〉安綱、真守、有綱、安家
〈筑後〉光世
〈豊前〉神息、長円
〈豊後〉行平、定秀
〈薩摩〉波平行安

第三期　鎌倉中期

〈山城〉粟田口派—国吉、吉光、国光、国綱、則国
綾小路派—定利、定吉
来派—国行、二字国俊、来国俊
了戒派—了戒
平安城派—光長
〈河内〉有成
〈備前〉友成（嘉禎）、一
福岡一文字派—吉房、則房（片山一文字）、助真（鎌倉一文字）、吉平、吉家、家忠、助秀、助綱（鎌倉一文字）
長船派—光忠、景秀、長光、順慶
吉岡一文字—助吉
畠田派—守家
直宗派—二郎国貞、三郎

国宗
〈備中〉片山一文字派―則房、真
利
〈安芸〉入西
〈周防〉二王派―清綱
〈相模〉国綱、国宗、助真、新藤
五国光
〈陸奥〉宝寿
〈丹波〉丹波来国定
〈筑前〉良西、入西

■第四期　鎌倉末期

〈山城〉粟田口派―初代有国
来派―国光、国次、国真
国末、倫国、光包（中堂
来）、国宗、国秀
了戒派―了久信
〈大和〉当麻派―国行、長有俊、
友清、
手掻派―包永、包清
尻懸派―則長
保昌派―貞継、貞吉、貞
宗、貞清、
千手院派―千手院、康重
力王、
竜門派―延吉
別派―助光
〈摂津〉国長（中島来）
〈備前〉福岡一文字派―吉用、吉
元、為清、長則
吉岡一文字―助光、助義
岩戸一文字―吉家
長船派―真光、真長、長
元、景光、景政、近景、
兼光、元重、古元重
宇甘派―雲生、雲次
畠田派―真守、守重
和気派―重助、親依
〈備中〉青江派―次吉、吉次、直
次
〈備後〉三原派―正家
国分寺派―助国
〈相模〉新藤五国広、行光、正宗
貞宗
〈近江〉高木貞宗
〈陸奥〉宝寿、舞草、世安
〈因幡〉景長
〈伯耆〉国宗
〈筑前〉実阿、西蓮
〈肥後〉延寿派―国村、国友、国
資、国泰、国吉、国時、
国信
〈薩摩〉波平行安、安家

■第五期　吉野朝期

〈山城〉信国
長谷部派―国重、国信
達磨派―重光、正光
〈大和〉千手院派―義弘、義広、
長吉
当麻派―友長、国清、国
友
手掻派―包貞、包真、包

俊、包清、包吉、包行、
包友、包永、包宗、包重
保昌派―貞興、貞光、貞
真
〈備前〉兼光（二代）、義光、倫
光、基光、政光、重光、
義景、長義、長重、長守
兼長
宇甘派―雲重
小反派―成家、恒弘、秀
光
大宮派―盛景、盛重
吉井派―為則、景則
〈備中〉青江派―次直、貞次、家
次
〈備後〉三原派―正広、正光
〈長門〉安吉、顕国
〈相模〉広光、秋広
〈近江〉甘露俊長
〈美濃〉外藤、兼氏
直江志津派―兼友、兼次

兼信、金重、金行
〈陸奥〉宝寿
〈出羽〉月山、月山軍勝
〈越前〉千代鶴国安、国行
〈加賀〉真景、藤島友重
〈越中〉則重、為継、郷義弘
宇多派―国光、国宗
〈越後〉桃川長吉、秦長義
〈但馬〉法城寺国光
〈因幡〉景長
〈石見〉直綱
〈筑前〉左文字派―左、安吉、弘
安、行弘、国弘、吉貞、
冷泉、貞盛
〈豊後〉高田友行、時行、真行、
実行

■第六期　■第七期　室町期

〈山城〉信国
平安城派―長吉、吉則、
達磨正光
〈大和〉当麻派―有法師
尻懸派―則長
金房派―政次、正真、正
実、政長
〈和泉〉加賀四郎貸正
〈備前〉長船派―師光、盛光、康
光、家助、経家、祐光、
則光、忠光、勝光、宗光
清光、祐定、永光、法光
春光
〈備中〉青江派―長次
〈備後〉貝三原派―正真、正清、
正近、法華一乗、辰房重
光、五阿弥貞信、鞆貞次
〈周防〉二王派―清景、清永
〈伊勢〉千五派―村正、正重、正
真
雲林院派―政盛
〈三河〉薬王寺派―助次
〈遠江〉高天神派―兼明
〈駿河〉島田派―義助、助宗、広

助

〈相模〉広正、正広、綱広、広次助広、康春、総宗、綱家

〈武蔵〉下原派―周重、康重、照重、広重

〈近江〉甘露顕光

〈美濃〉兼氏、包氏、千手院、兼元、兼基、兼定、金光
善定派―兼吉、兼信、兼重
奈良太郎派―兼光、兼常兼行、兼久
三阿弥派―兼則、兼音、兼国、兼春、行満、兼行
兼房派―兼房、氏房、氏貞、大道
坂倉派―正吉、正利
蜂屋派―兼貞、兼正
志賀派―兼延、兼次

〈陸奥〉宝寿、舞草光長、森宗

〈出羽〉月山、近則、正信、吉久

〈若狭〉冬広、宗吉

〈越前〉千代鶴派―国安、守弘
浅古当麻派―信国

〈加賀〉藤島友重、行光、景光、家次

〈越中〉宇多国宗、国房、国次、国久、国弘

〈越後〉桃川長吉、山村正信、安信

〈但馬〉法城寺国光

〈因幡〉景長

〈伯耆〉広賀

〈出雲〉忠貞、浪貞、吉井清則、吉則、

〈石見〉直綱、貞綱、貞末、祥末

〈紀伊〉入鹿実綱、実弘、簀戸国次

〈阿波〉海府氏吉、泰吉、氏泰

〈土佐〉吉光

〈筑前〉金剛兵衛盛高

〈筑後〉三池、大石左家永、良永

〈豊後〉平長盛、鎮盛、定盛、鎮教

〈肥前〉平戸左盛吉、重次、盛行盛重、大村光世

〈肥後〉同田貫派―上野介、左馬介国勝、正清

〈日向〉古屋実忠、国昌、国広（古屋打）

〈薩摩〉波平行安、安行

■第八期　江戸初期（桃山時代）

〈京〉埋忠明寿、重義、吉信
堀川派―国広、藤原広実国安、出羽大掾国路、大隅掾正弘、平安城弘幸、尼崎国幸、阿波守在吉、国正、国政、
三品派―伊賀守金道、来金道、丹波守吉道、越中守正俊

〈大坂〉国貞派―和泉守国貞（初

代）
国助派―河内守国助（初代）
包貞系―陸奥守包保（左陸奥）
〈河内〉舞鶴友英
〈尾張〉相模守政常、飛騨守氏房
伯耆守信高
〈江戸〉越前康継、野田繁慶
〈美濃〉陸奥守大道
〈陸前〉山城大掾国包
〈越前〉下坂系―肥後大掾貞国、肥後大掾兼法、兼植、兼則
堀川系―山城守国清
〈加賀〉兼若、家忠
〈伯耆〉三郎兵衛広賀
〈備中〉三郎兵衛国重、大与五国重、理兵衛為家
〈安芸〉肥後守輝広、播磨守輝広
〈紀伊〉南紀重国、手播包国
〈筑後〉鬼塚吉国
〈肥前〉肥前国忠吉、河内大掾正広、播磨大掾忠国、伊予掾宗次、出羽大掾行広、土佐守忠吉、橋本吉信
〈肥後〉同田貫上野介
〈薩摩〉伊豆守正房

■第九期　江戸中期

〈京〉東山美平
三品派―伊賀守金道（二代以降）、来金道（二代以降）、丹波守吉道（二代以降）、越中守正俊（二代）、近江守久道（初二代）、石道正俊、山城守歳長、陸奥守歳長、信濃守信吉
〈大坂〉国貞派―井上真改（二代国貞）北窓治国、土肥真了、加賀守貞則、和泉守国虎
国助派―河内守国助（二代以降）、伊勢守国輝、肥後守国康、武蔵守輝政
石見守国助
助広派―そぼろ助広（初代）、越前守助広（二代）
近江守助直、越前守照広
包貞系―越後守包貞（初代）、越後守包貞（二代）
坂倉言之進照包（二代包貞同人）、陸奥守包保（右陸奥）、伊賀守包道
忠綱派―近江守忠綱（初代）、一竿子忠綱（二代）
鬢長綱、摂津守忠行
石堂系―多々良長幸、河内守康永
三品系―丹波守吉道、大和守吉道、丹後守兼道、越中守包国、上野守吉国

陸奥守吉行
その他―越前守信吉、山城守秀辰、疋田清信、鬼神丸国重
〈大和〉筒井紀充（後に河内）
〈尾張〉美濃守政常、肥後守秦光代、豊後守正全、出雲守氏貞、阿波守貴道、武蔵守盛道、伯耆守信高（二代以降）
〈伊勢〉千子正重
〈駿河〉島田義助、助宗、広助、広次
〈相模〉綱広、伊勢大掾綱広
〈江戸〉下坂系―康継（二代以降）、近江守継平
虎徹派―長曽祢虎徹、興正、興久、興直
法城寺派―橘正弘、貞国
国正、吉次、正照、国吉
兼重系―和泉守兼重、上総介兼重
石堂系―武蔵大掾是一、是一（二代以降）、対馬守常光、出羽守光平、越前守宗弘
野田繁慶、繁昌、小笠原長旨、大和守安定、和泉守盛国、出雲守吉武、河内守包定、相模守国綱、上野介吉正
下原系―康重、正宗、武蔵太郎安国
〈常陸〉大村加卜、坂東太郎卜伝
〈近江〉佐々木一峯
〈美濃〉田代源一兼元
〈陸前〉山城守国包（二代）、国包（三代以降）、伊達綱宗、藤原安倫、摂津守永重、陸奥守綱重
〈陸中〉進藤国義
〈岩代〉会津長国、政長、三善長道、会津兼定
〈若狭〉若狭大掾冬広
〈越前〉播磨大掾重高、日向大掾貞次、大和大掾正則、兼正、兼高、伯耆守汎隆、近江守継広、筑後守包則
下坂継利
〈加賀〉兼若（二代以降）、景平、有平、是平、八幡山清平
播磨大掾清光、近江大掾行光、陀羅尼勝国、友重
〈因幡〉信濃大掾忠国、日置兼光
〈伯耆〉広賀
〈出雲〉大明京
〈播磨〉大和大掾氏重、手柄山氏繁、右作宗栄
〈備前〉横山上野大掾祐定、七兵衛祐定、河内守祐定、大和大掾祐定、岡山国宗
〈備中〉水田国重
〈長門〉二王方清

〈紀伊〉南紀重国（二代以降）、土佐将監為康、康広、康綱

〈土佐〉上野守吉国、陸奥守吉行上野大掾国益、上野守久国

〈筑前〉信国派―吉包、重包、吉政、吉貞
福岡石堂派―守次、是次

〈豊後〉高田派―藤原行長、友行貞行、統行、統景、忠行政平、輝行、松葉本行

〈肥前〉近江大掾忠広、陸奥守忠吉、近江大掾忠吉、近江守忠吉、河内守正広（二代）、播磨守忠国（二代）出羽守行広（二代）、伊予掾宗次（二代）、遠江守兼広

〈薩摩〉主水正正清、正近、正盛主馬首安代、安在、安行安貞、国平、安周、忠清

■第十期　江戸末期（幕末時代）

〈大坂〉月山派―月山貞吉
尾崎源五右衛門助隆、天竜子正隆

〈江戸〉水心子系―水心子正秀、白熊入道正秀、大慶直胤次郎太郎直勝、水心子正次、弥門直勝、氷心子秀世、細川正義、正守、忠義、義規、城慶子正明、藤枝太郎英義、清水久義
固山系―固山宗次、宗平泰竜斎宗寛、久保田宗明精壮斎宗有
加藤系―加藤綱英、綱俊運寿是一、高橋長信
清麿派―源清麿、栗原信秀、鈴木正雄、斎藤清人山浦真雄、山浦兼虎左行秀、舞鶴友英、川井久幸、一貫斎義弘

〈常陸〉直江助政、市毛徳隣、勝村徳勝、水戸烈公、直江助共、助俊、横山祐光

〈尾張〉政常（後代）

〈相模〉綱広

〈美濃〉御勝山永貞

〈上野〉震鱗子克一

〈岩代〉松軒元興、棟梁長道、和泉守兼定（十代、十一代）
陸奥介弘元

〈羽前〉池田一秀

〈陸前〉国包（十二代）

〈因幡〉浜部寿格、寿実、兼先

〈備前〉横山祐永、祐包、祐平、逸見義隆

〈周防〉青竜軒盛俊、藤田永弘

〈筑前〉左行秀、南海太郎朝尊、信国光昌

〈肥前〉六代忠吉、八代忠吉、正

広（後代）
〈肥後〉松村昌直、延寿国秀、同田貫宗広
〈薩摩〉伯耆守正幸、大和守元平、奥元武、大和守行安、波平行周

■第十一期　明治・大正・昭和

明治・大正

〈大阪〉月山貞一、貞勝
〈東京〉宮本包則、二代綱俊、羽山円真、桜井正次、笠間繁継、堀井胤吉、胤明、日置兼次
〈岡山〉逸見義隆

昭和（前期）

〈東京〉栗原昭秀、今野昭宗、吉原国家、天田貞吉、宮口寿広、梶山靖利、小谷靖憲、村上靖延
〈埼玉〉佐藤昭則
〈秋田〉柴田果
〈岐阜〉渡辺兼永、梶山靖徳
〈京都〉井上貞包
〈佐賀〉中尾忠次、藤田忠光
〈室蘭〉堀井俊秀
〈福岡〉守次則定、小山信光、紀政次
〈岡山〉高橋義宗
〈広島〉越水盛俊
〈水戸〉勝村正勝
〈山形〉池田靖光

昭和（後期・終戦後）

〈東京〉秋元昭友、石井昌房、塚本起正、塚本喜昭、酒井繁政、宮口恒寿、八鍬靖武、吉原義人、荘二、清光忠次、島崎靖興
〈愛媛〉高橋貞次、今井貞重
〈大阪〉月山貞一、月山貞利、川野貞重、水野正範、沖芝正次
〈新潟〉遠藤光起、天田昭次、新保義治
〈埼玉〉小沢岩造
〈長野〉宮入昭平、宮入清平、高橋次平
〈群馬〉大隅俊平
〈千葉〉森岡正尊
〈岐阜〉加藤兼房、川瀬光兼、中田兼秀、金子兼元
〈青森〉二唐国俊、二唐国次
〈福島〉佐藤重親
〈鳥取〉森脇正孝、金崎秀寿、金崎助寿、小林吉永
〈島根〉川島忠善、守谷宗光、原沖光
〈岡山〉今泉俊光、今泉宗光、大木俊宗
〈岩手〉岩本徳光
〈石川〉隅谷正峯、山口清房
〈奈良〉喜多貞弘、辰巳正道
〈福岡〉宗勉、宗政人、宗正光、

広木呂周、原政人
〈愛知〉筒井清兼、橋本武則
〈宮城〉高橋信房
〈室蘭〉堀井胤次、堀井信秀、渡辺安秀
〈静岡〉榎本貞吉、磯部光司
〈福井〉橋本昭嘉
〈佐賀〉元村保則、元村兼元
〈熊本〉谷川盛吉
〈岩手〉安本吉光
〈栃木〉細川正義
〈滋賀〉竹下祐光
〈徳島〉小島貞寿

あとがき

入札鑑定は他の美術工芸品の世界にはなく、刀剣社会にのみ行われている鑑賞の一方法として、古くから広く行われており、善用すれば鑑識の向上に益すること多大である。それは茎をかくし、刀身をみて、ルールに従って作者をあてるのである。刀身は姿と地鉄と刃文とで構成されている。このうち地鉄を紙上で表現することはかえって弊を招き易く、やはり実物に接して明らかにすることが最も近道である。姿と、ことに刃文は本書に図解してかなり詳しく述べたつもりである。

日本刀の鑑定には刀身と二分する茎の要素が重要である。ここに作者が切銘する銘字がある。その主要刀工銘を時代を追って掲載し、かつ真銘と偽銘との比較の図解にも広くスペースをとった。その多くは刀剣春秋新聞に八年間連載したものの中から代表的なものを引いて、なお加筆したものである。本書はこれから刀剣を研究しようとする人にいささかでも入門の手引きとなり、またすでに研究を進めている人には備忘のお役に立つとすればまことに幸である。佐藤寒山師に格別のご指導をいただいたことを記して心からの感謝の意とする。

昭和四十六年三月

六年ぶりに旧版を改訂増補して「新日本刀の鑑定入門」をまとめた。四十頁を増加し、新たに刀姿図鑑、彫物図表、銘の鑑別図解を加え、図版の索引を付した。挿絵の刀工鐔も新規のものととり替えたので、楽しみながらご活用いただければ大変に幸である。

昭和五十二年如月

著　者

〔著者紹介〕

広井雄一（ひろい・ゆういち）

1936年東京に生まれる。国学院大学卒業。文化庁文化財保護部美術工芸課、東京国立文化財研究所を経て、文部科学省文化審議会専門委員、刀装具美術館館長などを歴任。著書に『日本の美術73 備前鍛冶』（至文堂）、『刀剣のみかた 技術と流派』（第一法規出版）、『日本刀大鑑』（共著・大塚巧藝社）、『日本刀重要美術品全集』（編著・舟山堂）などがある。

飯田一雄（いいだ・かずお）

1934年東京に生まれる。1962年刀剣春秋新聞社を設立。「刀剣春秋」新聞を創刊し、日本刀、刀装具、甲冑武具などの書籍を刊行するとともに、鑑定、評価、評論にたずさわる。著書に『百剣百話—わが愛刀に悔なし』『日本刀・鐔・小道具価格事典』（以上光芸出版）、『越前守助廣大鑑』『甲冑面もののふの仮装』『刀剣百科年表』（以上刀剣春秋新聞社）、『金工事典』『刀工総覧』『井上真改大鑑』（以上共著・刀剣春秋新聞社）などがある。

新日本刀の鑑定入門～刃文と銘と真偽～〔新装版〕

2010年11月10日 第1刷発行
2018年 3月 1日 第3刷発行

編　者　広井雄一　飯田一雄
発行者　宮下玄覇
発行所　刀剣春秋
〒102-0083 東京都新宿区左門町21（宮帯出版社内）
TEL 03-3355-5555 FAX 03-3355-3555
URL http://toukenshunju.com
発売元　㈱宮帯出版社
〒602-8488 京都市上京区真倉町739-1
TEL 075-441-7747 FAX 075-431-8877
URL http://www.miyaobi.com
振替口座 00960-7-279886
印刷所　富士リプロ㈱

©2010 刀剣春秋 ISBN978-4-86366-080-9 C3070